Tɪʀʊ n GERDDOR

ALUN GUY

TYFU'N GERDDOR

bwthyn
GWASG Y BWTHYN

Cyhoeddwyd gan Gwasg y Bwthyn,
36 Y Maes, Caernarfon, Gwynedd LL55 2NN
post@gwasgybwthyn.cymru
www.gwasgybwthyn.cymru
Tel: 01558 821275

ISBN: 978-1-913996-1-78
Hawlfraint:
©Gwasg y Bwthyn, 2022 ⓦ
©Alun Guy, 2022 ⓦ
Mae Alun Guy wedi datgan ei hawl dan
Ddeddf Hawlfreintiau, Dyluniadau a Phatentau 1988
i gael ei gydnabod fel awdur y llyfr hwn.

Cyhoeddwyd gyda chymorth ariannol
Cyngor Llyfrau Cymru.

Cyflwyniad

Mae'n bleser gen i gyflwyno'r gyfrol hon
er serchus gof am fy rhieni annwyl,

DAVID THOMAS GUY
ac
ANNIE HUGHES GUY

Buont ill dau
yn gymorth hawdd ei gael ar bob achlysur,
ac yn gefnogol i mi, fy chwaer Janie a fy mrawd Iwan
drwy gydol ein bywydau.

CYNNWYS

trosodd /

Diolchiadau

YN BENNAF OLL, diolch i'r golygydd Marred Glynn Jones o Wasg y Bwthyn am ofalu fod y gyfrol yn mynd trwy Wasg y Bwthyn yn ddiogel, heb anghofio am y cysodwr Dylan Williams am ei waith clodwiw yn sicrhau fod diwyg y llyfr a'r lluniau more ddeniadol. Bu'r ddau yn gymorth hawdd ei gael ar hyd y daith.

Hoffwn ddiolch hefyd i Geraint Lloyd Owen a fu'n bennaf gyfrifol am yr ysgogiad a'r cymhelliad i lunio f'atgofion ar glawr a chadw.

Yn ystod fy ngyrfa fel beirniad Cerdd, bûm yn rhannu bwrdd y beirniaid droeon gyda'r Cyn-archdderwydd Geraint Lloyd Owen. Roedd Geraint yn swnian byth a hefyd am i mi lunio cyfrol yn olrhain hanes fy mywyd fel athro, arweinydd Cymanfaoedd a beirniad Eisteddfodol.

Fy ymateb bob tro oedd dweud wrtho fod i'n brysur iawn ar ganol ysgrifennu gwerslyfrau a threfnu cerddoriaeth ar gyfer ysgolion a chorau ac ati. Ymhen hir a hwyr, addewais y byddwn yn llunio fy hanes pan ddelo'r amser a'r cyfle.

Fel petai ffawd wedi ymyrryd yn fy mywyd prysur, wele Covid yn siglo'r byd at ei seiliau: daeth fy swydd fel arholwr teithiol Safon A Cerdd i ben yn ddisymwth. Doedd dim sgriptiau Cerdd TGAU i'w marcio a'u hasesu nac ymarferion Côr ychwaith i'w trefnu'n wythnosol. Yn sydyn, roedd gen i'r amser i gloriannu fy hanes a gwireddu fy addewid i'r Cyn-archdderwydd.

Rhagarweiniad

DAW TEITL yr hunangofiant hwn o'r gyfrol *Tyfu'n Gymro* gan gyn-athro i mi yn ysgol Uwchradd Cathays, y diweddar W. C. Elfed Thomas; athro a fu'n eicon i gynifer ohonom dros gyfnod maith.

Roedd ei sêl a'i frwdfrydedd dros bopeth oedd a wnelo â Chymreictod a'r iaith Gymraeg yn heintus ac yn bellgyrhaeddol. Efe yn anad neb a daniai'r fflam gystadleuol ynom drwy annog ei ddisgyblion i gystadlu'n flynyddol yn Eisteddfod Cathays.

Bûm yn pendroni gryn dipyn dros ddefnyddio geiriau megis 'datblygu' neu 'aeddfedu' neu hyd yn oed 'esblygu' wrth geisio disgrifio'r broses o aeddfedu. Ond yn y pen draw, credaf mai' 'tyfu' yw'r gair mwyaf addas wrth olrhain fy hanes.

Gobeithio y cewch chithau, ddarllenwyr annwyl, fwynhad wrth gydgerdded gyda mi, gan nodi'r dylanwadau a'r digwyddiadau, rhai'n ddoniol ac eraill yn ddifrifol, fu'n llywio cwrs fy mywyd.

Alun Guy
Y Mynydd Bychan

I

Faciwîs

ROEDD Y Prif Weinidog Neville Chamberlain wedi chwifio'r darn enwog o bapur Cytundeb Munich pan anwyd fy chwaer Janie ym Medi 1938. Erbyn i minnau gael fy ngeni 15 mis yn ddiweddarach yn Rhagfyr 1939 doedd dim sôn am 'Peace in our time'. Roedd yr Ail Ryfel Byd wedi dechrau a chymylau duon yn ymledu dros y wlad. Pawb yn ymbaratoi am ryfel. Dyma fu cefndir teulu bach y Guys cyn y byddai'n rhaid iddynt adael bro eu mebyd newydd, Caerdydd.

Bu Nhad, David Thomas Guy, yn löwr ym Mhenclawdd cyn mynd i Goleg Harlech ac yna ymlaen i fod y myfyriwr cyntaf o Goleg Harlech i ennill gradd yng Ngholeg Prifysgol Cymru Aberystwyth. Roedd fy mam hithau, Annie Hughes o Waunarlwydd, yn astudio yng Ngholeg Hyfforddi Abertawe i fod yn athrawes ac yna'n brifathrawes. Wedi uno'r ddeuddyn hyn mewn priodas yn Abertawe, prynwyd tŷ yn y brifddinas yn ardal y Mynydd Bychan. Yma yr ymsefydlodd Mr a Mrs D. T. Guy a'u dau blentyn Janie ac Alun. Ond chwalwyd gobeithion y teulu ifanc yn fuan iawn.

Gwyddai fy rhieni, a phawb arall yn y stryd, pan fyddai'r Luftwaffe a'u bomiau dinistriol ar y ffordd. Byddai sain drôn undonog yr awyrennau dieflig Heinkel i'w clywed ymhell i ffwrdd – tebyg i sŵn ugain o offerynnau bas dwbl yn chwarae'r un nodyn mewn cerddorfa. Byddai ofn dirfawr arnaf wrth glywed grŵn yr awyrennau. Gallaf gofio'r sain frawychus yna yn fy meddwl hyd y dydd heddiw. Roedd y llenni trymion duon (*blackout*) ar bob ffenest yn orfodol ac yn gyrru ofn arna' i bob nos.

Un noson yn 1943 a minnau'n bedair blwydd oed, daeth *blitzkrieg* hunllefus arall i Gaerdydd: dinistriwyd rhan helaeth o furiau a tho'r tŷ newydd, 55 St Gowan's Avenue, gan fomiau'r gelyn. Cofiaf y noson hunllefus honno oherwydd rhybudd sain y seiren aflafar ganol nos ar ddiwedd Heol Ton-yr-Ywen, y stryd gyferbyn. Doedd fy nhad ddim gartre ar y pryd; yn ystod y rhyfel byddai ar *fire-watch* gefn nos yng nghanol y dre lle saif Stadiwm y Principality heddi. Deffrodd Mam ni, codi fy chwaer a minnau o'n gwelyau a rhuthro i'r lloches haearn 'Anderson' o dan y grisiau ar ganol y tŷ. Roedd hi fel aderyn yn gofalu am ei chywion, yn ceisio'n hamddiffyn. Mae gen i gof y bore canlynol o 'edrych fry' o'r stafell fyw a gweld yr awyr las uwchben. Roedd pob nenfwd yn ein cartref wedi chwalu'n rhacs, a phren a llechi'n deilchion ymhob man. Roedd gwagle ar draws y ffordd yn Heol Tanwg lle gynt safai pedwar tŷ.

Yn anffodus i drigolion ardal y Mynydd Bychan, roedd safle'r ffatri a gynhyrchai arfau nid nepell o'n cartref. Y ffatri yma oedd targed awyrennau'r Almaenwyr. Heddi saif stad o dai ac archfarchnad y brodyr Morris ar safle'r hen ffatri. Chafodd neb niwed, ond collwyd holl greiriau, cofroddion a lluniau'r teulu. Roedd car newydd fy nhad wrth ochr y dreif, a dinistriwyd y to gan friciau'r simdde yn chwalu. Yn ffodus roedd yr injan yn gweithio. Roedd y siwrne o Gaerdydd i Ben-clawdd i lochesi dros dro ar fferm y teulu ym mro Gŵyr yn hir a pheryglus ac fe adawodd profiadau arswydus y noson cynt eu hôl arnaf.

Roedd sŵn ffrwydradau'r bomiau a seiniau'r awyrennau beunydd yn fy meddwl. Eto i gyd, roedd teithio mewn car *convertible* yn brofiad od a phleserus i fachgen pedair oed! Byddai Abertawe hefyd yn dioddef yn enbyd gan fomiau'r gelyn yn ystod y Rhyfel. Roedd y profiad o encilio i Ben-clawdd yn nefoedd ar y ddaear i mi gan fod fy nhadcu, William Guy a fy mam-gu Harriet Guy yn bobl ffeind a charedig. Byddai Janie fy chwaer a minnau wrth ein boddau gyda'r buchod a'r ceffylau: caem berffaith ryddid i grwydro a chwarae yn y caeau gwyrddlas. Roeddem yn hoff iawn o hel y gwartheg o'r caeau amser godro, a gweld y teulu'n godro'r buchod (neu 'da' yn iaith Penclawdd!) yn y beudy. Roedd dau frawd fy nhad yn byw ar y fferm: glöwr oedd Ivor Guy, a Morgan Guy yn y fyddin, lle'r oedd yn gyrru gosgorddluoedd o filwyr ar draws Gogledd yr Affrig. Ar ben pellaf un o gaeau'r fferm roedd twr pren. Yma byddai milwyr yn eu tro yn cadw golwg dros y twyni lle'r arferai menywod Pen-clawdd gasglu cocos pan fyddai'r llanw allan. Pwrpas y twr pren oedd rhybuddio'r ganolfan filitaraidd pan fyddai awyrennau'r Almaen ar eu ffordd i ddinistrio tref Abertawe. Dyna'r unig le na chaem ni blant fynediad iddo. Roedd y geiriau *Danger! No entry by order of the War Department!* yn fy nychryn i. Ymhen blynyddoedd, cafodd y twr pren ei droi'n lloches niwclear ar gyfer swyddogion Dinas Abertawe pe bai rhyfel niwclear yn torri allan. Erbyn heddiw mae'r twr yn adfail.

Wedi cyfnod o lochesu ym Mro Gŵyr, llwyddodd fy rhieni i sicrhau llety a chartref inni dros dro yn Ferndale yng Nghwm Rhondda. Roedd yn adeilad deulawr, tebyg i'n cartref yng Nghaerdydd, ond mewn rhes o dai ar ben nifer o elltydd serth. Roedd parc chwarae ar ben y stryd, ac yno byddem yn chwarae am oriau. Roedd pwll glo ar waelod y Cwm, a gwelem y glowyr yn mynd ac yn dychwelyd o'u gwaith bob bore a nos. Cefais le yn Ysgol Gynradd Ferndale – Saesneg oedd cyfrwng yr addysgu'r adeg honno. Dyma'r ysgol lle bu'r actor enwog Stanley Baker yn ddisgybl rai blynyddoedd ynghynt. Roedd teulu prifathro Ysgol Ramadeg Ferndale yn byw drws nesaf inni a buom yn ffodus i gael cwmni merched Mr a Mrs Howells, Cora ac Enid fel ffrindiau, er eu bod rai blynyddoedd yn hŷn na mi a'm chwaer.

Bu ardaloedd Cwm Rhondda yn ddihangfa i nifer fawr o ifaciwîs fel ninnau yn ystod y 1940au. Cawsom ymgartrefu yn Llyn Crescent ynghyd â llond lle o groeso gan y brodorion lleol. Fedrwn ni fyth orffen diolch iddynt am eu haelioni tuag atom ni, y ffoaduriaid o'r brifddinas. Buom yn mynychu capel Cymraeg Glan Rhondda ar sgwâr Ferndale gan fanteisio ar haelioni'r aelodau. Ymhen blynyddoedd, bu'r gweinidog, y Parchedig W. G. Thomas, yn fy atgoffa droeon am ein cyfnod fel plant yn yr Ysgol Sul yn dweud ein hadnodau gyda'n rhieni.

Ond nid nyni oedd yr unig ifaciwîs yng Nghwm Rhondda. Roedd nifer fawr o filwyr Americanaidd wedi ymgartrefu yno tra oeddynt yn ymarfer ar gyfer y glanio D Day yn Normandi. Yn dilyn damwain yn y tŷ, bu rhaid i Janie fy chwaer gael llawdriniaeth frys ar ei choes oherwydd y clefyd *osteomyelitis* sef llid ym mêr yr asgwrn. Cafodd ei rhuthro i Ysbyty Llwynypia mewn ambiwlans. Cofiaf fy mam yn wylo gartref yn y tŷ yn dilyn y llawdriniaeth. Teimlad rhyfedd oedd bod ar fy mhen fy hun heb fy chwaer – roeddwn mor drist ac unig. Byddai mam yn hoff o ailadrodd yr hanes amdana i yn dweud wrthi, '*Peidiwch â chrio Mam, bydd Duw yn gwella Janie fach!*' Roedd yn bur wael pan roddwyd cyffur oedd yn dal i gael ei dreialu gan feddygon y Fyddin Americanaidd i'r Gymraes fach ifanc. Y cyffur a arbedodd fywyd Janie yn y 1940au oedd penisilin. Pan aethom i'r ysbyty ymhen rhai wythnosau roedd gweld Janie yn eistedd i fyny yn y gwely yn llonni fy nghalon. Roedd blodau ac anrhegion o gwmpas y gwely a llond cwpwrdd o felysion o bob math yno. Yr unig siom a gefais oedd derbyn ond un losinen gan fy chwaer, a minnau wedi disgwyl llond dwrn ganddi! Rhyfedd sut oedd fy meddwl plentynnaidd innau yn rhoi mwy o bwyslais ar losin dant yn hytrach na llawenhau fod llawdriniaeth fy chwaer yn llwyddiant. Ac yn wir, mi roedd y llawdriniaeth yn llwyddiant gwirioneddol, ac mae fy chwaer yn dal i fwynhau bywyd llawn fel cynathrawes ac yn byw yn Ninas Powys.

Pan ailgodwyd y to a'r muriau a ninnau'n cael ailgartrefu yn 55 St Gowan Avenue, roedd rhaid i fy chwaer a minnau ymaelodi yn yr ysgol leol, Ysgol Gynradd Llwynfedw – ysgol Saesneg ei chyfrwng. Cofiaf fy nydd cyntaf yn yr ysgol yn glir iawn oherwydd bu rhaid i mi fynd o flaen y brifathrawes am ymladd ar yr iard amser egwyl. Roedd gen i wallt cyrliog golau hir – doedd mam ddim am dorri cyrls Alun bach! Dywedodd rhyw fachgen haerllug wrtha'i, '*You're a girl with long blonde hair like that!*' Meddwn innau, '*I'm not a girl cos I can fight and light matches!*' (Roedd gen i focs o fatsys yn fy mhoced.) Roedd y crwt amharchus yn dal i swnian 'mod i'n ferch, felly rhoddais glec iddo ar ei ên, ac i lawr yr aeth fel sach o datws a'i drwyn yn waed i gyd. (Dyna ddechrau ar fy ngyrfa paffio a flodeuodd yn yr ysgol uwchradd maes o law.) Cefais fynd yn syth i ystafell y Brifathrawes – ei henw gyda llaw oedd Miss Thatcher! Ces bregeth am sut y dylai bechgyn ymddwyn ynghyd â rhybudd am ddod â bocs matsys i'r ysgol.

Arferem wisgo mygydau nwy ar y ffordd i'r ysgol, rhag ofn y deuai'r ymosodiadau nwy dieflig. Byddai'r arferiad yn peri gofid i mi ac yn codi cyfog arna' i. Adeg o ufuddhau oedd adeg y Rhyfel a rhaid oedd cydymffurfio. Peth arall anodd dygymod ag ef oedd prinder bwyd a bwyd sâl. Doedd dim ffrwythau ffres ar gael tan 1954, ac ond ychydig o fenyn a bara oedd ar y bwrdd bwyd. Rhaid oedd magu blas am fargarîn a the heb siwgr. Mam oedd yn gweu siwmperi ac yn gwneud ein dillad o frethyn cartref go iawn. Yn anffodus, roedd gen i groen sensitif iawn ac roedd dillad fy mam yn cosi'n ofnadwy. Roedd gennym ieir a cheiliogod yn yr ardd er mwyn cael wyau ffres. I mi, roedd rhyw atyniad arbennig i'r *good life*! Byddai pawb yn hau tatws yn eu gerddi wrth ymateb i slogan y wladwriaeth, '*Dig for victory!*' Yn 1954 ces fanana am y tro cyntaf yn fy mywyd. Dechreuais gnoi'r rhisgl melyn caled ond yn aflwyddiannus. Chwarddodd y siopwr gan ddangos imi sut oedd gwaredu'r rhisgl a dod o hyd i'r ffrwyth. Mae'r fanana yn dal yn ffefryn gen i!

Ym mis Medi 1944 ganwyd Iwan yn frawd i Janie a minnau: efe fyddai cyw melyn olaf teulu'r Guys. Byddai Iwan yn mynd i ysgol Saesneg breifat 'Wintern' am ei addysg feithrin. Erbyn ei fod yn barod i ddechrau yn Ysgol Wintern roedd fy mam wedi ailgydio yn ei swydd fel athrawes gyflenwi. Ni fyddai Ysgol Gynradd Gymraeg Bryntaf yn agor tan 1949. Roedd Iwan ymysg disgyblion cyntaf yr ysgol y flwyddyn honno.

Yn ystod y *blitzkrieg* roedd un celficyn y methodd Hitler â'i ddinistrio sef piano hyfryd fy mam a wnaethpwyd gan deulu enwog Chappell. Dyma fyddai canolbwynt fy mhlentyndod am flynyddoedd lawer. Nid oedd cerddoriaeth, yn anffodus, ar gwricwlwm Ysgol Llwynfedw na'r Gymraeg ychwaith. Unig nod pob ysgol gynradd ym Mhrydain oedd paratoi disgyblion at yr arholiad 11+. Roedd un athrawes yn yr ysgol yn hanu o Ben-clawdd; byddai Miss Hilda Price yn ein gwarchod yn ofalus gan sgwrsio'n gyfrinachol efo Janie a minnau yn Gymraeg. Ni oedd yr unig ddisgyblion a fedrai'r Gymraeg yn yr ysgol gyfan. Dywedodd Miss Price (Mrs Ethall erbyn hynny) wrthym ymhen blynyddoedd fod y Brifathrawes Miss Thatcher wedi dweud wrthi'n gyfrinachol, *'Keep an eye on the Guy children – the brother and sister. They often speak to each other in a foreign tongue!'* Roedd Miss Price yn byw yn lleol ac yn cydaddoli yn Eglwys Minny St cyn iddi briodi a newid ei henw i Mrs Ethall. Ymhen blynyddoedd, daethom yn ffrindiau agos â Mrs Hilda Ethall a'i gŵr, y Parchedig Huw Ethall pan symudodd y ddau yn ôl i fyw yn Rhiwbeina nid nepell o'n cartref innau. Yn wir, yr unig gân y cofiaf inni ei chanu yn yr ysgol oedd y 'Drunkard Song', 'There is a tavern in the town' – priodol iawn gan fod y dafarn The Birchgrove Inn yn digwydd bod drws nesaf i'r ysgol hyd y dydd heddi!

Yr unig gerddoriaeth fyw offerynnol a glywais adeg y Rhyfel oedd fy mam yn chwarae sonatas ei hoff gyfan-soddwyr, Beethoven a Schubert, ar y piano. Roedd fy mam yn eilunaddoli ei hathro piano Dr E. Rendell. Ef oedd organydd Eglwys Dewi Sant Caerdydd am flyn-yddoedd maith. Cofiaf imi syrthio i gysgu droeon fin nos yn fy ngwely i gyfeiliant seiniau harmonïau cerddoriaeth glasurol. Arferai fy mam ymarfer fin nos tra'n bod ni blant yn ein gwlâu. Roedd Mam yn athrawes biano ac yn organyddes sensitif a dawnus. Cafodd lawer o gymorth a chyngor gan ei brawd, Griffydd John Hughes o Sgeti, Abertawe. Roedd yntau yn athro cerdd ac yn organydd yn Neuadd y Brangwyn Abertawe. Enillodd radd FRCO yn gynnar yn ei yrfa. Dim ond i organyddion gorau'r wlad y dyfernir Gradd Cymrawd gan Goleg Brenhinol yr Organyddion. Cofiaf fynd i Neuadd y Brangwyn i glywed fy ewythr yn chwarae mewn gŵyl gorawl i ddisgyblion ysgolion Abertawe. Roeddwn mor falch ohono yn medru rheoli seiniau mor bwerus ar yr organ bib nerthol. Bob Nadolig byddai teulu'r Guys yn ymweld â chartref teuluol brawd mam, Griff Hughes yn Sgeti. Roedd disgwyl i ni blant chwarae rhywbeth ar y piano o dan lygad craff Wncwl Griff. Rown i'n casáu'r arferiad hwn – roedd e fel sefyll arholiad piano. Ond yna, byddai Griff yn chwarae alawon Cymreig fel Sosban Fach a thonau fel Calon Lân mewn arddull *swing* gyda chordiau jazz. Rown i'n licio hyn a Nhad yn annog Griff i chwarae mwy. Fy mam ar y llaw arall, doedd hi ddim am i ni glywed arddull swing a jazz! Y clasuron oedd popeth iddi hi. *Claim to fame* fy ewythr fodd bynnag oedd iddo ddysgu'r brodyr pêl-droed enwocaf yng Nghymru, John a Mel Charles yn Ysgol Manselton, Abertawe.

Ambell waith ar ein haelwyd yng Nghaerdydd clywn gerddoriaeth yn dod o enau set radio Cossor fy nhad – bandiau dawns gan amlaf a'r gantores Vera Lynn, wrth gwrs. Ond roedd lleisiau soniarus cantorion opera poblogaidd fel Heddle Nash, Kathleen Ferrier a Norman Allin hefyd i'w clywed. Dywedai Mam yn gyson wrtha i mai cael fy enwi ar ôl y canwr enwog hwnnw, Norman Allin, wnes i, gan Gymreigio'r Allin yn Alun!

Teulu o gantorion oedd teulu Guys Pen-clawdd. Bu farw'r enwocaf ohonyn nhw, Maureen Guy, yn ddiweddar iawn. Cantores mezzo-soprano oedd Maureen a anwyd yn 1932, yr ieuengaf o chwech o blant. Ar ôl astudio llais ac opera yng Ngholeg y Guildhall Llundain, aeth ymlaen i ymuno â Chwmni Opera enwog Sadlers Wells. Wedi priodi â'r tenor enwog John Mitchinson, aeth Maureen ymlaen i gael gyrfa operatig ddramatig ddisglair gyda chwmni Covent Garden. Cefais y pleser a'r fraint o rannu'r llwyfan gyda hi nifer o weithiau. Anghofiaf i fyth ei datganiad o'r unawd contralto o'r *Meseia*, 'Dirmygedig ydoedd'.

Baswyr oedd y meibion a chontraltos oedd y merched yn nheulu Guys Pen-clawdd. Buont oll yn llwyddiannus ar ryw gyfnod neu'i gilydd yn eisteddfodau ardaloedd Gorseinon, Abertawe a Threforys. Mae nifer o gopïau unawdol y teulu yn fy meddiant hyd heddi. Bu chwaer fy nhad, Mary Lizzie, farw yn ifanc iawn fel y gwnaeth cantores a chyfansoddwraig dalentog arall o fro Gŵyr, Morfydd Llwyn Owen, ill dwy yn gantoresau gwych. Roedd gan fy nhad, D. T. Guy lais dwfn seingar ond heb unrhyw addysg ffurfiol gerddorol. Ni fedrai chwarae'r piano oherwydd collodd fys yr uwd mewn damwain ar y fferm ym Mhen-clawdd pan oedd yn blentyn bach. Doedd e ddim yn gallu darllen hen nodiant, ond daeth yn gyfarwydd â modiwlator sol-ffa John Curwen pan oedd yn aelod yng Nghapel Bethel, Pen-clawdd.

Yn festri capel Bethel y byddai'r llanc ifanc David Thomas Guy yn mynychu dosbarthiadau'r gweinidog, y Parchedig David Richards, bob nos Sadwrn ar bynciau moesol, diwylliannol a gwleidyddol. Dyma'r gwreichionyn a ysbrydolodd fy nhad i fynychu 'Coleg yr ail gyfle' yn Harlech gan adael ffas y glo ym mhwll Garngoch ger Gorseinon a chyrchu tua'r gogledd. Cafodd fy nhad ei benodi yn ysgrifennydd llawn amser de Cymru gyda'r WEA. Roedd ei swyddfa yn Heol Siarl, Caerdydd yn fwrlwm o athrawon rhan-amser, addysgwyr a darpar aelodau seneddol. Sosialydd wrth reddf oedd fy nhad a gredai'n gryf bod angen rhoi ail gyfle i'r sawl na chawsant addysg ffurfiol. Golygai hyn ei fod yn gweithio oriau afreolaidd wrth ymweld â dosbarthiadau nos a threfnu cyrsiau a ralïau undydd ar draws de Cymru. Trwy gyfrwng gwaith fy nhad y byddem ninnau fel teulu yn ymweld yn fynych â phrifysgolion Abertawe, Aberystwyth a Choleg Harlech lle byddai Nhad yn pwyllgora yn rhinwedd ei swydd. Cofiaf un tro fynd fel teulu i fyny i Goleg Harlech

fin nos i gwrdd â Nhad, a chael mynd mewn i gyfarfod â
sylfaenydd y Coleg, Thomas Jones, y sosialydd enwog.
Roedd Mam yn organyddes yn Eglwys Sardis Waun-
arlwydd, a hefyd yn gyfeilyddes Côr Cymysg y Cylch.
Roedd cerddoriaeth yn rhan bwysig o'i bywyd. Bu ei
brawd William farw yn gymharol ifanc; roedd yntau
yn feiolinydd adnabyddus iawn yn y cylch. Bu fy mam,
Annie Hughes, yn ysgrifenyddes Eisteddfod Capel
Waunarlwydd am gyfnod ac yn organyddes i'r gymanfa
flynyddol. Un tro roedd arweinydd a beirniad gwadd i'r
eisteddfod wedi cymryd ffansi at yr Annie Hughes ifanc
ac wedi anfon llun o'i hunan ynghyd â chopi o'i dôn
newydd 'Godre'r Coed'. Ei enw oedd Matthew Davies,
Castell-nedd. Ond y Guy talsyth athletaidd o Ben-clawdd
a enillodd galon y ferch ifanc o Waunarlwydd. Pan fu
fy mam farw yn 96 oed roedd am gael ei chladdu yn
Waunarlwydd. Cawsom wasanaeth yng nghapel Sardis
a'r emyn a ddewiswyd gennym ni blant oedd 'Godre'r
Coed' *'Tydi sydd deilwng oll o'm cân'*, gyda'r cyfansoddwr
enwog Eric Jones wrth yr organ. Mae ei wraig Gwen yn
gyfnither gyntaf i ni: roedd ei mam Esther yn chwaer i
Nhad.

Cam naturiol, o ystyried ein cefndir teuluol, oedd
dechrau gwersi piano gyda Miss Parker pan oeddwn yn
chwe blwydd oed. Roedd y rhyfel ar ben a'r dathliadau
VE ym mhob dinas a phentre yn croesawu'r milwyr yn ôl,
neu'n galaru oherwydd colli anwyliaid a theulu. Y darn
cyntaf imi ei ddysgu ar y piano oedd 'Haymaker's dance'
yn C fwyaf. Dyma oedd y darn y dyfarnwyd y wobr gyntaf
imi am ei chwarae yn Eisteddfod Capel Minny Street.
Roedd fy chwaer wedi dweud wrth y gynulleidfa (chwedl
Mam!) cyn imi chwarae, i beidio â disgwyl gormod oddi
wrth 'berfformiad Alun' oherwydd newydd ddechrau
dysgu'r piano yr oeddwn. Y wobr gyntaf am ennill oedd

bag melfed coch ag arian ynddo. Darn o arian 6 cheiniog oedd yn y bag. Penderfynais brynu un o'm hoff lyfrau yn yr ysgol gyda'r pres – *New First Aid in English*! Rwy'n meddwl ei fod wedi costio mwy na 6 cheiniog. Mae'r llyfr yn dal yn fy meddiant hyd y dydd heddi.

2

Capel Minny Street, Caerdydd

Yɴɢ Nghapel Minny Street, Caerdydd y clywais ganu cynulleidfaol SATB am y tro cyntaf yn fy mywyd i gyfeiliant organ bib â their sainglawr iddi. Roeddwn yn 10 oed a newydd basio'r arholiad 11+. Cyn hynny, dim ond unawdwyr yn canu alaw 'Iesu Tirion' a 'Dacw mam yn dŵad' oedd fy mhrofiadau yng nghwrdd y plant. Roedd clywed yr harmonïau a'r gwrthbwynt rhwng y gweadau lleisiol yn gymaint o ryfeddod i mi. Erys y wefr o ganu cynulleidfaol pedwar llais gyda mi o hyd. Pa ryfedd 'mod i mor hoff o gymanfaoedd canu!

Yma hefyd y dysgais alawon a geiriau rhai o emyn-donau enwocaf y genedl. Magwrfa wych ydoedd hyn ar gyfer y bywyd cerddorol fyddai o'm blaen. Roedd llais tenor cryf gan arweinydd y gân, Christmas Evans. Byddai'n eistedd o flaen yr organ ar y galeri ac yn cadw rheolaeth ar y tempo ac yn ailadrodd y gytgan pan oedd hwyl ar y canu. Feddyliais i ddim bryd hynny y byddwn yn chwarae'r organ dair seinglawr hon ymhen pymtheng mlynedd. Sylweddolais i ddim, ychwaith, fod math o osmosis ac amsugno seinyddol yn digwydd i mi bob Sul wrth glywed a chanu emyn-donau gyda'u diweddebau a'u newid cyweiriau mynych. Yn wir, byddai rhai blynyddoedd yn mynd heibio cyn i mi wir werthfawrogi pwysigrwydd yr amsugnedd cerddorol wrth fynychu'r capel yn wythnosol.

Cefais wersi gan fy mam ar organ y capel gan ddysgu sut i chwarae pedalau'r bas, cyn symud ymlaen at feistroli seingloriau'r *swell*, y *great* a seinglawr *y choir*. Un o wersi cyntaf fy mam oedd egluro cyfuniadau'r stopiau chwythbren a'r pres. Ymlaen wedyn i ddeall arwyddocâd hyd y pibau, o'r picolo dwy droedfedd hyd at y bas oedd yn un droedfedd ar bymtheg o hyd. Dirprwy organyddes oedd mam ym Minny Street pan fyddai'r organyddes arferol ar ei gwyliau neu'n sâl. Un bore Sul yn yr haf a Mam yn 'dep' am fis Awst, ces fy neffro'n sydyn o'm trwmgwsg gan lais fy nhad yn dweud 'Alun! Gwisga'n gyflym! Bydd rhaid i ti chwarae'r organ heddi . . . mae migrain ar dy fam ac mae'n rhy hwyr i gael neb arall i gymeryd ei lle wrth yr organ!' Ches i ddim amser i gael paned na brechdan! 'Dyma rif yr emynau!' meddai Nhad. A dyna'r tro cyntaf i mi chwarae'r organ bib fawr mewn gwasanaeth. Rown i'n nerfus iawn oherwydd y cyfrifoldeb, bid siŵr, ond roedd Nhad yn gwenu – bedydd tân go iawn y Sul hwnnw!

Ymhen rhai blynyddoedd, difethwyd ansawdd sain yr organ hyfryd hon gan effaith andwyol y tanau nwy oedd yn gwresogi'r capel. Heddi mae organau modern cyfrifiadurol yn rhatach o lawer a dyna sydd yng Nghapel Minny Street ers rhai blynyddoedd. Trwy wyrthiau technolegol ein cyfnod, gellir samplu seiniau organau enwocaf y byd ac atgynhyrchu'r seiniau trwy broses gyfrifiadurol gydag organau electronig. Mae organau pib a wnaethpwyd gan deulu'r 'Tad' Willis ymhlith y goreuon. Roedd un yn Eglwys Ebeneser yng Nghaerdydd. Mae un arall gan Eglwys Dewi Sant Caerdydd sy'n cael gofal arbennig hyd heddiw gan yr Eglwys. Eglwys arall yng Nghaerdydd sydd ag organ hyfryd gyffelyb yw

Eglwys Sain Garmon. Fy mraint ar adegau yw chwarae'r organau hyn mewn gwasanaethau Nadolig a phriodasau ac angladdau.

Ar ôl oedfaon yr hwyr ym Minny St, byddai Mam a Nhad yn mynd â ni blant i Neuadd Ddirwest y Cory yn y dre. Arferai Cerddorfa BBC Cymru, unawdwyr a chorau meibion, ddarlledu rhaglen radio wythnosol o'r enw *Aelwyd y gân*. Y cyflwynwyr oedd Morfudd Mason Lewis ac Emrys Cleaver. Dyma'r tro cyntaf yn fy mywyd i mi glywed cerddorfa symffonig fyw a chôr meibion. Cefais fy ngwefreiddio wrth weld Arwel Hughes a Mansel Thomas yn arwain, a chlywed Côr Meibion Orffeus Treforys gyda'i arweinydd Ivor Sims. Byddai ias yn mynd lawr fy nghefn wrth glywed dehongliad y côr o ddiweddglo'r anthem 'Nidaros' a'r harmonïau gwych ar y geiriau 'Christ is eternal'. Y darllediadau hyn fyddai'n rhoi cyfle i nifer o gantorion ifainc talentog, fel Rowland Jones a Geraint Evans.

Yn ystod y cyfnod yn dilyn y Rhyfel, arferai'r Ysgol Sul ddechrau am 2.30 y prynhawn, ac oedfa'r hwyr am 6.00 o'r gloch. Oherwydd bod rhai o aelodau'r Eglwys yn byw ar wasgar ar hyd y ddinas, anodd oedd mynd adref ar ddiwedd yr Ysgol Sul a dychwelyd erbyn oedfa'r hwyr. Felly aeth criw bychan o aelodau ac ieuenctid ati i sefydlu cymdeithas anffurfiol fyddai'n darparu te prynhawn wythnosol yn y festri. Byddai rhai plant yn gwneud eu gwaith cartref ac eraill fel minnau yn ymarfer emyndonau ar y piano a'r organ. Dyddiau dedwydd yn wir!

Byddai'r criw bychan o ryw ugain neu fwy o aelodau yn trefnu'n wythnosol bod aelodau yn eu tro yn sicrhau y byddai cyflenwad o fara, jam, corn-bîff tun a menyn/margarîn, ac weithiau deisennau, yn addurno'r byrddau. Prin iawn oedd y menyn a'r brechdanau yr adeg honno yn y 1940au wrth reswm. Byddai dŵr poeth yn cael ei ferwi mewn boeler sinc ar gyfer y te (doedd fawr o sôn am goffi yr adeg yna). Popeth yn gweithio'n iawn a phawb o'r ieuengaf hyd yr hynaf yn cymdeithasu'n braf gyda'i gilydd. Digwydd 'mod i'n eistedd gerllaw'r actores Rachel Thomas un pnawn Sul pan drodd ataf gan ofyn a oeddwn wedi blasu'r te? Cymerais lond ceg a bu bron i mi daflu fyny! Dyna'r baned fwyaf atgas a chwerw a fu ar gyfyl ngheg erioed! Yn fuan, roedd pawb yn gwneud ystumiau rhyfedd ar ôl blasu'r baned gan anelu at y tŷ bach agosaf. Sôn am hysteria! Ugain a mwy o gapelwyr y Parchedig R. J. Jones ar fin cael eu gwenwyno, ac yn eu plith un o eiconau llwyfan, ffilm a theledu enwocaf y genedl, Rachel Thomas. (Dros y blynyddoedd cefais nifer o sgyrsiau diddorol gyda Rachel am y ffilm *Proud Valley* a'r profiad o actio gyda Paul Robeson. Roedd ei hunig blentyn Delyth yn un o blant Minny St ac yn ffrind agos i mi. Gorchwyl trist fu chwarae'r organ yng ngwasanaethau angladdol Rachel a Delyth.)

Wedi holi hwn a'r llall yn y capel a'r gwasanaethau, fel rhyw Inspector Clouseau, daethpwyd o hyd ymhen hir a hwyr i'r gwirionedd am y te gwenwynig. Roedd Mrs Edwards, gofalwraig y capel, wedi bod yn defnyddio'r boeler sinc i olchi dillad budron y teulu yn ystod yr wythnos, gan ddefnyddio pecyn cyfan o bowdwr golchi Daz. Anghofiodd hithau wacáu a glanhau'r boeler cyn y Sabath gan adael gweddillion pecyn cyfan o Daz yn y gwaelod. Trwy lwc, ni chollwyd yr un aelod o gapel Minny St y prynhawn hwnnw!

Heblaw am ddysgu'r organ a thyfu'n Gristion, fe roddodd Capel Minny St y cyfle i mi hefyd ddysgu sut i yrru bron pob math o gar pan own ond yn bymtheng mlwydd oed. Drws nesaf i'r capel roedd garej hir betryal yn eiddo i'r capel. Dyma ble byddai'r aelodau yn parcio'u ceir wrth fynychu oedfaon hwyrol ar nosweithiau Sul yn ardal Cathays yn y gaeaf. Ar derfyn pob gwasanaeth hwyrol byddai anawsterau'n codi pan fyddai rhai gyrwyr yn araf deg yn symud eu ceir, yn enwedig y diaconiaid, gan achosi tagfeydd a *log jam* yn y garej. Roedd fy nghyfaill Lynn Edwards (a fu'n llawfeddyg yn Harley St Llundain ymhen blynyddoedd) a minnau, wedi dyfeisio cynllun o ofyn i'r diaconiaid (ein tadau a'r prif ddiacon) roi goriadau eu ceir i ni, a ninnau yn symud y ceir allan o'r garej a'u parcio yn y stryd wrth y capel. Dyma sut y dysgais yrru sawl math o gar, gan gynnwys Vauxhall, Hillman, Morris Oxford, a Humber-super-snipe ymysg eraill! Roedd ein cynllun yn llwyddiant, a phawb yn fodlon gyda'n gwasanaeth parcio ceir ar y stryd – a hynny heb ddefnyddio goleuadau na gwastraffu trydan y batri. Cyn hir byddai'r rhan fwyaf o'r diaconiaid yn gadael goriadau ceir ar ford yn y festri gan wybod am ein gwasanaeth *valet*. Ambell waith, byddai Lynn Edwards ac eraill yn hoffi mynychu gwersi dawnsio yn y dre wedi'r oedfa. Felly, byddwn yn defnyddio car Vauxhall y pen-bandit, Mr J. S. Jones, i yrru ein ffrindiau o gwmpas y ddinas. Yna'n dychwelyd goriadau'r car i Mr Jones yn y festri heb iddo sylwi fod ugain milltir ychwanegol ar gloc ei gar!

Un noson cawsom ychydig o fraw oherwydd doedd dim trwydded yrru gan yr un ohonom. Daeth rhyw blismon ifanc heibio ar ei feic a chymryd rhif pob car oedd wedi'i barcio tu allan i Minny St heb oleuadau. Gwelodd y cyw plismon gyfle euraid i ennill clod iddo'i hun mae'n siŵr. Ymysg perchnogion y ceir roedd y Barnwr Hywel ap Robert, mab y Gweinidog, ac Emyr Currie Jones, cyfreithiwr, diacon ac Arweinydd Cyngor Caerdydd. Chlywodd neb sôn na chynt na chwedyn am unrhyw ddirwy neu gosb – rhyfedd o fyd! Rhaid imi ddatgan, fodd bynnag, 'mod i wedi methu'n llwyr â chychwyn injan yr hers Rolls Royce ysblennydd ddu oedd ym mhen blaen y garej. Roedd cwmni angladdol Rees and William yn rhentu'r garej yn ystod yr wythnos i gadw dwy hers Rolls Royce ynddo, a Minny St yn elwa a'r arian yn chwyddo coffrau'r capel, wrth gwrs. Er chwilio'n ddyfal yn llyfrgell y dref am y gyfrol *Teach yourself to drive a Rolls Royce* mae cychwyn injan yr hers yn dal yn ddirgelwch llwyr i mi. Mae'n siŵr fod cyfarwyddyd i'w gael ar Google erbyn hyn!

3

Glaslencyndod

DOEDD dim neuaddau cyngerdd go iawn i'w cael yng Nghaerdydd tan agor Canolfan y BBC yn Llandaf yn 1966 a Neuadd Dewi Sant yn yr Ais ym mis Awst 1982. Cyn hynny byddai cantorion enwog fel y tenor Beniamino Gigli a'r feiolinydd Alfredo Campoli yn gorfod perfformio ym Mhafiliwn Gerddi Sophia. Roedd sêr byd-enwog fel Bill Haley a'r Comets a hyd yn oed y Beatles yn gorfod perfformio yn Sinema'r Capitol. Heddi mae gennym Neuadd Donald Gordon a Neuadd Hoddinott yn y bae. Hiraethaf ambell dro wrth feddwl am fy ffefryn, Neuadd Ddirwest y Cory, yn diflannu er mwyn creu canolfan siopa a maes parcio.

Ym mlwyddyn olaf yr ysgol gynradd roedd yn rhaid i bob plentyn sefyll arholiad y 11+. Llwyddais i basio'r ysgoloriaeth a chael mynediad i Ysgol Uwchradd y Bechgyn Cathays, a Janie fy chwaer i Ysgol Uwchradd y Merched Caerdydd. Rhaid cyfaddef fod bywyd a disgyblaeth Ysgol Cathays yn bur wahanol i'r hyn a gawsom yn yr ysgol gynradd. Câi pob bachgen ei gyfarch wrth ei gyfenw yn unig, a byddai pob athro'n gwisgo gŵn du academaidd. Saesneg oedd iaith pob gwers, er bod nifer o'r athrawon yn medru siarad Cymraeg! Iwan oedd yr unig blentyn yn ein teulu ni gafodd y fraint o addysg gynradd Gymraeg wrth ymaelodi yn un o ddisgyblion cyntaf Ysgol Bryntaf yn 1949. Aeth yntau mlaen i Ysgol Uwchradd Canton nid nepell o Gapel Salem. Doedd dim gwersi cerdd ffurfiol ar y cwricwlwm yn Ysgol Cathays pan es yno yn 1950.Yr unig gerddoriaeth oedd cydganu yn y neuadd gyda'r athro Ffiseg Mr Tom James ar bnawn dydd Gwener. Ni fyddai unrhyw wersi ffurfiol nes imi gyrraedd y bedwaredd flwyddyn a dechrau ar gwrs Lefel O gydag athro Cerdd cyntaf yr ysgol, y tenor Clifford Bunford. Pan ymunodd â staff Cathays, sefydlodd gôr cymysg o ddisgyblion Ysgol y Bechgyn a disgyblion Ysgol y Merched drws nesaf. Hefyd, roedd lleisiau aeddfed yr athrawon a'r athrawesau yn rhan o'r Côr. Dyma fy mhrofiad cyntaf o ganu'r *Meseia* a'r *Requiem* gan Mozart. O'r cyfnod hwnnw ymlaen, roeddwn wedi llwyr ymserchu yn y bywyd cerddorol. Byddai disgyblion cerddorol yn edrych mlaen at eisteddfod flynyddol Cathays bob mis Mawrth. Bues yn cystadlu ar y piano, y canu, y cyfansoddi a'r adrodd, gan ennill nifer o wobrau ar gyfer fy llys, Dafydd House! Yr eisteddfod oedd uchafbwynt bywyd academaidd Pennaeth yr Adran Gymraeg, Elvet Thomas, a minnau hefyd. Roedd yntau yn hoff o adrodd hanesion am rai o'i gyn-ddisgyblion a ddysgodd y Gymraeg yn Ysgol Cathays – pobl fel Bobi Jones, Tedi Millward a Gilbert Ruddock. Does dim rhyfedd 'mod i wedi ymserchu cymaint yn y sefydliad eisteddfodol ar ôl gadael y Brifysgol. Wyddwn i ddim pa mor bwysig fyddai eisteddfodau wrth i mi dyfu'n gerddor.

Cefais neges fod y prifathro, Mr D. P. M. Michael, am i mi fynd i'w stafell yn ystod yr egwyl un bore. Dywedodd wrtha' i fod BBC Radio Cymru yn Park Place yn dechrau cyfres newydd o raglenni plant o'r enw *Bro Mebyd*. Y ddau gynhyrchydd ifanc oedd Teleri Phillips ac

Ifor Rees. Roeddynt am fy nghyfweld yng Nghanolfan y BBC ynglŷn â'm diddordeb mewn cerddoriaeth. Roeddwn wrth fy modd yn cael y cyfle i chwarae un o'm cyfansoddiadau yn fyw ar y 'weiarles', sef *Preliwd yn C leiaf* ar y piano. Wele gychwyn ar fy ngyrfa ddarlledu ran-amser sydd wedi parhau gydol fy mywyd.

Yn fuan wedyn, daeth galwad arall o BBC Cymru, y tro hwn gan Hywel Davies, yn gofyn i mi gynrychioli Caerdydd ar gwis cenedlaethol *Awr y Plant* i ysgolion. Dyna lle'r oeddwn yn gwisgo penffonau plastig du wrth y ford lle'r oedd Hywel Davies, Pennaeth Rhaglenni BBC Cymru, yn llywio'r cwis oedd yn cynnwys disgyblion yn stiwdio'r BBC ym Mryn Meirion, Bangor ac yn y stiwdio yn Abertawe. Profiad hyfryd a chyffrous i grwtyn deuddeg oed o'r brifddinas oedd derbyn sieciau oddi wrth y BBC. Cefais ddecpunt am recordio *Bro Mebyd,* a £5 am fod yn aelod o dîm Caerdydd ar *Awr y Plant.* Dod yn ail oedd hanes fy nhîm y dwthwn hwnnw: y gogs o Fangor yn trechu'r *city slickers!* Aeth y pymtheg punt tuag at brynu beic *Raleigh sports drop handlebars* newydd. Y beic hwn oedd gwrthrych fy mreuddwydion ers i mi ei weld yn wythnosol yn siop Kennard's Cycles ar fy ffordd i wersi piano yn Heol Richmond Caerdydd. Gwireddwyd fy mreuddwydion ar fy mhen-blwydd ym mis Rhagfyr y flwyddyn ganlynol. Rwy'n dal i seiclo i bobman yn y brifddinas hyd y dydd heddiw ond nid ar y Raleigh Sports ychwaith! Aeth hwnnw i ebargofiant flynyddoedd maith yn ôl.

Dechreuodd Janie a minnau gael gwersi gydag athro newydd oedd yn bennaeth The Horace Field Academy of Music yn Heol Richmond Caerdydd. Arferem fynd yno bob pnawn Sadwrn ar y tramiau swnllyd, ac yna'n ddiweddarach ar y bysiau troli trydan. Dyma gyfnod anhapusaf fy mywyd ifanc yn f'arddegau yn Cathays.

Roeddwn yn casáu'r gwersi ac ni chefais unrhyw ysgogiad na symbyliad gan yr athro i fynd i'r afael â chodi safon fy chwarae. Nid oeddwn yn ymarfer o gwbl, oherwydd roedd 'pibau hud' megis dawnsiau poblogaidd a phêl-droed yn denu fy sylw. Nid seicoleg oedd un o gryfderau Horace Field! Piti na fyddai wedi etifeddu rhai o elfennau dychanol yr Horatius gwreiddiol o Rufain gynt. Ni chefais anogaeth o gwbl ganddo. Diwedd y gân oedd i Mam druan dderbyn llythyr gan Horace yn dweud, '*If Alun doesn't practise I will have to terminate his lessons*'. Cofiaf y siom a'r dagrau wrth i Mam roi pregeth i mi nes 'mod i'n gwingo o gywilydd. Penderfynes y byddwn yn dangos i'r diafol pen ffordd yna, Horace, 'mod i'n gallu chwarae! Er mawr syndod iddo ef, a fy mam annwyl, llwyddes i basio holl arholiadau yr Associated Board i fyny at radd 8 cyn mynd ymlaen i'r brifysgol.

Mae'n rhyfeddod fod Janie a minnau yn dal yn fyw heddi, oherwydd adeg y gaeaf yr unig wresogydd yn yr ystafell aros am wersi oedd hen stôf baraffîn gyda mygdarth gwenwynig ohoni'n llenwi'r ystafell. Ar adegau teimlwn fy mod ar wibdaith hudrithiol cyn mynd mewn am fy ngwers i wynebu cael fy lambastio gan yr hen Horatius. Yr eironi mwyaf oedd i mi dderbyn gwahoddiad gan wraig Horace ymhen blwyddyn neu ddwy, pan own i yn y brifysgol, i ofalu am yr Academy gan roi gwersi i'r holl blant a disgyblion tra oedd Horace yn Awstralia am gyfnod o dri mis yn cynnal arholiadau ymarferol y Bwrdd Arholi. Ces bleser mawr yn eistedd yn ei gadair, gan annog yr holl ddisgyblion i ymarfer yn rheolaidd os am lwyddo.

Doedd fy nhad ddim yn fodlon caniatáu teledu yn ein cartref tan fod fy mrawd bach Iwan wedi cwblhau ei addysg yn y coleg. Radio Home Service, y *Western Mail*, *Y Tyst* a'r *News Chronicle* oedd yr unig gyfryngau newyddion fu yn ein tŷ ni. Bob nos Sul wedi newyddion 9 o'r gloch, byddai Mam a Nhad ac Iwan bach yn clwydo, tra bod Janie a minnau yn hel esgusodion er mwyn cael aros ar ein traed i wrando ar Radio Luxembourg. Gorsaf radio ar donfedd 208, tonfedd ganol, ydoedd 'Station of the Stars' a'r DJ oedd gŵr o'r enw Jack Jackson. Bob nos Sul am ddeg o'r gloch roedd rhaglen o'r enw *Top Twenty* ymlaen, a byddem yn nodi'r holl ganeuon oedd yn yr ugain uchaf er mwyn eu trafod gyda'n cyfoeswyr drachefn ar iard yr ysgol. Ar yr adeg yma cofiaf mai Jimmy Young ac 'Unchained Melody' oedd rhif 1 yn y siartiau. Bu'n arferiad achlysurol gan Radio 208 ar nos Sul ddewis ardal arbennig ym Mhrydain a ffonio pobl gan gynnig gwobrau ariannol i'r sawl a fyddai'n codi'r ffôn gan ddweud *'Lyons Mint Chocs'*. Y cwmni hwnnw, Lyons Chocolates, oedd yn noddi'r rhaglen *Top Twenty*. Meddai'r DJ, *'You lucky people of Cardiff, just say "Hello, Mint Chocs" if your phone rings, and you will be awarded a cheque for 5 guineas!'* Wel, credwch neu beidio, canodd y ffôn ac atebais innau gan ddweud *'Lyons Mint Chocs'*. Enillais y 5 gini er mawr syndod i'm rhieni y bore canlynol. Bu'r arian gen i am fisoedd lawer mewn cyfrif cynilo National Savings nes imi gael fy nirwyo yn y llys am yrru dros dri deg milltir yr awr ar un o strydoedd Caerdydd. Hyd y dydd heddi, clywaf lais y barnwr Mr Guy Sixsmith yn datgan yn groch, *'Mr Guy, you are fined a hundred shillings with three months endorsement on your licence.'* Dyna golli'r £5 i goffrau Llys Caerdydd gan adael pum swllt ar ôl fel arian poced! Hen dro sâl.

Mae sawl math o draw (*pitch*) yn bodoli sef traw absoliwt, perffaith, traw caffaeledig, a thraw perthynol. Un person allan o ddeng mil ar gyfartaledd sydd wedi'i fendithio â thraw perffaith, medd yr ystadegau, sef y gallu i adnabod enwau nodau neu gyweirnodau yn syth. Wyddwn i ddim am flynyddoedd fod gen i draw perffaith. Doedd e ddim gan fy rhieni nac ychwaith gan fy Wncwl Griff ac yntau yn Fellow of the Royal College of Organists! Meddyliwn ar gam drwy flynyddoedd fy mhlentyndod fod pob copa gwalltog yn y byd yn medru adnabod sain nodyn wrth ei enw neu adnabod cywair darn o gerddoriaeth heb feddwl ddwywaith amdano.

Pan oeddem fel teulu bob Nadolig yn ymweld â theulu fy mam yn Sgeti Abertawe, byddai pob ymweliad yn gorffen gyda phawb o amgylch y piano. Roedd rhaid i Janie, Iwan a minnau berfformio o flaen Wncwl Griff. Yna byddai sesiwn o gemau cerddorol. Un Nadolig, a minnau'n rhyw ddeg oed, cafwyd cwis yn Sgeti lle'r oedd pawb yn eu tro â mwgwd dros eu llygaid yn gorfod enwi nodau cordiau a chwaraewyd ar y piano, gan ennill pwyntiau bonws am enwi'r cywair cywir. Meddyliais ar y pryd mai gêm sobor o hawdd oedd hon. Tybiais y byddai pawb yn ddiwahân â'r gallu cynhenid i enwi pob nodyn a chywair yn gywir. Ond nid felly mohoni wrth i bawb ddyfalu'n anghywir. Pan ddaeth fy nhro innau, cefais farciau llawn am enwi pob cord a chywair yn gywir. Cefais fy nghyhuddo yn syth o gafflo ac o edrych yn y drych a gweld y dwylo ar nodau'r piano. Diwedd y gân oedd cael fy anfon allan o'r stafell ffrynt a gorfod gweiddi enwau'r nodau a'r cyweirnod a glywid drwy dwll y clo.

Cofiaf eiriau fy ewythr hyd heddi wrth droi at ei chwaer, fy mam, gan ddweud, 'Annie fach, mae gan dy fab draw perffaith.' 'So what,' meddwn innau, 'mae e gan bawb'! Wrth edrych yn ôl heddi, dyna oedd un o funudau sancteiddiolaf fy mywyd pan sylweddolais fod gen i ddawn gerddorol gynhenid a fyddai gen i hyd ddiwedd fy mywyd ar y blaned hon.

Roeddwn, wrth reswm, yn hoff iawn o brofion gwrando yr arholiadau ac yn ennill marciau llawn bob tro. Cofiaf yn ysgol Cathays gael fy ngorfodi i eistedd yng nghefn y Neuadd allan o olwg y piano mewn arholiad ffug brofion lefel 'O' cerdd gan yr athro. Ymhen blynyddoedd wrth feirniadu daeth y traw perffaith yn handi iawn wrth fwrdd y beirniad.

4

Deffro i jazz traddodiadol

A MINNAU nawr yn Nosbarth 6 yn Cathays yn astudio Cerddoriaeth Lefel 'A', ces gyfle i arbrofi gyda phob math o gerddoriaeth *up tempo* a chlasurol megis jazz a roc a rôl. Roedd gen i eilunod fel J. S. Bach, Debussy, Louis Armstrong, Russ Conway, Duke Ellington a Bill Haley. Wiw i mi chwarae jazz pan oedd Annie Guy gerllaw! Roedd Mam yn casáu jazz a *swing* â chas perffaith. Ond roedd Nhad yn hoff iawn o glywed Alun yn jazzio pan oedd Annie yn coginio yn y gegin allan o glyw ei phiano Chappell annwyl.

Cefais gyfle gan reolwr pafiliwn Gerddi Sophia (ffrind i Mam o Waunarlwydd) i fod yn stiward mewn cyngerdd gan un o fandiau jazz blaenaf Prydain yn y pumdegau – Chris Barber and His Trad Jazz Band. Roedd yn brofiad bythgofiadwy, a'r offerynwyr heb gopi o unrhyw fath ar y llwyfan. Cafwyd tair awr o gerddoriaeth jazz draddodiadol lesmeiriol. Trombonydd oedd y blaenwr Chris Barber, a'r clarinetydd oedd yr enwog Monty Sunshine. Roedd y blaenwr Chris yn troi at bob un o'r band yn eu tro i gael *break* neu unawd. Byddwn yn rhyfeddu at ddawn yr unawdwyr i fyrfyfyrio yn eu tro heb golli strwythur nac arddull yr alaw wreiddiol. Byddai'r piano, y banjo a'r bas dwbl yn cynnal y rhythmau a'r harmonïau. Roedd yn ddirgelwch llwyr i mi ar y pryd. Sut ar wyneb y ddaear oedd gweddill yr unawdwyr yn gwybod pryd i ailgydio yn y gytgan a'r alaw wreiddiol? Y gyfrinach yw bod yn rhaid cyfrif y nifer o fariau sydd yn yr alaw wreiddiol ar y dechrau, gan ddilyn datblygiad yr harmoni ar yr un adeg. Y trwmpedwyr Louis Armstrong a Kenny Ball oedd fy eilunod – yn feistri ar y grefft o fyrfyfyrio. Flynyddoedd wedyn wrth astudio yn y Brifysgol sylweddolais fod yr un grefft yn bodoli mewn cerddoriaeth glasurol, ond nid *break* fyddai'r term ond *improvisation* neu *extemporisation!* Hyd y dydd heddi, byddaf yn defnyddio technegau jazz i fyrfyfyrio ar emynau ac alawon clasurol ar yr organ yn y capel.

Yr unawdydd a wnaeth argraff arbennig arna' i y noson honno yng Ngerddi Sophia oedd y gŵr a chwaraeai'r banjo, sef Lonnie Donegan. Ef ymhen blynyddoedd a boblogeiddiodd y *genre* sgiffl gydag offerynnau megis gitâr, golchydd (*washboard*) a bas dwbl a wnaethpwyd allan o gist de a choes brws. Cofiaf i mi ffurfio band sgiffl yn Minny St ar gyfer parti Nadolig y plant slawer dydd. *Repertoire* cyfyng oedd gennym – darnau fel 'Rock Island line', 'Living doll' a 'My ole man's a dustman'. Enw'r band oedd Lyn and his Loons. Fy nghyfaill Lynn Edwards oedd prif leisydd y grŵp. Ar y diwedd cawsom ganmoliaeth am ein chwarae byrfyfyr gan gyfansoddwr ifanc – neb llai nag Alun Hoddinott a fu'n aelod yn y capel ar un adeg. Byr fu hoedl y band, fodd bynnag, oherwydd galwadau addysgol, ond cawsom sawl gig mewn partïon teuluol. Iwan fy mrawd oedd yn chwarae'r bas dwbl, Lynn yn lleisio a minnau ar yr allweddellau. Roedd Lynn wedi adeiladu offeryn bas dwbl allan o hen wely pren gyda phedwar tant telyn arno. Y gig gorau a gawsom oedd chwarae ym mharti ffarwél capten tîm criced Morgannwg, Ossie Wheatley, yn 1966, a chael cyfarfod â nifer o gricedwyr byd-enwog, fel Wilf Wooller a Don Shepherd.

Roedd ffrind arall gen i oedd yn byw yn ein hymyl yn y Mynydd Bychan. Ei enw oedd Alan Thomas ac roedd yn drwmpedwr addawol dros ben. Ei unig uchelgais mewn bywyd oedd ffurfio band jazz traddodiadol a fyddai'n teithio o gwmpas y ddinas ac yn ennill enwogrwydd ac arian. Derbyniais ei wahoddiad i chwarae'r piano. Daeth ffrind arall oedd yn glarinetydd clasurol o'r enw Duncan Goddard atom, a chyn hir ymunodd drymiwr a chwaraewr bas dwbl â'r band. Roedd aelodau'r band i gyd yn dod o ardal y Mynydd Bychan. Buom yn ymarfer yn galed ac yn barod am ein gig gyntaf oll. Enw'r band oedd cywasgiad o ddwy lythyren gyntaf ein henwau Al(an) Du(ncan) ac Al(un). Mae cof byw gen i am ein gig gyntaf yn 1955. Hon oedd y noson fwyaf cofiadwy am sawl rheswm. Y safle oedd neuadd rasio beiciau Stadiwm Maendy, lle byddwn yn serennu ymhen blwyddyn neu ddwy fel athletwr. Roedd Alan Thomas rheolwr y band, wedi rhoi posteri i fyny yn yr ysgolion lleol, a'r pris mynediad oedd 2 swllt (doedd dim bwyd na diod ym mhris y tocyn yr adeg honno). Roedd y lle dan ei sang, gyda tua 150 o ddisgyblion a ffrindiau yn cefnogi'n band ALDUAL. Bu jeifio yno o wyth o'r gloch yn ddi-stop tan ddeg o'r gloch. Dyna'r noson y sylweddolais fod merched yn cael eu denu yn eu tro fel magned tuag at y pianydd. Roedd un ferch yn arbennig wedi bod yn pwyso ar y piano gydol y nos. Roedd hi'n delediw gyda gwallt du hir a llygaid glas disglair a'i henw oedd Christine. Ar derfyn y noson, cefais ddigon o hyder i ofyn iddi a hoffai ddod am dro efo fi yn y parc gerllaw fy nghartref y nos Sadwrn ganlynol yn y Mynydd Bychan. Llamodd fy nghalon pan atebodd y byddai wrth ei bodd. Dyna'r tro cyntaf i mi ofyn i unrhyw ferch am 'date' neu gadw oed! Aethom i gael paned mewn caffe lleol a sgwrsio am jazz a phynciau academaidd! Oherwydd amserlen y band ar benwythnosau a galwadau pêl-droed, cefais fy nenu i gyfeiriadau eraill a diflannu fu fy hanes innau a Christine megis seren wib! Dysgais yn fuan iawn fodd bynnag beth oedd ystyr y gair 'groupies' yng nghyd-destun chwarae mewn band. Fues i erioed yn brin o gariadon ar ôl ymuno â band. Roedd y gerddoriaeth swing a jazz fel rhyw bibau hud a lledrith yn denu merched at y piano a'r pianydd! Cofiaf brofi'r un apêl pan o'wn i'n 'swog' yng Ngwersyll Glan Llyn pan oeddwn yn fyfyriwr yn y Brifysgol. Bu cyfaill i mi, Roland Morris, arweinydd a threfnydd Cerdd yn un o siroedd y Gogledd, yn chwarae deuawdau gyda mi gydol y pythefnos ar gyfer y dawnsio gwerin, y noson lawen a'r canu cynulleidfaol. Daethpwyd o hyd i ddau hen biano o rywle yn Llanuwchllyn gan Swyddogion yr Urdd. Roedd Roland a minnau wrth ein boddau'n byrfyfyrio. Roedd mynd arbennig ar ganeuon fel 'Rownd yr Horn' a 'Ffarwel i blwy Llangower'. Rown i'n falch 'mod i wedi dal ati i feistroli'r scales a'r arpeggios bondigrybwyll gyda fy hen athro Horace Field. Doedd gen i ddim prinder cariadon y flwyddyn honno yng Nglan Llyn, rhaid cyfaddef!

Bu'r band Aldual yn gigio'n llwyddiannus ar benwythnosau mewn clybiau, barbeciwiau a dawnsfeydd. Chwarae popeth wrth y glust fyddem ni, ar ôl gwrando droeon a thro ar recordiau Louis Armstrong, Humphrey Lyttelton a Benny Goodman. Bu'r band efo'i gilydd am dair blynedd cyn i ni wahanu a symud ymlaen at addysg bellach mewn gwahanol brifysgolion. Roeddem oll yn gytûn am y rhan fwyaf o'r amser ac yn joio cwmni'n gilydd. Yr unig anghytuno oedd ynglŷn â chariad Duncan y clarinetydd. Roedd hi'n mynnu dod i bob gig i gadw llygad ar Duncan. Roedd yntau yn dipyn o ferchetwr petai'n cael y cyfle. Alan oedd y gaffar a fyddai'n trefnu'r gigiau a'r ffioedd. Un noson o haf cawsom wahoddiad i chwarae mewn barbeciw ar fynydd Caerffili gyda mudiad Ieuenctid y Blaid Dorïaidd yng Nghaerdydd. Y tro hwn, roeddwn yn chwarae'r banjo wrth reswm yn lle'r piano. Aeth y gerddoriaeth a'r dawnsio rhagddo'n hwylus gydol y noson. Roedd diodydd alcoholig hefyd yn llifo'n rhwydd ymysg aelodau'r mudiad yn ogystal â rhai o aelodau'r band. Ddiwedd y noson daeth cais inni chwarae 'Duw gadwo'r Frenhines'. Penderfynodd rhai o aelodau'r band y byddai'r 'Red Flag' yn fwy priodol i'r achlysur! Bu bron i'r noson fynd yn un gyflafan fawr yn anffodus. Chafodd y band fyth ail wahoddiad. Ar derfyn y noson roedd y trefnydd yn gwrthod talu ffioedd y band. Tawelodd y cyfan fodd bynnag ac aethom adref yn fodlon.

Un tro, sicrhaodd Alan gig dda iawn inni mewn clwb nos yng nghanol tref Caerdydd o'r enw The New Moon Club. Grêt, meddwn innau. Yn wahanol i'r arfer, roedd y gig ar nos Fercher ganol gaeaf. Gwyddwn na fyddai fy rhieni yn fodlon imi fynd i chwarae mewn clwb ganol yr wythnos tra 'mod i'n paratoi at arholiadau Lefel A yn nosbarth 6.

Y nos Fercher honno, dwedais wrth fy rhieni 'mod i'n mynd i lyfrgell ganolog y dre yn yr Ais i astudio un o lyfrau gosod y cwrs Lefel A Cymraeg, sef *Pedair Cainc y Mabinogi*, a hynny mewn Cymraeg Canol. Felly bant â minnau ar fy meic i'r llyfrgell gan newid fy ngwisg a gadael fy llyfrau ar y bwrdd yno cyn cyfarfod â'r band yn y clwb. Roedd y clwb ar yr ail lawr i fyny'r grisiau allanol ac yn gyffyrddus lawn am 7.00 o'r gloch. Roedd yr acwstig yn y clwb yn llachar ac yn fywus: cawsom hwyl ar y chwarae. Roedd y piano a chwaraewn i ger drws y fynedfa. Ar ôl rhyw hanner awr o chwarae, sylweddolais '*déjà vu*' fod yr un merched yn dod heibio i mi bob rhyw ugain munud, gan roi gwên a winc slei wrth basio ond gyda dynion gwahanol bob tro. Sylweddolais nad clwb yfed yn unig oedd y fangre hon, ac yn sicr nid sesiynau adolygu Cymraeg Canol ychwaith! Yr wythnos ganlynol, ymddangosodd pennawd brawychus mewn llythrennau bras ar dudalen flaen y papur lleol, 'Cardiff Club raided by Police'. Ni wyddai fy rhieni mai yn y 'New Moon Club' ar y nos Fercher flaenorol y bu Alun bach! Cafodd y perchnogion ddirwyon a gorchymyn i gau'r clwb. Ar nodyn ysgafnach, buom yn chwarae yn festri Eglwys Llanisien yng Nghaerdydd. Yn anffodus doedd dim piano yno, felly rhaid oedd derbyn y gwahoddiad i chwarae'r harmoniwm. Hen offeryn oedd e, a rhaid oedd i mi bedalu'n galed gydol y nos i gael unrhyw synau allan o'r hen gelficyn. Torrodd y pedal chwith gan adael y pedal arall i bwmpio awyr. Toc torrodd yr ail bedal, a mud fu'r harmoniwm am weddill y gig! Chwarddais wrth ddarllen papur dyddiol y *South Wales Echo* drannoeth yn sôn am y gig ryfeddol yn Llanisien!

Yn ystod y cyfnod hwn cefais drwydded yrru ar fy mhen-blwydd yn ddwy ar bymtheg oed ym mis Rhagfyr 1956. Dyma'r adeg pan benderfynodd llywodraethau Israel, Ffrainc a Phrydain ymosod ar Gyrnol Nasser yn yr Aifft. Methiant llwyr a ffars fu 'Argyfwng Suez' wrth gwrs, a bu rhaid i Anthony Eden ymddiswyddo. Penderfynodd Llywodraeth y Deyrnas Unedig y byddai'n rhaid cwtogi ar betrol a thanwydd: byddai'n rhaid i bob perchennog car ac ati wneud cais am ddogn o gwponau petrol i brynu'r tanwydd. Hefyd ni fyddai unrhyw brofion gyrru am chwe mis! Cafodd pob dysgwr fel minnau yr hawl i yrru heb yrrwr profiadol am chwe mis ond rhaid oedd arddangos y llythyren blastig L. Felly am chwe mis roeddwn yn gyrru Morris Oxford fy nhad i bob man, ac aelodau Minny St yn rhoi cwponau sbâr i mi yn gyson i lenwi tanc y Morris Oxford am 10 swllt! Ond yn well na hynny, roedd gan frawd hynaf arweinydd y band jazz hen lorri oedd wedi gweld dyddiau gwell, bid siŵr! Fi oedd yr unig un yn y band oedd â'r hawl i'w yrru. Doedd y ddeddf MOT ddim yn bodoli bryd hynny diolch byth, oherwydd doedd y system brecio na'r mecanwaith llywio ddim yn gweithio'n iawn. Minnau felly oedd sioffer y band o hyn allan. Byddai'r cit drymiau, yr offerynnau, yr estyll ynghyd â'r chwe aelod, i gyd yn swatio yng nghefn y lorri, a minnau'n ceisio cadw'r cerbyd peryglus mewn llinell syth ar y ffyrdd. Roedd y profiad o yrru ceir y diaconiaid ym Minny St wedi talu ar ei ganfed! A honno oedd f'ysgol brofiad wrth yrru am chwe mis yn y brifddinas a'r cyffiniau! Da gen i gofnodi 'mod i wedi pasio'r prawf gyrru ar y tro cyntaf wrth yrru car fy nhad, yr hen Morris Oxford annwyl.

5

Sielo, a bocsio!

A R WAHÂN i'r piano a'r organ roeddwn yn awyddus iawn i ddysgu'r trombôn fel Chris Barber neu'r clarinét fel Benny Goodman. Fodd bynnag, 'chefais fawr o gefnogaeth gan fy mam i ddysgu unrhyw offeryn chwyth. Roedd ewythr iddi o Waunarlwydd wedi syrthio'n farw o drawiad ar y galon yn ifanc iawn oherwydd gorchwythu'r trombôn yn y band lleol, meddai hi! Doedd dim modd perswadio Annie Guy i adael Alun bach yn agos at offeryn pres.

Daeth fy nhad adre o'i swyddfa ymhen rhai misoedd yn 1957, gan gyhoeddi fod ganddo anrheg pen-blwydd i mi. Pêl rygbi efallai neu fenyg paffio neu hyd yn oed feic newydd? Dim ffiars o beryg! Hen sielo heb dannau, heb fwa na phont ychwaith. Yr olwg fwya truenus weles i erioed ar offeryn llinynnol. Doedd dim cas hyd yn oed. Gwnes fy ngore i ymddangos yn ddiolchgar i Nhad, gan guddio fy siom. Punt a chweugain oedd y pris a dalwyd gan fy nhad am yr offeryn. Ymhen y mis, gyda chyllid Mam a Nhad, daeth y sielo yn ôl o'r gweithdy offerynnol yng Nghaerffili yn sgleinio gyda thannau gwifr cryf, bwa newydd a chas cynfas newydd sbon. Y cam nesa fyddai trefnu i mi gael gwersi yn y Coleg Cerdd a Drama yng Nghastell y teulu Bute yng nghanol y ddinas.

Bues yn ddigon ffodus i ennill ysgoloriaeth a chael dwy flynedd o wersi gan Phillip Kent, blaenwr Adran Sielo Cerddorfa'r BBC yng Nghymru. Cyngor Addysg Dinas Caerdydd oedd noddwyr yr Ysgoloriaeth. Roedd yn agored i ddisgyblion y ddinas oedd yn astudio cerddoriaeth ar gyfer Safon A. Cefais fy enwebu am yr ysgoloriaeth gan Ysgol Cathays, ac yn dilyn cyfweliad clywais 'mod i wedi llwyddo i ennill un o'r ysgoloriaethau. Roedd Phillip Kent, fy athro, yn ddyn cwrtais, amyneddgar a thalentog. Cyn bo hir byddai yntau a minnau yn cael hwyl wrth chwarae deuawdau sielo yn ystafelloedd mawreddog y castell. Rown i wrth fy modd, a chyn hir ymunais â cherddorfa'r ysgol a chael hwyl wrth gynnal llinellau bas symffonïau Joseff Haydn. Roedd cael yr adran fas dwbl y tu ôl inni yn deimlad braf a diogel. Yn ddiau, bu'r profiadau o ganu rhan bas emynau yn y capel ac yng nghôr yr ysgol yn gymorth mawr wrth ddysgu'r sielo. Da gen i gofnodi fod Sioned Mererid, fy unig blentyn, wedi cymryd at y sielo ac wedi bod yn chwarae gyda cherddorfeydd Ysgolion De Morgannwg, a Cherddorfa Ffilharmonig Caerdydd am gyfnodau yng Nghaerdydd a thramor. Cyn mynd â'r sielo dramor ar awyren gyda'r cerddorfeydd, rhaid oedd i Sioned sicrhau asesiad yswiriant o werth yr offeryn. Byddai Nhad yn synnu ac yn falch o wybod fod yr hen sielo atgyfodedig punt a chweugain, yn werth dros bedair mil o bunnoedd. Ni wyddai'r un ohonom mai sielo arbennig Ffrengig ydyw gan y gwneuthurwr enwog Sébastien Sibillot!

Ar yr adeg yma yn fy hanes roedd gen i ddiddordeb mewn bocsio. Yn ôl yr hanes teuluol, roedd fy nhad wedi bod yn bocsio yn y ffeiriau teithiol peripatetig ym Mro Gŵyr pan oedd yn grwt ifanc ym Mhen-clawdd. Byddai gwahoddiad yn y ffeiriau i unrhyw un fentro i'r sgwâr i focsio yn erbyn bocsiwr profiadol. Byddai gwobr ariannol i'r sawl a fedrai barhau am rownd neu fwy. Wn i ddim a lwyddodd fy nhad i barhau am rownd! Roedd D. T. Guy hefyd yn bencampwr ar gystadleuaeth y naid uchel ym Mabolgampau Gorllewin Morgannwg. Felly roedd yr awydd i focsio a bod yn athletwr yn amlwg yn y genynnau. Yn Ysgol Cathays, cynhelid gornestau bocsio ddiwedd pob tymor yn y neuadd chwaraeon gyda'r ysgol gyfan (pum cant o gynulleidfa) yn gwylio ac yn gweiddi dros y sawl oedd yn cynrychioli'r llysoedd: Dafydd, Dewi, Illtud a Glyndŵr. Fel pob eisteddfod, roedd rhagbrofion dros gyfnod o dair wythnos bob amser cinio. Gartref fin nos, byddwn yn perswadio fy mrawd bach Iwan i daflu ei ddyrnau bychain ataf, a minnau'n dawnsio o'i gwmpas gan ffug-ergydio fel rhyw chwyrligwgan! Roedd pob gornest yn Cathays yn para am dair rownd, a phob rownd yn dair munud o hyd. Ni wyddai Mam a Nhad y byddwn i'n bocsio o flaen yr ysgol gyfan. Llwyddais i gyrraedd ffeinal y pwysau ysgafn. Fy ngwrthwynebydd oedd disgybl o'r enw Alan Gay, yn ymladd yn erbyn Alun Guy! Roeddwn wedi ymlâdd erbyn y drydedd rownd a cholli fu fy hanes ar bwyntiau. Yn anffodus, roedd y reffarî wedi dyfarnu yn fy erbyn – dyna ddiwedd ar fy mreuddwyd am 'wregys Lonsdale'. Y reffarî oedd yr enwog 'Gentleman Jack' Peterson, pencampwr pwysau trwm Prydain Fawr. Yr unig gysur oedd imi ysgwyd llaw gyda phencampwr pwysau trwm Prydain Fawr ei hun ar ddiwedd yr ornest. Pan ddes adre, roedd fy llygaid yn ddu a fy nhrwyn yn gam gyda gwaed yn llifo dros fy wyneb! Roedd fy mam yn beichio crio oherwydd roedd golwg fawr arna' i. Yn waeth na hynny, cefais niwed i 'mysedd. Gyrfa gerddorol Alun bach ar ben! Dim chwarae'r piano, yr organ na'r sielo am fis cyfan. Dyna ddiwedd ar fy ngyrfa focsio!

Cafodd criw bach ohonom o Gaerdydd wahoddiad

i ymuno â Cherddorfa Symffonig Ieuenctid y Barri i gystadlu yng nghystadleuaeth y Gerddorfa yn yr Eisteddfod Genedlaethol ym Maelor 1961. Y darn gosod oedd agorawd Egmont gan Beethoven. Ar gyfer y gystadleuaeth cawsom gymorth gan adran bres Cerddorfa BBC Cymru ac ennill y wobr gyntaf gan guro cerddorfa enwog Huddersfield. Y beirniad oedd Alun Hoddinott! Roedd fy mrawd Iwan yn chwarae yn adran y feiolinau erbyn hyn a minnau yn blaenu adran y sieloau. Yn blaenu'r gerddorfa roedd dynes o'r enw Sylvia Grosskopf oedd yn byw yn ardal y dociau ger Ynys y Barri, nid nepell o'r stryd lle y ffilmiwyd y gyfres boblogaidd *Gavin and Stacey*. Wyddwn i ddim y byddwn ymhen blynyddoedd yn dysgu ei mab a'i merch, Gethin a Meleri Jones, yn Ysgol Glantaf. Rhyfedd o fyd! Cefais bleser arbennig wrth weld Gethin yn serennu ymhen blynyddoedd ar y rhaglen boblogaidd *Strictly Come Dancing*!

6

Swyddi haf a choleg

WEDI gorffen arholiadau Lefel A, rhaid oedd penderfynu i ba goleg yr hoffwn fynd i astudio Cerddoriaeth. Fy newis cyntaf oedd Coleg Prifysgol Bangor gan fod fy chwaer eisoes yn fyfyrwraig yno ac yn fy annog i astudio gyda phennaeth yr Adran Gerdd, yr Athro D. E. Parry Williams. Roedd Janie yn astudio Hanes ym Mangor ac yn canmol y Coleg ar y Bryn i'r cymylau. Yno yr aeth Sioned fy merch ymhen blynyddoedd hefyd i astudio Ffrangeg. Fy ail ddewis oedd Coleg Prifysgol Caerdydd ac astudio gyda phennaeth yr Adran Gerdd, yr Athro Joseph Morgan. Ces fy nerbyn i ddilyn cwrs B.A. Cerdd yn y ddau goleg prifysgol. Gan 'mod i wedi ennill Ysgoloriaeth Craddock Wells i astudio yng Nghaerdydd byddai'r holl ffioedd yn cael eu talu drosof. Felly penderfynu astudio yng Nghaerdydd oedd y dewis terfynol a hynny ar sail ffactorau cyllidol.

Yn ystod gwyliau'r haf cyn mynd i'r brifysgol yn Hydref 1958, cefais swydd fel gyrrwr cyflenwi dros dro yn dosbarthu nwyddau i gwmni siopau groseriaid George Mason yn ardaloedd y Mynydd Bychan, Cathays, Penarth, Y Rhath a'r Dociau. Roedd fan Ffordyn fawr werdd gan bob siop. Arferwn fynd i'r pum siop yn eu tro, bob yn ail wythnos i gyrchu fan y siop er mwyn i'r gyrwyr arferol gael gwyliau haf. Y tâl oedd decpunt yr wythnos. Byddai'r cyhoedd yn ffonio'r siop gyda'r archebion, a minnau wedyn yn eu dosbarthu nhw i'w cartrefi ledled y ddinas a thu hwnt. Roedd cwmni George Mason o flaen eu hamser. Yn awr, chwe deg mlynedd yn ddiweddarach, dyma'r gwasanaeth sydd gan Tesco ac eraill o siopa arlein, a'r faniau yn dod â'r nwyddau i'r tŷ. Rhaid dweud fod fan cwmni George Mason mewn tipyn gwell cyflwr na lorri'r band jazz! Roeddwn yn cadw fan y cwmni wrth ymyl fy nghartref yn y Mynydd Bychan. Doedd dim hawl gen i yrru'r fan wedi i'r siop gau am 5.30 bob nos. Ond pan dywyllai'r hwyr, byddwn yn mynd allan yn y fan gyda'm ffrindiau am dro i lan y môr ym Mhenarth a'r Barri. Dyddiau dedwydd a diddan oedd haf 1958. Erbyn canol yr wythnos roedd y tanc petrol bron yn wag, ac i lawr i garej y cwmni yr es yn Heol Bute i gael mwy o danwydd. Meddai'r gofalwr wrtha' i: *'Where's you been Al, you 'ad a tankful a few days ago?'* Dim mwy o deithiau dirgel fin nos i minnau!

Roedd Iwan fy mrawd yn awyddus iawn i gynnig help llaw i mi yn ystod y dydd wrth ddosbarthu'r nwyddau: ei wobr oedd cael pres poced ar derfyn y dydd. O gofio mai yn ystod misoedd Gorffennaf ac Awst y ces fy nghyflogi fel gyrrwr dros dro, ambell ddydd byddai'r tymheredd yng nghefn y fan yn boeth dros ben. Doedd dim rhewgell nac unrhyw system oeri cefn y fan ar gael y dyddiau hynny. Nid oedd unrhyw ffordd o rwystro'r menyn, y diodydd, na'r bisgedi siocled ac ati rhag toddi dros focs cardfwrdd yr archeb. Byddai Iwan druan yn gorfod cludo'r bocsys i'r tai gyda gwên ddiniwed, tra 'mod i'n cadw'r injan i danio er mwyn dianc cyn i'r perchennog sylwi bod o leiaf hanner y nwyddau wedi toddi! Do, fe dderbyniodd rheolwr y siop nifer o gŵynion y dwthwn hwnnw! Roeddwn wedi ennill swm go dda fodd bynnag:

byddai'r arian yn talu am ffioedd gwersi piano, sielo a chanu yn ystod y pedair blynedd oedd o'm blaen yn y coleg.

Cefais bedair blynedd brysur a hapus yng Ngholeg Prifysgol Caerdydd, er bod y cyrsiau cerdd yn tueddu i ganolbwyntio'n ormodol ar astudio arddulliau cyfansoddi J. S. Bach a Palestrina. Roeddwn yn gobeithio dysgu mwy am gyfansoddiadau a thechnegau cerddoriaeth yr ugeinfed ganrif. Mewn sgwrs ag Alun Hoddinott ymhen rhai blynyddoedd, roedd yntau wedi teimlo'r un rhwystredigaeth wrth astudio am ei radd yn y Coleg hwn. Dwedodd wrtha' i sut y byddai'n arfer mynd ar y trên o Gaerdydd i Lundain ar nos Wener i gael gwersi gyda'r cyfansoddwr enwog Arthur Benjamin ar y Sadwrn. Doedd yr Athro Joseph Morgan ddim yn hapus o gwbl pan glywodd fod Alun Hoddinott yn mynd i Lundain am wersi cyfansoddi. Dywedodd Karl Jenkins wrtha' i ymhen rhai blynyddoedd am ei rwystredigaeth yntau wrth astudio Cerdd yng Nghaerdydd, a'i awydd i gyfansoddi mewn arddull wahanol. Mae'n rhyfedd sut mae Alun Hoddinott a Karl Jenkins ill dau wedi torri cwysi cwbl wahanol yn eu harddulliau cyfansoddi llwyddiannus.

Yn ymarferol, roedd darpariaeth ymarferol ardderchog ar gael yn fy nghyfnod yn y Coleg. Tiwtoriaid o'r safon uchaf yn lleisiol ac yn offerynnol. Corau safonol a chyngherddau corawl ardderchog. Yno, bob nos Fawrth yn ystod y tymor Coleg, byddai perfformiadau gan bedwarawd llinynnol proffesiynol y Coleg. Byddai'r Athro Cerdd Joseph Morgan a'i wraig yn eistedd yn rhes gefn Neuadd y Reardon Smith ym Mharc Cathays bob nos Fawrth gan nodi pa fyfyrwyr cerdd oedd yno a phwy oedd yn absennol. Rhan orfodol o'r cwrs gradd oedd mynychu perfformiadau pedwarawd llinynnol y

Coleg yn wythnosol. Nid pedwarawd llinynnol oedd fy hoff *genre* cerddorol, rhaid cyfaddef, ond mynd yno i wrando arnynt yn ffyddlon wnes innau. Yn y darlithoedd byddai'r Athro yn dweud wrth ambell fyfyriwr ... '*Weles i ddim mohonoch chi yn y Neuadd Gyngerdd neithiwr Mr/ Miss . . .*' Dyna'r cyfan a ddwedai'r Athro, ond gwyddem oll na fyddai gennych radd heb fynychu cyngherddau'r pedwarawd llinynnol. Yr unig gyffro a gofiaf yn y cyngherddau hyn yn wir, oedd yr adeg y daeth llygoden ar y llwyfan o'r amgueddfa drws nesaf, gan redeg dros esgidiau'r offerynwyr ac o gwmpas cadeiriau ac estyll y pedwarawd. Ymlaen yr aeth y feiolinau, y fiola a'r sielo i chwarae pedwarawd Bartók, tra gwyliai'r gynulleidfa gampau'r llygoden! Roedd yr holl beth fel cartŵn Tom a Jerry!!

Ces wersi sielo gan yr enwog George Isaac. Roedd yn adnabyddus dros Brydain a thu hwnt am ei yrfa recordiadau ar y sielo, yn dehongli gweithiau gan gyfansoddwyr fel Hindemith, Delius, Kodály ac Alun Hoddinott. Hefyd bu'n aelod o bedwarawd llinynnol enwog Fitzwilliam cyn ymuno â phedwarawd Prifysgol Caerdydd. Athro ardderchog oedd George Isaac oedd yn mynnu'r safonau uchaf. Ar adegau gallai fod yn ddigon llym ei dafod os nad oedd fy mysedd a'r bwa yn y mannau iawn. Y tu allan i'r ystafell wersi roedd yn ddyn ffeind, hawddgar a charedig. Cefais hefyd hyfforddiant canu a gwersi piano am rai blynyddoedd. Yn ystod y gwersi canu byddai Leslie Jones, y tenor o Gwmni Sadlers Wells gynt, yn gofyn i'r athro piano amryddawn oedd drws nesa, ddod i mewn i gyfeilio i mi – neb llai na'r cyfansoddwr a'r arweinydd John Morgan Nicholas. Coffadwriaeth hyfryd am gerddor a roddodd lawer o gyngor gwerthfawr i mi wrth ddechrau ar fy ngyrfa arwain.

Roedd digon o gyfleoedd i berfformio ac i gyfeilio bob

gwanwyn wrth fynd i gystadlu yn yr eisteddfodau rhyng-
golegol yng ngholegau Aberystwyth, Abertawe a Bangor
yn eu tro. Yn ddiau, roedd y cyfleoedd a gafwyd yn ystod
y cyfnod hwn wedi ymestyn fy mhrofiadau cerddorol
wrth 'dyfu'n gerddor'.

Yn ystod fy ail flwyddyn yn y brifysgol roedd y
profiad o ganu yng Nghôr Eisteddfod Caerdydd yn
1960 dan arweiniad Arwel Hughes a Mansel Thomas
wedi fy ngwefreiddio a chreu argraff fythgofiadwy
arna' i. Wedi'r cyngerdd yn y pafiliwn, draw i Neuadd
y Cory ar gyfer ymddangos yn y Noson Lawen. Cefais
wahoddiad i chwarae deuawd jazz ar y piano. Bachgen
ifanc brwdfrydig o Aberystwyth, Deian Hopkin, oedd
ar yr ail biano. Roedd e'n chwaraewr jazz penigamp.
Cawsom dderbyniad gwych gan y gynulleidfa ac encôr
i ddilyn hefyd! Roedd yr eitem o'n blaen wedi cynhesu'r
dorf – neb llai na'r bardd/digrifwr Eirwyn Pontsiân.

Roedd chwaraeon ac athletau wedi bod yn rhan
bwysig o'm bywyd yn y brifysgol. Bues yn aelod o
dimoedd athletau a phêl-droed y coleg. Cyn hynny, yn
Stadiwm Maendy, enillais y rasys can medr a dau gan
medr yn fy mlwyddyn olaf yn Cathays. Ar yr un adeg,
bues yn chwarae pêl-droed dros nifer o wahanol glybiau
yng nghynghrair Cardiff and District League. Tra
oeddwn yn chwarae mewn gêm gwpan ym mis Chwefror
1962, sgoriais dair gôl dros dîm Y Mynydd Bychan. Heb
yn wybod imi ar y pryd, roedd un o ddiaconiaid Capel
Minny Street, Ernie Phillips, yn digwydd gweithredu fel
sgowt ar ran Clybiau Amatur Caerdydd, ac yn bresennol
pan sgoriais y tair gôl. Dwedodd yn gyfrinachol wrth fy
nhad y byddwn yn cael gwahoddiad i chwarae ar Barc
Ninian dros dîm yn cynrychioli holl glybiau Amatur
Caerdydd ym mis Mawrth. Ymhen rhai wythnosau,
ces lythyr oddi wrth 'Cardiff City' a'i rheolwr Trevor

Morris, yn fy ngwahodd i chwarae ar ddydd Sadwrn 9 Mawrth 1962 yn erbyn tîm Ieuenctid y 'Bluebirds'. Ni chefais wireddu fy uchelgais o chwarae ar Barc Ninian oherwydd ces fy nenu gan bibau hud i fangre enwog arall ar y Sadwrn hwnnw. Cewch wybod am hyn yn nes ymlaen.

Byddwn yn dosrannu f'amser yn y brifysgol rhwng darlithoedd, ymarfer lleisiol ac offerynnol, a gweithio yn y llyfrgell. Roedd llyfrgell yr Adran Gymraeg (Salesbury) yn ffynhonnell wych wrth lunio traethodau ar *yr elfen Ladin yn yr iaith Gymraeg,* neu olrhain taith *y Twrch Trwyth* drwy Gymru! Ond adeilad arall, briciau coch, gerllaw Parc Cathays a fu'n denu sylw stiwdants ifanc fel minnau. Neuadd Aberdâr oedd yr adeilad: yma roedd y merched yn lletya. Dim hawl gan unrhyw ddynion fynd ar gyfyl y lle ond trwy wahoddiad i de bnawn Suliau.

Ddiwedd tymor yr Hydref yn fy mlwyddyn gyntaf fel *fresher,* bues yn canlyn stiwdant o Neuadd Aberdâr. Aethom ar *pub crawl* o gwmpas tafarndai'r dre am rai oriau, cyn penderfynu cael swper. I lawr â ni i Stryd Caroline, neu Chippy Alley, lle'r oedd nifer fawr o fwytai yn gwerthu pob math o fwydydd tramor egsotig.

Erbyn cyrraedd Neuadd Aberdâr, roedd cloc Neuadd y Ddinas gerllaw yn taro tri o'r gloch. Byddai drysau'r Neuadd yn cau am un ar ddeg o'r gloch. Trwy lwc, doedd clo un o'r ffenestri ochr ddim yn gweithio'n iawn. Ar ôl diosg f'esgidiau, llithrais i mewn ar fy mhedwar ar hyd y llawr blociau pren ac agor bolltiau'r drws ffrynt. Teimlwn *fel lleidr di-sôn* y noson honno. Pe bawn innau a'm cymar wedi cael ein dal y noson honno gallem fod wedi cael ein gwahardd am y tymor nesaf! *Close shave, Alun bach!!*

Ar ôl graddio rhaid oedd meddwl o ddifrif am alwedigaeth. Penderfynais ddilyn cwrs hyfforddi am flwyddyn i fod yn athro Cerddoriaeth a Chymraeg. Bues yn Ysgol Gynradd Bryntaf am dair wythnos cyn teithio'n ddyddiol ar y trên i Ysgol Fechgyn Lewis Pengam am weddill fy hyfforddiant. Roedd eisoes nifer o athrawon yn fy nheulu, felly nid oedd prinder cyngor ynglŷn â disgyblaeth a phedagogeg. Roeddwn wrth fy modd yn sefyll o flaen dosbarth ac yn teimlo'n hyderus. Dyma'r ffordd ymlaen meddyliais, ac felly y bu am dros ddeng mlynedd ar hugain.

Roedd yr athro Cymraeg yn yr ysgol, Mr Iwan Jones, yn ddiacon yng nghapel Minny St ac yn athro ardderchog. Roedd arsylwi ar ei ddisgyblaeth a'i *modus operandi* yn batrwm i unrhyw fyfyriwr. Dim gweiddi na bygwth – dim ond aros am dawelwch heb ynganu'r un gair. Roedd yn amlwg fod parch gan y disgyblion tuag at Mr Jones. Cefais brofiadau cerddorol hyfryd yno hefyd, wrth ddysgu gwersi canu yn y dosbarthiadau iau. Gwyddwn o'r dechrau y byddai'r disgyblion yn ceisio bod yn ddoniol yng ngwersi cerdd y 'stiwdant' Mr Guy, ond rown i'n barod am unrhyw nonsens. Cefais fy mendithio â llais bas dwfn a chryf oedd yn arf handi iawn ar adegau wrth sôn am ddisgyblaeth. Ar ddechrau pob gwers byddwn yn syllu ar y disgyblion a cherdded nôl a mlaen cyn ynganu'r un gair.

Bob nos ar ôl dychwelyd adre, roedd rhaid i mi groniclo pob gwers rown i'n arsylwi arnynt yn ystod y dydd. Hefyd, roedd rhaid i mi lunio cynllun ar gyfer pob gwers y byddwn yn eu dysgu'r dydd canlynol. Roedd pob darpar athro fel minnau yn cael dysgu tair gwers y dydd. Wyddwn i ddim pa bryd y byddai fy nhiwtor o'r Adran Addysg yn dod i Ysgol Lewis Pengam i arsylwi fy ngwersi. Yn dilyn pob ymweliad gan y tiwtor o'r Adran Addysg, byddai yntau a minnau yn cael cyfarfod i drafod y gwersi. Un o fy nhiwtoriaid oedd Cymro clên a hawddgar, Mr J. D. Powell. Roedd yntau yn 'dallt y dalltings' yn iawn.

Roeddwn yn parchu ei gyngor a'i sylwadau adeiladol ar fy ngwersi. Cofiaf yn dda hyd heddi ei gyngor wrthyf un tro, *'Mr Guy bach, rydych yn ceisio gwneud gormod mewn un wers! Mae angen i chi holi mwy ar y disgyblion a siarad llai eich hunan! Nid darlithio ydych ond addysgu. Ceisiwch newid amcan y wers bob deng munud!'* Ef oedd y tiwtor gorau ges i erioed. Fodd bynnag doeddwn i ddim yn hoff iawn o brifathro'r ysgol. Wedi cyrraedd ar y bore cyntaf mewn siwt newydd ym mis Ionawr 1962, roedd rhaid i mi fynd i'w stafell i gyflwyno fy hunan fel cyw-athro o'r Brifysgol. Syllu arna' i a wnaeth gan ddweud yn sarhaus, 'Mr Guy, you are improperly dressed! Where is your graduate gown?' O'r bore hwnnw ymlaen byddwn yn cludo fy ngwisg academaidd ar y trên i'r ysgol bob dydd ac yn teimlo fel Mr Chips gynt.

Yn ystod y cyfnod hwn daeth athro ifanc o'r enw Gwilym Roberts i gysylltiad â mi, gan ofyn a fyddwn yn fodlon arwain Côr Cymysg Aelwyd Caerdydd. Roedd wedi sefydlu Aelwyd newydd a llewyrchus yn Heol Siarl Caerdydd ac yn awyddus i ehangu'r gweithgareddau. Roeddwn yn gyfarwydd iawn â chanu ond erioed wedi meddwl amdanaf fi fy hun fel arweinydd nac fel hyfforddwr ychwaith. Gwrthod y cynnig wnes ar y cychwyn, ond roedd Gwilym yn pwyso arna' i i dderbyn y swydd. Mae'n amlwg fod ganddo fwy o ffydd ynof nag oedd gen i. Ni fu erioed gen i unrhyw ddiddordeb mewn arwain. Doedd dim hyder gen i, erioed wedi cydio mewn baton ychwaith. Dim ond cydio mewn raced dennis a chiw snwcer a wnes ar adegau! Anodd oedd gwrthod gwahoddiad Gwilym, ac yntau ar dân dros Gymreictod a'r iaith Gymraeg. Wyddwn i ddim y byddai cwrs fy mywyd yn datblygu'n gerddorol oherwydd un person. Gwilym yn anad neb arall a fu'r dylanwad pennaf arnaf gydol fy ngyrfa fel athro ac arweinydd. Yn ddiweddar bûm ym mharti pen-blwydd Gwilym yn wyth deg a phum mlwydd oed. Mae ei gyfraniad i Gymreictod Caerdydd a Chymru benbaladr eisoes wedi cael ei gydnabod yn gyhoeddus gan yr Eisteddfod Genedlaethol a'r Brifysgol. Buom yn ffrindiau pennaf yn Rhiwbeina am flynyddoedd lawer. Roedd ffawd yn gwenu'n garedig iawn arna' i yn 1961 pan gyfarfu'r ddau ohonom am y tro cyntaf.

7

Ysgol Ramadeg y Bechgyn Pontypridd, a phriodas unigryw!

BÛM YN athro yn Ysgol Ramadeg y Bechgyn yn ardal Pontypridd am gyfnod o bymtheng mlynedd, gan ddysgu Cerddoriaeth, Cymraeg a Saesneg. Cyfnod hapus a llwyddiannus. Cefais groeso twymgalon ar y dydd cyntaf gan y prifathro, Mr Raymond Jones. Ef oedd Pennaeth yr Adran Ffrangeg yn yr ysgol cyn ei ddyrchafu'n brifathro. Wrth siarad â chi ac wrth gerdded ar hyd coridorau'r ysgol roedd un llaw ganddo bob amser yn siaced ei siwt. Deellais yn fuan pam roedd pawb yn ei alw wrth ei lysenw Nap! Athro Ffrangeg gynt ag un llaw o fewn ei siaced fel Napoleon!

Ymlaen yr es i gwrdd â'r dirprwy brifathro Mr Ernie Mort, yr athro Daearyddiaeth. Daeth ataf o ben draw'r coridor gan ddweud mewn llais mawr baritôn, '*Welcome, Mr Guy to the O and A Level machine!*' Peiriant arholiadau oedd pob ysgol ramadeg yn y chwedegau mewn gwirionedd, cyn i'r ysgolion gramadeg gael eu troi'n ysgolion cyfun yn y saithdegau. Wedi cwrdd â phennaeth yr Adran Gerdd, Mr Haydn Davies a Phennaeth yr Adran Gymraeg, ces f'amserlen ynghyd â gwers gyflym am leoliadau'r adrannau a'r gwahanol ystafelloedd.

Roeddwn yn teimlo'n ansicr ac yn nerfus wrth i'r gloch ganu ac i bawb ddiflannu i gofrestru eu dosbarthiadau priodol. Fy nhasg gyntaf oedd cofrestru dosbarth 1A. Cododd y disgyblion ar eu traed yn gwrtais mewn distawrwydd llwyr. Mae'n amlwg fod disgyblaeth arbennig o dda yn yr ysgol hon, meddyliais, ac yn wir, felly y bu gydol fy amser ym Mhontypridd. Roedd dros bum cant o fechgyn yn ddisgyblion yn yr ysgol. Pawb yn gwisgo siaced ddu, a'r arwyddair *Ymdrech a lwydda* uwchben motiff o'r hen bont ar fathodyn y siaced. Dim ond dwy athrawes oedd ar y staff a'r gweddill yn ddynion – rhan helaeth ohonyn nhw yn gyn-ddisgyblion o'r ysgol. Byddai pob disgybl yn astudio rhwng wyth a deg pwnc safon O, ac os am fynd ymlaen i ddosbarth 6, byddent yn astudio 3 phwnc Safon A.

Wrth ymgyfarwyddo â'r dosbarthiadau ac ethos yr ysgol, des i adnabod y staff yn dda. Roedd gan bawb ei gadair ei hun yn yr ystafell athrawon. Yn y gaeaf byddai'r gofalwr yn cynnau tân glo, a dim ond hynafgwyr y staff fyddai'n cael cadair esmwyth wrth ymyl y gwres! Bob amser egwyl neu ginio, byddai criw o'r staff yn gwneud y croeseiriau ym mhapurau dyddiol y *Guardian* a'r *Times*. Yma ym Mhontypridd y dysgais y grefft o ddatrys croeseiriau. Fy Gamaliel oedd athro Ffrangeg yn yr ysgol, Morien Morgan o Aberdâr. Roedd e'n giamstar, er iddo golli un llygad wrth ymladd yn erbyn Franco yn Sbaen yn y 1930au. Roedd yn briod â'r awdures Elaine Morgan.

O ran fy natblygiad academaidd fel athro cefais ddigonedd o gyfle i ddysgu arferion da gan athrawon profiadol. Roedd yn ysgol ramadeg ardderchog gyda disgyblaeth gadarn a chanlyniadau addysgol penigamp. Yn ystod y chwedegau daeth y chwiw o redeg yn noethlymun ar hyd coridorau a meysydd rygbi yn ffasiynol ym Mhontypridd. Un dydd a minnau'n cyfeilio i wers canu, aeth y gerddoriaeth yn *molto piano* wrth i griw o fechgyn dosbarth 6 redeg heibio yn noethlymun a'r dosbarth i gyd yn gegrwth! Aeth rhyw ddeng munud heibio cyn i'r dosbarth ymdawelu a dod dros y cynnwrf o weld noethlymunwyr neu 'streakers' ar gampws yr ysgol!

Cefais gyfle i sefydlu corau a grwpiau offerynnol ar gyfer cystadlu yn Eisteddfodau Cenedlaethol yr Urdd. Roedd yr Adran Gerddoriaeth a'r Adran Gymraeg ym Mhontypridd yn rhoi cefnogaeth i ni athrawon ifainc i ffurfio a hyfforddi grwpiau. Ymhen amser cefais fy nyrchafu i swydd dirprwy bennaeth yr Adran Gerdd yn yr Ysgol. Roedd band Cadetau llwyddiannus eisoes wedi'i sefydlu yn Ysgol Pontypridd cyn i mi gyrraedd yno gan y Pennaeth Adran, Haydn Wyn Davies o Bontarddulais. Byddai'r disgyblion yn ymuno â chatrawd y fyddin ym Mhontypridd er mwyn cael offerynnau am ddim. Roedd y band yn ardderchog ac yn ymarfer gorymdeithio yn ogystal â chwarae cerddoriaeth orymdeithiol. Yn ystod y blynyddoedd cynnar yma, ces gyfle i fynd ag aelodau'r band i Lundain i weld sut maen nhw'n hyfforddi darpar offerynwyr yn y fyddin ar gyfer gyrfa lawn amser. Y fyddin oedd yn talu am y bws a'r bwyd ar hyd y dydd. Wrth gwrs, roedd yr awdurdodau'n awyddus ac yn gobeithio cael rhai o'r disgyblion i ymuno â bandiau'r Fyddin Brydeinig ar ôl gadael yr ysgol. Roedd yr ymweliad yn wir yn agoriad llygad i'r disgyblion a minnau.

Nid nepell o faes rygbi Twickenham roedd canolfan hyfforddi chwaraewyr bandiau llawn amser y Fyddin. Roedd neuadd enfawr yno lle byddai'r milwyr yn ymarfer am fisoedd cyn mynd yn ôl i'w catrawdau priodol. Dyma hefyd lle byddai'r darpar arweinyddion o gatrawdau ledled y byd yn derbyn hyfforddiant. Rown i'n amcangyfrif bod dros 300 o offerynwyr yn ymarfer yn y neuadd y prynhawn hwnnw. Y pennaeth oedd

Capten Trevor Sharpe, arweinydd Band y Coldstream Guards. Fe welir ei enw ar ddiwedd pob pennod o'r gyfres boblogaidd *Dad's Army*. Cefais wahoddiad ganddo i gael bwyd yn yr *Officers' Mess*, ac yno y buom yn trafod pob math o gerddoriaeth dros ginio hynod o flasus. Roedd Trevor Sharpe yn ddyn hynod o ddiddorol heb unrhyw ymffrost. Diwrnod i'w gofio yn Twickenham!

Yn dilyn ymddeoliad Mr Raymond Jones, penodwyd aelod o'r Adran Saesneg yn olynydd iddo. Cyn-ddisgybl i'r ysgol oedd Alan Mapps o ardal Trallwn ym Mhontypridd. Roedd yn hoff iawn o gerddoriaeth Wagner a bu'n un o is-lywyddion Côr yr Aelwyd am flynyddoedd, yn cyfrannu'n hael tuag at goffrau'r côr. Gŵr ecsentrig ydoedd ar sawl ystyr. Roedd chwiw ganddo i gyflwyno arferion uchel-ael a boneddigaidd i gwricwlwm chwaraeon y chweched dosbarth. Doedd dim diddordeb ganddo mewn rygbi o gwbl. Penderfynodd gyflwyno'r gêm aristocrataidd *croquet* ochr yn ochr â rygbi. Roedd gen i ddwy wers rydd ar brynhawn Mercher, a gwyddai'r prifathro 'mod i'n arfer chwarae *croquet* yn gyson gyda fy ffrind Lynn Edwards pan oedd yn fyfyriwr yng Ngholeg Downing, Caergrawnt. Sefydlodd y prifathro lawnt *croquet* ar lawnt gyferbyn â'r ysgol, a bûm yn hyfforddi rhai o fechgyn Dosbarth 6 sut i chwarae'r gêm. Byddai'r prifathro'n dod draw i'n gwylio, a staff y gegin yn paratoi paneidiau o de, brechdanau a theisennau hufen i'r timoedd. Cyn hir, roedd y straeon am fechgyn *macho* Ysgol Ramadeg Pontypridd yn chwarae *croquet* wedi ymledu ar hyd y dre fel tân gwyllt. Roedd Pontypridd yn gadarnle i rygbi ers blynyddoedd. Bu trafodaeth ffyrnig am chwarae *croquet* ar agenda llywodraethwyr yr ysgol yn ôl yr hanes! Un noson bu lladrad yn yr ysgol; chwalwyd y gyrdd pren a dygwyd y peli i gyd. Dyna ddiwedd hanes yr ymgais i sefydlu traddodiad o chwarae *croquet* yn yr Ysgol Ramadeg!

Wedi i mi ennill profiad yn y byd cerdd ac ennill gwobrau yn yr Eisteddfod Genedlaethol am chwarae'r piano, ces alwad ffôn gan fy nghyfnither o Ben-clawdd, Maureen Guy a'i gŵr John Mitchinson, y tenor enwog. Roedden nhw'n pwyso arnaf i gynnig am swydd *répétiteur* yn y byd opera yn Covent Garden lle'r oeddynt yn perfformio. Gwaith *répétiteur* yw gweithredu fel tiwtor neu hyfforddwr i gantorion opera a bale, yn helpu cantorion i ddysgu a chymeriadu rhan mewn opera. Mae'n rhaid wrth sgiliau cyfeilio o'r radd flaenaf i lwyddo fel *répétiteur*. Bydd yntau neu hithau hefyd yn cynghori cantorion ynglŷn â chywirdeb a thonyddiaeth gywir. Yr arweinydd enwog Georg Solti oedd yno yn bennaeth ar y pryd, ac fe fydden nhw'n trefnu i fi gyfarfod â Maestro Solti. Roedd yr amseru yn anghywir i mi, yn anffodus. Rhaid dweud i mi gael fy nhemtio i gynnig am swydd yn y tŷ opera enwog, ond gwrthod wnes i gan benderfynu aros yng Nghaerdydd. Dyma'r adeg pan brynais dŷ yn Rhiwbeina a'r adeg pan gafodd Janie, fy chwaer, a minnau briodas ddwbl. Roedd Janie wedi dyweddïo ag athro ifanc o Bwllheli, Dafydd Jones, a minnau wedi dyweddïo â stiwdant o Goleg y Brifysgol Aberystwyth, Meinwen Thomas o Gorris, a gawsai swydd yn dysgu'r Gymraeg yn ysgol Ramadeg y Merched Pontypridd ar ôl graddio.

Roedd Meinwen a minnau wedi cyfarfod mewn cynhadledd genhadol yn y Barri yn 1962, hithau yn cynrychioli Capel y Gurnos, Ystalyfera, a minnau yn cynrychioli Capel Minny St, Caerdydd. Ar ôl i Meinwen raddio yn y Gymraeg symudodd i fyw i Gaerdydd gan hyfforddi fel athrawes. Yn fuan sylweddolais fod llawer o bethau'n gyffredin rhyngom – cariad at gerddoriaeth,

hithau'n delynores a minnau'n bianydd, cariad at y
'pethe' ac eisteddfodau ac yn y blaen. Buom yn canlyn
pan oedd Meinwen yn Aberystwyth ac yna pan ddaeth i
Gaerdydd i fyw. Yn y cyfamser, roeddwn wedi dechrau ar
fy ngyrfa fel athro ym Mhontypridd a Janie, fy chwaer, yn
athrawes yn Wrecsam. Roedd priodasau'n destun trafod
ymysg y pedwar ohonom adeg haf 1965. Y penderfyniad
fu i'r pedwar ohonom gael priodas ddwbl ar ddydd Calan
1966 yng Nghapel Minny Street, Caerdydd. Roedd Janie a
minnau wedi cael ein codi a'n bedyddio yn Minny Street.
Roedd y teuluoedd ar bob ochr yn cytuno bod priodas
ddwbl yn gam economaidd synhwyrol. Ac felly y bu.

Roedd trefnu priodas ddwbl yn ymylu ar fod yn
hunllefus ar adegau, rhaid cyfaddef! Och na fyddai
ffôn ar y lôn neu gyfrifiadur ar gael y dyddiau hynny i
hwyluso'r trefniadau. Es i'r llyfrgell gan chwilio am lyfr
a fyddai'n cynnig cyngor am drefnu priodas ddwbl, ond
ofer fu'r chwilio. Bu Janie fy chwaer a minnau yn ceisio
trefnu'r fwydlen yn ystod gwyliau'r haf 1965, gan fireinio
popeth yn ystod gwyliau 'Dolig 1965.

Roedd gofyn i bob teulu anfon atom enwau a
chyfeiriadau aelodau a hoffai dderbyn gwahoddiad i'r
briodas. Yna ninnau, yn HQ *chez nous* yng Nghaerdydd, yn
nodi pwy fyddai'n medru bod yn bresennol ddydd Calan
1966. Sylwais fod wynebau fy rhieni yn gwelwi bob tro y
deuai'r postmon â llythyron yn derbyn y gwahoddiadau,
wrth feddwl am gostau'r briodas ddwbl hon. I fod yn
deg, roedd pob teulu, gan gynnwys y priodfeibion a'r
priodferched wedi cyfrannu at y gost o fwydo dros gant o
westeion yng ngwesty'r Parc, Caerdydd.

Myfi oedd yr unig un o'r ddau briodfab a'r ddwy
briodferch oedd yn byw yn barhaol yng Nghaerdydd:
roedd Dafydd Jones, darpar ŵr fy chwaer, a Janie ill
dau yn athrawon yn Wrecsam. Pwllheli oedd cartref

teuluol Dafydd. Roedd Meinwen a minnau yn dysgu ym Mhontypridd. Ystalyfera oedd cartref rhieni Meinwen ar y pryd. Roedd y baich o drefnu popeth yn disgyn ar fy ysgwyddau innau gan 'mod i'n sefydlog yng Nghaerdydd. Cefais gymorth parod gan fy ngwas priodas, Iwan fy mrawd.

Buom yn ymweld yn gyson â stiwdio Giovanni y ffotograffydd, y siop flodau, yr argraffty, y siop llogi siwtiau, y cwmni llogi ceir, a chant a mil o lefydd eraill, megis atgoffa'r organyddes am y gerddoriaeth i mewn ac allan o'r gwasanaeth, a rhybuddio gofalwr y capel i osod arwyddion Dim parcio o flaen drysau'r capel. Yr unig beth a achosai ben tost i mi oedd rhagolygon y tywydd. Beth petai eira neu rew yn achosi problemau teithio o'r gogledd a'r gorllewin i Gaerdydd? Drwy lwc a bendith roedd y tywydd yn oer ond yn sych.

O ran gwisg y merched, y ffrogiau priodas a ffrogiau'r llawforynion, dywedais wrth Janie a Meinwen y byddai'n rhaid iddyn nhw ofalu am bopeth: roeddwn yn methu dygymod â mwy o drefnu! A hynny a fu: roedd y llawforynion i gyd wedi'u gwisgo mewn steil unlliw glas, a'r ffrogiau priodas yn glaerwyn ac yn chwaethus – roedd y cyfan yn *ddigon o sioe* ys dywedodd ein gwesteion o'r gogledd!

Cawsom ymarfer Nos Galan yng Nghapel Minny St – siop siafins llwyr ydoedd i ddechrau. Roedd ceisio cael y fintai briodasol i gydgerdded i mewn yn ara deg trwy ddau ddrws y capel i gerddoriaeth Purcell yn anodd, ond ymhen awr o ymarfer daeth popeth i fwcwl ar y coreograffi. Gwyddwn mai'r broblem fwyaf ar y dydd fyddai ceisio cael lle i'r ddau weinidog, y ddau gwpl, y pedair morwyn briodas, y ddau dad a'r ddau was priodas yn y sêt fawr. Fe lwyddon ni rywsut ar ddydd y briodas i gael pawb i mewn i'r sêt fawr erbyn canol dydd: ni weles erioed wasgfa debyg na chynt na chwedyn yn sêt fawr Minny St!

Aeth popeth fel wats yn y brecwast priodas ar wahân i un tro trwstan. Roeddwn wedi archebu seddau cadw i deithio ar y Paddington Express am bedwar o'r gloch, gan feddwl y byddai'r bwyd a'r areithiau ar ben, gan fod yr orsaf drenau nid nepell o'r gwesty. Llwyddo i ddal y trên pump o'r gloch a wnaethom, ond doedd dim seddau cadw wrth gwrs ar y trên hwyrach yma. Roedd y trên yn llawn dop, felly aethom i'r seddau dosbarth cyntaf gan daflu conffeti ar y lawr. Roeddwn yn barod i dalu ecstra ond y cyfan a wnaeth yr arolygwr tocynnau oedd gwenu a chau'r drws!

Chlywais i ddim am unrhyw briodas ddwbl na chynt na chwedyn ym Minny Street. Roedd yn achosi tipyn o benbleth ar adegau i'r gweinidog, y Parchedig D. T. Evans, wrth iddo gymysgu'r enwau a bron â phriodi Janie â mi a Dafydd â Meinwen! Er mwyn ychwanegu at ddrama'r achlysur, dechreuodd trwyn Dafydd waedu. Trist yw cofnodi fod Janie a minnau bellach wedi colli'n partneriaid yn rhy fuan o lawer.

Ysgol ramadeg oedd ysgol Pontypridd, ac iddi draddodiad o gynhyrchu chwaraewyr rygbi rhyngwladol yn ogystal â hyfforddi ac annog disgyblion i anelu am y safonau academaidd uchaf. Roedd yn perthyn i draddodiad yr hen ysgolion gramadeg lle byddai'r prifathro yn awdurdodi popeth o ran disgyblaeth, amserlen a dewis pynciau. Roedd y prifathro, Mr Raymond Jones, yn brifathro da ac yn gapelwr selog ym Mhontypridd. Bues yn hapus iawn yno yn ystod fy ngyrfa o bymtheng mlynedd heb deimlo unrhyw wasgedd academaidd ar y staff na'r disgyblion ychwaith. Roedd disgyblaeth dda yno, a pharch i'r athrawon ym mhob agwedd o fywyd yr ysgol. Bu'r prifathro yn garedig

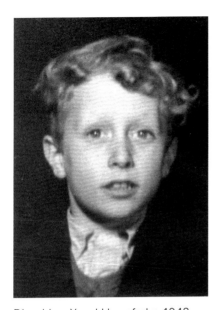

Disgybl yn Ysgol Llwynfedw, 1948

Teulu'r Guys, Penarth, 1946.
David Thomas Guy, Annie Guy, Janie,
fi ac Iwan

Iwan, Janie a minnau yn 2006

Y briodas ddwbl ar ddydd Calan 1966 yng Nghapel Minny Street, Caerdydd.
Alun a Meinwen, Janie a Dafydd

Sioned Guy yn bump oed

Sioned a'i gŵr Gordon

Teulu'r Guys a'r Jones's. Aduniad Haf 1994

Sioned yn graddio ym Mangor

Pedwarawd jazz: fi ar y piano, Iwan fy mrawd ar y bâs dwbl a dau gyfaill. Yn perfformio mewn dawnsfeydd a phartïon preifat ar ddiwedd y 1950au

Coleg y Brifysgol Caerdydd: aelodau o'r Gymdeithas Gymraeg, 1960

Tîm pêl-droed Adran Gerdd y Coleg, 1959. Dwi yn y rhes gefn ar y dde eithaf

Wedi graddio: dechrau ar gwrs hyfforddiant fel athro ysgol uwchradd. Ar fy ffordd i ddarlith yn Adran Addysg y Brifysgol yn 1962

Eisteddfod yr Urdd Rhuthun, 1962. Fi'n arweinydd ifanc 23 oed yn arwain Côr
Aelwyd Caerdydd i fuddugoliaeth

Ysgol Ramadeg y Bechgyn Pontypridd 1962–1978. Y côr bechgyn a minnau'n
barod i berfformio yn Eisteddfod yr Urdd ym Mhontypridd, 1969

Ymweliad yr Adran Gerdd ag Eglwys Gadeiriol Caersallog

Cymdeithas Gymraeg yr Ysgol

Athrawon yn arwain cwrs Cymraeg ym Mhlasty Dyffryn. O'r chwith i'r dde: Alun Jones, finnau a Clive Rowlands

Côr Aelwyd Caerdydd 1960–1978: Ymarfer y côr cyn perfformio gyda chorau eraill o aelwydydd yr Urdd yn Neuadd Albert Llundain Mis Mawrth 1962

Perfformio Gloria Vivaldi gyda'r côr a cherddorfa'r Aelwyd yn Theatr Reardon Smith Caerdydd 1967

Requiem Verdi, Rhagfyr 1971, Neuadd Cory Caerdydd

Buddugol yn y Genedlaethol yn Llandudno 1963 yng nghystadleuaeth y Côr Ieuenctid

Ennill y brif gystadleuaeth gorawl yn Eisteddfod Abertawe, 1964. Alun Williams sy'n cyflwyno'r tlws i mi

Ennill yr ail gorawl yn Eisteddfod Abertawe 1964

Rhieni balch gyda'r cwpanau corawl triphlyg ynghyd â'r baton a gyflwynwyd i mi gan y côr mewn derbyniad dinesig yn Neuadd y Ddinas Caerdydd gan yr Arglwydd Faer yn 1964

Clwb Rygbi Aelwyd Caerdydd 1965. Yn y rhes gefn fi sydd yr ail o'r chwith

Dawns roc a rôl yn yr Aelwyd gyda'r band bob nos Wener ar ôl i'r ymarfer côr orffen

Taith Côr yr Aelwyd i'r Almaen yn 1972

Cyflwynwyd anrheg i mi gan y côr yn 1976 gan sylfaenydd yr Aelwyd, Gwilym Roberts. Roedd y côr yn gorffen oherwydd i mi gael fy ngwahodd i arwain Côr Steddfod ar gyfer y Genedlaethol yng Nghaerdydd yn 1978

Ysgol Glantaf: addysgu yn yr ystafell Gerdd 1978

Y DINESYDD

PAPUR CYMRAEG CAERDYDD A'R CYLCH   TACHWEDD 1976   RHIF 35

Ffarwelio â Chôr Enwog

Cymdeithas Gorawl Aelwyd Caerdydd 1960-76

Llun hanesyddol: Côr yr Aelwyd ddechrau'r chwedegau. O, ieuenctid ffol...! Diolch i Gwilym Roberts am y llun.

Tudalen flaen *Y Dinesydd*

Twrnament tenis. Ymlacio cyn yr ornest gyda fy nghyfaill Gwilym Roberts, sylfaenydd Aelwyd Caerdydd. Efe a orfu fel arfer!

Gwasanaeth Nadolig cyntaf Ysgol Glantaf. Roedd pob disgybl (99) yn aelod o'r côr yn 1978

Perfformio rhaglen Nadolig gyda Syr Geraint Evans a chôr yr ysgol yn stiwdios HTV 1979

Capel Minny Street: fi wrth y piano yn hyfforddi côr siambr y capel ar gyfer dathliadau canmlwyddiant 1987

Arwel [Hughes] a minnau'n trafod ei oratorio 'Dewi Sant' cyn y perfformiad gan Gôr Ffilharmonig Caerdydd ym Mai 1983

Côr Merched Glantaf yn stiwdios HTV 1983

Band Jazz Glantaf yn recordio yn Stiwdios HTV, 1984

Côr a cherddorfa Glantaf yn perfformio yn Eglwys Gadeiriol Fflorens ar ein taith Gerdd

Neuadd Dewi Sant Caerdydd, 1999. Côr Ysgol Glantaf a Chorau Philharmonig Caerdydd a Chasnewydd yn perfformio oratorio 'Elïas' gan Mendelssohn

iawn wrtha' i droeon pan ddeuai gwahoddiad i mi fynd i arwain cymanfa neu feirniadu mewn steddfod yn y gogledd yn ystod amser ysgol. Rwy'n dal o hyd mewn cysylltiad â rhai o'm disgyblion fel Derec Stockley, John Pockett a'r Ustus Syr David Lloyd Jones, aelod o'r Goruchaf Lys yn Llundain.

Cynhaliwyd Eisteddfod yr Urdd ym Mhontypridd yn 1973, a pharc hyfryd Ynysangharad oedd safle'r babell fawr. Dyna'r tro cyntaf i mi gael gwahoddiad i gyfeilio yn Eisteddfod yr Urdd. Bob tro arall byddwn yn arwain neu'n cystadlu fel unigolyn. Cofiaf yn dda y darn cyntaf a'r rhagbrawf y bûm yn cyfeilio ynddo. Y darn gosod i blant 12–15 oed oedd gwaith Haydn, 'Mae Mam am i mi rwymo 'ngwallt'. Hefyd, daeth gwahoddiad oddi wrth y pwyllgor cerdd i mi ffurfio côr unedig o ysgolion Pontypridd a'r cylch i ganu mewn cyngerdd yn ystod yr wythnos yn y babell fawr. Fy nghôr o'r ysgol ramadeg a ffurfiai ran helaeth y cantorion, a chawsom gefnogaeth dda gan ysgolion eraill y cylch. Dewisais ddarn heriol gan y diweddar Alun Hoddinott, 'Ieuenctid y Dydd', a'r geiriau gan Syr T. H. Parry-Williams. Derbyniwyd canmoliaeth frwd ar ein perfformiad o'r gwaith.

Yma ym mharc Ynysangharad, ar y maes criced, y bu tîm criced Morgannwg yn chwarae gemau achlysurol ers sawl blwyddyn. Ymhen amser byddai'r tîm yn ymgartrefu yng Ngerddi Sophia, Caerdydd. Yma hefyd bob haf ym mharc Ynysangharad, byddai gêm undydd rhwng y disgyblion a'r staff yn para am ddydd cyfan a phawb yn gwisgo trowsus a chrys gwyn traddodiadol. Byddai'r ysgol gyfan yno'n gwylio am un ar ddeg o'r gloch, ond tenau iawn fyddai'r gynulleidfa erbyn amser cinio. Ar ôl cinio dim ond y *geeks* ifanc brwdfrydig a deallus fyddai ar ôl i weithio'r sgorfwrdd – yr union sgorfwrdd a ddefnyddid gynt gan dîm Morgannwg dan gapteniaeth Wilf Wooller. I ddyfynnu geiriau'r gân, 'Ond oedden nhw'n ddyddiau da!' Dim sôn am nosweithiau rhieni nac am ymweliadau Arolygwyr ei Mawrhydi! Dim sôn ychwaith am Gwricwlwm Cenedlaethol!

8

Côr Aelwyd Caerdydd 1960–76 a chyfrinachau'r arweinydd

CYRHAEDDAIS Neuadd Capel yr Undodiaid yn West Grove ar nos Wener hydrefol yn 1960, a chael tuag ugain o gantorion ysgol yn disgwyl dyfodiad eu harweinydd nerfus newydd i gychwyn yr ymarfer. Eglurodd Gwilym wrtha' i mai cystadlu fel Côr Aelwyd oedd y nod yn y pen draw. Roedd y côr yn bwriadu cystadlu yn Eisteddfod yr Urdd yn Rhuthun yn 1962 ar y cystadlaethau i gorau bechgyn, corau merched a chorau cymysg. Golygai hynny y byddai'n rhaid paratoi, wrth gwrs, dros gyfnod y gaeaf ar gyfer yr Eisteddfod Gylch a'r Eisteddfod Sir y flwyddyn honno. Byddai blwyddyn a hanner o waith paratoi caled o'n blaenau, felly.

Neuadd dywyll, ddigroeso oedd cartref yr Aelwyd gyda hen biano a welodd ddyddiau gwell. Ces groeso calonogol gan y Côr ar ôl i Gwilym, wrth fy nghroesawu, egluro pwy oeddwn a 'mod i'n fyfyriwr ym Mhrifysgol Caerdydd. Roedd Iwan, fy mrawd, eisoes yn aelod yn yr Aelwyd ers y cychwyn, felly roedd hynny'n fanteisiol i mi mewn ffordd. Wrth ddechrau ar yr ymarfer roeddwn yn teimlo'n anghyffyrddus ac yn hunanymwybodol dros ben wrth weld yr holl lygaid yn syllu arna' i. (Doeddwn i ddim wedi dechrau ar fy mlwyddyn hyfforddiant fel athro bryd hynny.)

Doedd fawr o repertoire gan y côr ond o dipyn i beth teimlwn eu bod yn ymlacio o dan fy arweiniad amaturaidd. Cefais siom o'r ochr orau, fodd bynnag, gyda safon y canu. Parodd yr ymarfer cyntaf hwn tuag awr a theimlwn yn weddol fodlon gyda phethau. Cyfeilydd y côr ers y cychwyn oedd myfyriwr yn Ysgol Bensaernïol Caerdydd o'r enw David Hamley. Roedd e'n gyfeilydd penigamp ac ef fyddai unig gyfeilydd y côr tan y diwedd yn 1976. Wedi cael gwared ar y cadeiriau a'r piano ar ôl yr ymarfer côr, dechreuodd Gwilym gynnal sesiynau dawnsio gwerin gyda phawb. Roedd yr ail awr o gymdeithasu ar fin dechrau. Awgrymais iddo y byddwn yn fodlon ffurfio band roc/jeifio ambell nos Wener yn yr Aelwyd yn lle dawnsio gwerin. Roedd y band Aldual yn hen hanes erbyn hyn. Roedd Gwilym yn frwd iawn dros y fenter. Cyn hir, byddai pobl ifainc a myfyrwyr y colegau yn llifo i Aelwyd yr Urdd yn neuadd Capel West Grove i ganu a dawnsio ar nos Wener.

Yn dilyn ymarferion cyntaf y côr, dyma fi'n sylweddoli'n unionsyth bod angen mwy o brofiad arwain arna' i. Yn sicr byddai angen gwell cydbwysedd ac undod lleisiol ar y cantorion hyn. Prynais ddau lyfr *The Chorus Master* gan Leslie Woodgate a Herbert Antcliffe am bum swllt yr un. Dyna'r buddsoddiad llyfryddol gorau wnes i erioed. Credwch neu beidio, mae'r ddau lyfr yn fy meddiant o hyd ac yn cael lle anrhydeddus ar y silff lyfrau. Buont o gymorth mawr iawn i mi wrth fentro i fyd arwain lleisiau ac offerynnau. Yn awr, wrth ddechrau arwain côr, sylweddolais pa mor handi oedd bod gen i draw perffaith absoliwt.

Ond sylweddolais hefyd fy mod i'n arwain pedwar curiad yn y bar yn anghywir. I'r chwith y dylai'r ail guriad fynd ac nid i'r dde. Mae nifer o arweinyddion corau a bandiau heddi yn dal i arwain yn anghywir yn ôl y confensiwn arwain rhyngwladol. Dysgais yn fuan hefyd pa mor bwysig yw'r esgyn guriad wrth gychwyn. Pwy fase'n credu y byddwn innau, ymhen blynyddoedd, yn cael y cyfrifoldeb o feirniadu a dyfarnu'r gystadleuaeth arwain yn yr Eisteddfod Genedlaethol?

Roedd ennill y wobr gyntaf i gorau Aelwydydd yn Rhuthun yn 1962 yn hwb aruthrol i'r côr ac i minnau hefyd yn bersonol. Buom yn dathlu ein buddugoliaeth hyd oriau mân y bore a Gwilym Roberts yn ei elfen! Mae gen i lun o'r côr yn ennill yn Rhuthun ar wal fy Stiwdio Gerdd, llun a ges gan Prys Edwards, mab sylfaenydd yr Urdd, Syr Ifan. Er nad oedd Prys yn gantor, roedd e'n aelod ffyddlon o'r Aelwyd ac yn gefnogol iawn i bopeth a drefnid gan Gwilym Roberts. Trist oedd clywed yn ddiweddar ein bod wedi colli aelod olaf un teulu enwocaf Cymru yn yr ugeinfed ganrif.

Ymlaen yn llawn gobaith, felly, at baratoi i amddiffyn ein coron ym Mrynaman 1963. Roeddem wedi magu mwy o hyder ac wedi codi safon Côr Aelwyd Caerdydd ers Eisteddfod Rhuthun. Y darn gosod i gorau cymysg yr Aelwydydd oedd 'Yno yn hwyrddydd Ebrill 'gan Hugh Roberton. Roedd yntau a'i gôr enwog, Glasgow Orpheus, eisoes wedi recordio'r darn a chael canmoliaeth aruchel am y recordiad.

Cawsom siom fawr ym Mrynaman, fodd bynnag, wrth weld nad oeddem wedi cyrraedd y llwyfan hyd yn oed! Dyma beth oedd cwymp y cedyrn. Dysgais wers werthfawr y dwthwn hwnnw. Y pencampwyr haeddiannol y prynhawn hwnnw oedd Côr Aelwyd Aber-porth. Nhw a Chôr Llanuwchllyn fyddai'n rhaid inni eu curo yn y dyfodol!

Sylweddolais fod angen llawer mwy o ymroddiad a

dyfalbarhad arnom i godi'r safonau yn uwch os am gystadlu yn y Genedlaethol fawr. Doedd Gwilym Roberts ddim yn fodlon ein bod yn cystadlu yn yr Urdd yn unig; y Genedlaethol oedd ei nod newydd. Felly ymlaen â ni i gynnig yn Eisteddfod Genedlaethol Llandudno yn 1963, gan ennill y Côr Ieuenctid a chael y trydydd safle yn yr Ail Gorawl. Yr Ail Gorawl yr adeg honno yn y Genedlaethol oedd enw'r gystadleuaeth i gorau cymysg o dan 80 o leisiau. Y Prif Gorawl oedd yr enw ar gyfer corau cymysg dros 80 o leisiau. Buom oll yn dathlu ar y nos Lun mewn clwb nos yn Llandudno. Roedd organ theatr yn y clwb ac yno bues yn cyfeilio ac yn chwarae jazz gydol y nos. Cawsom fwyd a diod yn rhad ac am ddim gan berchennog y clwb! *Happy Days!*

Ar y dydd Sadwrn, ddiwedd yr wythnos, roeddwn yn bwriadu cystadlu ar yr unawd piano agored. A minnau heb fod yn agos at unrhyw biano ers dros wythnos, rhaid oedd ymarfer i gael unrhyw obaith o lwyddiant. Ond roedd pibau hud y 'dolce vita' eisteddfodol wedi cydio'n dynn ynof bryd hynny ac ni fûm yn agos at unrhyw biano! Aeth y rhagbrawf yn weddol dda a llwyddais i gyrraedd y llwyfan. Y darn prawf oedd *Fantasia* gan Schubert, darn oedd yn parhau am chwarter awr. Cofiaf edrych i lawr o'r llwyfan ar y beirniad Meirion Williams yn syllu arnaf fel rhyw brifathro. Cefais yr ail wobr ganddo. Digon teg, meddwn wrthyf fy hun. Wyddwn i ddim bryd hynny y byddwn ymhen amser yn rhannu bwrdd y beirniaid gyda'r cyfansoddwr enwog yn Eisteddfod Genedlaethol yr Urdd yn Llanelli. Pan oeddem yn ymlacio wedi diwrnod o gydfeirniadu, byddai Meirion yn ffonio'i wraig yn Llundain ar ôl swper, yna'n archebu peint cyfan o sieri a fyddai'n parhau drwy gydol y nos iddo. Coffa hyfryd amdano – cymeriad ffraeth a dawnus!

Byddai'r profiadau o arwain, hyfforddi a chystadlu ar

gyfer Llandudno yn golygu ein bod yn mynd i Eisteddfod yr Urdd ym Mhorthmadog 1964 yn fwy hyderus o lawer na'r flwyddyn gynt. Roedd nifer o gantorion o'r Coleg Cerdd wedi ymaelodi â'r côr, gan godi'r safon yn bendant. Roedd Gwilym Roberts yn awyddus i'r Aelwyd gynnig ar bob cystadleuaeth gerddorol ym Mhorthmadog. Gwnaed hynny gan ennill llond trol o wobrau. Y beirniaid cerdd oedd Emrys Cleaver a George Peleg Williams. Y darn gosod i'r corau SATB oedd 'O gylch yr Orsedd' gan Morgan Nicholas. Roeddwn yn adnabod y cyfansoddwr eisoes ers cael gwersi lleisiol yn y brifysgol. Cefais gyngor gwerthfawr ganddo ynglŷn â dehongli a dewis y tempo cywir. Roedd Morgan Nicholas wrth ei fodd pan glywodd inni ennill y wobr gyntaf yn perfformio ei gyfansoddiad. Yn drist iawn, bu'r cyfansoddwr farw'n fuan wedi hynny – yn rhy gynnar o lawer ac yntau'n dal yn gymharol ifanc. Ymhen blynyddoedd, roedd chwaer Morgan Nicholas a'i gŵr, y Parchedig Glyndwr Richards, yn aelodau yng nghôr Eisteddfod Caerdydd 1978 pan oeddwn yn gôrfeistr. Mr Richards a ddaeth yn ail yn y gystadleuaeth am Gadair yr Eisteddfod. Doedd neb, yn ôl y beirniaid, yn deilwng o'r gadair y flwyddyn honno, yn anffodus. Mae'r gadair hardd yn dal yn Ysgol Glantaf.

Roedd yn anochel rywsut mewn côr cymysg o gant o leisiau y byddai bechgyn a merched yn cymdeithasu ac yn syrthio i mewn ac allan o gariad gyda'i gilydd. Fel y broliai papur Sul y cyfnod, y *News of the World – All human life is here!* Byddai cyplau yn rhannu seddau mewn bysiau ar y ffordd i gyngherddau ac ati, ac yn cynnal partïon rif y gwlith o gwmpas y ddinas. Bob nos Sadwrn byddai rhywun yn rhywle yn cynnal parti. Ar ôl cymdeithasu yn The Conway, byddai aelodau'r Côr (ac eraill) yn holi ble byddai'r parti y noson honno. Yr ateb fel arfer fyddai naill ai Richmond Road neu Heol Ninian, Parc y Rhath.

Roedd hyn oll cyn cyfnod y ffonau symudol, wrth gwrs! Wn i ddim sawl priodas a fu o ganlyniad i gyplau'n cyfarfod yn y côr neu'r Aelwyd. Cefais geisiadau cyson i chwarae'r organ neu fod yn westai mewn priodasau lu ledled Cymru oherwydd fy swydd fel arweinydd côr. Mae'r priodasau i gyd yn aros yn y cof am amryw o resymau cofiadwy. Roedd priodas Eluned Francis (Soprano) a Ken Richards (Tenor) i lawr yn Sir Benfro yn gofiadwy am reswm annisgwyl. Gofynnodd Eluned i mi a Mrs Guy gadw cwmni i frawd ei mam yn ystod bore'r briodas, tra oedd pawb wrthi'n gwisgo a pharatoi'r capel a threfnu'r blodau ac yn y blaen. Cytunais yn llawen gan ofyn i'w hewythr, Mr Williams, sut hoffai dreulio'r tair awr nesaf. Roedd gen i hen gar Jaguar mawr glas yr adeg yna! Dywedodd Mr Williams yr hoffai ddangos gogoniant a harddwch rhannau o Sir Benfro inni ac ymaith â ni'n tri am wibdaith yn y Jag. Enw cyntaf Mr Williams oedd Waldo. Ie, dim ond un bardd â'r enw Waldo sydd yng Nghymru, am wn i. Anghofiaf i fyth yr oriau hudol a dreuliwyd yng nghwmni un o feirdd enwoca'r genedl. Dyn hynaws ac addfwyn ydoedd Wncwl Waldo, yn dangos y ffermydd ac yn adrodd hanesion y pentrefi inni. Yn fynych gwelai ffrindiau ar y ffordd a rhaid oedd aros i'w cyfarch. Roedd pawb yn adnabod Waldo gan gynnwys y plant y bu'n eu haddysgu. Rwy'n meddwl yn dawel fach, ei fod wedi 'joio bod yn y Jag' y bore hwnnw. Penllanw'r wibdaith oedd ymweld â Phwllderi a chael hanes y cymeriad lliwgar Dewi Emrys.

Er inni ennill y wobr gyntaf i gorau Aelwydydd yn ddi-dor rhwng 1965 ac 1968 yn Eisteddfodau'r Urdd, penllanw hanes cystadlu'r côr fyddai haf 1964 yn Eisteddfod Genedlaethol Abertawe. Ennill y Prif Gorawl a'r Ail Gorawl oedd ein camp. Roedd fy mhrofiad fel arweinydd wedi ehangu a theimlwn yn ddigon hyderus o flaen y côr. Roedd dros gant ac ugain o aelodau yn perthyn i'r côr erbyn hyn. Cydnabu Cyngor Caerdydd gampau'r côr yr Hydref canlynol wrth i'r Arglwydd Faer estyn gwahoddiad dinesig inni; roedd yn ddathliad arbennig iawn ac yn achlysur nodedig yn ein hanes. Daeth pennaeth BBC Cymru, Alun Oldfield Davies, gyda ni yn westai arbennig. Cefais anrheg gan y côr o faton mewn cas i gofio ein buddugoliaeth ddwbl syfrdanol yn Abertawe yn 1964.

Teimlwn fy mod yn datblygu arddull arwain oedd yn bersonol ac yn unigryw i fi fy hun. Ni cheisiwn efelychu unrhyw arweinydd arall. Dylai pob arweinydd fedru cyfathrebu â'r cantorion a hefyd ag aelodau'r gerddorfa, gan sicrhau symudiadau baton clir a phendant. Mae'n rhaid iddo ef/hi gael nerfau dur wrth ymateb mewn argyfwng o golli cydiad (*entry*) offerynnau neu leisiau. Cefais wersi gwerthfawr iawn gan Arwel Hughes yn nes ymlaen yn fy ngyrfa wrth baratoi i arwain Côr yr Eisteddfod a Cherddorfa'r BBC. Doeddwn i ddim yn fwriadol yn ceisio mabwysiadu unrhyw arddull arwain arbennig. Mae fy arddull arwain yn ymestyniad o'm corff a'm personoliaeth, ac wedi tyfu ac esblygu trwy brofiad – a hynny heb unrhyw feddwl na chynllunio bwriadol ar fy rhan. Mae pob pianydd/unawdydd offerynnol ag arddull bersonol ei hun wrth berfformio: rhai yn ddramatig, rhai yn edrych yn boenus, tra bo eraill yn llonydd dan wenu.

I ddechrau, roeddwn yn hoff o hepgor y baton ar adegau wrth arwain canu dwys ac ystyriol. Byddai fy nwylo yn siapio llif y brawddegau llyfn, heb 'mod i braidd yn symud fy mreichiau. Roeddwn am i'm dwylo a'm bysedd hirion gyfleu angerdd y gerddoriaeth. Yna pan fyddwn yn arwain cerddoriaeth leisiol gyflym a chynhyrfus, byddai'r baton yn ymestyniad o'm breichiau ac yn trosglwyddo rhythmau a disgleirdeb y gerddoriaeth i'r perfformwyr.

Pan oeddwn yn arwain bandiau jazz a swing neu'n chwarae'r piano, arferwn blygu fy mhengliniau ac ysgwyd fy nghorff a'm traed gyda rhythmau'r gerddoriaeth. Nid yw hyn yn dderbyniol bellach mi gredaf wrth arwain cerddorfeydd a chorau. Yn sicr, roedd yn annerbyniol wrth chwarae'r sielo slawer dydd! Rwy'n cadw fy nhraed, fy nghoesau a gweddill fy nghorff yn llonydd gan adael i'm llygaid, y baton a'm dwylo lywio'r gerddoriaeth.

Uwchlaw pob elfen arall o'm harddull arwain, cefais fy nghanmol droeon am fod yn gyson o ran tempo ac yn lân o ran curiad ac am eglurdeb fy ngwaith a'm hystumiau efo'r baton. Ni fûm erioed yn hoff o ddefnyddio baton hir iawn wrth arwain; yn yr oesoedd a fu byddai arweinyddion yn curo'r llawr gyda ffon fawr i gadw amser!

Hoffwn feddwl fod gen i arddull arwain daclus ac ystyrlawn, sy'n cyfleu gogoniant a dwyster pob math o gerddoriaeth. Pan ges lawdriniaeth flynyddoedd maith yn ôl yn Ysbyty Athrofaol Mynydd Bychan Caerdydd am hernia, dywedodd y doctoriad a'r nyrsys wrtha' i 'mod i'n chwifio fy mreichiau i bobman wrth ddod allan o effeithiau'r anesthetig yn y ward ymadfer, gan fwmian, '*Why aren't you singing? Now, come on, after four*' . . . cyn syrthio nôl i gysgu!

Chwi gofiwch, annwyl ddarllenydd, i mi sôn ynghynt ym Mhennod 6 am wahoddiad i chwarae pêl-droed ar Barc Ninian ryw fore Sadwrn ym mis Mawrth 1962. Gallaf ddatgelu yma mai canu bas gyda Chôr Unedig o bum cant o leisiau holl Aelwydydd yr Urdd yng Nghymru roeddwn i yn Neuadd Albert, Llundain. Cyngerdd dathlu deugeinfed pen-blwydd sefydlu'r Urdd gan Syr Ifan ab Owen Edwards ydoedd. Doeddwn i ddim am golli'r profiad o ganu yn Neuadd Albert, hyd yn oed ar draul chwarae ar dir sancteiddiolaf Parc Ninian! Ni chefais lythyr arall oddi wrth Cardiff City AFC ac nid wy'n edifarhau o gwbl.

Derbyniodd yr Aelwyd wahoddiadau lu am gyngherddau o Borthcawl, Pen-clawdd, Ystalyfera, Cwmbrân, Corby, Aberafon, Treorci a Phontypridd. Bu'r côr yn cynrychioli Cymru yng Ngŵyl Ryngwladol San Remo yn yr Eidal, gyda'r Cyngor Prydeinig yn talu am lety a chludiant inni. Hefyd, buom ar daith sawl gwaith i Frankfurt yn yr Almaen, a dyna'r tro cyntaf i mi gael fy nghyflwyno ar lwyfan fel '*Maestro Internazionale!*' Buom hefyd yn Neuadd Albert yn Llundain yn perfformio yng Ngŵyl Cymry Llundain ar nos Sadwrn 7 Mawrth yn 1964, bum mis cyn ein buddugoliaeth enwog yn Eisteddfod Genedlaethol Abertawe. Dyma un o'r uchafbwyntiau mwyaf cynhyrfus yn fy mywyd fel arweinydd, ac yn sicr yn hanes Côr yr Aelwyd. Roedd llywio'r baton o flaen pum mil o gynulleidfa o Gymry Llundain yn fraint allai godi arswyd ar unrhyw arweinydd! Anghofiaf i fyth y wefr o gerdded allan o flaen y dorf a'r goleuadau llachar arna' i wrth imi symud i'm lle o flaen y côr i arwain yr anthem enwog, 'Dyn a aned o wraig'.

Cafodd côr newydd arall, Côr Meibion Pontarddulais, wahoddiad i ganu yn Neuadd Albert gan y cyfarwyddwr Aneirin Talfan Davies. Ces gais ganddo i drefnu rhannau i Gôr Pontarddulais er mwyn iddynt fedru chwyddo'r gân gyda ni, Côr yr Aelwyd, ar ddiweddglo olaf yr anthem, 'Dyn a aned o wraig' ar y geiriau, 'O angau, pa le mae dy golyn, O Uffern! Ti gollaist y dydd.' Byddai Cyril Anthony wrth organ fawr Neuadd Albert hefyd yn dod i mewn ar y diweddglo yna. Wel, dyna'r uchafbwynt mwyaf cyffrous ges i'r fraint o'i arwain erioed. Ni phrofais ddim cyffelyb i'r teimlad o bŵer seinyddol na chynt na chwedyn wrth dyfu'n gerddor.

Yn 1964 cawsom wahoddiad i recordio tair rhaglen gyda Cherddorfa'r BBC. Y rhaglen gyntaf oedd 'Song of Destiny' gan Brahms. Lleoliad y recordiad oedd Neuadd y Ddinas ar ganol y dre, cyn agor neuadd gyngerdd newydd y BBC yn Llandaf. Yr ail raglen oedd 'Ffantasi i gôr ac unawdydd' gan Beethoven gyda'r pianydd Pwylaidd enwog, Peter Wallfisch yn serennu. Y rhaglen olaf o'r tair rhaglen oedd darn achlysurol ar gyfer côr, llefarydd a cherddorfa, 'King Stephen' gan Beethoven. Roedd y llefarydd yn llais a oedd yn gyfarwydd i nifer ohonom, ac i wrandawyr Radio BBC yn enwedig yn ystod yr Ail Ryfel Byd – neb llai na'r darlledwr Alvar Lidell. Pleser arbennig oedd cydweithio gydag ef, a chyfarfod â'r gŵr enwog a fu'n darllen y Newyddion ar y radio rhwng 1939 ac 1945. Cofiaf hyd heddi y geiriau olaf a lefarwyd ganddo mewn llais theatrig uchel a dramatig yn y recordiad – 'Maria Theresa!'

Mae un cyngerdd yn sefyll yn y cof o hyd. Yn Nhregaron roeddwn i, wedi bod yn beirniadu mewn eisteddfod, pan ddaeth Miss Cassie Davies o Flaencaron ger Tregaron ataf. Roedd hi'n un o Arolygwyr Ysgolion Cymru ac yn enwog yn y fro a thrwy Gymru gyfan. Roedd am i mi ddod â chôr a cherddorfa'r Aelwyd i Dregaron a pherfformio Meseia Handel yn Gymraeg yn neuadd y pentref. Roedd ganddi enw yn barod a fyddai'n gweddu i'r dim fel unawdydd Tenor, meddai wrthyf, neb llai na'r ffermwr o Lanilar, Dai Jones. Byddai'r unawdwyr eraill, Soprano, Contralto a Bas yn aelodau o'r côr.

Daeth dau fws llawn o gantorion ac offerynwyr lan o Gaerdydd ar y bore Sadwrn. Roedd Cassie Davies a phwyllgor y neuadd yno i'n croesawu. Cawsom groeso arbennig a phaneidiau dirifedi o de cyn dechrau ar yr ymarfer. Roedd Dai Jones yn wên o glust i glust wrth feddwl am ganu gyda cherddorfa symffonig yr Aelwyd. Roeddwn eisoes wedi beirniadu Dai mewn sawl eisteddfod, gan ddyfarnu'r wobr gyntaf iddo bron bob tro. Roedd yn meddu ar lais telynegol gwych ac wedi ennill yn y Genedlaethol a Llangollen gyda chlod arbennig. Roedd cyfeilydd lleol, Mr Ted Morgan, Llandysul wedi bod yn hyfforddi Dai yn barod at y perfformiad. Aeth pethau'n iawn wrth ddechrau'r ymarfer, gyda'r gerddorfa a'r côr yn cael hwyl arni tan i ni ddod at unawd cyntaf Dai, 'Pob rhyw bantle a gyfodwyd' (*Every valley shall be exalted*). Roedd ei lais yn seinio ar draws y neuadd fel cloch. Yn anffodus, câi Dai anawsterau wrth gyfri'r barrau oedd gan y gerddorfa rhwng y cydiadau (*entries*) lleisiol, gan ddod i mewn naill ai'n rhy gynnar neu ynteu'n rhy hwyr. Digwyddodd hyn nifer o weithiau yn ystod y rihyrsal, a'r gerddorfa yn flin wrth inni orfod ailgychwyn yr unawdau nifer o weithiau! Cefais air gyda Dai ar derfyn yr ymarfer gan ddweud wrtho y byddwn yn ei arwain, cydiad wrth gydiad, gyda'm llaw chwith gan arwain y gerddorfa gyda'm llaw dde. Hynny a wnes, ac ni chrwydrai llygaid Dai oddi arnaf yn ystod ei unawdau. Oedd, mi roedd y cyngerdd yn llwyddiant ysgubol ond ro'n i'n chwysu chwartiau bob tro roedd Dai yn codi i ganu! Roedd yr unawdydd o Lanilar wedi serennu ac yn edrych mor *chic* gyda haenau helaeth o Brylcreem ar ei wallt yn sgleinio yn y goleuadau. Yn ystod ei unawdau, fe hoeliodd ei sylw ar fy llaw chwith ac ni chollodd unrhyw gydiad o gwbl gydol y perfformiad. Llwyddiant ysgubol fu breuddwyd Cassie Davies, a'r tenor lleol wedi sgorio. Meddyliais wrthyf fy hun . . . *Dai pulls it off!* Wyddai'r gynulleidfa ddim oll. Dyna'r cyngerdd mwyaf chwyslyd a arweiniais erioed!

Wedi concro'r byd corawl eisteddfodol, rhaid oedd i

minnau fel cyfarwyddwr Côr yr Aelwyd feddwl nawr am droi'n golygon tuag at berfformio gweithiau clasurol gyda cherddorfeydd amatur a phroffesiynol. Ces wahoddiad gan gwmni HTV i ddod â'r Côr Aelwyd draw i stiwdios HTV yng Ngwlad yr Haf, yn ymyl Caerfaddon, i ganu mewn rhaglen arbennig fyddai'n rhan o lansiad y cwmni newydd ar nos Lun 20 Mai 1968. Cwmni HTV a gipiodd y fasnachfraint a'r hawl i ddarlledu oddi ar yr hen gwmni TWW. Roedd bwrdd rheoli Cwmni Harlech yn defnyddio enw'r cadeirydd, yr Arglwydd Harlech, ac yn cynnwys sêr fel Richard Burton a'i wraig Elizabeth Taylor, Wynford Vaughan Thomas a Syr Geraint Evans. Buom yn ymarfer ar y dydd Sadwrn a recordio ar y Sul gyda cherddorfa o offerynwyr o'r radd flaenaf. Doedd arian ddim yn rhwystr o gwbl ar gyfer y noson agoriadol *glitzy* hon. Roedd Richard Burton newydd brynu modrwy ddrudfawr, werth ffortiwn i'w wraig Elizabeth. Doedd swyddog diogelwch y cwmni yswiriant ddim yn gadael y fodrwy o'i olwg tra oedd Elizabeth yn y stiwdio enfawr.

Ar y pnawn Sadwrn, cawsom egwyl o ddwy awr o ymarfer gyda'r gerddorfa oherwydd bod rownd derfynol Cwpan yr FA ar y teledu ac roedd Bruce Forsyth yn awyddus i weld ei glwb Everton yn chwarae yn erbyn West Bromwich Albion. Colli wnaeth Everton o un gôl, ond yr hyn a gofiaf yw eistedd nesaf at Bruce Forsyth am ddwy awr yn *suite* deledu foethus HTV, gan ddadlau a dal pen rheswm gydag e am ddyfarniadau'r reffarî o Gymru, Leo Callaghan. Ar ôl y gêm, daeth pawb ynghyd i'r stiwdio i ymarfer. Yno, cawsom wledd cyn ein hymarferion gyda'r gerddorfa wrth weld Syr Bruce a Syr Harry Secombe yn ymddangos gyda'i gilydd mewn cyfres o sgetsys. Roeddynt yn hilariws yn wir, a dyna pryd y gweles i'r ddau gomedïwr yn hau ati i fyrfyfyrio am y gore! Daeth

Elizabeth Taylor, a'r fodrwy enwog, i sefyll gyda Chôr yr Aelwyd a minnau ar derfyn y recordiad i ymuno yn 'Hen wlad fy nhadau'. Roedd Richard Burton wedi dysgu geiriau'r anthem yn berffaith iddi. Un gymharol fechan ydoedd yr eicon ffilmiau, Miss Taylor, ond rhaid dweud mai ganddi hi roedd y llygaid porffor prydferthaf weles i erioed.

9

Ymestyn yr arwain

HYD YN HYN, roedd fy mhrofiad o arwain wedi'i gyfyngu i gorau â chyfeiliant piano neu organ. Byddai arwain cerddorfeydd gyda chorau yn golygu techneg arwain fwy cynhwysfawr a disgybledig. Felly, yn ôl â fi i bori rhwng cloriau *Chorus Master* unwaith eto er mwyn cael cyfarwyddyd a chyngor. Rhaid oedd sicrhau esgyn guriad a fyddai'r un peth â thempo cychwynnol pob symudiad. Byddai adrannau offerynnol ac unawdwyr mewn cerddorfa yn gyfarwydd â chael rhyw ystum neu amnaid ar adegau priodol gan law chwith yr arweinydd tra bod y llaw dde yn cadw'r curiad. Sylweddolais yn fuan bod techneg arwain cerddorfeydd a chynulleidfaoedd cymanfa ganu yn golygu arwain oddi ar y curiad. Hefyd y person pwysicaf yn y gerddorfa oedd y Blaenwr/wraig sef Feiolin I a fyddai'n eistedd fel arfer ar law chwith yr arweinydd. Nhw yw'r ddolen gyswllt rhwng yr arweinydd a'r offerynwyr. Un o'r blaenwyr gorau ges i'r fraint o gydweithio ag ef yng ngherddorfa'r BBC oedd Barry Haskey. Roedd bob amser yn adeiladol ei gyngor ac yn blaenu'r adrannau llinynnol yn grefftus.

Nos Sul 4 Rhagfyr 1966 mentrais gynnal cyngerdd clasurol gyda Chôr yr Aelwyd, artistiaid proffesiynol a Cherddorfa'r BBC yn y Theatr Newydd, Caerdydd.

Ar ddechrau'r cyngerdd, rhaid oedd arwain darn cerddorfaol; fy newis i oedd 'Nimrod' gan Elgar, allan o'i amrywiadau *Enigma*. Roedd y tempo yn araf iawn, gyda llawer o rannau cerddorfaol homoffonig ynddo. Dyma'r tro cyntaf i fi arwain cerddorfa symffonig lawn: ac yn wir roedd yn deimlad braf er fy mod yn nerfus. Nid oedd unrhyw newid tempi neu rannau unawdol. Y Blaenwr oedd Garfield Phillips, ac roedd ei gynghorion mewn rihyrsal yn fuddiol iawn. Rhaid cyfaddef 'mod i'n nerfus iawn ar ddechrau'r ymarfer am ddau o'r gloch, ond diflannodd unrhyw ofidiau yn fuan wrth i'r côr a'r gerddorfa ymgyfarwyddo'n llwyddiannus ag acwsteg y Theatr Newydd. Roedd hanner cyntaf y rhaglen yn cynnwys dau ddarn a ddysgwyd gan y côr wrth gystadlu yn y Genedlaethol, 'O Sanctaidd Swynwyr'(*Blest Pair of Sirens*) gan Hubert Parry a 'Tua'r Wlad Anhysbys' *(Toward the Unknown Region)* gan Vaughan Williams.

Roedd y gwahaniaeth rhwng dysgu *repertoire* i gyfeiliant piano wythnosol a chanu i gyfeiliant cerddorfa mewn cyngerdd yn hynod o ddramatig a chynhyrfus yn enwedig i'r côr a minnau. Doedd neb yn fwy balch o'r côr na fi. Gwireddwyd fy mreuddwyd o arwain *Requiem* Mozart a minnau ond yn saith ar hugain oed! Teimlwn fod y noson yn gam mawr sylweddol ymlaen wrth imi dyfu'n gerddor. Dysgais sgôr lawn *Requiem* Mozart ar fy nghof er mwyn canolbwyntio ar gyfarwyddo côr o gant o leisiau, pedwar unawdydd a cherddorfa symffonig yn cynnwys deugain o offerynwyr. Bu'r *Requiem* yn llwyddiant, mae'n dda gen i ddweud, a'r gynulleidfa wrth eu boddau ac yn codi ar eu traed ar y diwedd. Drannoeth roedd adroddiad ym mhapur dyddiol y *Western Mail* yn dweud: '*Côr Aelwyd Caerdydd gave an exhilarating performance of Mozart's Requiem Mass at the New Theatre Cardiff last night.*'

Roedd y theatr dan ei sang gyda mil o gynulleidfa'n bresennol, yn cynnwys cant a hanner o is-lywyddion anrhydeddus y côr. Yn ddiarwybod i mi roedd Brian Rix a rhai o griw'r sioe *Whitehall Farce* wedi cyrraedd y nos Sul honno o Lundain i gael golwg ar y theatr lle byddai'r sioe yn agor y noson ganlynol. Dywedodd rheolwr y theatr wrtha' i ar derfyn y noson eu bod wedi penderfynu aros ar ôl clywed y côr gan fwynhau'r cyngerdd yn fawr iawn a'u bod am fy llongyfarch!

Wedi'r bedydd tân yma yn arwain cerddorfa a chantorion, aethom ymlaen i gynnal cyngherddau cyffelyb a pherfformio gweithiau gan Bruckner, Haydn, Arwel Hughes ac Alun Hoddinott. Ces lawer o gymorth wrth logi artistiaid gan Gyfarwyddwr Cerdd Cyngor y Celfyddydau yn y chwedegau a'r saithdegau, y diweddar Roy Bohana. Roedd e'n medru sicrhau cantorion o Gymru i berfformio yn ein cyngherddau – cantorion fel Richard Rees, Robert Thomas, Pat Kern, Kenneth Bowen, Maureen Guy, Margaret Price a Wynford Evans.

Cawsom wahoddiad gan y BBC i ddarlledu o'r stiwdio newydd yn Llandaf ar ddydd Gŵyl Ddewi 1966. Roedd y BBC wedi comisiynu darn gan y cyfansoddwr enwog o Abertawe, Daniel Jones. Roedd yn gyfansoddwr tor-eithiog ac yn defnyddio arddulliau clasurol a modern yn ei weithiau. Cyfansoddodd dair ar ddeg o symffonïau ynghyd â nifer fawr o weithiau siambr a chorawl: dyfarnwyd nifer o wobrau rhyngwladol iddo yn ystod ei yrfa. Roedd ei dad yn rheolwr banc a'i fam yn gantores. Gweithiodd Daniel fel datryswr codau adeg y rhyfel yng nghanolfan cyfrinachol enwog Bletchley Park. Roedd yn ffrind agos i Dylan Thomas ac yn perthyn i griw o ffrindiau llenyddol ac artistig yn Abertawe. Y comisiwn a gafodd Daniel Jones gan y BBC oedd ysgrifennu gwaith hanner awr o hyd i gôr cymysg, unawdydd soprano a thenor a Cherddorfa'r BBC. Rhaid dweud bod y gwaith yn anodd iawn, yn seiliedig ar y cymeriad Groegaidd *Orestes*. Roedd Daniel Jones yn awyddus dros ben i arwain y perfformiad cyntaf ei hunan. Mewn gwirionedd, byddai'n well pe bai Arwel Hughes, y Pennaeth Cerdd, wedi cymryd y baton am y perfformiad. Bu trafferthion gyda'r gerddorfa a'r côr yn yr ymarferion oherwydd anallu'r arweinydd i asio pawb ynghyd. Rhaid dweud mai'r côr a'r unawdwyr, y soprano Rhiannon Davies, a'r tenor Kenneth Bowen a achubodd y perfformiad er gwaethaf ffaeleddau'r arweinydd ar y rostrwm. Roedd Daniel Jones yn gyfansoddwr llwyddiannus iawn ond heb ddisgleirio ar y rostrwm, rhaid dweud yn onest!

Am gyfnod yn yr wythdegau bues yn derbyn hyfforddiant fel arweinydd gan y maestro Arwel Hughes ei hun yn ei gartref yng Nghaerdydd bob nos Lun. Roedd Owain y mab eisoes wedi dechrau gyrfa lwyddiannus fel arweinydd, gan ymgartrefu yn Llundain. Byddwn yn mynd i gartref Arwel ac Enid, 'Arwelfa', ym Mhenylan i gael te gyda'r *maestro* a'r annwyl Mrs Hughes, cyn mynd i stiwdio Arwel am wersi. Er nad oedd Arwel yn athro o ran galwedigaeth, roedd ganddo ffordd hynaws ac effeithiol o drosglwyddo hanfodion y grefft o arwain i mi. Mae ei ferch Delun yn dal i fod yn aelod ffyddlon o adran sopranos Côr Ffilharmonig Caerdydd. Yr esgyn guriad *(up beat)* oedd un o'r pethau pwysicaf a ddysgais ganddo. Mynnai ganolbwyntio hefyd ar bwysigrwydd symudiadau llyfn y baton mewn cerddoriaeth ddwys ac araf. Roedd Arwel bob amser yn pwysleisio rôl y llaw chwith wrth siapio llif y gerddoriaeth. Pan fyddai adran bres y gerddorfa yn dod i mewn gyda'i gilydd yn uchel, rhaid oedd troi atynt gan edrych i fyw eu llygaid ac arwain gyda phendantrwydd. Doedd e ddim yn cymeradwyo'r arweinydd i ddweud pob gair wrth y côr, fel mae llawer iawn o arweinyddion heddi yn ei wneud. Hefyd, roedd e'n mynnu 'mod i'n sefyll yn syth wrth arwain, gan ddefnyddio'r llaw dde i gadw'r curiad, a'r llaw chwith i gyfleu mynegiant. Nid oedd yn hoffi'r ddwy fraich yn gwneud yr un peth fel mae nifer o arweinyddion corau yn dal i'w wneud. Roeddwn yn arfer plygu 'mhengliniau o hyd ac yn symud fy nghorff fel arweinydd band. Dylanwad arwain grwpiau jazz oedd yn gyfrifol am hynny, mi wn. Nid felly ers gwersi Arwel! Yna, y dasg anoddaf oedd dysgu arwain symudiadau araf. Mynnai Arwel fod angen curiad llyfn a gwastad. Dywedodd wrthyf mai Syr Adrian Boult oedd un o'r arweinyddion cerddoriaeth araf gorau yn ei farn ef. Gwers arall bwysig a ddysgais oedd sut i arwain gweithiau lle byddai amseriad syml ac amseriad triphlyg yn yr un bar. Mae William Walton, William Mathias a Karl Jenkins yn hoff o'r amseriadau syml/cyfansawdd hyn – hynny yw, pan fyddai crosiet a churiad crosiet dot yn yr un bar.

Ar wahân i faterion artistig cerddorol, roedd cyllid yn elfen bwysig y byddai'n rhaid i bob cerddor ac arweinydd ymhél ag e wrth gyflogi cantorion a cherddorfeydd proffesiynol. Rhaid oedd dysgu hefyd am reolau Undeb y Cerddorion, oriau ymarfer a thâl ychwanegol am fynd dros amser. Dysgais yn gyflym sut i drafod cytundebau gydag asiantau a ffioedd gydag Undeb y Cerddorion. Byddai blaenwr pob adran mewn cerddorfa yn cael mwy o ffi nag aelodau eraill ei adran. Des yn gyfarwydd hefyd â gwneud cais i lywodraeth leol Caerdydd am gefnogaeth ariannol. Un ffynhonnell ariannol y bûm yn gyfrifol am ei sefydlu yn yr 1960au oedd cymdeithas o gant a deuddeg o is-lywyddion anrhydeddus a fyddai'n cyfrannu'n flynyddol er mwyn llogi artistiaid ac offerynwyr proffesiynol ar gyfer ein cyngherddau.

Cyngerdd arall y bûm yn hynod falch ohono ar hyd

fy nhaith gerddorol oedd arwain perfformiad o *Requiem* Verdi yn Neuadd y Cory Caerdydd ym mis Rhagfyr 1971. Dyma'r adeg pan oedd Edward Heath yn Brif Weinidog a'r glowyr ar streic. Cawsom wybod bod yna bosibilrwydd y gallai'r pwerdai trydan lleol ddiffodd ar ganol y cyngerdd. Felly daeth y côr a'r gerddorfa â'u fflachlampau, a gosodwyd rhes o ganhwyllau ar flaen y llwyfan rhag ofn i'r cyflenwad trydan fethu. Roedd popeth wedi mynd yn hwylus yn ystod yr ymarfer yn y prynhawn. Gydol y perfformiad yn yr hwyr, roeddwn ar bigau'r drain yn hanner disgwyl i'r trydan fethu! Pe bai'r goleuadau wedi diffod yn y neuadd byddai'r cyfan oll, y gerddorfa, y pedwar unawdydd a'r côr wedi bod mewn strach ryfeddol. Gellwch ddychmygu 'mod i wedi dal fy ngwynt pan fflachiodd y goleuadau unwaith neu ddwy yn ystod y gytgan *Dies Irae* (Dydd o Wae) yn ystod y perfformiad. Ni fu'n noson o wae fodd bynnag. Yn ffodus, ni fu rhaid inni ddefnyddio goleuadau amgen y noson bryderus honno.

Rwy hefyd yn falch o nodi bod Heather Jones a Huw Jones (Sain) wedi bod yn aelodau yn y côr ac yn unawdwyr gwadd yn ein cyngherddau. Roedd Geraint Jarman yn yr un ysgol uwchradd â mi yn Cathays a dechreuodd ei yrfa gerddorol lewyrchus fel 'Brenin Reggae Cymru' yn adran fas Côr Aelwyd Caerdydd. Cofiaf dderbyn disg 45 ganddo un Nadolig o'i hoff ganwr – yr Americanwr Jimmy Rushing a'i ddehongliadau o'r Felangân. Roedd chwaer Geraint, Tanwen Jarman, hefyd yn aelod o adran altos y côr, ac mae'n dal yn aelod o'm Côr Ffilharmonig. Cefais wefr arbennig yn Eisteddfod Caerdydd 2018 wrth weld Geraint a'i fand yn perfformio 'Siglo ar y siglen', un o fy hoff ganeuon reggae, gyda cherddorfa Pop Cymru.

Ym mis Tachwedd 1983 yn dilyn araith gan Gwynfor Evans i fyfyrwyr Neuadd Pantycelyn Aberystwyth, ysbrydolwyd nifer o fyfyrwyr y coleg i wneud rhywbeth cadarnhaol i hybu cyfeillgarwch a dealltwriaeth rhwng ieuenctid gwledydd y byd. Y penderfyniad oedd sefydlu Côr Cydwladol Ieuenctid dros Heddwch yn ystod 1985, blwyddyn Ryngwladol Ieuenctid y Byd. Llwyddwyd i ddenu cantorion o un ar bymtheg o wledydd ledled y byd, gan gynnwys Cymru, i ymuno â'r côr. Daeth gwahoddiad i mi hyfforddi ac arwain y côr ar daith o gwmpas Cymru yn ystod yr wythnos olaf ym mis Ebrill 1985.

Buom yn cynnal cyngherddau ym Mangor, Aberystwyth a Chaerdydd. Roedd criw brwdfrydig o ferched gan gynnwys Mererid Hopwood, Betsan Powys, Iona Evans, Catrin Evans, Bethan Wyn, Sian Williams, Caren Griffith a Branwen Cennard, wedi sicrhau llety i'r hanner cant o fyfyrwyr a ddaeth ynghyd am yr wythnos yng Ngwersyll yr Urdd yn Llangrannog. Yno y buom yn paratoi ac yn ymarfer am dridiau cyn teithio. Y gyfeilyddes oedd Annette Bryn Parri, a'r unawdwyr gwadd oedd Elen ap Robert a Iona Jones, ill dwy yn gynddisgyblion yn Ysgol Gyfun Llanhari.

Dewisais raglen fyddai'n adnabyddus i gantorion rhyngwladol, sef 'Gloria' Vivaldi, a 'Te Deum' Haydn, a'r dewis o weithiau mewn Lladin yn fwriadol er mwyn osgoi dryswch ieithyddol. Y syndod oedd bod cymaint o drefniannau o weithiau Vivaldi a Haydn yn bodoli yng ngwledydd Ewrop! Roedd rhif y tudalennau yn wahanol a'r trefniannau lleisiol hefyd yn amrywio. O dipyn i beth, fodd bynnag, daeth popeth i fwcwl, a chawsom ganu ysbrydoledig. Rown i'n awyddus i'r tramorwyr flasu cerddoriaeth gyfoes Gymraeg. Y darn a ddewisais oedd cyfres o alawon Cymreig wedi'u trefnu gan William Mathias. Yn ogystal â hyn roeddwn yn awyddus i'r côr ddysgu a pherfformio'r gân boblogaidd 'Dwylo dros y môr' fel uchafbwynt i'n cyngherddau. Gwnaethpwyd hynny, ac anghofia' i fyth y côr a'r cynulleidfaoedd ym Mangor, Aberystwyth a Chaerdydd yn morio canu'r gân gyda phawb yn dal dwylo ar y diwedd. Roedd criw o deledu HTV, dan gyfarwyddyd y gitarydd Rhisiart Arwel, wedi bod gyda ni gydol yr wythnos yn creu rhaglen a ddangoswyd yn fuan wedi'r daith. Ar y noson olaf wedi cyrraedd yn ôl o Eglwys Ebeneser Caerdydd, cawsom barti dathlu cyn i bawb ddychwelyd adref. Cefais ddau gerflun yn anrheg gan y côr – un ferch yn ddu a'r llall yn wyn, yn estyn eu dwylo dros y môr, â cholomen yn eu dwylo. Wythnos gorawl ryngwladol nad aiff yn angof nid am resymau cerddorol yn unig, ond am resymau cydwladol a chymdeithasol, diolch i griw o fyfyrwyr mentrus o'r Coleg ger y Lli.

Pan ddaeth Eisteddfod yr Urdd i Gaerdydd yn 1985 roedd Cyngor y Ddinas wedi clustnodi neuadd ysblennydd Dewi Sant ar gyfer gweithgareddau fin nos yr Eisteddfod. Roeddwn wedi trafod â'r Panel Cerdd y syniad o gael cyngerdd ar nos Sadwrn olaf yr Eisteddfod yn glo i'r wythnos – a hynny a fu. Ymhlith yr unawdwyr ifainc gafodd wahoddiad gen i roedd mab ffarm o Bantglas. Roeddwn yn gyfarwydd iawn â'i lais cyfoethog seingar yn cipio'r gwobrau dro ar ôl tro wrth ei feirniadu mewn eisteddfodau ar hyd y wlad. Daeth ei rieni i lawr yr holl ffordd o Bantglas i gefnogi'r mab yn y cyngerdd. Roedd yntau ychydig yn nerfus gan nad oedd wedi canu gyda cherddorfa o'r blaen. Roedd y gynulleidfa a glywodd y llais godidog y noson honno yn gwybod bod dyfodol disglair o'i flaen. Dyna un o'r troeon niferus y ces y fraint o rannu llwyfan gyda Syr Bryn Terfel. Ymhen pedair blynedd yn 1989 byddai Bryn yn ôl ar lwyfan Dewi Sant unwaith eto, yn serennu yng nghystadleuaeth 'Canwr y Byd'.

Yn 1995 bues draw yn Efrog Newydd ar wyliau hanner tymor pan oedd Bryn yn canu rhan Figaro yn yr opera

Priodas Figaro gan Mozart yn Neuadd y Metropolitan. Erbyn hyn, roedd gan y canwr o Bantglas gefnogwyr o Ogledd Cymru a thu hwnt o dan faner 'Y Terfeliaid' – *fan base* a fyddai'n dilyn Bryn o gwmpas y byd fel mae cefnogwyr timau pêl-droed Cymru yn gwneud. Bu gwylio opera yn y theatr hon yn brofiad bythgofiadwy. Tra safwn mewn rhes i fynd i mewn i'r neuadd roedd un o sêr y byd opera yn sefyll y tu ôl i mi – hithau hefyd yn awyddus i weld y Cymro'n gwneud ei *début* opera y noson honno. Y Foneddiges Kiri Te Kanawa o Seland Newydd oedd y soprano honno. Wrth glywed f'acen Gymreig dechreuodd holi ble yn hollol yng Nghymru oedd fy nghartref. Dywedodd wrtha' i ei bod yn ffan mawr o lais Bryn. Ar hynny, agorodd y drysau a dyna fu diwedd ein sgwrs annisgwyl hyfryd. Profiad amheuthun oedd clywed Bryn yn canu yn un o dai opera enwoca'r byd.

Ar ôl y perfformiad cawsom wahoddiad i ymuno â'r Terfeliaid am swper tri chwrs mewn gwesty gerllaw. Os cofiaf, y cantor hael o Bantglas a dalodd y bil am dros hanner cant o bobl! Aeth yn ei flaen gyda'i ewythr wedyn i chwarae snwcer yng Ngwesty'r Chelsea yn Manhattan. Es innau a'm ffrindiau i gael diod nid nepell o'r Metropolitan. Wrth y bar ar ei ben ei hun roedd seren arall adnabyddus o fyd y ffilmiau, neb llai nag Al Pacino! Gwenodd arna' i heb yngan yr un gair. Roedd y perchennog y tu ôl i'r bar yn synhwyro 'mod i ar fin dechrau sgwrs gyda'r seren Hollywood pan ddywedodd, '*Don't bother talking to Señor Pacino! He lives round the corner and loves coming in here every night and sits in the same place at the end of the bar with his beer. He loves it here cos nobody bothers him.*' Y cyfan gafodd yr Al yma oedd gwên gan yr Al arall!

IO

Corau'r Eisteddfod Genedlaethol

CEFAIS y fraint a'r anrhydedd o baratoi ac arwain pedwar o Gorau Eisteddfod yn ystod fy ngyrfa: Caerdydd 1978, Casnewydd 1988, Caerdydd 2008 a Glynebwy 2010. Mae ffurfio Côr Eisteddfod fel arfer yn golygu dod â nifer o gorau lleol ynghyd ac asio'r lleisiau i gyd yn un côr grymus a seingar dros gyfnod o ddwy flynedd. Yn aml, nid yw'r corau na'r ensembles lleisiol llai yn gallu perfformio gweithiau mawr ar eu pennau eu hunain gydag offerynwyr ac unawdwyr proffesiynol. Ond wrth ddod ynghyd fel Côr Eisteddfod, mae modd i'r cantorion fwynhau profiadau gwahanol a chyffrous.

Fy mhrofiad cyntaf o ganu mewn Côr Eisteddfod oedd yng Nghaerdydd pan own i'n fyfyriwr yn 1960. Y prif waith i'r ddau gant o gantorion oedd *Missa Solemnis* gan Beethoven gyda Mansel Thomas ac Arwel Hughes yn arweinyddion arnom. Rown i wrth fy modd yn ymarfer yn wythnosol ac yn elwa o'r profiadau o gael ein hyfforddi gan ddau gerddor mor dalentog a phrofiadol. Roedd y perfformiad yn yr hen bafiliwn pren yn brofiad arbennig gyda cherddorfa enwog yr L.S.O. (London Symphony Orchestra) yn cyfeilio.

Mae cof plentyn gen i am f'ymweliad cyntaf â'r Eisteddfod Genedlaethol, sef Pen-y-bont ar Ogwr yn 1948. Yno ar ganol y maes safai'r pafiliwn pren enfawr – honglad o adeilad oedd yn medru dal deng mil o eisteddfodwyr. Ces wefr y prynhawn hwnnw wrth weld aelodau'r Orsedd yn cerdded heibio *en route* i'r coroni neu'r cadeirio. Am ryw reswm, ni fuom i mewn yn y pafiliwn ar y dydd hafaidd hwnnw. Cawsom gwmni ffrindiau fy rhieni o'r Eglwys Newydd, yr Athro a Mrs T. J. Morgan, a'u meibion Prys a Rhodri. Bu Rhodri'n gwerthu papurau newyddion ar hyd y maes gydol y prynhawn gan ddangos menter fyddai'n amlygu ei hun mewn blynyddoedd wrth iddo ddod yn Brif Weinidog ar ein Senedd yn y Bae.

Ymhen dwy flynedd, gwireddwyd f'uchelgais o fynd i mewn i'r hen bafiliwn annwyl yng Nghaerffili yn 1950 pan ddaeth y rheol Gymraeg i rym am y tro cyntaf. Buom yno yn gynnar y bore Iau hwnnw yn y pafiliwn gyda'n brechdanau i weld y Parchedig Gwilym Tilsley yn ennill y gadair am ei awdl 'Moliant i'r Glöwr'. Roedd y pafiliwn dan ei sang, ac o bryd i'w gilydd byddai eisteddfodwyr siomedig heb docynnau yn curo'r drysau gan floeddio 'Agorwch y drysau!'

Doedd y system sain bryd hynny ddim yn arbennig o dda, er bod yr acwsteg yn ffafriol oherwydd yr holl bren yn y pafiliwn. Soniodd fy nhad iddo, yn ei ieuenctid, glywed David Lloyd George yn annerch llond pafiliwn o eisteddfodwyr heb unrhyw uchelseinydd neu feicroffon yn agos i'r llwyfan, a'r miloedd yn y dorf yn clywed pob gair.

CAERDYDD 1978

Roedd cantorion Côr Aelwyd Caerdydd ers 1960 wedi mynd yn hŷn ac yn methu cystadlu bellach yn Eisted fodau'r Urdd. Y cam naturiol oedd iddynt ymuno â'r Côr Eisteddfod newydd. Roedd yn deimlad braf cael cant o gantorion oedd wedi bod yn perfformio efo fi ers deunaw mlynedd ac yn deall fy ffordd. Pan ddaeth y tri chant a hanner o gantorion Caerdydd a'r cyffiniau at ei gilydd yn yr ymarfer cyntaf yn 1976, cefais dipyn o sioc wrth i nifer o'r cantorion hŷn ofyn am gopïau sol-ffa o'r holl ddarnau y byddem yn eu perfformio yn ystod wythnos yr Eisteddfod. Daeth cyfaill i mi, John Haydn Davies, arweinydd Côr Meibion Treorci, i'r adwy: roedd ganddo deipiadur sol-ffa fyddai'n gosod y nodau sol-ffa d, r, m, f . . . o dan yr hen nodiant. Haleliwia! Dyna broblem wedi'i datrys allasai fod yn embaras! Yr eironi oedd bod y cantorion oedd yn darllen sol-ffa yn unig yn gywirach na nifer o'r rhai oedd yn darllen yr hen nodiant.

Fy swydd i fel côr-feistr oedd paratoi'r holl leisiau ar gyfer noson operatig ar y nos Sul a pherfformiad o *Gwledd Belshazzar* gan William Walton ar y nos Iau dan gyfarwyddyd yr arweinydd gwadd, Owain Arwel Hughes. Un o feibion Caerdydd oedd Owain. Buom yn fyfyrwyr yn yr Adran Gerdd ar yr un adeg. Aeth yntau ymlaen i fwynhau gyrfa lwyddiannus iawn fel arweinydd proffesiynol ar draws y byd. Roeddwn wrth fy modd yn cynnal ymarferion ddwy waith yr wythnos yng Nghapel Tabernacl ac yn Neuadd Ysgol Bryntaf yng nghanol y ddinas. Teimlad braf oedd gwybod mai fel un gymdeithas glòs o Gymry y byddai bodolaeth y Côr Eisteddfod hwn am ddwy flynedd o 1976 i 1978. Byddem hefyd yn cynnal ysgolion ymarfer undydd yng Ngholeg Cyncoed ar foreau Sadwrn.

Cafwyd ymateb ffafriol i'r cyngherddau i gyd gan gynnwys y gymanfa ganu ar nos Sul olaf yr Eisteddfod. Roedd *Gwledd Belshazzar* yn ddarn anodd ac yn heriol i'w ddysgu, a bu'n rhaid inni gael ymarferion meibion a merched ar wahân ar y dechrau. Ar nos Sul gyntaf yr Eisteddfod yn 1978 roedd y cyngerdd operatig wedi denu torf ardderchog a'r pafiliwn dan ei sang. Prif westai a llywydd y noson oedd y Prif Weinidog, James Callaghan. Ef fu'r Aelod Seneddol dros Dde Caerdydd ers blynyddoedd. Etholwyd ef yn Brif Weinidog ddwy flynedd ynghynt yn 1976. Ar y pryd roedd ymgyrch yr IRA ar ei hanterth yng Ngwledydd Prydain. Y nos Sul agoriadol hon roedd aelodau'r SAS wrth ddrysau pafiliwn yr Eisteddfod ac i fyny yng ngaleri'r Wasg gydag arfau yn barod i amddiffyn James Callaghan.

Cawsom ginio arbennig yn dilyn y cyngerdd yng ngwesty Inn on the Avenue gydag aelodau o'r SAS yn bresennol o flaen pob drws yn yr ystafell fwyta yn ein gwylio fel cudyllod! Da gen i gofnodi na chafwyd unrhyw ddigwyddiadau treisgar y nos Sul honno ym Mhontprennau.

Bore agoriadol yr Eisteddfod, cefais y fraint o arwain gwaith comisiwn newydd *Cymru* gan Alun Hoddinott yn y seremoni agoriadol ar y bore Llun. Arwel Hughes oedd y cyfeilydd ar yr organ ar hyd yr wythnos. Pwy fedr anghofio am Arwel ar bnawn dydd Iau y Cadeirio yn cyfeilio i Syr Geraint Evans yn perfformio'r gân 'Y Marchog' yng ngwisg wen yr Orsedd ar ôl y siom pan gyhoeddwyd nad oedd neb yn deilwng o'r Gadair?

Cefais y fraint o arwain y Cyngerdd Cyhoeddi yn haf 1977 gyda Chôr yr Eisteddfod a Cherddorfa'r BBC yn Neuadd Gerddi Sophia, Caerdydd. Roeddwn ar ddeall y byddai'r BBC yn darlledu'r cyngerdd yn fyw – dim pwysau, dybiwn innau! Wrth gerdded ymlaen i fy lle ar y rostrwm, gwelais fod y neuadd dan ei sang â chynulleidfa o ddwy fil a hanner. Erys y croeso a gafodd y côr, y gerddorfa a minnau gan y gynulleidfa yn fyw yn y cof hyd heddi. Roedd fy uchelgais i arwain Cerddorfa

Genedlaethol y BBC ar fin cael ei gwireddu a minnau'n 38 mlwydd oed.

Yn yr hanner cyntaf cawsom ddarn comisiwn 'Tri darlun' gan Arwel Hughes, 'Dawnsiau Cymreig' gan Alun Hoddinott a 'Salm 150' gan William Mathias. Yna yn yr ail hanner, dewisais ddarn corawl heriol, sef yr Offeren yn C gan Beethoven. Roeddwn wedi dewis pedwar o gantorion ifainc o Gymru, sef Meryl Drower, Mary Lloyd Davies, Wynford Evans a Stephen Roberts i berfformio'r Offeren. Yn fy marn i, nhw oedd yr unawdwyr mwyaf addawol ymysg cantorion ifainc Cymru yn y saithdegau a thu hwnt. Bu Meryl Drower yn ddisgybl yn Ysgol Uwchradd Rhydywaun yn Aberdâr a chafodd yrfa operatig ddisglair gyda Chorws Opera Genedlaethol Lloegr yn Llundain. Bu'n canu hefyd yn Neuadd Albert Llundain gyda'r BBC yn y 'Proms'. Cafodd Mary Lloyd Davies yrfa wych yma yng Nghymru efo'r BBC ac ar lwyfan Opera Genedlaethol Cymru a thu hwnt ar ôl astudio'r llais yn y Coleg Brenhinol yn Llundain a'r Stiwdio Opera yno. Llanuwchllyn fu ei chartref erioed ac mae Mary wedi aros yno, gan hyfforddi cantorion a ffurfio corau cymysg i gystadlu yn y Genedlaethol. Brodor o Abertawe oedd Wynford Evans. Enillodd yr Unawd tenor dan 25 oed yn y Genedlaethol yn Eisteddfod Abertawe yn 1964. Ef hefyd fu'n fuddugol mewn cystadleuaeth i gantorion ifainc Cymru yn 1964. Cafodd yrfa lwyddiannus yn y maes clasurol ac opera ar draws y byd. Bu farw ym mis Medi 2009. Mae Stephen Roberts wedi mwynhau gyrfa ddisglair ar lwyfan opera yn ogystal ag ar lwyfan cyngherddau ac oratorio. Mae e bellach yn Athro Llais yn y Coleg Brenhinol yn Llundain ac yn ymddangos yn rheolaidd gyda'r BBC yn y Proms yn Neuadd Albert Llundain.

Roedd y pedwarawd yn wych a ninnau ond wedi cael un ymarfer yn unig yn ystod y prynhawn. Noson o haf lwyddiannus ydoedd yn yr hen bafiliwn Sophia. Yn dilyn cawod drom o eira yn Ionawr 1982, fodd bynnag, syrthiodd y to a dymchwelwyd y neuadd. Er hynny, erys atgofion am gyngerdd bythgofiadwy yn fy nghof o hyd. Roedd y tywydd yn grasboeth y noson honno, a lliw chwys fy siaced werdd melfed wedi peri i'm crys newydd claerwyn droi'n wyrdd! Yr wythnos ganlynol daeth llythyr o Goleg y Brifysgol Bangor oddi wrth yr Athro Cerdd, William Mathias, yn fy llongyfarch ar y cyngerdd. Roedd e wedi bod yn gwrando ar y darllediad ar Radio Cymru ac yn falch iawn o'r perfformiad o'i waith 'Salm 150'.

Wrth i'r Eisteddfod ddod i'w therfyn gan symud tua'r gogledd, daeth cais oddi wrth tua chant o gantorion Côr yr Eisteddfod i ffurfio côr cymysg newydd yng Nghaerdydd. Roedd Alun Hoddinott yntau'n awyddus iawn i mi barhau efo Côr yr Eisteddfod. Ces wahoddiad i arwain y côr newydd hwn, a'r enw a roddwyd arno oedd Côr Ffilharmonig Caerdydd. Bu'r Athro Alun Hoddinott yn Llywydd arnom, gan ganiatáu inni gynnal ymarferion a chyngherddau yn Neuadd Gyngerdd y Brifysgol yn Heol Corbett Caerdydd.

Mae'n dda gen i gofnodi ein bod wedi dathlu pen blwydd Côr Ffilharmonig Caerdydd yn ddeugain oed yn 2019. Comisiynwyd darn newydd, 'Rhuad y Ddraig' gan Eric Jones a Christine James, ar gyfer y dathliad. Ein cartref newydd ers sawl blwyddyn yw Eglwys Dewi Sant Caerdydd lle mae organ wych 'Tad Willis' yn derbyn gofal a sylw arbennig gan swyddogion yr Eglwys.

Enw llawn 'Tad Willis' oedd Henry Willis o Lundain. Roedd yn organydd ac yn fyd-enwog am gynllunio ac adeiladu organau yn ystod oes Fictoria ym Mhrydain ac Awstralia. Dyfarnwyd medal aur iddo yn y Palas Grisial yn Arddangosfa 1851 am waith ei gwmni fel adeiladwyr organau enwoca'r byd. Bu Henry Willis farw yn 1901 yn

80 oed, ond roedd ei gwmni yn dal mewn bodolaeth tan droad y ganrif hon. Ef fu'n gyfrifol am adeiladu organau Neuadd Albert Llundain, Eglwysi Cadeiriol Sant Paul, Caerlŷr a Lerpwl, Castell Windsor ac Academi Frenhinol Llundain.

Mae nifer o organau 'Tad Willis' i'w gweld yng Nghaerdydd ar wahân i Eglwys Dewi Sant, gan gynnwys Eglwys Sant Ioan yng nghanol y ddinas. Cofiaf gyfarfod â disgynnydd i Henry Willis yn Eglwys Ebeneser Heol Siarl adeg adnewyddu ac ailagor yr organ yno. Roedd yn adeiladydd crefftus ac yn gymeriad allblyg siriol; ei enw oedd Henry Willis y pumed!

CASNEWYDD 1988

Derbyniais y gwahoddiad i hyfforddi ac i arwain cyngherddau yng Nghasnewydd gyda phleser arbennig. Roedd nifer o gantorion o'r cymoedd cyfagos eisoes wedi bod yn rhan o Gôr Eisteddfod Caerdydd gen i yn 1978 ac yn 1979 gyda Chôr Ffilharmonig Caerdydd. Doedd teithio'n wythnosol o Gaerdydd ddim yn faich o gwbl i mi. Byddai dau gant o gantorion cymoedd Gwent wedi ymgasglu'n ffyddlon yn wythnosol i baratoi ar gyfer y cyngherddau. Buom yn ymarfer *Offeren Nelson* gan Haydn ar gyfer cyngerdd y Cyhoeddi. Roedd Bryn Terfel yn unawdydd, yn canu gwaith Mansel Thomas 'Y Bardd', a'r côr yn mwynhau canu trefniant Gareth Glyn o alawon Cymreig gyda Cherddorfa Symffonig De Cymru.

Ar gyfer cyngerdd yr Eisteddfod, buom yn perfformio *Petite Messe Solennelle* gan Rossini i gyfeiliant dau biano ac organ yng Nghanolfan Chwaraeon Casnewydd. Y mezzo-soprano y noson honno oedd Della Jones o Gastell-nedd, cantores a fu'n serennu gyda Chwmni Opera Covent Garden.

Ar derfyn y cyngerdd hwnnw roedd rhan helaeth o Gôr yr Eisteddfod wedi dweud wrthyf yr hoffen nhw aros gyda'i gilydd i ffurfio côr cymysg newydd ar ôl i'r Eisteddfod adael. Ces wahoddiad i arwain y côr ond eglurais fod gen i ddyletswyddau gyda Chôr Ffilharmonig Caerdydd ac y byddai'n anodd gofalu am ddau gôr. Fodd bynnag, addewais y byddwn yn fodlon rhoi cychwyn i'r côr newydd hwn yn 1989 a pharatoi perfformiad o *Elïas* gan Mendelssohn gydag unawdwyr o Opera Genedlaethol Cymru a Cherddorfa Symffonig De Cymru yn yr hydref. Y soprano oedd Rebecca Evans, a David Gwesyn Smith oedd Elïas. Roedd yn llwyddiant ysgubol. Enw newydd y côr yw Côr Ffilharmonig Casnewydd, ac rwy'n falch o gael dweud ei fod yn dal i berfformio. Mater o falchder personol yw fy mod wedi rhoi cychwyn i ddau gôr newydd a dyfodd allan o gorau cymysg yr Eisteddfod Genedlaethol y bûm yn eu harwain.

CAERDYDD 2008

Erbyn i mi dderbyn y gwahoddiad i hyfforddi ac i arwain Côr Eisteddfod Caerdydd am yr eildro, teimlwn 'mod i wedi ennill profiadau helaeth gyda chantorion a cherddorfeydd proffesiynol ac amatur ac yn barod i fynd i'r afael unwaith eto â hyfforddi ac arwain. Teimlwn hefyd fy mod i wedi tyfu fel cerddor ers Eisteddfod 1978 – cyfnod o dri deg mlynedd. Penderfynais mai enwebu un ar ddeg o gorau blaenllaw y brifddinas i ffurfio Côr Eisteddfod 2008 fyddai'r ffordd orau o fynd ati, yn hytrach na gwahoddiad agored i'r cyhoedd. A dyna a ddigwyddodd. Byddai Côr rhif 12 yn agored i'r cyhoedd a minnau'n eu hyfforddi bob nos Iau yn Rhiwbeina. Byddai'r un ar ddeg côr sefydlog arall yn cyfarfod â mi'n fisol yn Neuadd Gyngerdd y Brifysgol yn Heol Corbett.

Fi gyda disgyblion Dosbarth 6 Cerdd Safon Uwch ac Uwch Atodol

Cinio ffarwél Meinwen gan athrawon yr adran Gymraeg

Côr Rhyngwladol Ieuenctid dros Heddwch, Llangrannog 1985 gydag englyn Arfon Williams ar flaen y rhaglen

Gyfeillion, rhoddwn lonydd – i'n harfau
a ffurfio 'da'n gilydd
gôr all hudo'r holl wledydd
o af'el rhyfel yn rhydd.

— T. Arfon Williams

Delyth Medi a minnau ar derfyn sioe gerdd 'Elfis'

Panel Beirniaid: fi, Richard Elfyn Jones a John S. Davies

Beirniadu yn Eisteddfod Capel Tabernacl, Caerdydd

Beirniadu yn Steddfod Blaenau Gwent, 2010

Cael fy urddo
i'r Wisg Wen
yn yr Orsedd
yn Eisteddfod
Genedlaethol Môn,
1999

Yng nghwmni Trebor Edwards, John Eifion Jones a Tom Gwanas yn Steddfod
Casnewydd 2004

Capel Ifan, Llanerchymedd, Môn, 2005

Eisteddfod Genedlaethol Urdd Gobaith Cymru
CAERDYDD a'r Cylch 1985

CYMANFA GANU

Neuadd Dewi Sant

8.00 o'r gloch

Nos Sul, 2 Mehefin, 1985

Arweinydd: ALUN GUY
Organydd: PHILLIP LAUGHARNE
CERDDORFA YSGOL GYFUN GLANTAF

Blaenwraig: RUTH DAVIES
Llywydd: MR. J. E. MALCOLM THOMAS

Mynediad trwy Raglen £1.00

Gyda chefnogaeth Banc Lloyds

Capel Tabernacl, Penclawdd gyda'r
organydd Huw Tregelles Williams, 2014

Cymanfa'r Urdd Caerdydd 1985
Neuadd Dewi Sant

Clywais i'n y miri mai – yr ŵyl hon
Ar lôn o addoldai
A cheir ar hast a phlastai
Eleni yw gŵyl Alun Guy.

— *Eurig Salisbury*

Ar derfyn Eisteddfod Caerdydd, 2008

Y FANER

GOLYGYDD: JENNIE EIRIAN DAVIES.

ARHOSFA
FFORDD CEFNBYCHAN
PANTYMWYN
CLWYD CH7 5EN
FFÔN: PANTYMWYN 389

Nos Sul.

Annwyl Alun.

Rwyf wedi cael pleser rhyfedd yn darllen eich adolygiad: nid clichés cyffredinol ond manylu ar y rhinweddau I'r dim.

Rwyf wedi cael syniad fel hyn: Mae Patricia yn un o'r cantorion sy wedi tyfu drwy'r Steddfod. Fe'i rhof i mewn ychydig yn nes at y Steddfod — gan ei wneud yn berthnasol i'r sgrifennau cysylltiedig â'r Wyl.

Rwyn hynod o falch mod i wedi sicrhau eich gwasanaethau i'r Faner.

Diolch o galon,

Jennie.

Oddi wrth Jennie Eirian pan own i'n
cyfrannu erthyglau i'r *Faner*

BARDDAS

Y Gymdeithas Gerdd Dafod

*Llinyn byw pellen ein bod
Yw edefyn Cerdd Dafod.*

Llywydd Anrhydeddus: Y Prifardd T. Llew Jones
Cadeirydd: Y Parch. D. Gwyn Evans
Is-Gadeirydd: Y Parch. Gwynn ap Gwilym
Trysorydd: Dafydd Williams, Hafod, Parc y Wern, Bethel, Caernarfon, Gwynedd
Ysgrifennydd: Dafydd Islwyn, Teifi, 106 Heol Llancayo, Bargoed, Canol Morgannwg (Ffôn: 0443 830994)
Swyddog Gweinyddol: Alan Llwyd, Pen y Bryn, Felindre, Abertawe, Gorllewin Morgannwg (Ffôn: 0792 72636)
Swyddog Cynorthwyol: Elwyn Edwards, Bod Aeron, Heol Pen-sarn, Y Bala, Gwynedd (Ffôn: 0678 520378)

Mehefin 26, 1990

Annwyl Mr Alun Guy,

Llawer o ddiolch ichi am eich adolygiad graenus ac ardderchog o gyfrol John Stoddart a Dyfnallt Morgan o gyfieithiadau: adolygiad calonogol iawn i'r cyfieithwyr ac i'r cyhoeddwyr! Ceisiwn ei hybu ymhellach. Bydd yr adolygiad yn ymddangos yn rhifyn misoedd Gorff./ Awst o <u>Barddas.</u>
    Llawer iawn o ddiolch eto.

Yn gywir iawn,

Alan Llwyd

Alan Llwyd

*Ein hymwneud yw'n mynediad — i aelwyd
Ein hil; o blaid treftad
Ein braint yw dyfalbarhad,
A'n harwyddair: ymroddiad.*

*Eigwyddor, nid negyddiaeth; — nid cynnen
Ond cenedl; barddoniaeth
Ac nid cecru'r Cymru gaeth
Hoff o lastwr Philistiaeth.*

Aelodau'r Pwyllgor Gwaith:
Rhys Dafis, Dai Rees Davies, Elias Davies, Dewi Jones, John Glyn Jones, Peredur Lynch, Y Prifardd Gerallt Lloyd Owen, O. Trevor Roberts, Ithel Rowlands, Dr Roy Stephens

Noddir y Gymdeithas gan Gyngor Celfyddydau Cymru

Cofrestredig gan y Comisiwn Elusennau
Tystysgrif Rhif 511899

Diolch gan Alan Llwyd, *Barddas*, 1990

Tel. 0222 484250

"Berwyn",
1 Colchester Avenue,
Penylan,
Cardiff, CF3 7BN

Mai 8fed. 1983.

Annwyl Alun, Ar ôl cyrraedd adre neithiwr rhaid oedd rhoi i lawr ar bapur fy argraffiadau ar ôl clywed y perfformiad o "Dewi Sant".

Ni allaf feddwl am unrhyw berfformiad arall a roddodd fwy o fwynhad i mi, yn bennaf gan fod yr awgrymiech iawn wedi ei gweu reit o'r dechrau hyd y diwedd. Pleser mawr oedd clywed yr unawdwyr ifainge yn taclo y rhannau anodd, a dylwn roi 'Oscar i'r organydd am drefniant mor effeithiol i'r organ o gyfeiliant sy mor geddorfaol.

Yn olaf dirlechwch i'r côr am ddysgu'r fath waith, gwaith a roddodd drafferth mawr i goran eraill, ac am iddynt roi perfformiad yn llawn o fwr
wyniad elwyr. Er bod tempo'r fawetus yn araf medd y perfformiad yn deilwng ac yn llawn urddas, a hynny wii fredaf oherwydd eich tempo cliw. Diolch o galon am bopeth ac am noson hyfryd.

Arwel

lledroch ddarllen y llythyr i'r côr, os mynnweh.

Diolch gan Arwel Hughes, 1983

Ar banel Cwis Cerddorol teledu BBC gyda'r panelwyr Phyllis Kinney ac arweinydd Côr Meibion Treorci, John Cynan Jones

Rhedeg hanner marathon i godi arian i Eisteddfod yr Urdd, Caerdydd, 1985

Dau o'r artistiaid a fu'n perfformio gyda Chôr Philharmonig Caerdydd: Beverley Humphreys a Brian Davies

Cyngerdd cyntaf Côr Ffilharmonig Caerdydd yn Neuadd Gyngerdd y Brifysgol, Caerdydd yn 1979.
Dyma'r côr a dyfodd allan o Gôr Eisteddfod Caerdydd yn 1978

Côr Ffilharmonig Caerdydd yn Neuadd Gyngerdd yn perfformio gwaith comisiwn 'Rhuad y Ddraig' gan Eric Jones a'r Prif-fardd Christine yng nghyngerdd dathlu 40 mlynedd y côr ym mis Mai 2019

Fi a fy ngwraig Julie yng nghinio dathlu'r côr yng Nghaerdydd, Mai 2019

Karl Jenkins a minnau ar ôl ymarfer un o'i weithiau yn 2012

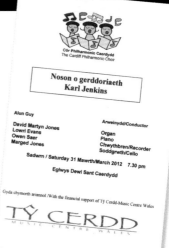

ALUN GUY.

Côr-feistr Prifwyl Casnewydd

Penodwyd Mr Alun Guy, y cerddor, yn Gôr-Feistr Côr Eisteddfod Genedlaethol Casnewydd 1988. Ef yw'r unig arweinydd i ddal y swydd Eisteddfodol hon ddwy waith yn ystod y blynyddoedd diwethaf.

Brodor o Gaerdydd yw Mr Guy ac mae'n briod a chanddo ferch un ar bymtheg oed. Ef yw Pennaeth Adran Gerdd Ysgol Gyfun Gymraeg Glyntâf, Caerdydd.

Cafodd Mr Guy broflad helaeth o waith yr Eisteddfod yn ei amryfal agweddau. Bu'n beirniadu'n gyson a bu'n lwyddiannus iawn fel cystadleuydd. Côr Aelwyd Caerdydd o dan ei arweiniad ef yw'r unig gôr sydd wedi ennill y dair brif wobr am ganu corawl yn yr Eisteddfod. Ef oedd Gôr-Feistr yr Eisteddfod Genedlaethol yng Nghaerdydd ym 1978 a hefyd yn Eisteddfod yr Urdd yno ym 1985.

Bu'n arwain dros dri chant o Gymanfaoedd Canu ym Mhrydain oddi ar 1963 ac ym 1983 derbyniodd wahoddiad i arwain Cymanfa Ganu Genedlaethol Gogledd America. Gwnaeth sawl record a chymerodd ran mewn llawer o raglenni teledu cerddorol.

Mae Côr yr Eisteddfod bellach yn dechrau ar ei waith ac estynnir gwahoddiad i aelodau newydd.

Cyhoeddusrwydd yn y papurau lleol

Cyngerdd Côr Eisteddfod Casnewydd, 1988

Cymanfa Ganu Gogledd America a Chanada Wilkes-Barre, Pennsylvania,
Medi 1993

Cymanfa Ganu
Gogledd America a
Chanada: cynulleidfa
yn y Neuadd Fawr
yn Wilkes-Barre,
Pennsylvania,
Medi 1983

Cymanfa Ganu Cwm Wyoming, Wilkes Barre, Pennsylvania, Mai 15, 2005, a minnau'n paratoi i arwain yn Eglwys San Steffan

Patagonia: Cyrraedd Maes Awyr Buenos Aires ar y ffordd i'r Wladfa Medi 2001

2004: Arwain y Gymanfa yng Nghapel Bethel y Gaiman

2006: Gyda'r Organydd a'r cyfansoddwr Hector Macdonald yn paratoi i arwain y Gymanfa yng Nghapel Bethel y Gaiman

Ymlacio wrth y bwrdd te wedi'r Gymanfa yn y Gaiman 2015

Wrth fwrdd y beirniaid yn 2006

Dathlu Dydd Gŵyl Ddewi ym Melbourne. Mae Eglwys Gymraeg Melbourne yng nghanol y ddinas

Fe arweiniais y gymanfa ym Melbourne bedair gwaith yn 2000, 2003, 2006 a 2010

Roedd pedwar cant o gantorion yn llenwi'r neuadd i gyfeiliant yr organ faróc hyfryd yno bob mis.

Prif waith cyngerdd nos Sadwrn olaf yr Eisteddfod oedd 'Dewi Sant' gan y cyfansoddwr byd-enwog o Ben-clawdd, Syr Karl Jenkins. Daeth i lawr i Gaerdydd dair wythnos cyn yr Eisteddfod i glywed y côr unedig. Dywedodd wrtha' i ei fod yn fodlon ac yn gwbl hapus â'r dehongliad o'i waith. Derbyniodd Karl fy ngwahoddiad i arwain y gwaith yn ystod ail hanner y cyngerdd; fe arweiniais innau yr hanner cyntaf. Roedd Rebecca Evans, yr unawdydd gwadd, yn canu gwaith Dilys Elwyn, 'Mae hiraeth yn y môr', a'r gerddorfa yn perfformio 'Hwiangerddi' Grace Williams. Uchafbwynt yr hanner cyntaf oedd y côr, y gerddorfa a Rebecca yn canu rhan o waith Richard Elfyn Jones, 'Cân Ann' allan o *Goroesiad Cenedl*, darn rhagorol y ces fwynhad arbennig wrth ei arwain ym mhresenoldeb y cyfansoddwr y noson honno.

Yn ddiau, roedd arwain Côr Unedig Eisteddfod Caerdydd yn un o binaclau fy ngyrfa gerddorol. Cefais dragwyddol heol gan bwyllgor yr Eisteddfod a Hywel Wyn, y trefnydd, i fynd i ba gyfeiriad cerddorol bynnag yr hoffwn – o fewn rheswm! Ers blynyddoedd, bûm yn credu mai'r ffordd orau i ffurfio Côr Eisteddfod mewn dinas oedd gwahodd corau'r ardal i fynd ati ar wahân i ddysgu'r gweithiau cerddorol, cyn dod ynghyd ryw dri mis cyn yr Eisteddfod mewn canolfan bwrpasol i roi sglein ar y gweithiau fel côr unedig. Ces wneud hyn yn llwyddiannus yng Nghaerdydd. Roeddwn hefyd yn awyddus i gynnwys Syr Karl Jenkins fel rhan o'r cyngerdd ar y nos Sadwrn olaf oherwydd fy nghysylltiad â Phen-clawdd. Roedd y gerddorfa yn wych (y mwyafrif yn aelodau o Gerddorfa'r BBC) a'r unawdydd Rebecca Evans yn canu mor deimladwy. Darlledwyd y cyngerdd yn fyw ar S4C ac roedd y côr wedi ymateb yn union fel y gobeithiwn. Ie, dyna'r cyngerdd gorau y ces y fraint o'i gynllunio a'i arwain yn fy holl fywyd.

Ar ôl 'Dewi Sant' wythnos cyn yr Eisteddfod, aeth Karl a minnau allan am ginio yng Nghroes Cyrlwys: fi yn fy Alfa Romeo ac yntau Karl yn ei Porsche enfawr. Wrth ei holi am ei hoff fwyd, dywedodd ei fod yn hoff iawn o stecen swmpus dda. A hynny a gafodd am y ddwy awr nesaf wrth inni drafod y cyngerdd a'r gerddorfa. Yn naturiol, roedd Pen-clawdd yn destun arbennig i'n sgwrs. Roedd ei dad a Nhad innau yn ffrindiau agos ym Mhen-clawdd – y Guys a'r teulu Jenkins. Ar yr adeg honno, roedd Karl a'r teulu wedi prynu tŷ yn Llanrhidian ger Pen-clawdd, ond erbyn hyn maen nhw wedi symud yn ôl i Lundain. Ar ôl y cyngerdd ar y nos Sadwrn aeth y côr, Karl a minnau i westy moethus y Park Plaza yng Nghaerdydd gan ddathlu noson, cyngerdd ac Eisteddfod gofiadwy. Roedd pawb mewn hwyliau da wedi'r cyngerdd ac roedd y bwyd a'r gwin yn llifo'n rhwydd. Daeth nifer o ffrindiau'r cantorion i'r bar cyfagos i ymuno yn y dathlu. Ces gyfle i ddiolch i Syr Karl Jenkins am ei waith ac am ei gyfraniad i gerddoriaeth yng Nghymru a'r byd. Cefais innau siec oddi wrth y côr a chyfle i ddiolch iddyn nhw am brofiadau cerddorol gwerthfawr a chyfeillgarwch a bery byth.

GLYNEBWY 2010

Rhaid dweud mai braidd yn annisgwyl oedd derbyn gwahoddiad yn 2009 gan drefnydd yr Eisteddfod, Hywel Edwards, i hyfforddi ac arwain Côr Eisteddfod Glynebwy mor fuan wedi Eisteddfod Caerdydd. A dyma un o gyfnodau hapusaf fy mywyd cerddorol, wrth deithio'n wythnosol o'r brifddinas i fyny drwy briffyrdd cymoedd Gwent i gyfarfod â chorau a chantorion talentog a brwdfrydig a fyddai'n gwneud eu gorau glas i arddangos talentau'r cymoedd i'r byd.

Dewis y pwyllgor fel prif waith y cyngerdd mawreddog oedd un o'm hoff weithiau, y *Requiem* yn D leiaf gan Wolfgang Amadeus Mozart. Yn wahanol i Eisteddfod Caerdydd, roedd y Pwyllgor Cerdd eisoes wedi dewis *Requiem* Mozart cyn i mi gael y gwahoddiad i ffurfio ac arwain y côr. Roeddwn yn hapus iawn gyda'r dewis oherwydd hwn oedd y darn cyntaf a genais fel baswr yng nghôr ysgol Uwchradd Cathays yn 1955. Cyfansoddwr athrylithgar oedd Mozart, ac mae'r cyfanwaith yma yn glasur o gyfansoddi lleisiol ac offerynnol. Fel athro cerdd, roeddwn yn hoff o ddefnyddio rhannau o'r *Requiem* yn fy ngwersi Safon A yn yr ysgol.

Y darn cerddorfaol yn ystod hanner cyntaf y cyngerdd oedd 'Dawnsiau Cymreig' gan Alun Hoddinott a aned ym Margoed. Gwaith Eric Jones i eiriau Waldo 'Y Tangnefeddwyr' oedd fy newis ar gyfer diwedd hanner cyntaf y cyngerdd. Roedd y côr o ddau gant a hanner o leisiau yn seingar ac yn ymateb i bob cyfarwyddyd ac ystum o'm heiddo. Roedd y bartneriaeth rhwng y côr a minnau yn un gynnes a brwdfrydig, rhaid dweud. Rown i wrth fy modd yn wir yn eu harwain. Doedd dim ymffrost yn perthyn i'r cantorion yma o gwbl. Gwelwyd hynny yn y gymanfa lewyrchus adeg y Cyhoeddi yn haf 2009 yng Nghwmbrân.

Bu'r cyngerdd yn llwyddiannus iawn gyda phedwar unawdydd safonol ifanc: Iona Jones, Leah-Marian Jones, Wynne Evans a Jason Howard. Roedd y côr mor falch o'r cyfle i gynrychioli cymoedd Glynebwy, Tredegar, Rhymni a'r cymoedd cyfagos. Cawsom barti dathlu mewn gwesty cyfagos oedd yn ddigwyddiad hapus wrth reswm, ond eto roedd elfen o dristwch yn perthyn iddo gan wybod na fyddem yn cyfarfod fel côr fyth eto.

Ymraniad yn debyg i'r Duw Ianws, gydag un wyneb yn edrych i'r gorffennol a'r llall yn edrych i'r dyfodol. Mewn araith fer, diolchais i'r cantorion am eu ffyddlondeb a'u dyfalbarhad a hefyd am y croeso ges ganddyn nhw yng Nglynebwy ers yr ymarfer cyntaf yn 2009. Cyflwynwyd siec i mi gan y côr, a phrynais gas lledr ar gyfer fy nheithiau o gwmpas y wlad fel arholwr allanol mewn colegau ac ysgolion. Dyma gam arwyddocaol arall, meddyliais, wrth dyfu'n gerddor. Roedd gan bob un o'r pedwar Côr Eisteddfod y bûm yn gyfrifol amdanyn nhw bersonoliaeth a chymeriad gwahanol. Mwynhad pur fu treulio blynyddoedd yn eu cwmni.

II

Cyffro'r Darlledu

ROEDD y cyfnod yn arwain at sefydlu sianel deledu Gymraeg yn amser cyffrous yn y brifddinas a thu hwnt. Er i'r ymgais i sefydlu'r orsaf deledu gyntaf yn y Gymraeg yn Heol Orllewinol Caerdydd brofi'n fethiant, eto i gyd fe wnaeth y rhaglenni Cymraeg ar blatfformau darlledu TWW, HTV a'r BBC baratoi'r ffordd tuag at sefydlu ein sianel ni, S4C ym mis Tachwedd 1982. Daeth nifer o gynhyrchwyr teledu newydd i'r amlwg gan gynnwys Ifor Rees, Gwyn Erfyl, Gwilym Owen, Ruth Price a Meredydd Evans. Bues yn ddigon ffodus i gydweithio gyda nifer ohonyn nhw i ffurfio grwpiau ac ymddangos mewn rhaglenni cerddorol amrywiol ar y sianel newydd.

Roedd rhaglenni cynnar Cymraeg y BBC ar brynhawn Sul yn cael eu darlledu'n fyw o hen eglwys yn ardal Broadway yng Nghaerdydd. Y Fonesig Amy Parry-Williams fyddai'n holi'r gwesteion cerddorol ar y rhaglen. Y testun un prynhawn Sul oedd jazz. Doedd Lady Amy ddim yn gyffyrddus yn trafod jazz. Daeth cais oddi wrth y cynhyrchydd, Ifor Rees, i mi ymddangos ar y rhaglen fyw yn lle Amy Parry-Williams. Roedd am imi drafod elfennau jazz tra oeddwn yn eistedd wrth y piano yn chwarae cordiau a dyfyniadau o fyd jazz traddodiadol a jazz modern. Rown i wrth fy modd, wrth gwrs, oherwydd yn nes ymlaen yn y rhaglen byddai band jazz enwog Stan Tracey hefyd yn chwarae'n fyw yn y stiwdio. Daeth gwahoddiad i mi chwarae gydag ef a'i fand ar y rhaglen. Y darn a ddewiswyd inni ei chwarae oedd hen glasur y bûm yn ei chwarae gyda'r Aldual Jazz Band sef *Basin Street Blues*. Dyna beth oedd profiad anhygoel!

Ar ôl i'r ymarfer orffen, fe'm cyflwynwyd i ŵr a sioffer y Fonesig Amy Parry-Williams, neb llai na'r cawr llenyddol Syr T. H. Parry-Williams ei hun, a fyddai'n gyrru i lawr o Aberystwyth i Gaerdydd yn wythnosol yn ei Austin 7 glas! Dyma ddechrau cyfeillgarwch rhyngom a barodd am nifer o flynyddoedd. Fe wnaeth e gyfieithu nifer o ddarnau'r *Meseia* i mi gan nad oedd cyfieithiadau ar gael. Cyd-ddigwyddiad amserol oedd bod yr Urdd, ym mlwyddyn dathlu 50 mlynedd y mudiad yn 1972, wedi comisiynu Alun Hoddinott i gyfansoddi darn newydd, 'Ieuenctid y dydd', i eiriau Syr T. H., a minnau'n cael arwain y perfformiad cyntaf yng Ngŵyl Llandaf. Ymhen y mis cefais lythyr oddi wrth Syr T. H. wedi inni berfformio'r gwaith yng Ngŵyl y Gobaith yn Llanuwchllyn yn holi hynt y perfformiad. Roedd cyfarfod â'r bardd o Dŷ'r Ysgol, Rhyd-ddu, yn gwireddu sawl dymuniad o'm heiddo. Bûm yn ffan mawr o farddoniaeth Syr T. H. byth ers i mi glywed ei lais bas cyfoethog yn adrodd 'Y ferch ar y cei yn Rio' a 'Hon' ar y radio. Dau o fy hoff feirdd sydd â lleisiau recordio cyfareddol yw Dylan Thomas a Syr T. H. Parry-Williams. Yng nghanol y camerâu, y goleuadau a'r technegwyr yn ystod y rihyrsal yn y stiwdio, safai'r athrylith o fardd mewn siwt frethyn frown yng nghefn y stiwdio. Un bychan o gorff ydoedd Syr T. H. ond yn fawr ei bersonoliaeth a'i hynawsedd. Ar ôl cyfarfod â'r Fonesig Amy, ei wraig, cafodd hithau a minnau sgwrs fer cyn iddi ddiflannu i'r ystafell ymbincio i ymbaratoi ar gyfer y rhaglen. Holodd Syr T. H. am fy rhan innau yn y rhaglen y diwrnod hwnnw. Eglurais mai sôn am esblygiad jazz traddodiadol y byddwn, ond doeddwn i ddim yn cael yr argraff ei fod yn arbennig o hoff o jazz traddodiadol, Kenny Ball a'r *swinging seventies!* Aethom ymlaen i drafod gosodiad y cyfansoddwr Alun Hoddinott a'i ddehongliad o farddoniaeth Syr T. H. yn 'Ieuenctid y dydd'. Yn y 1970au roedd arddull gyfansoddi Alun Hoddinott yn ymylu ar fod yn glasurol newydd gyda harmonïau anghytseiniol a dyfeisiadau megis palindromau. Aeth yr Athro diymhongar o Ryd-ddu a minnau ymlaen i sôn am y llu cyfieithiadau a luniwyd ganddo ef a'r Athro Stephen J. Williams ar gyfer yr Eisteddfod Genedlaethol. Munudau lledrithiol oedd sgwrsio gyda Syr T. H. mewn cilfach yng nghornel y stiwdio! Ches i fawr o gyfle i sgwrsio, fodd bynnag, â'r Fonesig Amy y prynhawn hwnnw. Cerddoriaeth draddodiadol Gymreig ac alawon gwerin oedd ei hoffter hi yn ôl y rhaglenni a welais ar y teledu yn y gyfres bnawn Sul honno.

Pan aeth Merêd a Ruth Price ati yn y 1960au i drefnu noson agoriadol teledu lliw BBC Cymru yn stiwdios Broadway a Stacey Road, yr athro talentog ifanc Ryan Davies oedd y seren. Ar y pryd, roedd Ryan yn athro yn Croydon ac yn un o sêr Cymry Llundain ynghyd â'i gyfaill agos Rhydderch Jones. Daeth cais oddi wrth Merêd imi sefydlu grŵp o ferched ifainc, hardd fyddai'n lleisiau cefndirol i Ryan. Anfones wahoddiad at chwech o aelodau Côr yr Aelwyd oedd yn meddu ar leisiau seingar i ffurfio'r grŵp untro, 'Y Teledis'. Gwn y byddent yn ymdoddi i'w gilydd yn hwylus fel grŵp cefndirol i Ryan. Eu henwau oedd Nia Powys Williams, Delyth Thomas, Rhiannon Bell, Sybil Bevan, Margaret Roberts ac Eluned

Francis. Y brif gân oedd 'Rhywle draw dros yr enfys'. Cofiaf fynd â'r merched i ymarfer yng nghartref Merêd a Phyllis yn Heol Shirley ger Parc y Rhath.

Wrth feddwl am Heol Shirley, nid nepell o gartref Merêd trigai meddygon fy mam – y ddwy chwaer Rosentyl a Bryneilen Griffiths. Meddygon talentog, a chymeriadau annwyl ond ecsentrig, ac yn aelodau yng nghapel Minny St.

Pan sefydlwyd y Gwasanaeth Iechyd Cenedlaethol rhad gan Aneurin Bevan yn 1948 roedd y ddwy chwaer ddibriod wedi penderfynu aros yn feddygon preifat. Pan ges i hernia wrth symud piano yn y chwedegau, rhaid oedd mynd am 8.00 o'r gloch i'r syrjeri am ymgynghoriad. Syrthiodd fy nghalon pan weles yr ystafell ffrynt yn llawn dop o gleifion – neb yn siarad, jyst yn disgwyl eu tro mewn hedd, perffaith hedd. Daeth y doctoriaid i mewn gan ofyn i fi chwarae'r piano er mwyn difyrru'r cleifion tra oeddent yn aros eu tro i fynd i'r syrjeri. Hynny a fu, ond bod y piano heb ei diwnio ers y Rhyfel Byd Cyntaf! Cyn bo hir roedd y cleifion yn dechrau mynd yn hy gan ofyn am *requests*. Collais fy nhro i gael archwiliad am yr hernia, ac ymhen rhyw ddwy awr, dim ond fi oedd ar ôl yn yr ystafell aros. Daeth y forwyn o'r Almaen, Maria, â phaned o de i mi a chacen am f'ymdrechion i ddifyrru'r cleifion eraill!

Erbyn cael yr archwiliad am y 'poen yn y groin' roedd yn nesu at ganol nos. Fel arfer, roedd archwiliad yn costio deg swllt a chwe cheiniog, ond ni fu sôn am dalu gan 'mod i wedi difyrru'r cleifion heb godi ffi ar y doctoriaid! Ces lawdriniaeth lwyddiannus ym mis Mehefin cyn gyrru lawr i dde Ffrainc i wersylla a nofio yn y Môr Canoldir cynnes gyda'r teulu. Ddiwedd mis Medi daeth y doctoriaid Griffiths i'm gweld gan roi hawl i mi yrru fy nghar ar ôl y llawdriniaeth. Soniais i'r un gair 'mod i wedi gyrru dros fil o filltiroedd i Cannes a Nice ac adref ym mis Gorffennaf!

Daeth galwad ffôn annisgwyl un noson yn 1967 gan ofyn i mi chwarae'r piano mewn noson ffarwél i gapten tîm criced Morgannwg, Ossie Wheatley. Cytunais yn llawen oherwydd bûm yn cefnogi'r tîm ers dyddiau Wilf Wooller yn y 1940au. Roedd clwstwr o gricedwyr enwog y gorffennol a'r presennol wedi dod ynghyd i dalu gwrogaeth i'r capten, a minnau'n gwneud fy ngore i chwarae *popular requests* a cherddoriaeth swing a jazz. Braf oedd cymdeithasu gydag eilunod y byd criced, rhaid cyfaddef. Daeth nifer o'r chwaraewyr fel Malcolm Nash a'r enwog Wilf Wooller a Peter Walker ataf i gael sgwrs ar ôl y cinio. Yn yr ysgol ramadeg roeddwn i pan es i lawr i weld Morgannwg yn chwarae ar ôl i'r ysgol orffen a'r capten Wilf Wooller yn bwrw'r bêl mor galed nes i'w fat hollti'n ddau ddarn! Ef oedd arwr mawr fy nhad pan chwaraeai rygbi dros Gymru ar Barc yr Arfau yn 1938!

Daeth galwad ffôn annisgwyl arall un nos Wener yn y saithdegau oddi wrth y canwr a'r actor Bryn Williams, gan ofyn i mi gyfeilio iddo mewn cyngerdd gan fod y cyfeilydd arferol yn sâl. Ei gyfeilydd rheolaidd oedd y darlledwr amryddawn Alun Williams. Roedd merch Alun Williams yn canu yn fy nghôr yr un adeg, felly cytunais â chais Bryn. Daeth Bryn i'r tŷ i gael ymarfer. Roedd *repertoire* eang o faledi a chaneuon o'r sioeau ganddo. Aethom i'r gig yn neuadd y dref Rhydychen lle byddem yn diddanu aelodau Cymdeithas Gymraeg Rhydychen. Y trefnydd oedd merch y bardd a'r nofelydd, Caradog Prichard, Mari Prichard – merch hyfryd a threfnydd arbennig o frwdfrydig. Cawsom dderbyniad gwresog gan yr aelodau, a'r lle dan ei sang o Gymry alltud. Roedd rhaid i mi ganolbwyntio'n ofalus oherwydd roedd Bryn yn difyrru'r gynulleidfa gyda straeon doniol amdano yn ymddangos gyda Ryan a Ronnie mewn sgetsys ar y sioeau teledu. Roedd pawb, wrth gwrs, yn hen gyfarwydd â'r frawddeg enwog 'Paid galw Wil ar dy Dad!' Ar ryw eiriau arbennig yn y llefaru, byddwn yn gorfod dod mewn yn sydyn â rhagarweiniad piano. Wiw fyddai i mi fod yn hwyr! Cawsom ffioedd hael iawn am ein gwaith y nos Sadwrn honno.

Bu'r ddau ohonom yn cydweithio'n glòs am gyfnod maith gan grwydro o glwb i glwb yn ne Cymru ar nosweithiau Sadwrn. Roedd Bryn yn ffrindiau agos gyda'r comedïwr Stan Stennett o Riwbeina. Bob nos Wener cyn gêm rygbi ryngwladol yng Nghaerdydd, byddai Stan a Bryn yn cynnal noson o ddifyrrwch a minnau'n cyfeilio i Bryn. Yna, byddai cantorion eraill yn gofyn i mi gyfeilio iddyn nhw hefyd. Yn ddiweddar iawn bûm yn cyfeilio i'r gantores o Frynsiencyn, Margaret Williams mewn cinio Nadolig. Adeg y Pasg rai blynyddoedd yn ôl ces y fraint o gyfeilio ar yr organ ym Minny Street i'r gantores opera – y mezzo-soprano o Ddolgellau, Siân Meinir. Pan oeddwn yn y brifysgol dechreuais gyfeilio i'r soprano Sybil Bevan wrth iddi baratoi i gystadlu yn Eisteddfod Llanelli yn 1962. Enillodd y wobr gyntaf am ei pherfformiad o 'Ritorna Vincitor' o'r opera *Aida* gan Verdi. Roeddwn yn hoff o gyfeilio i Louis Ryan mewn nosweithiau cabaret yn Ysgol Glantaf; Louis oedd athrawes Charlotte Church. Wrth gwrs, roedd rhaid cyfeilio mewn cyngherddau i fy mrawd Iwan wrth iddo ymuno â chwmni teithiol Opera Cymru fel bariton. Roedd fy sgiliau 'cyfeilio ar yr olwg gynta' yn sicr o elwa ac yn fodd i mi dyfu mwy fel cerddor!

Wrth i'm gyrfa gerddorol fynd i sawl cyfeiriad, byddai'r galwadau i ymddangos ar raglenni radio yn amlhau. Rown i wrth fy modd yn cyfrannu ar bynciau cerddorol o bob math. Dysgais yn gyflym mai dweud 'Gwnaf!' oedd y ffordd ymlaen wrth ymateb i unrhyw alwad ffôn a ddeuai o barthau Radio Cymru a Radio Wales yn adeilad BBC Llandaf.

Mantais arbennig, mi gredaf, oedd 'mod i'n medru cyrraedd y stiwdio o 'nghartref yn Rhiwbeina ar y beic mewn chwarter awr. Byddai ymchwilwyr ar raglenni boreol Hywel Gwynfryn a Nia Roberts yn ffonio ddiwedd pnawn gan ofyn am gyfraniadau fore trannoeth ar gyfansoddwyr, pwysigrwydd rhyw berfformiwr/gyfansoddwr, neu i sôn am ryw gerddorfa neu opera ac ati. Hwy ill dau oedd fy hoff ddarlledwyr, ac roeddwn yn gwbl gyffyrddus yn eu cwmni yn y stiwdio yn Llandaf. Ar y dechrau byddwn ychydig yn nerfus yn y stiwdio ond gyda phrofiad a threigl amser, deuthum yn fwy profiadol. Mae cynnal sgwrs fyw ar y radio pan fo'r ymholydd mewn stiwdio arall yn fwy anodd, yn enwedig wrth wisgo penffonau ac yn methu gweld y person ar ochr arall y llinell ffôn. Beth amser yn ôl, bûm yn recordio sgwrs chwarter awr gyda Dewi Llwyd adeg fy mhenblwydd yn saith deg a phump oed ar gyfer ei raglen fore Sul. Roedd Dewi ym Mangor a minnau yng Nghaerdydd. Doedd dim gwybodaeth bendant gen i am y cwestiynau na chynnwys y sgwrs tan y recordiad ei hun. Mae Dewi Llwyd a Beti George yn holwyr cwrtais, profiadol a charedig bob amser.

Yn wir, Nia a Hywel ac yna Shân Cothi fu wrth y llyw yn foreol ar Radio Cymru dros gyfnod helaeth o gystadleuaeth 'Canwr y Byd' pan fyddwn ym mynd bob yn ail flwyddyn i Neuadd Dewi Sant am wythnos ac wedyn i stiwdio'r BBC bob bore i drin a thrafod perfformiadau'r cantorion rhyngwladol. Byddai ymchwilydd y rhaglen yn ffonio'n blygeiniol i weld pa ddyfyniadau o recordiadau'r noson gynt oedd eu hangen ar gyfer y rhaglen. Cofiaf yr ymchwilydd un tro yn fy ffonio mewn panig gwyllt am 6.00 o'r gloch y bore. Doedd dim recordiadau sain ar

gael o berfformiadau'r pum cystadleuydd o'r noson gynt
i mi eu defnyddio pan fyddwn yn dod i'r stiwdio ymhen
dwy awr. Y rheswm am y panig oedd bod un o beirian-
wyr y BBC wedi diffodd y peiriant recordio awtomatig
yn Neuadd Dewi Sant cyn i'r gystadleuaeth ddechrau.
Llwyddwyd i gael recordiadau ar-lein o BBC Llundain ar
y funud olaf! Roedd Nia a Hywel, hwythau yn eu tro, yn
fy holi ynglŷn â safon y canu, y cyfathrebu ac ymateb y
dorf yn y neuadd.

Byddwn yn edrych ymlaen bob ddwy flynedd at yr
wythnos arbennig honno. Bues yn cyflawni'r gwaith
hwn o wrando ar ran gwrandawyr BBC Cymru yn ddi-
dor dros gyfnod o ddeng mlynedd. Yn y blynyddoedd
cynnar byddwn yn westai achlysurol o'r stiwdio yn y
neuadd pan fyddai'r BBC yn darlledu'n fyw yn ystod y
rownd derfynol. Yn ystod y blynyddoedd olaf hyn roedd
Shân Cothi wrth y llyw yn *Bore Cothi*. Wrth gwrs, roedd
rywfaint mwy o bwyslais yn y sgwrsio ar ogwydd tech-
negol lleisiol y cystadleuwyr oherwydd cefndir Shân fel
unawdydd soprano. Yr un fu'r boddhad, fodd bynnag,
o weithio gyda hi ag efo Nia a Hywel. Gobeithio 'mod i
wedi llwyddo i gyflwyno darlun byw i wrandawyr Radio
Cymru o'r wefr a'r naws a fyddai bob nos yn y neuadd
gyda 'Canwr y Byd'. Cystadleuaeth unigryw ydyw a
lansiwyd gan y diweddar Mervyn Williams, a fu'n aelod
o adran fas Côr Aelwyd Caerdydd yn y chwedegau gyda'i
wraig Rhiannon yn adran y contraltos. Byddai Mervyn a
minnau'n arfer cyfarfod â'n gilydd yn rheolaidd yn ystod
y gystadleuaeth. Trist fu ei golli rai blynyddoedd yn ôl,
ond erys y gystadleuaeth o hyd yn destament i'w fenter
tra gweithiai i BBC Cymru.

Trefnai'r BBC dacsi i mi i'r dre ac adre bob nos, a
byddai dau docyn a rhaglen swmpus yn fy nisgwyl yn
nosweithiol yn seddau'r wasg yn Neuadd Dewi Sant.

Roedd bwydydd ysgafn a diodydd amrywiol ar gyfer gwesteion y BBC mewn derbynfa bwrpasol ger y grisiau i'r awditoriwm. Roeddwn wrth fy modd yn lloc y wasg oherwydd roedd cyfle i gyfarfod â phobl y cyfryngau, cystadleuwyr a rheolwyr y cwmnïau opera oedd yn edrych am dalent newydd. Bob nos byddai rhywun gwahanol yn eistedd yn y seddi cyfagos i mi a Mrs Guy. Cawsom gwmni a sgyrsiau difyr gyda darlledwyr fel Nicola Heywood Thomas, Beti George a phianyddion fel Llŷr Williams a chantorion opera fel Rebecca Evans, Siân Meinir a Wynne Evans.

Ar ôl i bob cystadleuydd ganu byddai egwyl fer pan oedd cyfle i drafod rhinweddau pob cantor yn ei thro/ei dro. Byddai derbynfa'r BBC yn dal ar agor yn yr egwyl ac yno cawn fy holi gan y byd a'i frawd ynglŷn â'r safon neu ragoriaethau'r cantorion ac yn y blaen. Byddwn bob amser yn dweud wrthynt am wrando ar Radio Cymru fore trannoeth! Roedd nifer o'r cystadlaethau yn gofiadwy am nifer o resymau gwahanol. Credaf mai'r noson orau erioed oedd rownd derfynol Canwr y Byd 2017. Roedd y safon mor anhygoel o uchel. Cafwyd dau fariton, un o Fongolia a'r llall o'r Unol Daleithiau; tenor o Awstralia, soprano o Loegr, a mezzo-soprano o'r Alban yn ymgiprys am y wobr o £15,000. Y gantores o'r Alban, Catriona Morrison, oedd yr enillydd haeddiannol. Roedd ei datganiad teimladwy o waith Purcell, 'When I am laid in earth' yn hollol wych. Credaf mai dyna'r tro cyntaf i artist o'r gwledydd Celtaidd gipio'r tlws. Rwy'n dal i gredu mai Bryn Terfel, fodd bynnag, yw fy hoff gystadleuydd erioed ac fe ddylai fod wedi ennill y brif wobr yn 1989 yn fy marn i, nid y gŵr o Rwsia!

Yn ystod y blynyddoedd diwethaf bu Shân Cothi a minnau'n rhannu meicroffonau Llandaf nifer fawr o weithiau, gan ledu gwybodaeth am gerddorion a chyfansoddwyr ar draws tonfeddi Radio Cymru. Mae gan Shân ddiddordeb heintus mewn pob math o gerddoriaeth – a'r ddawn a'r wybodaeth i drafod cerddoriaeth ar bob lefel. Mae'n llwyddo i ennyn diddordeb gwrandawyr Radio Cymru drwy'r afiaith a'r brwdfrydedd cynhenid sy'n rhan o'i chymeriad hapus. Cofiaf fod yn y stiwdio gyda hi adeg Nadolig 2018 yn trafod jazz ar y piano, gan arddangos enghreifftiau o gordiau jazzaidd a swing ar garolau poblogaidd. Cawsom gymaint o hwyl a chwerthin wrth symud o arddulliau swing Benny Goodman i arddull Count Basie a Duke Ellington. Dyna un o'r achlysuron hapusaf a gofiaf wrth ddarlledu'n fyw heb sgript. *Ad lib.* oedd y cyfan y diwrnod hwnnw.

Droeon bûm mewn stiwdio gyfagos yn recordio cyflwyniadau i raglenni bandiau pres ac emynau gyda'r cyn-gynhyrchydd Cedric Jones. Byddai'n fy nhrin yn urddasol ac yn foneddigaidd bob amser, hyd yn oed pan fyddwn yn camynganu ac yn gorfod ailddechrau recordio. Roeddwn yn cael rhwydd hynt gan Cedric wrth lunio'r sgript. Yn ddiweddarach, bu'n bleser cydweithio hefyd ag olynydd Cedric sef Ceri Wyn Richards.

Cynhyrchydd arall y ces hwyl arbennig wrth gydweithio ag e ar y rhaglen *Wythnos i'w Chofio* oedd Wyndham Richards. Roedd angen hunanddisgyblaeth ar hyd yr wythnos wrth ddewis pytiau a dyfyniadau i'w cynnwys yn y rhaglen bnawn Sul. Roedd gofyn i mi wrando'n gyson ar Radio Cymru bob bore cyn mynd i Ysgol Glantaf, a phob nos wedi dychwelyd! Rhaid oedd cadw cownt a llunio log o'r dyfyniadau yr hoffwn eu cynnwys bnawn Sul gan gynnwys teitl y rhaglen a'r dydd ac yn y blaen. Ond yn bwysicaf oll, rhaid oedd amseru hyd y dyfyniadau i'r eiliad. Byddai Wyndham yn ffonio'n gyson yn ystod yr wythnos i weld pa hwyl roedd Guy yn ei chael ar gywain y dyfyniadau a llunio'r sgript. Yna ar y nos Iau fel wats, byddai'n ffonio i ofyn am gynnwys y rhaglen er mwyn iddo ddod o hyd i'r dyfyniadau ar gyfer recordio fy llais ar y nos Wener ac adeiladu'r rhaglen yn dwt ac yn daclus erbyn y Sul. Cefais hefyd y fraint o lunio a recordio sawl cyflwyniad ar gyfer rhaglen boblogaidd arall, *Caniadaeth y Cysegr*, a fyddai'n cael ei darlledu ar bnawniau Sul. Dyddiau dedwydd a diddorol oedd recordio o flaen y meic yn Llandaf. Bues hefyd yn arwain cymanfaoedd dathlu pen blwydd y rhaglen yn ddeg ar hugain oed yng Nghapel Tegid y Bala yn 1979, ac ymhen deng mlynedd yn 1989 yn ddeugain oed yng Nghapel Salem Caernarfon.

Byddai un o'r cwisiau cerdd radio cyntaf y bûm yn rhan ohonyn nhw yn cael ei recordio fore Sadwrn ar Radio Cymru yn y saithdegau. Cwis cerddorol ardderchog oedd *Canu Cloch* rhwng timau Caerdydd, Caerfyrddin a Bangor. Byddai cwestiynau corawl a cherddorfaol amrywiol yn cael eu hyrddio atom heb fawr o gyfle i feddwl am yr atebion. Cerddoriaeth agoriadol y rhaglen oedd Agorawd *Candide* Leonard Bernstein, a bob tro y clywaf y barrau agoriadol, rwy nôl yn y stiwdio yng nghanolfan y BBC yn Llandaf. Fi fyddai'r capten fwy na heb, a Dulais Rhys fyddai gyda fi yn y stiwdio yn ceisio datrys enwau cyfansoddwyr, lleisiau unawdwyr a dyfyniadau o symffonïau ac yn y blaen.

Pan ddaeth cwisiau cerdd ar y teledu cefais nifer o wahoddiadau i fod yn aelod o'r timoedd. Un tro yn y cwis *Sain Gwybod* roeddem mewn timoedd o dri cherddor. Roeddwn mewn tîm gyda'r gantores Phyllis Kinney a John Cynan Jones, arweinydd Côr Treorci ar y pryd. Un rownd nad anghofiaf fyth oedd y rownd dyfalu darn o gerddoriaeth a'r cyfansoddwr. Byddai'r cwisfeistr yn rhoi un nodyn o'r alaw gudd i ddechrau ar yr erwydd, ac yna byddai aelodau'r timoedd yn colli marc bob tro y byddai aelod yn gofyn am glywed ail a thrydydd nodyn ac ati cyn dyfalu'r alaw a'r cyfansoddwr.

Roedd bron yn amhosib dyfalu alaw a chyfansoddwr ar ôl clywed dim ond un nodyn. Daeth ein tro ni, tîm Guy. Ar y sgrin deledu daeth yr amseriad 3/4, yr arwydd cywair A♭, a'r nodyn cyntaf E♭ ar allwedd y trebl. Gwasges y botwm ateb coch yn syth gan gynnig agoriad Schubert i'r Impromptu i'r piano Opus 142 yn A♭ fwyaf. Er mawr syndod i minnau a'm cyd-banelwyr, John Cynan a Phyllis, roeddwn yn gywir! Hwn oedd y darn yr oedd fy mam yn hoffi ei ymarfer fin nos pan own i'n blentyn yn y gwely uwchben ystafell y piano, ac roedd wedi aros yn fy nghof byth ers hynny. Cefais 20 pwynt am ddyfalu'n gywir ar ôl clywed y nodyn cyntaf gan y cwisfeistr, Lyn Davies. Clywais drachefn gan y cynhyrchydd mai fi oedd yr unig aelod o'r paneli a lwyddodd i ddyfalu'n gywir ar ôl clywed un nodyn yn ystod yr holl gyfres!

I daro nodyn mwy difrifol, byddwn yn derbyn gwahoddiadau mynych i recordio'n llafar ar gyfres gerddorol ar Radio Cymru o'r enw *Y Gerddorfa*. Roedd fformat y rhaglen yn ddigon syml ac yn chwaethus ar gyfer pnawn Sul ar y radio. Y syniad oedd cynnwys nifer o recordiadau byw o berfformiadau gan Gerddorfa Symffonig BBC Cymru a chael panel o gerddoregwyr i drafod y darnau. Rhwng y blynyddoedd 2009 a 2014 y bues i'n rhan o'r drafodaeth. Braf fyddai clywed recordiadau o berfformiadau gan Gerddorfa Genedlaethol y BBC mewn neuaddau ysgol a phentrefi ar draws Cymru gyfan. Nod y rhaglen yn y pen draw oedd ceisio arwain y gynulleidfa anweledig ar hyd dirgel ffyrdd rhai o'r cyfansoddiadau. Roedd ystod y gerddoriaeth a chwaraeid yn y gyfres yn eang ac yn symud rhwng cyfnodau arwyddocaol megis Cyfoes, Baróc a Rhamantaidd.

Byddwn yn derbyn y recordiadau rai wythnosau

cyn mynd i'r stiwdio, gan baratoi bras nodiadau ar ffurf y cyfansoddiadau, yr arddull a'r idiomau cerddorol a berthynai i'r cyfansoddwyr ac yn y blaen. Yn aml wrth baratoi, fodd bynnag, roeddwn yn ymwybodol iawn nad dadansoddi megis dosbarth Safon A oedd bwriad y cynhyrchydd. Rhaid oedd cofio nad oedd gan y rhan helaeth o wrandawyr gopïau o'r darnau cerddorfaol ychwaith. Rwy'n meddwl fod y gyfres wedi goleuo'r gwrandawyr, gan ddarbwyllo nifer fawr nad rhywbeth i'r academyddion yn unig yw cerddoriaeth glasurol. Anfonodd y cynhyrchydd ystod eang ardderchog o recordiadau ataf i'w trafod, gan gynnwys gweithiau Beethoven, Berlioz, Hoddinott, Debussy, Saint-Saëns, Stravinsky, Mozart, Sibelius, Bizet a Brahms. Tasg hynod ddymunol oedd bod yn rhan o'r trafodaethau a recordiwyd yn Llandaf. Cam arall wrth dyfu'n gerddor!

12

Ysgol Gyfun Glantaf

Wrth i'r sôn am sefydlu ysgol uwchradd Gymraeg yn y brifddinas gynyddu ganol y 1970au, dyna'r adeg pan ddechreuais innau chwilio am swydd ym mro fy mebyd. Pa swydd fyddai'n well na Phennaeth yr Adran Gerdd mewn ysgol yn y brifddinas? Doedd dim un athro nac athrawes gerdd yng Nghymru yn fwy balch na mi ar 6 Gorffennaf 1978 pan gynigiwyd y swydd honno i mi. Dyma wireddu breuddwyd oes wrth symud yn ôl i fy mro enedigol. Agorodd yr ysgol ar 5 Medi y flwyddyn honno gyda chant namyn un o ddisgyblion, ynghyd â naw o athrawon profiadol a phrifathro llwyddiannus, Mr Malcolm Thomas. Bathwyd arwyddair yr ysgol, sef 'Coron gwlad ei mamiaith' mewn cystadleuaeth a enillwyd gan Lowri Stephens, merch y diweddar Meic Stephens.

Roeddwn wedi bod yn arweinydd Côr yr Eisteddfod yng Nghaerdydd ers 1976 ac yn awr yn barod i dyfu'n fwy o gerddor drwy ddechrau ar swydd pennaeth adran am y tro cyntaf yn fy ngyrfa. Byddai gweithio gyda lleisiau ifainc merched a bechgyn yn ymestyn fy mhrofiad corawl bid siŵr, a chamu i fyd y sioeau cerdd yn gam pwysig yn fy ngyrfa hefyd. Bûm yno'n Bennaeth yr Adran yn ddi-dor tan ddiwedd y ganrif. Heb ymddangos yn rhy ymffrostgar, rwy'n falch o gofnodi 'mod i heb golli diwrnod o ysgol yn ystod fy ngyrfa yng Nglantaf – cyfnod o 21 o flynyddoedd hapusaf fy mywyd proffesiynol. Ces bleser arbennig yn ddiweddar wrth ddarllen fod yr ysgol wedi derbyn y clod a'r anrhydedd o fod yr 'Ysgol Uwchradd orau yng Nghymru' ym mis Tachwedd 2019.

Roedd Mr Malcolm Thomas, y prifathro cyntaf, yn adnabod pob plentyn wrth ei enw, a byddai'n cerdded ar hyd y maes chwarae a'r coridorau bob egwyl ac amser cinio yn ddi-ffael. Dyna'r esiampl a gawson ninnau'r staff gan bennaeth yr ysgol. Byddai gweld Ysgol Glantaf yn tyfu o 99 o ddisgyblion i 1400 yn destun llawenydd mawr ac yn hwb i addysg Gymraeg y brifddinas. Ces anogaeth gadarnhaol gan Mr Thomas bob amser wrth i mi geisio cyflwyno addysg gerddorol gyflawn i bob plentyn. Nid yn aml y caiff athro cerdd gynfas wag i wireddu ei ddyheadau corawl ac offerynnol mewn ysgol newydd sbon. Dyna oedd yr her a wynebwn yn 1978. Bu'r profiadau a gefais gynt yn ddisgybl yn Ysgol Cathays ac yna yn athro ym Mhontypridd yn amhrisiadwy i mi o ran trefnu cwricwlwm, cyngherddau a gwersi offerynnol mewn ysgol newydd.

Yn 1974, tua diwedd fy nghyfnod ym Mhontypridd, diflannodd yr ysgolion gramadeg a sefydlwyd system o ysgolion cyfun lle byddai bechgyn a merched yn cael eu haddysgu mewn dosbarthiadau cymysg yn yr un adeilad. Diflannodd Ysgol Ramadeg y Bechgyn a chrëwyd ysgol newydd, sef Ysgol Gyfun Coed y Lan ym Mhontypridd. Yma am gyfnod byr y ces y profiad o addysgu merched am y tro cyntaf yn fy mywyd. Erbyn sefydlu Ysgol Glantaf roedd gen i brofiad o addysgu bechgyn a merched, ond drwy gyfrwng y Saesneg. Doedd gen i ddim profiad o addysgu trwy gyfrwng y Gymraeg. Cefais dragwyddol heol gan Mr Thomas i greu cwricwlwm newydd sbon ar gyfer y tair blynedd gyntaf cyn dechrau'r ffrydio ar gyfer arholiadau CBAC ym mlynyddoedd 3 a 4. Y peth cyntaf a wnes oedd defnyddio cysylltiadau personol ag aelodau Cerddorfa'r BBC yn Llandaf gerllaw i sefydlu fframwaith o athrawon offerynnol. Roedd y prifathro yn giamstar ar drafod arian gan ddod o hyd i ffynonellau i ariannu prosiectau fel athrawon cylch/peripatetig yn yr ysgol. Roedd sefydlu Cymdeithas Rhieni ac Athrawon Glantaf yn gam pwysig iawn yn hanes yr ysgol. Roedd y rhieni'n hynod o gefnogol ac roedd y cydweithio rhyngddynt a'r athrawon yn batrwm i bob ysgol.

Roeddem yn griw clòs o chwe athro a thair athrawes yn 1978, gyda Malcolm Thomas a Bryan James, ei ddirprwy, wrth y llyw. Awgrymwyd mewn cyfarfod staff y byddai'n fuddiol pe bai'r ysgol gyfan yn mynd lawr i Langrannog am yr wythnos i loywi iaith y disgyblion a chryfhau ethos a Chymreictod yr ysgol. Bu'r fenter yn llwyddiant ysgubol ar lefel gymdeithasol ac ieithyddol. Roedd cymorth ariannol y Gymdeithas Rieni yn allweddol i lwyddiant yr wythnos. Roedd y bysiau yn barod i'n cludo i lawr i'r gwersyll ar y bore Llun gan ddod â ni'n ôl i'r ysgol ar y prynhawn dydd Gwener. Daeth gofalwr yr ysgol gyda ni hyd yn oed. Roedd patrwm yr wythnos yn cynnwys grwpiau cerddorol offerynnol a lleisiol, dosbarthiadau drama, celf ac arlunio, ynghyd â gweithgareddau pêl-droed a rygbi wrth gwrs. Fin nos cawsom nosweithiau llawen a dawnsio gwerin ac yn y blaen. Parhaodd yr arfer o fynd â disgyblion y flwyddyn gyntaf i Langrannog er mwyn gloywi iaith am sawl blwyddyn, cyn i'r ysgol dyfu'n rhy fawr. Prosiect gwerth chweil yn wir!

Bu Cyngor Addysg Uwchradd Caerdydd yn hael iawn eu cymorth i'r ysgol wrth ddarparu offerynnau i'r disgyblion. Y Gymdeithas Rieni a Mr Thomas, fodd bynnag, ynghyd â grant ariannol gan y Swyddfa Gymreig i Bwyllgor Addysg y Ddinas, fu'n gyfrifol am sicrhau fod telyn Salvi newydd sbon gan yr ysgol. Wrth i'r Adran Gerdd dyfu o flwyddyn i flwyddyn derbyniodd nifer o bianos newydd hefyd. Cawsom drwsio hen biano 'crand' a fu gynt yn stiwdio enwog Abbey Road yn Llundain yn recordio traciau gan gantores o Gaerdydd, Shirley Bassey. Wrth feddwl am Lundain, cofiaf fynd yn fy nghar i Stryd Wardour yng nghanol y ddinas i gyrchu'r delyn Salvi newydd sbon honno. Roedd y delyn newydd gael ei throsglwyddo o ffatri'r cwmni yn yr Eidal i faes awyr Heathrow. Fy nghyfrifoldeb innau fel pennaeth yr Adran Gerdd oedd mynd i bencadlys y cwmni enwog hwn yn y brifddinas, a dod â'r delyn yn ddiogel yn ôl i'r ysgol yn Llandaf. Roedd meddwl am yrru ar hyd strydoedd canol Llundain gyda thelyn gwerth £10,000 yng nghefn y Fiat Strada yn hunllef.

Fodd bynnag, llwyddais i gyrraedd pencadlys cwmni Salvi mewn da bryd a chwblhau'r ochr fusnes cyn meddwl am lwytho'r delyn i gefn fy nghar. Roeddwn wedi cael fy siarsio sut i lwytho telyn yn iawn gan fod hen delyn Fictorianaidd wedi bod yn ein teulu ni ers blynyddoedd. Yn ofer y chwiliais am unrhyw un yn y siop i'm cynorthwyo i gludo'r delyn i'r car. Yr unig greadur yno oedd rhyw hen ŵr gwantan yr olwg a safai wrth ddrws yr adeilad, mewn cot frown siabi – dyma'r porthor siŵr o fod, meddyliais. Tybed fydd y creadur hwn yn gallu fy helpu, holais fy hun. Ar ôl syllu arno penderfynais – Dim iws gofyn i hwn am gymorth. Doedd e ddim yn edrych yn ddigon cryf i godi stondin heb sôn am delyn! Wrth i mi lwytho'r delyn ar y troli ar fy mhen fy hun, gwenodd y porthor yn serchus arna' i, gan ddweud rhywbeth wrthyf mewn iaith oedd yn swnio fel Eidaleg. 'Reit,' meddwn innau wrtho, 'paid jyst edrych arna' i'n stryffaglu mêt! Rho help llaw i mi!' Yr unig beth a wnaeth oedd agor drws y siop imi gan ddal i wenu – yn amlwg heb ddeall gair o Gymraeg! Yn y diwedd llwyddais i gael y delyn ar y blancedi niferus yng nghefn y car.

Wrth i mi fynd yn ôl i'r siop i ffarwelio a thalu am y delyn, daeth dynes ifanc brydferth ataf gan wenu a dweud 'Hylo!' Marisa Robles, y delynores fyd-enwog o Sbaen oedd hi. Rown i'n gwybod bod cwmni Salvi yn noddi Marisa ac wedi rhoi telyn euraid fawr arbennig iddi fel anrheg. Roeddem ni wedi cyfarfod yn Eglwys Gadeiriol Llandaf yng Ngŵyl Gerdd Llandaf yn y chwedegau pan own i'n arwain gwaith comisiwn yr Urdd 'Ieuenctid y dydd' gan Alun Hoddinott, a hithau'n perfformio gwaith Mozart ar y delyn a'i gŵr ar y ffliwt. Safai'r porthor wrth y drws, ac fe gofleidiodd Marisa yntau gan ei gyfarch mewn Eidaleg . . . 'Bon giorni Victor! Come sta?' Minnau'n gegrwth! Yr hen borthor moel a siabi oedd perchennog cwmni rhyngwladol Salvi yn yr Eidal a'r Swistir, neb llai na Victor Salvi ei hun – gŵr cyfoethog dros ben, mae'n siŵr. Ym mis Mai 2017 roedd Marisa Robles yn dathlu ei phen blwydd yn 80 oed gyda chyngerdd arbennig i nodi ei chyfnod yng Ngholeg Cerdd Brenhinol Llundain lle bu'n Athro Telyn ers nifer fawr o flynyddoedd.

Cafodd yr ysgol gynnig rhodd o organ bib a adeiladwyd gan un o rieni'r ysgol, Mr Alan Titley, yn ei garej yn yr Eglwys Newydd. Roedd ei ferch Sara yn ddisgybl yn yr ysgol, a'i fab Marc yn chwarae rygbi dros Gymru. Roedd Marc yn gyn-ddisgybl yn Ysgol Rhydfelen. Bu nifer o ddisgyblion Glantaf yn cael gwersi gen i ar yr organ ac yn cael cyfle i chwarae mewn cyngherddau a'r gwasanaethau boreol. Un o'r disgyblion gorau ar yr organ, ac yn meddu ar lais bariton gwych, oedd bachgen o Ysgol Gynradd Gymraeg Penarth, Jeremy Huw Williams. Roedd e'n chwarae'r baswn a'i chwaer Siân yn chwarae'r clarinét a'r sacsoffon. Teulu hynod o dalentog yn y celfyddydau yn ogystal â'r gwyddorau.

Roeddwn o'r farn mai rhan o'm swydd fel athro cerddoriaeth oedd hybu twf a datblygiad y disgyblion oedd am barhau i ddilyn cyrsiau addysg bellach mewn cerddoriaeth. Un o'r disgyblion hyn oedd Jeremy Huw Williams. Cafodd anogaeth gan ei rieni a minnau i wneud cais am le yng Ngholeg Sant Ioan, Caergrawnt. Roeddwn yn gyfarwydd iawn ag arweinydd côr enwog Sant Ioan, George Guest. Brodor o Fangor oedd George ac yn un o deulu cerddorol: roedd ei dad yn organydd ym Mangor. Bu'r George Guest ifanc yn canu yng nghôr Eglwys Gadeiriol Bangor am gyfnod yn ystod ei ieuenctid. Wedi cyfnod yn yr awyrlu aeth ati i gael gwersi organ, gan lwyddo yn arholiadau FRCO yn Llundain. Yn 1947 bu'n llwyddiannus wrth geisio am ysgoloriaeth organ yng Ngholeg Sant Ioan Caergrawnt. Yn 1951 apwyntiwyd ef yn gôr-feistr ac yn organydd Coleg Sant Ioan. Gyda threigl y blynyddoedd esblygodd sain y côr i fod yn gynhesach ac yn fwy Cymreig dan ddylanwad y côr-feistr o Fangor! Yno yng Ngholeg Sant Ioan y bu George am ddeugain mlynedd tan ymddeol yn 1991. Bu farw yn 2002 yn 78 mlwydd oed.

Yn yr Eisteddfod Genedlaethol y des i i adnabod yr arweinydd a'r côr-feistr enwog. Bu George a minnau yn cydeistedd wrth fwrdd y beirniaid droeon yn yr Eisteddfod Genedlaethol. Yn fynych iawn byddai George Guest, Dilys Elwyn Edwards a minnau gyda'n gilydd yn beirniadu prif gystadlaethau corawl mewn Eisteddfodau Cenedlaethol. Byddai George bob amser yn dod â geiriadur Cymraeg swmpus gydag ef at fwrdd y beirniaid er mwyn gwirio sillafiad cywir termau cerddorol wrth lunio beirniadaeth. Roedd yn ymwybodol nad oedd ei afael ar yr iaith Gymraeg yr hyn a ddymunai. Byddai hithau Dilys yn symud o'r Gymraeg i'r Saesneg yn fynych yn ei hacen annwyl Bangor-ai! Atgofion hyfryd o ddeuddyn hoff a thalentog.

Roedd George Guest yn gwybod am ddoniau lleisiol Jeremy o'r cyfnod pan oedd yn cystadlu'n llwyddiannus yn yr Urdd a'r Genedlaethol fel disgybl ysgol. Un penwythnos trefnwyd iddo gael clyweliad gyda George yn y coleg. Daeth Jeremy i fyny i Gaergrawnt gyda mi a Mrs Guy ar brynhawn Sul 24 Gorffennaf yn y car i gwrdd â George Guest. Dywedodd George wrtha i ei fod yn awyddus i gael Jeremy yn aelod o Gôr Sant Ioan. Cafodd gynnig ar yr amod ei fod yn cael gradd A mewn cerddoriaeth.

Fel teulu byddem yn arfer segura ar y Riviera yn Ne Ffrainc bob mis Awst ar ôl yr Eisteddfod, i aildanio'r batris, a dyna ble'r oeddwn pan dderbyniais alwad ffôn gyda'r newyddion fod Jeremy wedi cael ei dderbyn i Goleg Sant Ioan. Ymhen rhai blynyddoedd, buom am benwythnos hyfryd i Goleg Sant Ioan ar ôl derbyn gwahoddiad gan Jeremy. Enillodd ei radd MA a bu'n hapus iawn fel aelod o Gôr Sant Ioan. Buom ym mhriodas Jeremy yn yr eglwys yno rai blynyddoedd yn ddiweddarach pan ganodd y côr waith newydd gan Alun Hoddinott fel rhan o'r gwasanaeth. Erbyn hyn mae Jeremy Huw yn canu gyda chwmnïau opera ar draws y byd ac yn mwynhau gyrfa broffesiynol lewyrchus. Mae hefyd wedi sefydlu Cymdeithas Cerddoriaeth Cymru dan lywyddiaeth Syr Norman Lloyd-Edwards er hyrwyddo cerddoriaeth offerynnol a lleisiol yng Nghymru.

Bûm yn ddigon ffodus i dderbyn Gwobr Joseph Parry yn 2017 am 'gyfraniad eithriadol i addysg gerddorol yng Nghymru'. Gwobr newydd ydoedd gan Gymdeithas Cerddoriaeth Cymru. Fel y digwyddai pethau, roeddwn i wedi arwain cymanfa goffa Joseph Parry ym Mhenarth yn 2016 i godi arian i adnewyddu bedd y cerddor, gan fod y bedd ym mynwent yr eglwys lle y claddwyd ef yn Chwefror 1903 wedi dadfeilio. Cynhaliwyd seremoni Cymdeithas Cerddoriaeth Cymru ddydd Sadwrn cyntaf yr Eisteddfod Genedlaethol yn Sir Fôn yn Awst 2017, mewn cinio crand ar faes yr Eisteddfod. Aelod arall o Ysgol Glantaf sydd nawr yn disgleirio ym myd opera yw'r bariton o Riwbeina, Paul Carey Jones. Enillodd radd wyddoniaeth yn Rhydychen ond mae pibau hud y byd opera wedi'i ddenu drachefn. Mae e nawr yn perfformio mewn tai opera ar draws Prydain ac ar y cyfandir, gan gynnwys Covent Garden a'r Almaen. Yn y blynyddoedd nesaf bydd Paul yn perfformio rhan Wotan yng nghyfres lawn Wagner o *Der Ring des Nibelungen* gan Wagner yng Ngŵyl Opera Longborough, Lloegr.

CYNGHERDDAU GLANTAF

Cynhaliwyd cyngerdd cyntaf yr ysgol ym mis Rhagfyr 1978, sef gwasanaeth naw llith a charol yn yr eglwys gerllaw'r ysgol yng ngogledd Llandaf. Gwasanaeth yng ngolau cannwyll oedd, a phob un o'r 99 disgybl cyntaf yn y côr. Dim ond lleisiau, soprano trebl ac alto oedd gen i'r dwthwn hwn wrth reswm. Y llais alto cryfaf yn y côr oedd merch fach serchus sydd nawr yn rhan o Lywodraeth y Blaid Lafur yn y Senedd, sef y Farwnes Eluned Morgan. Y Nadolig hwnnw, bu'r BBC yn recordio cyfres o garolau gan y côr, ac yna aethom ymlaen i wneud casét o'r carolau. Dyddiau da a dedwydd oeddynt bid siŵr heb sôn am Estyn nac arholiadau. Cafodd y disgyblion amser gwych yn stiwdio HTV yn recordio carolau.

Ymhen rhai blynyddoedd byddai gen i fand pres, band jazz, cerddorfa a chôr SATB. Buom yn cynnal cyngherddau yn Neuadd y Ddinas a Neuadd Reardon Smith yng Nghaerdydd, a'r disgyblion yn eu gwisgoedd glas a du. Buom hefyd yn Neuadd Albert Llundain mewn cyngerdd i ysgolion Prydain. Roedd cyfres gan HTV ar gyfer corau ysgolion a chawsom wahoddiad i ymddangos mewn gŵyl gorawl a gyflwynwyd gan Gwyn Erfyl. Roedd hyn yn nyddiau cynnar yr ysgol, a dim ond lleisiau soprano ac alto oedd gennym ar y dechrau. Gan fod yr ysgol yn weddol agos at ganolfan ddarlledu'r BBC yn Llandaf deuai negeseuon i'r Adran Gerdd oddi yno'n fynych yn ystod fy nheyrnasiad o ugain mlynedd i ofyn am gantorion, corau, ac offerynwyr ar gyfer rhaglenni o bob math. Braint i'r disgyblion fu canu mewn rhaglen Nadolig arbennig gyda'r eicon operatig, y diweddar Syr Geraint Evans, a minnau'n cael y fraint o arwain y gŵr o Gilfynydd. Feddylies i erioed y deuai'r cyfle i mi arwain Syr Geraint gyda chôr yr ysgol mewn stiwdio deledu: roedd yn brofiad i'w drysori. Rwy'n ddiolchgar i'r cynhyrchydd Euryn Ogwen am wahodd y côr a minnau i Stiwdio HTV i recordio rhaglen o garolau Nadolig gyda seren enwocaf opera Cymru yn 1979 hefyd. Ymhen tair blynedd, ym mis Awst 1982, roeddwn yn gyfrifol am lunio rhaglen cyngerdd ffarwél Syr Geraint yng Nghymru, ym mhafiliwn yr Eisteddfod Genedlaethol yn Abertawe. Roedd wedi gwahodd Stuart Burrows ac Elizabeth Vaughan, corws Cwmni Opera Cymru, a Cherddorfa Gyngerdd y BBC i rannu'r llwyfan ag e. Cyflwynwyd portread o Syr Geraint i'r teulu mewn derbyniad ar ddiwedd y noson. Yr artist oedd yr enwog David Griffiths o Bwllheli. Yn 1984 cefais gopi wedi'i arwyddo gan Syr Geraint o'i hunangofiant *A Knight at the Opera.*

Bu Marion Eames, y nofelydd, yn cynhyrchu nifer o raglenni cerddorol yn y BBC a gofynnai'n aml am ddeuawdau merched. Byddwn yn hoff iawn o fynd fyny i'r stiwdio i recordio a chyfeilio. Y ddeuawd orau fu gen i

ar yr adeg honno oedd y soprano Lisa Williams, a'r alto
Ffion Jenkins. Roedd y ddwy â lleisiau oedd yn asio'n
hyfryd ac yn canu mor swynol gyda thraw diogel a thinc
seingar i'w lleisiau. Buont yn cystadlu'n llwyddiannus yn
Eisteddfodau'r Urdd droeon dros Glantaf. Roeddech yn
gallu dibynnu ar y ddwy eneth i ddehongli'n swynol ac
yn safonol ar bob achlysur.

Cawsom wahoddiad i fynd â chôr Glantaf i stiwdios
teledu'r BBC i recordio gyda'r gantores boblogaidd o Fôn,
Margaret Williams. Roedd cyfresi Margaret Williams yn
boblogaidd dros ben ac yn denu gwylwyr teledu yn eu
miloedd. Rhaid cyfaddef mai pleser arbennig fu arwain
Cerddorfa'r BBC unwaith yn rhagor, ond cerddoriaeth
ysgafn boblogaidd y tro hwn yn hytrach na cherddoriaeth
ddwys glasurol. Roeddwn mor falch o'r cyfle i gyfar-
wyddo fy nisgyblion annwyl yn canu caneuon ysgafn
gyda Margaret ar y teledu. Bu hithau ei hun yn hynod
ffeind efo minnau a'r wyth deg o gantorion o'r ysgol.
Doedd dim ymffrost o gwbl yn perthyn iddi, ac roedd yn
amlwg i mi fod y gerddorfa yn hoff o gyfeilio iddi.

DATHLU DEGAWD (1)

Fel rhan o ddathliadau'r ysgol, daeth cais oddi wrth y
prifathro i ni'r athrawon yn gofyn i bob adran gynnig
syniadau ar gyfer dathlu'r degawd. Cyflwynais ddau
gynnig. Y cyntaf fyddai cyngerdd mawreddog yn Neuadd
Dewi Sant, a'r ail fyddai noson roc yng Nghlwb Ifor Bach
yng Nghaerdydd. Roedd y pwyllgor staff yn awyddus
iawn i mi fwrw ymlaen a sicrhau dyddiadau yn y clwb
ac yn y neuadd. Cefais ar ddeall gan y Clwb y byddai 16
Rhagfyr 1988 ar gael inni gynnal ein Gŵyl Roc!

Rhan o fy nghenhadaeth fel pennaeth yr Adran Gerdd
oedd hyrwyddo pob math o gerddoriaeth, gan gynnwys

sefydlu a chefnogi grwpiau pop. Roedd diddordeb mawr gan y bechgyn a'r merched mewn sefydlu grwpiau pop a roc. Bu allweddellau electronig, gitâr, a chit drymiau yn anrhegion pen blwydd a Nadolig poblogaidd i ddisgyblion yr ysgol ers sawl blwyddyn. Dyma ran bwysig o'm datblygiad cerddorol innau hefyd. Rown i'n ymwybodol nad oedd pawb am ganu neu chwarae mewn cerddorfa, ac yn awyddus i wneud y pwnc yn gynhwysol i bawb. Y prifathro, Phil Davies, aelod o staff yr ysgol a fi oedd y 'bownsars' ar y drws y noson honno yn cadw golwg ar 'Gig Roc Glantaf 10'. Bu'n noson hynod lwyddiannus. Yn ystod y noson cawsom nifer o'r cyhoedd wrth y drws yn holi 'Is this the acid house party?' Ninnau yn chwerthin gan ateb 'Hope not! It's the Welsh school anniversary gig'. Chawsom ddim trafferth o gwbl. Cawsom groeso mawr gan swyddogion Clwb Ifor Bach yn Stryd Womanby, Caerdydd. Roedd mynediad i ddisgyblion blynyddoedd 5 a 6, diodydd ysgafn a pherfformiadau gan nifer o fandiau'r ysgol.

Y band cyntaf o'r ysgol i ymffurfio yn 1981 oedd 'U Thant a'r Cenhedloedd Unedig' – un o'r grwpiau Cymraeg cyntaf yng Nghaerdydd. Cofiaf wrando ar berfformiadau lleisiol gan Owen Powell a Stephen Williams yn yr ysgol a'r ddau yn gofyn imi ddewis rhyngddynt pwy fyddai prif leisydd y grŵp. Dewisais lais Owen Powell, ac aeth yntau ymlaen i fod yn aelod o'r band Catatonia, a hefyd yn un o drefnyddion *Cân i Gymru* am sawl blwyddyn.

Bandiau eraill o'r ysgol a fu'n boblogaidd oedd Hanner Pei, Crumblowers, ac Edrych am Julia. Bu Hanner Pei yn fand llwyddiannus ac mae eu recordiau yn dal ar restr chwarae Radio Cymru. Roedd yn cynnwys y ddau frawd Daniel a Mathew Glyn. Disgybl arall sy'n darlledu'n gyson fel DJ ac yn gonsuriwr talentog iawn yw Huw

Stephens. Roedd e'n frwdfrydig iawn dros gerddoriaeth gyfoes Gymreig ond heb dalent i chwarae offeryn neu ganu mewn côr, ond â diddordeb arbennig mewn miwsig, artistiaid a bandiau. Heddiw, clywch ei lais ar Radio Cymru a Radio 1 yn rheolaidd yn cyflwyno artistiaid a bandiau. Mae e hefyd yn brysur yn trefnu gwyliau pop a roc y dyddiau hyn.

Bu'r disgyblion Huw Bunford a Guto Pryce yn aelodau o'r band enwog Super Furry Animals. Roedd Huw yn chwarae'r sielo a Guto yn chwarae'r ffliwt yn yr ysgol. Nid bechgyn yn unig oedd yn dechrau bandiau, fodd bynnag, oherwydd roedd band merched poblogaidd yn yr ysgol o'r enw Y Gwefrau. Roedd sielydd arall dawnus yn aelod o gerddorfeydd yr ysgol, ond heddiw mae'n enwog iawn am ei ganeuon lleisiol gwerinol poblogaidd, sef Gareth Bonello. Mae gyrfa lwyddiannus ganddo dan yr enw The Gentle Good.

DATHLU DEGAWD (2)

Fy ail brosiect oedd llogi Neuadd Dewi Sant a llwyfannu perfformiad yn y Gymraeg o waith Handel, *Y Meseia* ar nos Fercher, 12 Ebrill 1989. Byddai pum cant o leisiau yn y côr, a cherddorfa estynedig o ddisgyblion yr ysgol ynghyd ag artistiaid gwadd. Byddai'r côr unedig yn cynnwys côr yr ysgol isaf a chôr yr ysgol uchaf, gyda lleisiau côr yr athrawon a'r rhieni. Hefyd byddai aelodau dau gôr oedd gen i, Ffilharmonig Caerdydd a Ffilharmonig Casnewydd, yn ymuno. Roedd yn brosiect uchelgeisiol, rhaid i mi gyfaddef, ond os dathlu, dathlu go iawn ynte! Cawsom artistiaid ifainc ardderchog fel unawdwyr – Elen ap Robert, Verona James, Huw Rhys Evans a Jeremy Huw Williams. Yn gweu'r cytganau ynghyd roedd Jeffrey Howard, yr organydd, a Robert

Court ar yr harpsicord yn cyfeilio i'r adroddganau.

Rhaid cyfaddef fod y profiad o arwain perfformiad o'r *Meseia* gyda saith gant a mwy o gantorion ac offerynwyr yn un bythgofiadwy. Gwyddwn bryd hynny yn 1989, a minnau'n 50 oed, na fyddai cyfle euraid cyffelyb yn debyg o ddod i'm rhan fyth eto.

Roeddwn wedi llogi siwt gynffon hir ffurfiol ar gyfer yr achlysur. Drwy ffenest yr ystafell wisgo gallwn weld ffrindiau, rhieni a chydnabod yn llifo i mewn i Neuadd Dewi Sant ar hyd y Stryd Fawr. Dyna'r adeg y dechreuais deimlo ychydig o nerfau, gan obeithio yr âi popeth yn iawn ar y noson. Gwyddwn i'r ymarferion fynd yn foddhaol dros yr wythnosau blaenorol, ond eto i gyd fedrwn i ddim osgoi'r pwysau a'r cyfrifoldeb fyddai ar f'ysgwyddau. Wrth i mi gerdded gyda'r pedwar unawdydd trwy ddrysau trwm llwyfan Neuadd Dewi Sant tuag at y rostrwm, daeth ton o hapusrwydd drosof, a minnau'n gwenu fel cath, yn ôl fy ffrindiau. Diflannodd fy holl amheuon wrth weld y corau unedig a'r gynulleidfa yn ein croesawu. Teimlais yn fwy hyderus wrth weld Sioned, fy merch, yn rhan o'r gerddorfa y noson honno yn chwarae fy hen sielo ac yn gwenu mor annwyl arna' i.

Aeth y *Meseia* rhagddo'n llwyddiannus, a'r saith gant a mwy o gantorion ar y llofft ac ar y llawr yn ymateb mor frwdfrydig gydol y perfformiad. Erbyn cyrraedd y gytgan olaf ond un, 'Teilwng yw'r Oen', roedd yr adrenalin yn fy nghorff yn llifo megis afon. Anodd fyddai anghofio'r gytgan olaf, yr 'Amen' fendigedig, wrth i'r organ lawn, yr holl gerddorfa a'r cantorion godi'r to. Roeddwn mor falch fod popeth wedi mynd rhagddo'n iawn. Noson arbennig a cham enfawr ymlaen wrth dyfu'n gerddor!

SIOEAU CERDD GLANTAF

Mae sioe gerdd bellach yn rhan anhepgorol o gyfan-
soddiad biocemeg DNA bron pob ysgol Gymraeg: ac felly
y bu gyda Glantaf. Y sioe gyntaf oedd un a gyfansoddwyd
gan Euros Rhys Evans, *Twm*, dan gyfarwyddyd Mrs
Bethan Roberts yr athrawes Gymraeg. Hanes y lleidr
pen-ffordd Twm Siôn Cati oedd y sioe yma. Roedd Euros
yn gyfarwydd ag ysgrifennu sioeau cerdd llwyddiannus
pan oedd yn bennaeth Adran Gerdd Ysgol Llanhari.
Yna, wrth i'r ysgol dyfu, penodwyd Catrin Beard yn
bennaeth ar yr Adran Ddrama. Roeddwn am lwyfannu
cyfansoddiad llwyddiannus Lionel Bart, *Oliver*, ond heb
gael y cyfle yn Ysgol Ramadeg y Bechgyn Pontypridd. Bu
cyfaill imi, Aled Lloyd Davies, yn ddigon caredig i yrru
ei gyfieithiad Cymraeg o'r sioe ataf. Roedd Rhys Jones ac
yntau wedi llwyfannu'r sioe yn Ysgol Maes Garmon rai
blynyddoedd ynghynt. Catrin Beard oedd yn cynhyrchu
a minnau'n gyfrifol am y band a'r caneuon.

Un o'r sêr yn chwarae rhan Nansi oedd soprano ifanc
hyfryd o'r enw Eiry Thomas. Bellach mae Eiry yn un
o'r wynebau a welir yn fynych mewn cyfresi ar S4C a
Channel 4. Bu'n serennu mewn sawl cyfres deledu fel
Byw Celwydd, *The Accident*, *Keeping Faith*, ac *Enid a Lucy*,
Torchwood, *Stella* a *Rillington Place*. Enillodd Eiry y wobr
am Actores Orau gan BAFTA Cymru yn 2003 am ei rhan
yn nrama BBC Cymru, *The Bench*. Enillodd hefyd wobr
am yr Actores Orau gan BAFTA Cymru yn 2008 am ei
rhan yn y ffilm Gymraeg, *Cwcw*.

Yn ein sioe, *Oliver*, roedd yn rhaid i Sykes (Geran
Hughes) roi slap ar draws wyneb Nansi (Eiry). Roedd
Catrin Beard yn annog Sykes i roi slap go iawn i Nansi
ar y noson olaf. Roedd y slap a roddodd ar draws wyneb

Nansi yn un go nerthol, rhaid cyfaddef. Bu bron iddo roi K.O. go iawn i Eiry druan. Roedd ôl ei law i'w weld yn goch ar ei hwyneb gwelw, a minnau a'r *pit* band yn dechrau gofidio. Er hyn oll mae *Oliver* yn dal yn un o'm hoff sioeau. Roedd yn llwyddiant ysgubol dros gyfnod o bedair noson. Doedd dim goleuadau na gwisgoedd gan yr ysgol. Bu rhaid inni logi bron popeth. Roedd gennym athrawes dalentog, Mrs Julie Morse, a fyddai'n darparu gwisgoedd priodol gwych ar gyfer pob cynhyrchiad am flynyddoedd lawer.

Ymhen rhai blynyddoedd byddai angen clyweliadau niferus arnom oherwydd llwyddiant y sioeau cerdd. Roedd bron pawb am fod yn rhan o'r sioe flynyddol. Ymysg y bechgyn a fu'n ymddangos roedd bachgen ifanc diymhongar a thalentog o'r enw Ioan Gruffudd. Gwyddom oll amdano yn chwarae rhan mab Elisabeth Miles ar *Bobol y Cwm*. Pleser arbennig i mi oedd mynd i weld premiere Ioan yn y ffilm *Titanic* yng Nghaerdydd. Ar wahân i'w dalent ar lwyfan ac ar ffilm, mae e'n canu'r obo yn swynol, a hefyd mae ganddo lais tenor seingar.

Ar ddydd y cyfweliad am swydd ail athro/athrawes gerdd yn Ysgol Glantaf yn yr 1980au, roedd enw Delyth Medi ar y rhestr fer ac roedd hi wedi'i gwahodd am gyfweliad yn yr ysgol yng Nghaerdydd. Ar ôl i'r panel penodi gyfweld ymgeisydd, cawsom doriad am baned cyn parhau. Daeth neges frys atom yn ystod y toriad i ddweud fod Delyth Medi yn cael trafferth i gyrraedd Caerdydd mewn pryd. Roedd cawodydd trymion o eira wedi gorchuddio rhannau helaeth o dde-orllewin Cymru dros nos, gan gynnwys Llanbedr Pont Steffan, cartref Delyth. Yn ffodus i Delyth, roedd gan ei brawd Dorien fodur arbennig, gyriant pedair olwyn, a lwyddodd, er trafferthion niferus, i adael Llanbed a chyrraedd traffordd yr M4 yng Nghaerfyrddin. O'r fan honno ymlaen, roedd y draffordd yn gwella wrth deithio tua'r dwyrain. Cyrhaeddodd Delyth â'i gwynt yn ei dwrn wrth i'r cadeirydd ddechrau anesmwytho ac edrych ar ei wats. Aeth cyfweliad Delyth yn wych er gwaethaf ei phrofiad y bore hwnnw. Ar ôl i'r panel ystyried y pum ymgeisydd, cynigiwyd y swydd i Delyth Medi Jones ac fe'i derbyniodd yn llawen.

Pan benodwyd Delyth Medi i'r Adran Gerdd, gwelwyd y sioeau cerdd yn codi i dir uwch. Dyma beth oedd caffaeliad arbennig i Ysgol Glantaf. Y tro cyntaf i mi weld Delyth oedd fel merch fach yn canu mewn cymanfa ganu yn ei chapel yn Llanbed flynyddoedd maith ynghynt. Erbyn hyn, mae'r soprano ifanc swynol o Lanbed yn arweinydd Côr Merched Canna, yn aelod o'r grŵp harmoni clòs, Cwlwm; yn delynores dalentog, ac yn gynhyrchydd sioeau cerdd – sioeau safonol a chofiadwy. Roeddwn wrth fy modd yn cydweithio â Delyth. Dyma beth oedd *dream team*: Delyth yn cynhyrchu a minnau'n chwarae'r allweddellau ac yn sgorio darnau cerddorfaol i'r band. Hyd y dydd heddiw, mae Delyth yn dal i lwyfannu sioeau hynod o safonol yn Ysgol Glantaf, a phob tocyn wedi'i werthu ymlaen llaw gydol yr wythnos. Pe na bai Delyth yn athrawes gerdd ardderchog, byddai'n gynhyrchydd teledu a llwyfan enwog iawn.

Un o'r sioeau y cawsom fwynhad arbennig wrth ei llwyfannu oedd *Pum diwrnod o ryddid* gan Linda Gittins, Penri Jones a Deryk Williams. Cynhyrchiad ydoedd o stabl cwmni theatr enwog Maldwyn. Stori wirioneddol rymus, a cherddoriaeth ddwys a gafaelgar. Byddai'n arferiad gennym i gynnal y rihyrsal olaf o flaen torf o blant o'r ysgolion cynradd fyddai'n bwydo Ysgol Glantaf. Yna, byddem yn perfformio'r sioe am dair neu bedair noson yn olynol i'r rhieni a'r cyhoedd. Un o'r sêr oedd Gethin Jones – llais bariton cryf a feiolinydd ardderchog a fyddai'n serennu ar y gyfres deledu boblogaidd *Strictly Come Dancing*. Mae e ar hyn o bryd yn cyflwyno rhaglenni rygbi gyda'r BBC yng Nghymru. Roedd criw'r flwyddyn honno yn dalentog dros ben. Ac mae nifer ohonyn nhw yn ymddangos yn rheolaidd ar y teledu – pobl fel Rhodri Llywelyn yn cyflwyno'r newyddion a Llinos Lee yn un o gyflwynwyr *Heno*.

Pan oedd fy merch Sioned yn ddisgybl yn yr ysgol ymunodd â Chwmni Theatr yr Urdd mewn cynhyrchiad o ddrama Emyr Edwards am fywyd Elvis. Y perfformiad hwnnw a gododd yr awydd ynof i berfformio'r sioe yn ein hysgol ni. Rhaid oedd cynnal clyweliadau, yn enwedig gan fod cynifer o fechgyn yn awyddus i chwarae rhan Elvis, a chanu'r caneuon enwog sydd yn y sioe. Roedd Delyth a minnau wedi gwrando ar nifer o ddarpar Elvis Presleys yn y cyfweliadau oedd yn dda, ond neb yn argyhoeddi. Yna, daeth un o fechgyn tawel a diymhongar yr ysgol uchaf ar y llwyfan, sef Matthew Rhys. Roedd yn wych, ac yn sioc bleserus ei fod wedi paratoi a meistroli symudiadau corfforol Elvis i'r dim. Roedd ei lais yn gryf a'r tiwnio'n berffaith. Edrychodd Delyth a minnau ar ein gilydd mewn syfrdan am rai munudau gan ddweud, 'Wele'n Elvis ni! *Jailhouse rock* amdani!' Roedd Rachel, chwaer Matthew, yn hŷn nag e, yn chwarae'r bas dwbl ac yn canu'n unigol ac mewn corau niferus fel ei mam a'i thad. Ond nid felly Matthew. Bu o dan y radar cerddorol am sawl blwyddyn yn yr ysgol, ond nawr, byddai'n seren ein sioe ni. Erbyn hyn mae'n seren yn Hollywood, ac wedi ennill tlysau Emmy ac enwebiadau Golden Globe.

Yn y band roc wrth ymyl y llwyfan roedd trwmpedwr arbennig fyddai'n disgleirio drachefn fel cyfansoddwr ffilm ac arweinydd yn Hollywood – Ceiri Torjussen. Roedd ganddo gyfaill talentog o'r enw Osian Roberts sy nawr yn sacsoffonydd enwog yn y byd jazz. Hefyd, roedd merch ifanc yn chwarae'r gitâr fas ac yn rhannu'r llwyfan ar adegau gyda Matthew Rhys. Ei henw yw Mali Harries, bellach yn serennu fel un o actorion selog *Pobol y Cwm*. Roedd ei mam, Margaret Harries, yn athrawes gerdd yng Nglantaf am gyfnod. Ar yr allweddellau gyda mi roedd pianydd jazz addawol o'r enw Rhys Carter sy nawr yn gynhyrchydd gyda *Pobol y Cwm*. Ie wir, dyna'r *pit band* gorau ar gyfer sioeau cerdd ges i erioed. Profiad amheuthun oedd cael perfformio'n fyw gyda'r band hwn am bedair noson.

Bob Nadolig byddai'r staff yn llwyfannu pantomeim ar ddiwedd y tymor. Byddai rhyw fraslun o sgript a stori gennym, ynghyd â digon o *cue cards* ar hyd ochrau'r llwyfan. Stori Sinderella oedd y ffefryn, a'r prifathro bob amser mewn gwisg enfawr a gwallt gosod fel y *dame* pantomeim draddodiadol. Roedd *show-band* o dan y llwyfan gen i a minnau wedi gwisgo fel Liberace, y pianydd cadi-ffanaidd o'r Amerig. Bues yn dawnsio ar ben y piano yn un olygfa a'r ysgol yn mynd yn wyllt tra oedd y band yn chwarae 'Hey Big Spender' a'r athrawes ymarfer corff yn esgus dadwisgo tra bod y sacsoffonydd yn y band, Ffion Hague, yn chwarae thema'r alaw enwog 'The Stripper'. Oedd, mi oedd pob math o gerddoriaeth ar gael yng Nglantaf adeg Dolig!

JAZZ GLANTAF

Roedd gan y sir athro peripatetig ardderchog o'r enw Richard Hamer. Sacsoffon a ffliwt oedd ei offerynnau. Roedd e'n dysgu elfennau jazz i'r disgyblion ac yn magu hoffter ynddynt o jazz modern a thraddodiadol. Penderfynais ffurfio band jazz fyddai'n chwarae repertoire bandiau fel Count Basie a Duke Ellington. O dipyn i beth, daeth yn fand da gydag unawdwyr amryddawn. Cefais alwad gan HTV yn sôn am gyfres roedd Caryl Parry Jones ac Emyr Wyn yn ei pharatoi fyddai'n arddangos doniau ifainc i'r genedl. Wedi iddynt ymweld â'r ysgol daeth gwahoddiad i fynd â'r band i stiwdio HTV i berfformio. Roedd aelodau'r band wrth eu boddau yn cael bod ar y cyfryngau.

Yn fuan wedi hyn, gwelais hysbyseb ym mhapur y *Daily Telegraph* yn gwahodd bandiau jazz ysgolion Prydain i gynnig am dlws a noddid gan y papur. Rhaid oedd gyrru recordiad o fand jazz yr ysgol i Goleg Cerdd Manceinion sydd ag Adran Jazz gref. Daeth llythyr i'r ysgol i ddweud bod y beirniaid wedi dyfarnu mai nyni, Ysgol Glantaf, oedd y band jazz ysgol gorau yn y gystadleuaeth. Heb ymffrostio'n ormodol, enillon ni'r wobr dair blynedd yn olynol. Y wobr oedd cael dosbarth meistr undydd yn yr ysgol gan diwtoriaid jazz Coleg Manceinion. Daeth y trwmpedwr enwog Digby Fairweather a'r pianydd enwog Stan Barker i lawr i Gaerdydd atom i gynnal dosbarthiadau meistr deirgwaith o'r bron. Roedd cael hyfforddiant jazz proffesiynol yn falm i'n heneidiau cerddorol. Nid yn unig roedd y plant wrth eu boddau, ond roeddwn innau hefyd. Cawsom ein trwytho yn arddull Miles Davies a'i olwg newydd ar jazz gyda'i gyfansoddiad newydd 'Milestones'. Hefyd, cawsom wersi gwerthfawr ar fyrfyfyrio gan ddysgu am amrywiaeth cyweiredd a chylchoedd o 5edau ac yn y blaen. Bu Cyfarwyddwr Cerdd HTV, Norman Kaye, yn gefnogol iawn i mi'n bersonol ac i'r Adran Gerdd, wrth wahodd band jazz a chôr a cherddorfa'r ysgol i ymddangos mewn rhaglenni amrywiol. Ces gyfle gan Norman Kaye i sgorio hefyd ar gyfer cerddorfa Glantaf a chael fy nhalu hefyd am fy ngwaith. Teimlais mai cam arall cadarnhaol oedd sgorio i offerynnau wrth i mi geisio tyfu'n gerddor.

YR URDD YNG NGLANTAF

Pan agorwyd yr ysgol yn 1978 roedd y plant yn y flwyddyn gyntaf yn ddigon cyfarwydd â Llangrannog a phopeth oedd gan yr Urdd i'w gynnig i ieuenctid Cymru. Roeddwn wedi cwrdd â Syr Ifan a'r Fonesig Edwards droeon cyn mynd i ddysgu yn yr ysgol hon.

Bu'r ysgol yn cystadlu'n flynyddol ym mhob Eisteddfod Genedlaethol yr Urdd ers 1978. Yn gerddorol, cawsom lwyddiannau yn ogystal â methiannau. Mae cyrraedd y llwyfan ar adegau yn Eisteddfodau'r Urdd yn dal yn gamp nodedig. Byddai'r ysgol gyfan yn ymweld â'r gwersylloedd yn gyson bob hydref. Mae Delyth Medi wedi sicrhau bod safonau cystadlaethau ymarferol yr ysgol yn dal yn uchel, ac wedi parhau i godi o 1999 hyd y dydd heddiw. Byddem yn cael cymorth parod gan aelodau adrannau eraill yr ysgol pan fyddem yn eisteddfota.

Wrth i'r ysgol dyfu'n flynyddol roedd neuadd fawr yr ysgol yn rhy fach. Felly, es i weld rheolwr Neuadd Dewi Sant gan geisio dwyn perswâd arno i adael i ni gynnal Eisteddfod Glantaf yn y neuadd gyngerdd yn ystod y dydd am bris gostyngol. Roedd y neuadd yn aml yn wag os nad oedd cyngerdd fin nos. Bues yn dadlau hefyd fod rhieni ein disgyblion yn drethdalwyr yn y ddinas ac yn cyfrannu at ei gyflog ef a'i staff. Bu'r cyfarfod yn llwyddiannus, ac yn fuan ces lythyr yn gofyn i mi gysylltu i benderfynu ar ddyddiad cyfleus iddo ef a'i staff a ninnau.

Dyna fu cartref ein heisteddfod ysgol am nifer o flynyddoedd, oedd yn cynnig profiadau arbennig i'r cystadleuwyr yn bendant. Roedd cyfleusterau'r neuadd yn wych. Byddai criw o athrawon yno ben bore am 8.45, yn gyfrifol am gofrestru'r disgyblion fesul llys, a'u lleoli'n drefnus yn y seddau ar lawr cyntaf yr awditoriwm. Gwledd hyfryd oedd gweld y disgyblion yn gwisgo lliwiau'r llysoedd: Illtud yn goch, Teilo yn las, Dyfrig yn wyrdd a Dewi yn felyn. Yn eu tro, byddai'r athrawon yn cyflwyno'r cystadlaethau a'r cystadleuwyr a lwyddodd yn y rhagbrofion i ymddangos ar y llwyfan. Roedd technegwyr y neuadd yn gosod y meicroffonau yn y llefydd priodol ac yn symud y piano crand Steinway pan oedd galw. Fel y gellir disgwyl, roedd ansawdd y sain yn hollol wych ac eglur.

Gan gychwyn am ganol dydd, byddai pob llys yn ei dro yn symud i'r lle bwyta gyda'u brechdanau: roedd diodydd ar werth yno hefyd pe bai angen. Roedd yr eisteddfod yn rhedeg heb doriad ar hyd y dydd. Yna bob hanner awr byddai'r llys nesaf yn mynd i'r lle bwyta a'r llall yn dychwelyd i'w seddau. Erbyn dau o'r gloch roedd porthi'r wyth gant o blant a'r athrawon wedi'i gwblhau yn drefnus. Am ddau o'r gloch byddai seremoni'r cadeirio yn cychwyn, a chadair Eisteddfod Genedlaethol Caerdydd 1978 a gyflwynwyd i'r ysgol gan gwmni teledu Harlech ar y llwyfan a Jeremy Williams yn barod wrth yr organ fawr. Roedd croeso i'r rhieni ddod i fwynhau'r eisteddfod bob blwyddyn ar lefel 2. Byddai'r beirniaid Cerdd, Dawnsio a Llefaru yn eistedd ar ganol yr awditoriwm ac yn anfon y canlyniadau i lawr wrth ochr y llwyfan at fwrdd arbennig y trefnyddion. Uchafbwynt yr eisteddfod bob blwyddyn oedd cystadleuaeth y corau llys. Byddai'r disgyblion wedi cyffroi yn lân erbyn y diwedd wrth ddisgwyl am y dyfarniad terfynol gan y beirniad. Gweithred olaf y dydd fyddai cyflwyno tarianau a chwpanau i'r llysoedd buddugol.

GŴYL FLYNYDDOL GLANTAF

Rown i'n ymwybodol ers tro nad oedd canu, adrodd a dawnsio gwerin yn apelio at bob disgybl. Ces gyfarfod answyddogol gyda fy nghyfaill, Peter Manning, Pennaeth Adran Ymarfer Corff a Chwaraeon yr ysgol, gan fynegi fy nymuniad i sefydlu Gŵyl Flynyddol Glantaf ar ddechrau mis Mawrth. Byddai'n parhau am ddeuddydd, dydd Iau a dydd Gwener, ac yn agored i bob disgybl. Gwelais y cyfle i gyfuno chwaraeon ac eisteddfota. Roedd Pete Manning yn cytuno â mi ac yn frwdfrydig iawn dros sefydlu'r ŵyl. Cawsom ganiatâd a sêl bendith y prifathro Mr Malcolm Thomas, i fwrw mlaen â'r trefniadau.

Da dweud bod yr ŵyl wedi bod yn llwyddiant ers rhai blynyddoedd. Roedd Pete Manning a'i gysylltiadau â Chlwb Rygbi Gleision Caerdydd wedi sicrhau y byddai meysydd chwarae rygbi, pêl-droed, hoci a phêl-fasged ar gael inni am ddiwrnod cyfan yn ogystal â'r pwll nofio yn y Ganolfan Genedlaethol Chwaraeon yng Ngerddi Sophia. Byddai'r cystadlu yn agored i bob disgybl ac yn seiliedig ar lysoedd yr ysgol. Tra bod y chwaraeon yn mynd rhagddynt, byddai rhagbrofion yr eisteddfod yn cydredeg yn y Ganolfan Genedlaethol Chwaraeon gerllaw yng Ngerddi Sophia. Yna ar y dydd Gwener byddai'r eisteddfod i'r ysgol gyfan yn y neuadd fawr gan orffen am dri o'r gloch gyda chystadleuaeth y corau llys. Cefais yr anrhydedd o fynd yn ôl i'r Ganolfan Chwaraeon sawl gwaith yn feirniad yn yr Adran Gerdd, a gweld yr ysgol gyfan, gan gynnwys yr athrawon a rhai rhieni hefyd, yn mwynhau'r cystadlu.

TEITHIAU TRAMOR

Cyn i mi ddechrau yn yr ysgol yn 1978, roeddwn eisoes
wedi cael profiadau hyfryd o deithio i wledydd tramor
gyda chôr yr Aelwyd. Rwy'n credu'n gryf mai daioni a
chyfeillgarwch sy'n dod wrth i gorau neu dimau rygbi
fynd ar deithiau efo'i gilydd i wledydd tramor. Hyd y dydd
heddiw, rwy'n dal i gyfarfod â chantorion ac offerynwyr
a fu'n teithio dramor mewn corau y bûm yn eu harwain
dros hanner can mlynedd yn ôl.

Unwaith roedd Adran Gerdd Glantaf wedi tyfu ac
aeddfedu, penderfynais drefnu taith gerdd i Awstria
yn 1989 i ddiolch i'r côr ac i gerddorfa'r ysgol am waith
ardderchog yn ystod blwyddyn y dathlu. Gadawodd dau
fws yn llawn dop o ddisgyblion fore Sadwrn 8 Gorffennaf.
Roedd nifer o gwmnïau teithio ym Mhrydain oedd
yn arbenigo mewn trefnu teithiau tramor cerddorol i
ysgolion. Nhw fyddai'n llogi'r gwestai, ac yn trefnu'r
bysiau a'r cyngherddau. Dyma'r patrwm a fabwysiadwyd
gennym am nifer fawr o flynyddoedd. Er mwyn lleihau'r
gost i'r disgyblion, byddem yn cynnal gweithgareddau yn
yr ysgol a thu hwnt er mwyn chwyddo'r gronfa ar gyfer
y teithiau tramor. Un flwyddyn yn Neuadd y Ddinas
Caerdydd, trefnais ddawns ffurfiol i'r rhieni a chreu band
dawns arbennig, Glenn Miller Tribute Band, ar gyfer y
noson. Roedd pawb mewn gwisg ffurfiol, a byrddau o
ddeg person wedi'u gosod yn arbennig. Trefnwyd raffl
hefyd a chwyddwyd y gronfa'n sylweddol iawn.

Cawsom fendith y prifathro i'r teithiau, a fyddai'n
digwydd yn ystod wythnos olaf tymor yr haf. Daeth Mrs
Thomas ac yntau efo ni ar y daith gyntaf i Awstria yn 1989.
Aeth y cyngherddau'n ardderchog a'r plant a'r athrawon
yn joio hefyd. Yn ffodus, nid aeth neb ar goll, ond yn

anffodus roedd tro trwstan yn ein disgwyl. Y noson olaf ond un, cawsom seremoni wobrwyo am yr ystafell daclusaf, y disgybl mwyaf cwrtais, yr unawdydd gorau ac yn y blaen. Yn y cyfamser sylwais fod y ddau yrrwr bws yn yfed cryn dipyn o alcohol ochr draw i'r ystafell. Dwedais wrthynt am gofio eu bod yn gyrru bysiau yn llawn disgyblion yn ôl i'r porthladd am 8.00 o'r gloch fore trannoeth, ac i roi'r gorau i yfed alcohol. Chafodd fy sgwrs fawr o effaith arnynt, yn anffodus. Roedd y ddau yn dal wrthi'n slotian wrth inni glwydo. Fore trannoeth ffoniais y cwmni bysiau gan ddweud bod y gyrwyr yn dal dan ddylanwad y ddiod gadarn, ac nad oeddwn yn fodlon iddyn nhw beryglu bywydau'r disgyblion a'r staff drwy yrru'r bysiau. Ymhen yr awr, daeth dau fws lleol i'n cyrchu yn ôl i'r porthladd, ac roedd dau fws arall gan y cwmni teithio yn aros i'n cludo yn ôl i Glantaf. Cawsom ymddiheuriad gan y cwmni teithio a siec fel iawndal am ein trafferthion.

Wrth feddwl yn ôl, daw ambell i atgof pleserus i'm cof o deithiau tramor efo'r Adran Gerdd . . . yn yr Almaen ar gwch awyr agored ar yr afon Rhein, a band chwyth Glantaf yn chwarae jazz am ddwy awr ar lawr uchaf y cwch gan ddifyrru teithwyr o dros y byd; yn yr Eidal, y côr yn canu rhan o *Gloria* Vivaldi nid nepell o'r ysgol gerdd lle bu'r cyfansoddwr yn byw yn Fenis.

Ers y daith gyntaf honno yn Awstria yn 1989 bu'r Adran Gerdd yn yr Almaen, Awstria, Sbaen a'r Eidal yn achlysurol. Ar ôl i mi adael fy swydd, cefais wahoddiad gan Delyth Medi ym mis Gorffennaf 2005 i ymuno â'r daith dramor gyda'r Adran Gerdd fel cyfeilydd i'r côr. Rwy'n dal i gadw fy nghysylltiad â'r Adran Gerdd drwy gyfeilio i'r cyngerdd Nadolig ar yr organ yn Eglwys Sant Garmon yn y ddinas.

FFARWÉL GLANTAF, GORFFENNAF 14, 1998

Roeddwn wedi bod yn athro ers gadael y coleg yn 1962, ac wedi cwblhau 36 o flynyddoedd o addysgu pan ges gynnig ymddeol yn gynnar, gyda gwelliant ariannol, gan Adran Addysg Cyngor Dinas Caerdydd. Derbyniais y cynnig hael. Hefyd, roedd gen i athrawes wych ac ymroddgar, Delyth Medi, a fyddai'n parhau â'r olyniaeth. Dim ond pythefnos o ddysgu roeddwn wedi ei golli gydol fy ngyrfa, a hynny oherwydd y ffliw. Chwysu'n ormodol ar ôl arwain cymanfa yng Nghorris Isaf oedd yn cael y bai!

Yn ddiarwybod i mi, bu Delyth Medi a Dianne Hughes (athrawes Mathemateg) yn trefnu cinio ffarwél mewn gwesty yn y Bae. Roedd yn noson fythgofiadwy am gymaint o resymau. Roedd Meinwen a minnau wedi cael gwahoddiad i swper gyda Dianne Hughes, athrawes Mathemateg a fu'n gymar ffyddlon i'r Adran Gerdd fel trysorydd y teithiau tramor am flynyddoedd. Wedi cyrraedd eu cartref, cawsom ar ddeall gan Dianne na fyddem yn gallu gwledda yno oherwydd nam ar y trydan. Felly, fe fyddem yn mynd allan i'r dre am fwyd gan ddychwelyd i'r tŷ am frandi wedyn. Popeth yn iawn, atebais innau, gan lyncu'r stori heb amau dim. Cefais sioc a syfrdan wrth i'r pedwar ohonom gyrraedd drws y gwesty a chael ffanffer pres ac wythawd lleisiol yn ein croesawu. Roedd llond y lle o gyn-ddisgyblion, staff a theulu, wedi dod ynghyd i ddymuno'n dda i'r athro Cerdd oedd heb golli diwrnod trwy absenoldeb ers agor yr ysgol yn 1978.

Yr ail sioc oedd presenoldeb Wyn Lodwig a'i fand jazz o Lanelli. Yn ystod y noson o wledda blasus, roedd y trefnyddion wedi gwahodd nifer fawr o gyn-ddisgyblion yr Adran Gerdd i berfformio eitemau lleisiol. Hefyd, bu eraill yn adrodd ambell bwt o hanesion difyr amdanaf. Uchafbwynt y noson i mi'n bersonol oedd cael gwahoddiad gan Wyn Lodwig i eistedd wrth y piano a chwarae *Basin street Blues* a *When the saints go marching in* gyda'r band. Roedd wir yn fraint i eistedd i mewn gyda band y clarinetydd jazz gorau yng Nghymru. Aeth nifer o'r cyn-ddisgyblion a minnau efo nhw i glwb nos yn Stryd Caroline i barhau â'r dathlu tan bump o'r gloch y bore. Noson i'w chofio yn ddiau! Gyrfa i'w chofio hefyd!

Cefais anrheg hael o gas lledr hyfryd gan Staff Glantaf. Prynwyd yr anrheg ar ran yr athrawon yn ymyl Pont yr Ochneidiau yn Fenis gan Delyth a'i gŵr Iwan pan oeddem ar fy nhaith olaf yn Twsgani. Gorffennais fy ngyrfa addysgu yno yn Fflorens gyda chyngerdd cofiadwy o gerddoriaeth Faróc. Pan gyrhaeddodd y bws yn ôl yn Ysgol Glantaf ar ôl y daith i Twsgani, cerddais adref am y tro olaf drwy'r clwydi fu'n fy nghroesawu ugain mlynedd ynghynt yn 1978!

13

Cymanfaoedd canu

U N O'R ATGOFION cynharaf sy gen i yn blentyn naw mlwydd oed yw bod mewn cymanfa ganu yng nghapel fy nhad, Bethel Pen-clawdd, adeg y Sulgwyn. Roedd y capel yn orlawn a phawb ar y llofft yn eistedd fesul lleisiau, yn barod i ganu'r emynau mewn detholiad a baratowyd yn arbennig ar gyfer yr achlysur. Dyma'r uchafbwynt i wythnosau o ymarfer yr emyn-donau a'r anthemau i'r cantorion.

Yn y pulpud safai'r gweinidog, y Parchedig Henry Hughes, yn estyn croeso i ymwelwyr i'r gymanfa. Yr arweinydd gwadd oedd Emrys Jones o Manselton, a'r organydd oedd Leighton Jenkins. Cefais wefr wrth glywed sain y canu cynulleidfaol rhyfeddol hyn a fyddai'n gyrru ias i lawr fy nghefn ar adegau. Rown i'n gyfarwydd â chanu cynulleidfaol Minny St ers rhai blynyddoedd, ond roedd y canu ym Mhen-clawdd mor bwerus a phersain. Ychydig a feddyliwn bryd hynny y byddwn innau ymhen rhyw bymtheng mlynedd yn dilyn yn ôl troed yr arweinydd hwn ym Mhen-clawdd.

Pan fyddwn i'n ymweld â chwaer fy nhad, Esther Owen a'i gŵr, Wilfred, yn wreiddiol o'r Rhos, yn eu cartref yn Nhre-gŵyr, byddai yn dweud wrtha' i byth a hefyd paham y dylwn ystyried arwain cymanfa. 'Dim ond ers blwyddyn y dechreues arwain Côr Aelwyd Caerdydd,' atebwn innau e, gan wrthod ei wahoddiad caredig. Doedd gen i ddim mo'r hyder na'r wybodaeth am donau nac emynwyr i ystyried esgyn i bulpud i annerch ac arwain cynulleidfaoedd diarth.

Dyn y *pethe* oedd Wncwl Wilfred a fyddai'n hoffi sôn am gymanfaoedd bob tro y byddai'r teulu'n ymweld â Thregŵyr. Ar ôl i mi arwain côr yr Aelwyd i fuddugoliaeth yn Eisteddfod Genedlaethol yr Urdd yn 1962 yn Rhuthun, doedd dim mwy o esgusodion gen i dros wrthod cais fy ewythr i arwain cymanfa nos yn ei gapel yn Nhre-gŵyr. Bues yn ymbaratoi yn ddygn, ac wedi dysgu'r tonau a'r emynau ar fy nghof. Roedd teulu'r Guys o Ben-clawdd a Thre-gŵyr yno yn un fflyd, a theulu'r Guys o Gaerdydd hefyd yn cefnogi 'Alun bach' wrth iddo arwain cymanfa am y tro cyntaf yn ei fywyd. Er fy mod yn nerfus iawn ar y dechrau wrth weld llygaid y cantorion yn gwgu arnaf o'r galeri, unwaith y dechreuodd yr emyn-dôn gyntaf teimlwn yn fwy cyffyrddus ac yn fwy hyderus.

Roedd 1964 yn flwyddyn allweddol yn fy hanes fel arweinydd cymanfa. Yr haf hwnnw, bues yn swog am wythnosau'r haf yng Ngwersyll yr Urdd Glan-llyn fel cyfeilydd swyddogol gyda'm ffrind Roland Morris o Lanelli. Buom yn cael hwyl yn chwarae fel deuawd ar ddau biano, yn cyfeilio ar gyfer y dawnsio gwerin a'r canu fin nos. Ces wahoddiad gan y BBC am y tro cyntaf yn fy hanes i arwain *Caniadaeth y Cysegr* o gapel Llanuwchllyn gyda'r gwersyllwyr a'r swogs i gyd yn canu'r emynau, ac Elwyn Jones, Lerpwl ar yr harmoniwm. Roedd y recordiad yn llwyddiant er bod yn rhaid recordio'r rhaglen heb rihyrsal, oherwydd dim ond un batri oedd gan Landrover BBC Bangor i weithio'r peiriant recordio! Erbyn hyn, heb gynllunio, cefais yrfa lwyddiannus ac ystyrlon wrth arwain cymanfaoedd ledled y byd – y cyfan oherwydd dyfalbarhad fy ewythr o Dre-gŵyr. Diolch iddo yntau am gael ffydd ynof. Wyddwn i ddim ymhen blynyddoedd y byddwn yn cael yr anrhydedd a'r pleser o arwain cymanfaoedd yn yr Unol Daleithiau, yn Awstralia, ym Mhatagonia ac yn Barbados.

Yn ystod fy ngyrfa bûm yn ffodus i dderbyn gwahoddiadau i arwain cymanfaoedd yn Wilkes-Barre/Scranton Pennsylvania bedair gwaith, sef yn 1983, 1993, 2005 a 2007. Daeth llythyr ataf o Wilkes-Barre yn 1982 yn fy ngwahodd i arwain Cymanfa Ganu Gogledd Amerig a Chanada yn 1983. Derbyniais yn llawen. Roedd Arwel Hughes wedi fy enwebu fel arweinydd gwadd i'r pwyllgor yn Scranton a Wilkes-Barre lle'r oedd William Hughes, brawd Arwel, yn byw tan iddo farw yn 1968. Daeth llythyr arall ataf yn dweud y byddai pwyllgor y gymanfa yn dod i Gymru i gyfarfod â mi, y darpar arweinydd. Fe wnaeth Arwel Hughes a'i wraig Enid drefnu cinio hyfryd i'r pwyllgor a minnau yn eu cartref yng Nghaerdydd. Bu cadeirydd y pwyllgor yn fy ngoleuo ynglŷn â holl drefniadau penwythnos y gymanfa ddechrau mis Medi 1983. Dyma'r tro cyntaf imi gyfarfod ag unrhyw bwyllgor cymanfa ganu cyn y gymanfa.

Roedd ardal Wilkes-Barre a Scranton, ar un adeg yn ystod y ganrif ddiwethaf, ymhlith canolfannau Cymreiciaf y dalaith. Yma heidiodd y Cymry i weithio yn y pyllau glo. Roedd yn benwythnos 'Cymreig' cofiadwy go iawn, gyda ffair adnoddau Cymraeg a gwersi iaith ar fore Sadwrn, ymarferion canu ar y pnawn Sadwrn a chyngerdd ar y nos Sadwrn. Uchafbwynt y penwythnos oedd cymanfa'r prynhawn a chymanfa'r hwyr. Roedd rhai miloedd o gantorion yn bresennol yn y ddwy sesiwn ac organ 'Allen' enfawr yn cyfeilio. Hefyd roedd uchelseinyddion ym mhob man. Roedd y lleisiau wedi'u dosrannu'n bedwar llais. Rhaid dweud fod y canu yn wych ac yn ganmoladwy, a minnau wrth fy modd. Roedd y tymheredd tua 100 gradd fahrenheit a minnau wedi dewis gwisgo siaced wen i arwain! Doedd dim un eglwys leol yn ddigon mawr i gynnal y gymanfa, felly penderfyniad y pwyllgor oedd ei chynnal mewn adeilad arfdy enfawr lle byddai tanciau ac offer rhyfel yn cael eu diogelu. Roedd hwn yn benwythnos i'w gofio ar f'ymweliad cyntaf â'r Unol Daleithiau; roeddwn wedi cyffroi'n llwyr!

Cefais fy nanfon i'r cinio swyddogol ar ôl y cyngerdd nos Sadwrn gan sioffer mewn *stretch limousine* – y car hiraf a mwyaf moethus a weles i erioed. Pennaeth Cwmni Sony yn yr Amerig, Howard Stringer, oedd perchennog y limo! Cymro o'r Barri oedd Howard ac yn hynod falch o'i wreiddiau, gydag arlliw o acen y Barri ar ei acen Americanaidd o hyd. Byddai pawb y penwythnos hwnnw yn gwisgo bathodyn mawr â'u henwau arno. Daeth gŵr llawn bywyd ataf gan ddweud ei fod wedi prynu gwesty gerllaw i'w gartref genedigol, Casnewydd, o'r enw Celtic Manor. Ei enw oedd Terry Matthews, y biliwnydd Cymreig cyntaf. Rhoddodd ei gerdyn adnabod i mi gan ddweud wrtha' i am fynd i'w westy i gael pryd yn rhad ac am ddim. Es i'r gwesty ar ôl cyrraedd adre i gael pryd o fwyd, ond mi dalais amdano; doeddwn i ddim yn ddigon powld i ddweud fod fy 'ffrind' Terry wedi dweud wrtha' i y cawn bryd yn rhad ac am ddim yn ei westy!

Yn ystod y noson cefais fy nghyflwyno i ŵr a gwraig o Wilkes-Barre – bychan o gorff a phruddaidd yr olwg. Roedd yr enwau ar eu bathodynnau, Joseph a Gwen Kopechne, yn gyfarwydd i mi rywsut. Yn ystod y sgwrs am y cyngerdd, daeth enw eu merch Mary Jo i mewn i'r sgwrs. Nhw oedd rhieni'r athrawes ifanc Mary Jo Kopechne a fu farw ar ôl boddi yn 1969 mewn damwain car ar ynys Chappaquiddick. Roedd yr athrawes naw ar hugain oed yn teithio mewn car a yrrid gan y Seneddwr Edward Kennedy. Bu farw Joseph Kopechne, y tad, yn 2003 a Gwen Kopechne, y fam, yn 2007 o dorcalon, ar ôl colli eu hunig blentyn dan amgylchiadau amheus.

Yn 1989 ces wahoddiad i arwain cymanfa Remsen ym mis Medi mewn gŵyl gerddorol yn Nhalaith Efrog Newydd. Remsen yw enw'r dre sydd ar y ffin rhwng De Canada a gogledd yr Amerig. Roeddwn ychydig yn ansicr a ddylwn dderbyn y gwahoddiad ai peidio gan y byddwn yn arwain perfformiad o *Requiem* Mozart yng Nghaerdydd ymhen wythnos. Derbyn y cynnig gan bwyllgor Remsen a wnes, fodd bynnag, ac i fyny i faes awyr Heathrow ar ôl gorffen ysgol bnawn Gwener Medi 22 i ddal yr awyren i Efrog Newydd. Mae maes awyr Kennedy yn anferth. Rhaid cael trên neu fws o un derfynfa i'r llall. Ar ôl glanio, a thra arhoswn am fy magiau oddi ar y carwsél, er mawr syndod i mi, clywais lais yn gweiddi ar draws y cannoedd o deithwyr, 'Alun Guy, Caerdydd! Alun Guy, Caerdydd!' Cyfaill i mi ar ei ffordd adref i Gymru oedd yn gweiddi f'enw, sef Emyr Gruffudd, mab i R. E. Griffith yr Urdd. Roedd Emyr yn gyfarwyddwr marchnata gyda Bwrdd Twristiaeth Cymru bryd hynny. Doedd dim amser i'r un ohonom gael paned hyd yn oed wrth i ni ruthro i ddal awyrennau gwahanol – Emyr ar y ffordd i Heathrow a minnau *en route* i Syracuse.

Roedd pob awyren i faes awyr Syracuse yn llawn dop oherwydd roedd grŵp pop y Rolling Stones yn perfformio yno'r noson honno. Roedd y gymanfa ar y nos Sul yn llawn o gantorion o dras Gymreig a phawb yn morio'r emyn-donau. Dwyieithog oedd y gymanfa mewn neuadd ysgol oedd yn dal tua mil o bobl. Roedd yn brofiad hyfryd a minnau'n llawn cyffro. Ymysg y dorf roedd y baswr o Gymru, David Gwesyn Smith. Bum mis ynghynt ym mis Mai roedd David wedi bod yn canu rhan Elijah mewn perfformiad gyda Rebecca Evans yng Nghasnewydd. Roedd e wedi darllen 'mod i'n arwain cymanfa yn yr Amerig nos Sul 24 Medi, ac wedi gyrru'r 400 milltir o Efrog Newydd i ganu yng nghôr y gymanfa. Dyna beth yw ymroddiad. Mi rown i'n reit emosiynol wrth ei gyfarfod mewn cinio ar ôl y gymanfa, cyn i mi hedfan yn ôl i Gymru.

Daeth y cyfle i ymweld ag ardal Wilkes-Barre a Scranton yn 2005 ac am y tro olaf yn 2007. Roedd Cymanfa 2005 yn wahanol oherwydd cafodd ei chynnal yn un o eglwysi mwyaf Wilkes-Barre; eglwys esgobaidd San Steffan oedd cartre'r gymanfa o dan nawdd Cymdeithas Dewi Sant Dyffryn Wyoming. Roedd yno organ fawr fendigedig ac organydd oedd yn deall yr offeryn i'r dim. Y bonws oedd presenoldeb Côr Meibion Pontarddulais yn y gymanfa y prynhawn hwnnw. Roedd y côr wedi bod ar daith yn perfformio yn nhalaith Pennsylvania yr wythnos gynt ac wedi cynnal cyngerdd yn nhre gyfagos Scranton y noson flaenorol. Roedd Eglwys Dewi Sant yn llawn dop y prynhawn hwnnw. Roedd y canu, wir, yn arbennig iawn! Buom yn dyblu a threblu'r gân sawl gwaith mewn eglwys oedd ag acwsteg seingar arbennig. Roeddwn yn gwybod y byddai Côr y Bont yn chwyddo'r gân, oherwydd i mi eu beirniadu droeon yn yr Eisteddfod Genedlaethol gan ddyfarnu gwobr 'Côr yr Ŵyl' iddynt ar un achlysur.

Ar derfyn y gymanfa, cefais anrheg o gloc mewn cas ac arno'r geiriau:

I Alun Guy yr Arweinydd Mai 15, 2005
Os oes gwell mesur o ddyn na'r hyn a wneir ganddo,
Rhaid mai yr hyn a roddir ganddo.
Diolch am eich cyfraniad.

Mae'r cloc yn dal i gadw'r amser ar wal fy stiwdio yng Nghaerdydd.

Er imi gael gwahoddiad i arwain yn Melbourne yn 1997, bu rhaid i mi wrthod oherwydd galwadau fy ngwaith fel athro yng Nglantaf. Roedd pwyllgor cymanfa Capel Cymraeg Melbourne yn awyddus i'r arweinydd gwadd dreulio tair wythnos yn y ddinas ym mis Chwefror 2000. Ond ar ôl i mi ymddeol daeth y cyfle i mi dderbyn gwahoddiad cymanfa Melbourne. Roedd y capel a Chôr Meibion Cymraeg Victoria Melbourne yn cyd-drefnu'r gweithgareddau. Math o ŵyl gelfyddydol ydoedd. Saesneg oedd cyfrwng y gweithgareddau er bod nifer yn medru'r Gymraeg ac eraill ag achau Cymreig.

Dros gyfnod o ddeng mlynedd fe wnes i hedfan ar draws y byd i Melbourne ar bedwar achlysur, 2000, 2003, 2006 a 2010. Byddwn yn torri'r siwrne yn Singapore wrth fynd ac wrth ddychwelyd a bob amser yn ceisio ymweld â gwesty enwog Raffles a chael y coctel enwog Singapore Sling. Wrth lanio ym maes awyr Melbourne, byddai dirprwyaeth o'r capel a'r côr meibion yn fy nghroesawu ac yn mynd â mi i westy yng nghanol dinas hardd Melbourne. Gwyddwn y byddwn yn byw bywyd moethus yno.

Ond nid arwain cymanfa yn unig oedd gwaith yr arweinydd gwadd. Mewn cyfnod o dair wythnos roedd disgwyl i'r arweinydd o Gymru gynnal ysgolion ymarfer undydd wrth baratoi ar gyfer cyngerdd Gŵyl Ddewi'r côr meibion, ac arwain rhan o'r cyngerdd. Hefyd roedd disgwyl i'r arweinydd annerch cinio Cymdeithas Dewi Sant Melbourne mewn gwesty yn y dre. Uchafbwynt yr ŵyl oedd arwain y gymanfa fawr yn Eglwys Bedyddwyr Stryd Collins yn y dre. Roedd yn dal 800 o gynulleidfa. Wythnos cyn y gymanfa, byddwn yn ymweld â chorau meibion a chorau cymysg yr ardal i gynnal ymarferion. Roedd gwesty wedi'i threfnu bob blwyddyn i mi, ac aelodau'r capel yn mynd â'r arweinydd gwadd allan bob dydd am ginio neu swper i wahanol lefydd o bwys yn y ddinas. Un lle a fu wrth fy modd oedd ymweliad â'r MCG, Melbourne Cricket Ground, y maes criced mwyaf sanctaidd yn y byd yn ôl y brodorion lleol. Go brin y byddai'r Saeson yn cytuno oherwydd iddyn nhw, MCC, Marylebone Cricket Club, yn Lords yw cartref y byd criced!

Dro arall, es i chwilio am Ramsay Street lle'r oedd y gyfres sebon *Neighbours* yn cael ei ffilmio. Methiant fu'r ymdrech i ddod o hyd iddi! Dywedodd rhywun wrtha' i mai enw'r stryd oedd Pinoak Court. Roedd y tywydd yno yn boeth iawn ar adegau er bod dywediad lleol bod Melbourne ambell waith yn cael tywydd y pedwar tymor mewn un dydd! Roedd yr elfen gymdeithasol yn bwysig iawn ym mywyd yr eglwys. Saesneg oedd cyfrwng y gwasanaethau ond roedd gwasanaethau yn y Gymraeg ar gyfnodau arbennig yn y flwyddyn. Bûm yn canu'r organ yno ar adegau fel gwasanaeth codi baner y Ddraig Goch ar Ddydd Gŵyl Dewi. Ar derfyn cyngerdd y Côr Meibion daeth dynes ataf i'm llongyfarch ar fy ngwaith yn ystod y noson. Wrth imi ei holi, dywedodd fod ei theulu yn dod o Faesteg yn wreiddiol cyn ymfudo i Melbourne. Ei henw oedd Carol Ann Jones. Dywedodd fod dwy ferch ganddi. Roedd Kylie wedi symud i fyw ym Mhrydain ar ôl cyfnod o actio yn *Neighbours* a Danni yn canu ac yn actio, ac yn byw yn Melbourne o hyd. Teulu'r Minogues wrth gwrs!

Rhaid dweud bod sglein ar bopeth oedd yn digwydd yn ystod y tair wythnos. Roedd y cymdeithasau Cymraeg lleol yn paratoi'n drylwyr ac yn sicrhau bod trefn pob digwyddiad yn rhedeg yn esmwyth. Roedd yr ymdeimlad o falchder yn nisgynyddion y Cymry a ymfudodd yn ystod y ganrif ddiwethaf i'w ganmol. Roedd y cyngherddau o safon uchel, a'r canu yn y gymanfa yn ganmoladwy ac yn dod o'r galon. Roeddwn yn ddiolchgar ac yn falch o gael fy ngwahodd bedair gwaith i arwain ym Melbourne.

Roeddwn eisoes wedi bod yn beirniadu yn Eisteddfod y Wladfa yn 2001. Ymhen tair blynedd rown i'n dychwelyd i arwain cymanfaoedd yno yn 2004 a 2006. Rhaid dweud fod y profiadau o arwain yno yn gwbl wahanol oherwydd bod yr emynau a'r penillion yn yr iaith Sbaeneg yn ogystal ag yn y Gymraeg.

Cartref y gymanfa oedd capel Bethel ar ymyl tre Gaiman. Capel wedi'i adeiladu o friciau coch/brown yn 1913 ydoedd ac wedi'i gysegru yn 1914. Hwn yw'r capel mwyaf yn nyffryn isaf afon Chubut. Mae llawer iawn o gapeli bychain o amgylch yr ardal ond heb fod yn ddigon mawr i gynnal cymanfa ynddynt. Mae lle i bum cant a mwy o gynulleidfa yng nghapel Bethel. Clywais sôn bod llywodraeth leol yr ardal wedi sylweddoli fod ardal Chubut yn denu llawer o dwristiaid, a doedd gweld golwg druenus ar nifer o'r hen gapeli Cymraeg ddim yn llesol. Felly rhoddwyd cymhorthdal ariannol i wella'r cyfleusterau a'r adeiladau.

Y gŵr oedd yn gyfrifol am gerddoriaeth y gymanfa oedd Hector Ariel, nai Elvey Macdonald. Efe sy'n gyfrifol am Ysgol Gerdd y Gaiman. Mae'n gerddor hynod o dalentog ac yn gyfansoddwr wrth reddf. Cawsom gyfeiliant i gefnogi'r band, ac ar yr organ roedd cyfaill mawr i'r Wladfa, Ceris Gruffudd, yn chwyddo'r gân. Roedd nifer o offerynnau yn y band fu'n cyfeilio, ac rown i wrth fy modd yn gweld rhai o'r hen ddonau yn mynd gyda rhythmau'r ddawns. Roedd y gymanfa'n mynd yn hwyliog gydag chanu eneidiol a diffuant. Cyfrwng yr iaith oedd y Gymraeg, wrth gwrs. Doedd dim Sbaeneg gen i, a dyw'r Saesneg ddim ar wefusau'r bobl leol. Ar ôl y gymanfa, cafwyd bwyd hyfryd yn y festri drws nesaf i'r capel. Yn ystod f'arhosiad yn y Gaiman, cefais lety yng

Ngwesty Tywi ar stryd Michael D. Jones, yn ogystal â chroeso tywysogaidd.

Ar ôl imi fod yn beirniadu yn Eisteddfod Genedlaethol yr Urdd yng Nghaerffili yn 2004, daeth Elfed Roberts, trefnydd yr Eisteddfod Genedlaethol, i gysylltiad â mi, i ofyn a oeddwn yn rhydd ym mis Tachwedd i fynd i Batagonia i arwain cymanfa dathlu 150 mlynedd ers y glaniad cyntaf yn 1865. Roedd pwyllgor y dathlu yn y Wladfa wedi gofyn iddo ar ran yr Eisteddfod Genedlaethol i enwebu arweinydd o Gymru i ddod allan. 'Wrth gwrs 'mod i'n derbyn yr enwebiad,' meddwn innau gyda balchder, a cheisio swnio'n ddarostyngedig ar yr un pryd. Rown i wedi cyffroi yn lân unwaith eto, er i mi fod yn y Wladfa nifer o weithiau ers y tro cyntaf yn 2001.

Daeth y tocynnau hedfan, ac i ffwrdd â mi i Madrid yn Sbaen. Aeth popeth yn iawn wrth i mi gyrraedd y clwydi olaf cyn esgyn i'r awyren i Buenos Aires. Trychineb llwyr oedd yn aros. Roedd yr awyren yn llawn dop! Doedd dim lle i mi a'r dwsin o ferched o Bortiwgal oedd y tu ôl i mi. Dyna'r unig dro trwstan i mi ei gael gydol fy mywyd wrth hedfan, er imi fynd i lefydd fel Seland Newydd, Awstralia, Singapore, Y Bahamas a'r Unol Daleithiau. Cafodd pawb £400 o iawndal gan y cwmni yn syth, cludiant rhad mewn bws i'r gwesty, bwyd am ddiwrnod cyfan, a noson rad mewn gwesty moethus ar gyrion Madrid.

Roedd fy ffôn-ar-y-lôn yn golygu 'mod i'n gallu ffonio'r gwesty yn Buenos Aires a phobl y Wladfa, i ddweud y byddwn ddiwrnod yn hwyr yn cyrraedd. Doedd dim problem newid dyddiad y tocynnau chwaith. Cyrhaeddais Beunos Aires ac yna Trelew heb unrhyw ffwdan bellach. Braf oedd bod yn ôl ar dir y Wladfa unwaith yn rhagor a chael 'mod i'n aros mewn gwesty ar ganol dinas Trelew. Roedd y gwesty'n llawn o Gymry, a'r iaith Gymraeg yn llenwi pob twll a chornel. Dyna deimlad braf, a minnau ar fy mhen fy hun ymhell o Gymru fach! Roedd y rhan fwyaf o'r preswylwyr wedi dod draw i'r Wladfa ar deithiau arbennig o Gymru ar gyfer y dathlu. Gyda'r pedwar can punt o iawndal gan Iberian Airways yn fy mhoced, wrth grwydro siopau Trelew penderfynes y byddwn yn prynu dillad newydd ar gyfer y gymanfa. Cefais siaced ddu, crys porffor, tei llwyd a throwsus du.

Yn gynharach yn yr wythnos roedd Cerddorfa BBC Cymru wedi bod yn y Gaiman yn cynnal cyngerdd dathlu. Nawr byddai'r neuadd yn troi'n gapel ar gyfer Sul y Gymanfa. Roedd llwyfan eang yn debyg i lwyfan yr Eisteddfod Genedlaethol yn fy nisgwyl. Ar ganol y llwyfan roedd meicroffon ac astell bwrpasol i'm rhaglen. Roedd cerddorfa siambr o offerynwyr lleol ar fy llaw chwith gyda Hector Ariel wrth yr allweddellau. Rhaid canmol cyfraniad y gerddorfa. Roedden nhw'n cyfeilio'n ddisgybledig gydol y gymanfa, ac yn gwneud popeth a ofynnwyd iddynt. Roedd yn amlwg fod corau Dyffryn Chubut wedi bod yn paratoi, oherwydd cafwyd canu disgybledig a deallus ganddynt. Hefyd, roedd sawl bws o ymwelwyr o Gymru yno i gyfrannu at y canu. Cymraeg oedd cyfrwng y gymanfa, a Hector yn cyfieithu'r cyfarwyddiadau i aelodau'r gerddorfa nad oeddynt yn siarad Cymraeg.

Aeth dwy awr o ganu ysbrydoledig heibio bron heb i mi sylwi. Emyn-donau poblogaidd a phwrpasol ar gyfer y dathlu 150 o flynyddoedd oedd yn y rhaglen arbennig. Achlysur i'w gofio, bid sicr. Ar derfyn y gymanfa roedd y pwyllgor wedi darparu *asado* i'r dorf sychedig a llwglyd. Daeth criw o bobl ifanc i weini wrth y byrddau gan sicrhau fod cyflenwadau digonol o win Malbec, selsig chorizo, stêc, cig mochyn a salad ar gael i bawb oddi ar y tanlwythi cryf gerllaw. Dyna i chi ffordd berffaith i orffen cymanfa ddathlu'r Wladfa. Dyna'r adeg pan gyfarfûm â hen gyfaill, John Watkin, perchennog gwesty'r Talbot yn Nhregaron. Roedd John yn trefnu i fewnforio blychau o winoedd yr Ariannin i Dregaron, gyda rhan o'r elw yn mynd tuag at ysgolion Cymraeg y Wladfa.

Ar ôl i mi ddychwelyd o Gymanfa Melbourne ym mis Mawrth 2003, daeth galwad oddi wrth y ddiweddar Sioned James, arweinyddes Côrdydd, gan ofyn i mi gyfeilio i'r côr ar daith dramor. Roedden nhw'n mynd ar daith gerdd i Barbados i gynrychioli Cymru mewn Gŵyl Geltaidd ym mis Mai. Roedd fy nghysylltiad â Chôrdydd yn mynd 'nôl dair blynedd i 2000 pan fues i'n arwain carolau yng nghapel Ebeneser Caerdydd yn ystod cyngerdd cyntaf y Côr. Cyn-ddisgyblion i mi o ysgol Glantaf a ddechreuodd Côrdydd, felly derbyniais y gwahoddiad gyda phleser.

Roedd yn daith lwyddiannus a chofiadwy gyda chyngherddau safonol. Ar gyfer nos Iau 29 Mai 2003 roedd trefniadau'r gymanfa ganu yn y Christian Mission Tabernacle yn Barbados, wedi'u cwblhau. Byddai tri chôr lleol, James Street Church Choir, St Mary's Church Choir a'r Christian Mission Choir, yn canu emyn-donau Cymraeg yn Saesneg, a Chôrdydd hefyd yn cyflwyno eitemau corawl yn Gymraeg. Roedd y noson i ddechrau am 7.30. Yn anffodus, cafodd Sioned James druan ei tharo gan feirws ac roedd yn methu arwain y gymanfa. Cytunais i lenwi'r bwlch ar y funud olaf a chymryd at yr awenau yn lle Sioned. Cawsom ganu brwdfrydig gan y gynulleidfa ac roedd awyrgylch bywiog a rhythmig yn bodoli drwy'r gwasanaeth. Roedd gweld y merched lleol, oll yn eu hetiau duon, yn f'atgoffa am gynulleidfaoedd Cymru pan oeddwn yn blentyn. Roedd ymdeimlad o gerddoriaeth *gospel* lesmeiriol ar y canu, er ein bod yn cydganu tonau cyfarwydd fel Aberystwyth, Gwalchmai,

Hyfrydol, Blaenwern a Chwm Rhondda. Roedd yr organydd yn dilyn curiad y baton yn ffyddlon gydol y nos. Cymanfa wahanol a chofiadwy yn sicr yng ngwlad y *reggae* lle'r oedd cerddoriaeth Bob Marley a'r Wailers mor boblogaidd. Gwyliau annisgwyl oedd treulio wythnos yng ngwres llethol Barbados gyda'i thraethau aur a'i môr glas.

Rwy'n credu'n gryf mai gwaith arweinydd cymanfaoedd canu yw goleuo'r gynulleidfa am neges yr emynau a chyfansoddwyr y gerddoriaeth. Penderfynais chwilio am lyfrau fyddai'n cyfrannu at fy ngwybodaeth am gyfansoddwyr ac emynwyr y byd. Roedd hyn oll cyn dyddiau'r we a *Google*! Am nifer o flynyddoedd, bûm ar Bwyllgor Cymanfa Ganu'r Annibynwyr a gyfarfyddai yn flynyddol ym mhencadlys yr Undeb yn Abertawe. Dewis yr emyn-donau ar gyfer y Detholiad blynyddol oedd ein gwaith, a hefyd dewis cynnwys y gyfrol *Caniedydd yr Ifanc*. Y diweddar Rhys Nicholas oedd y cadeirydd, ac roedd nifer o feirdd amlwg fel John Gwilym Jones a T. Elfyn Jones yn aelodau o'r pwyllgor. Profiad gwerthfawr iawn oedd cael gwrando ar y beirdd hyn yn ein goleuo am fydr a chynnwys emynau. Ysgol brofiad, yn wir, oedd cael eistedd wrth draed y Gamaliaid emynyddol hyn.

Bues yn crwydro ar hyd siopau llyfrau Cymraeg yma yng Nghaerdydd, ac o dipyn i beth des o hyd i nifer o lyfrau gwerthfawr fyddai'n gaffaeliad i mi wrth oleuo cynulleidfaoedd am gyfoeth ein tonau a'n hemynau ac yn y blaen. Wrth baratoi at arwain cymanfa, byddwn yn paratoi'n drylwyr gan ddefnyddio cardiau fflach gwyn i nodi ffeithiau diddorol am y beirdd a'r cyfansoddwyr. Dros y blynyddoedd cefais nifer o lythyron oddi wrth bobl garedig yn ychwanegu mwy o hanesion personol am donau ac emynau. Erbyn hyn mae gen i gasgliad, yn nhrefn yr wyddor, o wybodaeth am gyfansoddwyr ac emynwyr sy'n mynd o'r dôn Aberystwyth ac Arwelfa hyd at Y Ddôl ac Yr Hyfryd Wlad – cyfanswm o 361 o gardiau fflach. Y cyfan sydd angen i mi ei wneud cyn pob cymanfa yw dod o hyd i'r tonau a'r emynau a genir yn ôl y drefn a hoffwn, a'u gosod mewn plygell. Ar ôl y gymanfa byddaf yn dychwelyd y cardiau fflach yn ôl i'w priod le, yn barod at y tro nesaf.

Fy hoff emyn-dôn yw Arwelfa gan John Hughes Rhosllannerchrugog (1896–1968) ar eiriau Emrys, 'Arglwydd gad im dawel orffwys dan gysgodau'r palmwydd clyd'. Dyma'r emyn-dôn yr hoffwn ei chael yn fy angladd pan ddaw. Mae'r gerddoriaeth a'r geiriau yn ymdoddi i'w gilydd yn berffaith gyda diweddglo grymus a gafaelgar. Cefais sgwrs hyfryd gyda John Hughes ar ddiwedd cyngerdd corawl y bûm yn ei arwain yng Nghaerdydd yn 1967. Bu'n garedig iawn wrtha' i ac yn canmol y côr a'r gerddorfa mewn perfformiad o'r Offeren yn F leiaf gan Anton Bruckner yn y Theatr Newydd yng Nghaerdydd.

Dyma restr o rai o'r llyfrau y bûm yn pori drwyddynt yn ystod fy ngyrfa:

Ieuan Gwyllt	T. J. Davies
Carolau a'u Cefndir	E. Wyn James
Emynau a'u Hawduriaid	John Thickens
Emynau'r Ffydd	Huw Powell Davies
Y Traddodiad Cerddorol	Ifor ap Gwilym
Hanes Canu Cynulleidfaol	R. D. Griffith
Gwŷr y Gân	Emrys Cleaver
Cofiant D. Emlyn Evans	Keri Evans
Canu'r Bobol	Huw Williams
Rhagor am Donau	Huw Williams

Yn un o'r Atodiadau i'r llyfr hwn mae rhestr o'r 305 o gymanfaoedd canu y bûm yn eu harwain o 1976 ymlaen, ar ôl bwrw prentisiaeth mewn nifer o gymanfaoedd bychain. Wrth reswm, mae rhai cymanfaoedd yn aros yn y cof am resymau gwahanol. Fe welwch fy mod wedi bod yn ffodus i fynd yn ôl i nifer o gymanfaoedd dro ar ôl tro yng Nghymru a Lloegr. Mae'n debyg mai fi, yn ôl y cyn-drefnydd Hywel Edwards, sy'n dal y record am arwain y nifer fwyaf o gymanfaoedd yn yr Eisteddfod Genedlaethol. Cefais y pleser o arwain yn Wrecsam (1977), Caerdydd (1978), Casnewydd (2004), Caerdydd (2008) a'r Bala (2009). Braint ac anrhydedd oedd ledio'r canu ym mhob un ohonynt – record rwy'n falch iawn o'i dal hyd y dydd heddi!

HELYNTION YR ARWEINYDD!

Ers dyddiau'r *sat nav* mae'n hawdd dod o hyd i gapeli ac eglwysi. Cyn hynny, fodd bynnag, rhaid oedd bodloni ar fapiau a rhaid cyfaddef y bu mapiau'r RAC o fudd mawr i mi wrth ymweld â chapeli cefn gwlad. Cofiaf yn dda un tro trwstan a ddigwyddodd i mi nôl yn y 1970au. Roeddwn i fod i arwain cymanfa'r plant yn y bore yn dechrau am 10.30 o'r gloch, ond am ugain munud wedi deg roeddwn rywle yng nghanol Sir Gaerfyrddin wledig heb syniad sut i gyrraedd y capel bach. Dim arwyddion ffordd yn unman. Help! Roedd gen i gar pwerus Mini Cooper 10.71 cc, oedd yn mynd o 0 i 60 milltir yr awr mewn eiliadau. Roeddwn yn dechrau gofidio pan weles hen ddynes mewn het yn cropian yn ara deg ar hyd y ffordd. Gyrres yn ara deg ac aros wrth ei hochr gan agor y drws ochr. Roedd yn glawio ryw chydig a chanddi got blastig hir dros ei dillad crand – mynd i ryw gapel oedd mae'n siŵr, meddylies. Gofynnes am gyfeiriadau, ac er mawr ryddhad i mi, dwedodd fod y capel nid nepell i ffwrdd. Caeais ddrws y car yn frysiog, gan ddiolch yn fawr iawn i'r hen ddynes, a bant â fi ffwl pelt yn y Mini Cooper. Edryches yn nrych y gyrrwr a chael sioc o weld yr hen greadures yn troi yn ei hunfan yn gyflym! Brêcs ymlaen yn sydyn, gyrru nôl i weld pam oedd hi'n troi fel chwyrligwgan. Doedd fawr ddim byd ar ôl o'i chôt blastig ddu. Y cyfan a weles oedd stribyn hir o blastig yn gorwedd ar lawr y ffordd, a hithau â mymryn o weddill ei chot blastig ar draws ei ysgwyddau. Sylweddolais ar unwaith 'mod i wedi cau drws y car yn rhy gyflym gan ddal gwaelod y got blastig yn y drws. Rhoddais y stribedyn hir o blastig du oedd ar lawr y lôn yng nghefn fy nghar ac ymddiheuro'n daer, gan estyn papur decswllt iddi. 'Ewch i brynu cot blastig newydd i'ch hun,' meddwn innau, a chyrraedd y capel ddwy funud cyn y gwasanaeth, yn chwys bob tamaid. Roedd y gweinidog yn aros wrth ddrws y capel wrth i mi gyrraedd. 'Ni mor falch o'ch gweld, Mr Guy bach', meddai fe. 'Ddim mor falch â fi o fod yma, credwch chi fi!' meddwn innau gan obeithio na fyddai'r ddynes druan yn cyrraedd ar ganol y gymanfa!

Bûm yn arwain Cymanfa Ysgolion Sul Blaenau Ffestiniog yn ystod haf 1976, pan gafwyd tri mis o haul tanbaid o fore gwyn tan nos. Cyn dechrau'r gwasanaeth, bu'r plant ac oedolion yr ysgolion Sul, a minnau yn eu plith, yn gorymdeithio o gwmpas y strydoedd gyda'u baneri a'r band pres yn arwain y ffordd. Aeth cyfarfod y prynhawn rhagddo'n hwylus iawn gyda Glyn Bryfdir yn joio'i hun ar yr organ, ond bu rhai iddo yntau ddatod ei gôt yn y gwres llethol. Glyn Bryfdir oedd arweinydd Côr Meibion Moelwyn yn y Blaenau. Roedd Glyn yn arweinydd da ac yn organydd medrus. Cefais fy siarsio ganddo cyn cyfarfod yr hwyr i orffen cyn wyth o'r gloch pan oedd gêm bêl-droed tîm Cymru yn fyw ar y teledu. O hanner awr wedi saith ymlaen, gwnes yn siŵr mai emyn-donau bywiog a chyflym yn unig a ddewiswn i'r gynulleidfa! Llwyddais i orffen am chwarter i wyth mewn boddfa o chwys ar ôl arwain egnïol ar fy rhan!

Tua hanner amser yn y gymanfa, edrychwn ymlaen yn eiddgar at gael y dŵr oedd mewn jwg fawr ar lawr y pulpud, yn ystod araith y llywydd. Drachtiais y jwg lawn o ddŵr, cyn bwrw mlaen â'r ail ran. Daeth gofalwr y capel ataf ar y diwedd gan ymddiheuro am fethu darparu dŵr i mi yn ystod yr egwyl. Roedd wedi anghofio, meddai. Dywedais wrtho fy mod i wedi yfed llond jwg o ddŵr oedd wrth ymyl y pulpud i dorri fy syched. Gwelwodd wyneb y gofalwr druan, gan ofyn imi sut rown i'n teimlo. 'Cynnes a blinedig,' meddwn innau. Dywedodd yn ofidus wrthyf mewn llais tawel mai jwg ddŵr oedd yn dal blodau ydoedd, roedd y blodau eisoes wedi darfod, ond doedd e ddim wedi newid y dŵr ers tair wythnos! Ych!

Yn y Bontfaen yr oeddwn i un nos Sul yn yr hydref yn arwain cymanfa. Roedd y canu'n dda a phopeth yn mynd rhagddo'n hwylus. Yn sydyn, ar ganol un o emynau'r detholiad, diflannodd golau'r capel yn llwyr a minnau'n dal i arwain. Y dôn roedd y gynulleidfa a'r côr newydd gychwyn arni oedd 'Tyrd, olau mwyn'. Aeth rhai o'r blaenoriaid i gefn y capel i drwsio'r ffiwsiau. Erbyn inni ganu ac eilio'r penillion roedd y golau a'r organ nôl ymlaen, ac arbedwyd y gymanfa.

Yr unig dro y ces i gyflwyniad cynganeddol wrth esgyn i bulpud cymanfa oedd yn y Bala lle'r oedd y Parchedig John Roberts (O tyred i'n gwaredu) yn gweinidogaethu cyn iddo symud i Sir Fôn. Wrth fy nghyflwyno i'r gynulleidfa meddai, 'Rhowch groeso i'n harweinydd Alun Guy, y gŵr da o Gaerdydd.' Cynganeddu hollol naturiol gan fardd wrth reddf.

Yng Ngorseinon ar derfyn y gwasanaeth prynhawn, tua 4.00 o'r gloch, daeth dynes o'r gynulleidfa ataf gan fy ngwahodd am de cyn cymanfa'r nos. Fel arfer, byddai ysgrifennydd y gymanfa yn trefnu lluniaeth i'r arweinydd rhwng y bore a'r prynhawn, neu rhwng y prynhawn a'r hwyr. Doedd neb wedi sôn am unrhyw drefniant amgen wrthyf yng Ngorseinon, felly diolches iddi ac i ffwrdd â ni i'w chartref gerllaw. Roedd jeli a blomonj, tarten afal, a theisennau amrywiol a brechdanau yn fy nisgwyl. Dyna beth oedd te go iawn! Roeddwn wrthi'n claddu'r danteithion pan ddaeth cnoc ar y drws am bump o'r gloch. Ysgrifennydd y capel oedd yno yn chwys i gyd, wedi bod yn chwilio amdanaf ym mhob cartref yng Ngorseinon. Roedd e wedi trefnu eisoes bod dynes arall yn y capel yn paratoi te i mi, ac roedd hi'n dal i ddisgwyl am yr arweinydd. Er mwyn achub y sefyllfa, es gyda'r ysgrifennydd i gartref yr ail ddynes i gael mwy o de. Erbyn cymanfa'r nos, rown i'n teimlo fel Billy Bunter! Roedd dynes rhif dau am imi gael mwy o de a mwy o frechdanau trwy'r amser, minnau'n gwneud esgusodion 'mod i ar ddeiet arbennig, ac yn methu bwyta fawr o frechdanau neu jeli. Erbyn cymanfa'r nos, roeddwn mor llawn fel mai prin y gallwn godi fy mreichiau i arwain!

Profais un o uchafbwyntiau fy ngyrfa arwain cymanfaoedd yng Nghymanfa Eisteddfod Genedlaethol Caerdydd 1978 wrth arwain y dôn 'Tydi a roddaist' ac Arwel Hughes y cyfansoddwr wrth yr organ yn gwenu arna' i

wrth inni gyrraedd yr 'Amen' enwog ar y diwedd. Roedd
e wedi'i blesio. Dyna beth oedd pwysau, wrth imi arwain
fy ngorau glas a gwneud cyfiawnder â'r emyn-dôn arben-
nig yna yng ngŵydd y cyfansoddwr.

Roedd arwain yng nghymanfa ddwyieithog Romsey, ger
Southampton, bob amser yn bleser, oherwydd byddai'r
canu yn seingar ac yn denu cynulleidfa niferus o Gymry
o bob man yn neheubarth Lloegr, a byddai te hyfryd yn
dilyn ar ôl cymanfa'r prynhawn. Nid oedd yr organydd
Iestyn Harcombe yn gallu chwarae o gopi hen nodiant,
dim ond o gopi sol-ffa; mantais hyn oedd ei fod yn
medru chwarae mewn unrhyw gyweirnod os byddai'r
gerddoriaeth yn rhy uchel i'r sopranos a'r tenoriaid. Yn
aml, byddwn yn sibrwd wrtho i newid y cywair i lawr
hanner tôn. Byddai Iestyn yn gyfeilydd poblogaidd i bob
cymanfa o Portsmouth i Southsea a draw i Bournemouth.
Llywydd y Gymanfa ym mis Mai 1977 oedd yr Arglwydd
Mountbatten a drigai nid nepell i ffwrdd yn ei gartref,
Broadlands. Gŵr tal, golygus oedd yr Arglwydd. Roedd
yn amlwg yn ffefryn gan y menywod canol oed a fyddai'n
heidio o'i gwmpas fel gwenyn! Dywedodd ei warchodwr
wrtha' i fod yr Arglwydd Mountbatten yn awyddus i
gyfarfod â'r arweinydd o Gaerdydd. Cawsom sgwrs fer
a dymunodd bob hwyl i fi cyn troi i un o seddau blaen
y gynulleidfa a minnau at fy ngwaith yn y pulpud. Ar ôl
i'r gymanfa orffen, roedd yn canmol y canu a'r arwain
yn fawr iawn, ond ddim yn rhy hoff o godi ac eistedd o
hyd, meddai wrthyf! Erbyn imi gyfarfod ag e, roedd
yn 77 mlwydd oed a'r lymbego yn dechrau gafael yn ei
gefn. Derbyniais lythyr hyfryd ganddo yn diolch i mi
am y gymanfa, wedi'i arwyddo yn ei lawysgrif ef ei hun,
Mountbatten of Burma. Dyna'r tro olaf i ni gyfarfod,

oherwydd yn anffodus cafodd ei lofruddio gan yr IRA ar ei gwch yn Sligo, Iwerddon, yn 1979.

Ces lythyr yn 1977 gan Bwyllgor Cerdd Eisteddfod Genedlaethol Wrecsam yn fy ngwahodd i arwain y gymanfa ar nos Sul olaf yr Eisteddfod. Doedd dim cytundeb pwy ddylai arwain y gymanfa, yn ôl John Roberts, yr ysgrifennydd. Rhywsut roedd y bachgen ifanc o Gaerdydd yn dderbyniol gan bawb, ac felly cafwyd y gwahoddiad. Roeddwn yn ddigon nerfus am sawl reswm. Doeddwn i ddim wedi cwrdd â Chôr yr Eisteddfod na'r organydd o'r blaen. Byddai darllediad teledu byw o'r pafiliwn ar y BBC, ac roedd cwmni recordiau yn gwneud detholiad o'r gymanfa hefyd. Dim pwysau, nac oedd?!

Bûm yn beirniadu drwy'r wythnos ac yn cael hwyl fin nos, gyda'r lleiafswm o gwsg. Roeddwn yn flinedig erbyn y nos Sul olaf ond gwyddwn y byddai'r adrenalin yn fy nghynnal am ddwy awr. Ac felly y bu. Roedd meicroffon trwm gen i am fy ngwddf ar gyfer sain y teledu, ac un arall ar gyfer y recordiad – prin y medrwn symud. Ond mae'n dda gen i ddweud bod Côr yr Eisteddfod wedi ymateb yn wych gan wneud pob peth a ofynnwyd iddyn nhw gydag afiaith a dwyster. Roedd yr enwog John Tudor Davies – un o bobl y Rhos – yn organydd o'r radd flaenaf. Roedd yn adnabod pob emyn-dôn yn y rhaglen ac yn fy ngwylio bob cam o'r daith. Ciliodd y nerfusrwydd yn fuan gyda'r gynulleidfa a'r côr yn asio i'w gilydd yn hyfryd, ac yn dilyn y baton yn rhyfeddol o dda. A dyna'r gyntaf o'r cymanfaoedd y cefais y fraint o'u harwain. Pan oeddwn yn y Wladfa ym Mhatagonia flynyddoedd wedyn, ces gyfle i ymweld â theulu bachgen ifanc a fu'n aros ar ein haelwyd yng Nghaerdydd – Elvey Macdonald. Roedd ei fam a'i chwaer Edith yn paratoi'r te pan glywais seiniau emyn-dôn yn y gegin. Daeth mam Elvey allan gan ddweud, 'Ydych chi'n adnabod y canu a'r arweinydd yma, Mr Guy?' 'Dim syniad!' meddwn innau. 'Cymanfa Wrecsam 77 a chithau'n arwain! Rwy'n gwrando ar y record yn feunyddiol.'

Ymlacio ym mhwll nofio'r gwesty ym Melbourne ar ôl arwain y cyngherddau mewn gwres mawr!

Mwynhau barbaciw yn y capel Cymraeg ar ôl yr oedfa ar ddydd Gŵyl Ddewi

Hysbyseb Cyngerdd Gŵyl Ddewi gan Gantorion Cymreig Victoria, 2010 gyda fi yn arweinydd gwadd

Ymarfer gyda Chôr Meibion Cymraeg Victoria cyn cyngerdd Gŵyl Ddewi 2010

Côr Eisteddfod Glynebwy 2010. Ymarfer côr, unawdwyr a cherddorfa cyn perfformiad Requiem Mozart yn y pafiliwn Awst 3 2010

Unawdwyr Requiem Mozart a minnau yn Eisteddfod Glyn Ebwy 2010. Leah –
Marian Jones, fi, Wynne Evans, Jason Howard ac Iona Jones, 2010

Cyngerdd nos Fawrth Eisteddfod Glynebwy 2010: llongyfarch Jason Howard ar
ei ddatganiad o'r 'Dymestl' gan R. S. Hughes

Arwain Côr yr Eisteddfod a'r gerddorfa yn Eisteddfod Glynebwy 2010:
y darn oedd 'Y Tangnefeddwyr' gan Eric Jones

Gwobr Goffa Joseph Parry 2017. Derbyn gwobr Joseph Parry oddi wrth Lywydd Cymdeithas Cerddoriaeth Cymru Syr Norman Lloyd-Edwards a'r unawdydd, y bariton Jeremy Williams yn Eisteddfod Môn 2017

Welsh Music Guild
Cymdeithas Cerddoriaeth Cymru

JOSEPH PARRY AWARD 2017
GWOBR JOSEPH PARRY 2017

Alun Guy

For his exceptional contribution to musical education in Wales
Am ei gyfraniad eithriadol i addysg gerddorol yng Nghymru

President/ Llywydd
Sir Norman Lloyd-Edwards

Chairman/Cadeirydd
Mr. Richard Thomas

Tystysgrif Gwobr Joseph Parry 2017

Cymanfa Nadolig Capel Penrhiw, Sain Ffagan, 2017. Rwy' wedi bod yn arwain y cymanfaoedd carolau, gyda'r organydd Leighton Sault-Jones yn cyfeilio, ers dros bum mlynedd ar hugain

Cyfarfyddais â Julie am y tro cyntaf pan y daeth hi a'i mam ar ymweliad â'm cartref yn haf 2008. Bu'r ddwy yn y gymanfa a'r cyngerdd yn Eisteddfod Caerdydd 2008. Bu Maureen, mam Julie, yn ysgrifenyddes i 'nhad flynyddoedd ynghynt yn y WEA

Gwyliau ym Mharis: ymlacio ar ôl Eisteddfod y Bala yn 2009

Rygbi rhyngwladol – cefnogwyr brwd! Alun a Julie yn dathlu buddugoliaeth Cymru dros Loegr yn y brifddinas yn 2017

Julie: mae Julie yn hoff iawn o gerddoriaeth ac yn bianydd medrus. Daeth hi a'i mam yn aelodau o Gôr Ffilharmonig Caerdydd

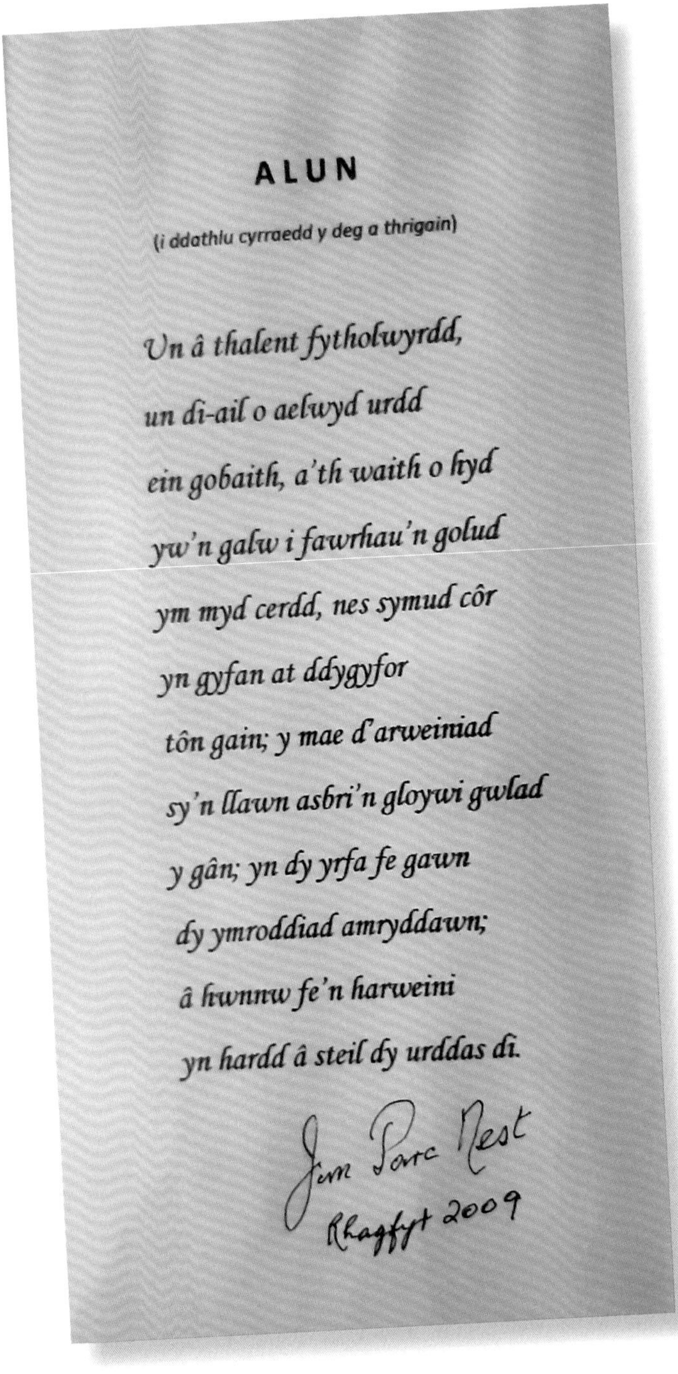

ALUN

(i ddathlu cyrraedd y deg a thrigain)

Un â thalent fytholwyrdd,

un di-ail o aelwyd urdd

ein gobaith, a'th waith o hyd

yw'n galw i fawrhau'n golud

ym myd cerdd, nes symud côr

yn gyfan at ddygyfor

tôn gain; y mae d'arweiniad

sy'n llawn asbri'n gloywi gwlad

y gân; yn dy yrfa fe gawn

dy ymroddiad amryddawn;

â hwnnw fe'n harweini

yn hardd â steil dy urddas di.

Jim Parc Nest

Rhagfyr 2009

Cyfarchiad oddi wrth yr Archdderwydd ei hun, Jim Parc Nest, ar fy mhen-
blwydd yn 70 oed yn 2009

Wrth fy modd yn chwarae'r piano yn fy stiwdio gerdd newydd yn 2019

Gordon, Sioned, Tad-cu a'r ddau fab — Cian a Keith (yr hynaf)

Ein priodas. Eglwys Dewi Sant, Caerdydd, Medi 2018

Pen-blwydd arbennig yn 2019. Fy mhen-blwydd yn 80 oed!

14

Beirniadu – heb feiro!

S ONIAIS yn gynt yn y gyfrol hon fel y byddwn yn
mwynhau pori drwy sawl cyfrol oedd yn cynnig
cyngor ynglŷn ag arwain côr. Hyd yn hyn, fodd bynnag,
ni ddes o hyd i unrhyw lyfr sy'n cynnig cyngor ar y grefft
o fod yn feirniad cerdd. Yn ystod fy ngyrfa, ces y fraint
o gydfeirniadu gyda nifer fawr o feirniaid cerdd ardd-
erchog. Bu'n fraint, yn ogystal, cael rhannu bwrdd y
beirniaid gydag arbenigwyr Cerdd Dant a Llefaru. Rwy'n
falch 'mod i wedi cael nifer o flynyddoedd o gystadlu yn
yr Urdd a'r Genedlaethol, cyn imi dderbyn gwahoddiad
i fod yn feirniad.

Rhwng Eisteddfodau Cenedlaethol Wrecsam (1977) a'r
Fenni (2016), cyfnod o ddeugain mlynedd, bues yn ddigon
ffodus i dderbyn gwahoddiadau i feirniadu mewn tua
dau gant o eisteddfodau ledled Cymru, gan gynnwys yr
Eisteddfod Genedlaethol 17 o weithiau, ac Eisteddfod yr
Urdd 16 o weithiau. Pleser ac anrhydedd bob amser oedd
treulio wythnos yng nghwmni cyd-feirniaid deallus, gan
ddyfarnu gwobrau a llunio beirniadaethau ysgrifenedig.
Byddaf yn hoff o gyfarfod â'r cantorion ac arweinyddion
y corau i gael sgwrs wedi'r dyfarniad – llongyfarch rhai,
a chydymdeimlo ag eraill. Dyna *raison d'être* y busnes
cystadlu 'ma! Ond nid yw pawb o'm cyd-feirniaid yn rhy

hoff o gyfarfod â'r cystadleuwyr. Diffyg hunanhyder, rwy'n meddwl, yw'r rheswm, rhag cael eich herio am eich dyfarniad. Oherwydd i mi fy hun ennill a cholli tra oeddwn yn cystadlu gydag Aelwyd Caerdydd mae corau ac arweinyddion yn gwybod bod gen i brofiad fel cystadleuydd. I mi'n bersonol roedd llunio beirniadaeth adeiladol mewn llawysgrifen daclus a darllenadwy yn hynod bwysig. Ond yn fwy na hynny, roeddwn am sicrhau bod y sillafu a'r ieithwedd gerddorol yn gywir. Pan oeddwn innau'n cystadlu, roedd safon y beirniadaethau yn bur gymysglyd ar adegau, a minnau'n methu'n lân â deall yr ysgrifen na chystrawen y brawddegau chwaith! Prif amcan beirniadu, yn ôl fy athroniaeth bersonol i, yw canmol rhinweddau cadarnhaol, cynnig cyngor pan fo'n briodol, a thanlinellu unrhyw agweddau cerddorol sydd angen sylw.

Y tro cyntaf i mi gael gwahoddiad i feirniadu yn Adran Gerdd Eisteddfod yr Urdd oedd yn Abertawe yn 1971, ar ôl i mi roi'r gorau i gystadlu gyda Chôr yr Aelwyd. Dyna'r tro cyntaf erioed i mi wisgo bathodyn *Beirniad* ar fy nghôt a theimlo'n bwysig! Rhaid cyfaddef bod crwydro o gwmpas maes yr Eisteddfod ym Mharc Singleton wedi bod yn fraint ac yn wefr arbennig iawn. Byddaf o hyd yn ddiolchgar i fudiad yr Urdd am roi'r cyfle i mi fwrw prentisiaeth fel beirniad cerdd. Er bod y bathodynnau wedi hen ddiflannu, erys o hyd y profiadau gwerthfawr a gafwyd wrth feirniadu yn Eisteddfodau'r Urdd. Bu'n fraint cael bod yn aelod o'r Paneli Beirniaid mewn canolfannau mor wahanol â Llanelli, Maesteg, Caerdydd, Y Bala, Wrecsam, Llangefni, Llannerchaeron a Chaerffili, ymysg eraill. Bu'n ysgol brofiad ardderchog, a da gweld bod y polisi o gael beirniaid ifainc yn parhau. Byddai pwyllgor yr Urdd yn darparu gwesty i'r beirniaid, ac yno fin nos byddai'r sbort a'r hwyl yn dechrau ar ôl swper. Yn Eisteddfod Llanelli yn 1975 rown i'n cydfeirniadu gyda Meirion Williams, y cyfansoddwr a'r beirniad. Roedd yn gwmnïwr arbennig o ffraeth er ei fod yn ymddangos yn surbwch ar adegau wrth fwrdd y beirniaid. Roedd straeon gwych ganddo am ei brofiadau yn beirniadu o gwmpas y wlad.

Dro arall yn y Bala yn 1972, roeddwn yn beirniadu'r corau gyda Glynne Jones, arweinydd Côr Meibion Pendyrus. Un direidus iawn oedd Glynne. Ar nos Wener yr Eisteddfod, cawsom noson arbennig ym mar y gwesty yng nghwmni Carwyn James. Roedd Carwyn newydd lanio yn ôl yng Nghymru gyda sgwad rygbi fuddugoliaethus y Llewod ar ôl curo'r Crysau Duon yn Seland Newydd. Bu Carwyn yn canu 'Myfanwy' yn ddigyfeiliant ac yn llawn emosiwn, fy mrawd Iwan a minnau yn canu deuawd 'O Isis ac Osiris' a Glynne yn cyfeilio wrth i Gwynn Dob (T. Gwynn Jones, Llanfairfechan) ganu hen alawon Cymraeg inni. Noson wych *ad hoc* gyda'r gwinoedd yn llifo! Aethom i'n hystafelloedd am dri o'r gloch y bore. Ond roedd gan Glynne gynllun amgen! Bob bore byddai gŵr y llety yn cnocio ar ddrws pob beirniad oedd â rhagbrawf cynnar drannoeth. Roedd dau feirniad, John Davies Treorci a Norah Isaac, wedi gofyn am alwad gynnar fore Sadwrn. Am 3.30 y bore hwnnw, aeth Glynne i gnocio ar ddrws eu hystafelloedd gan ddynwared llais gŵr y llety . . . 'Amser brecwast, Mr Davies'. 'Amser brecwast, Miss Isaac'. Daeth John Davies a Norah Isaac i lawr yn eu tro am 4.00 o'r gloch y bore, yn amlwg heb edrych ar unrhyw gloc neu oriawr, wedi gwisgo'n smart, ac yn barod ar gyfer brecwast. Roedd John wedi siafio a Norah wedi ymbincio. Y cyfan oedd yn eu disgwyl oedd tawelwch y fagddu!

Y bore Sadwrn hwnnw, roedd Glynne a minnau i lawr i feirniadu rhagbrofion cystadleuaeth y Corau Aelwyd yng Nghapel Tegid y Bala am 8.00 o'r gloch. Codais yn blygeiniol ac roeddwn yn y capel am wyth o'r gloch fel pob beirniad ifanc cydwybodol. Dim sôn am Glynne! Roedd Arglwydd Pendyrus yn dal yn ei wely. Ymhen hir a hwyr, daeth Glynne i mewn i'r capel yn flinedig ac awr yn hwyr, gan gyfarfod â mi yn y cyntedd. Gwelodd gadair olwyn ac yn gyfrwys iawn, eisteddodd ynddi gyda'i ffon wrth law gan ofyn i mi ei wthio'n ara deg i mewn i'r rhagbrawf. Roedd wedi ennyn cydymdeimlad aelodau'r Corau Aelwyd a'u cefnogwyr wrth ffugio ei fod yn sâl! Cafodd faddeuant am iddo godi o'i wely er mwyn dod i'r rhagbrawf. Ni chredaf fod John Davies na Norah Isaac wedi darganfod pwy gnociodd ar eu drysau am 3.30 y nos Wener honno!

Wrth i mi dderbyn gwahoddiadau i feirniadu ym mhob rhan o Gymru a Lloegr, sylweddolais fod yn rhaid defnyddio priod-ddulliau ac ieithwedd 'swyddogol' y beirniad. Cofiaf fynd i Ysgol Llanhari unwaith i arholi safon A ar ran CBAC, ac wrth basio cas gwydr ar y mur, gwelais feirniadaeth ysgrifenedig rown i wedi ei hysgrifennu am berfformiad buddugol Ysgol Llanhari yn Eisteddfod Genedlaethol yr Urdd y flwyddyn gynt. Darllenais y feirniadaeth yn gyflym, gan obeithio nad oedd unrhyw wallau gramadeg neu gamsillafu! Er mawr rhyddhad imi, roedd popeth yn iawn. Wyddoch chi ddim ble mae eich beirniadaethau ysgrifenedig yn gallu ymddangos!

Penderfynais yn fuan iawn mai'r ffordd ymlaen oedd dyfeisio rhyw law-fer bersonol wrth ysgrifennu beirniadaethau. Nid oedd amser i lunio traethawd ar gyfer pob cystadleuydd, yn enwedig pan oedd yr unawd lleisiol neu'r unawd piano ond yn para am dair munud. Rhaid i bob beirniad gwerth ei halen ddysgu am dechnegau meicroffon, a meddu ar gof arbennig o dda.

Pan fyddai nifer fawr yn cystadlu mewn eisteddfod leol, byddwn yn gwneud nodyn yn fy llyfr nodiadau, am liw gwallt neu ddilledyn pob cystadleuydd. Roedd hynny'n help arbennig wrth gofio perfformiad tra byddwn yn rhoi'r feirniadaeth. Rhaid hefyd asesu perfformiad yn syth, yn enwedig mewn rhagbrofion. Penderfynes lunio system pan fyddai mwy na thri pherson yn cystadlu. Byddwn yn penderfynu ar safleoedd neu ffrâm y tri chystadleuydd cyntaf i ymddangos, gan roddi graddau yn syth ar ddiwedd pob datganiad:

A yn rhagorol   85 – 100
B yn dda iawn   80 – 84
C yn dda   75 – 80

Yna, byddai'n rhaid i bob cystadleuydd frwydro i gael bod yn y ffrâm. Rhaid i farc pob perfformiad hefyd adlewyrchu'r eirfa ysgrifenedig yn y feirniadaeth. Pan fyddai mwy nag un cystadleuydd yn cael yr un marc, yna byddwn yn defnyddio'r arwydd + neu – . Mewn rhai Eisteddfodau Cylch byddai i fyny at 30 a mwy yn cynnig ar yr unawdau lleisiol ac offerynnol, ac roedd fy system yn gymorth.

Un eisteddfod leol rown i'n hoff o feirniadu ynddi oedd Steddfod Llanrwst. Y tro cyntaf y bûm yn beirniadu yn y babell fawr, cefais y fraint o rannu bwrdd y beirniaid gyda dau o fy eilunod, y cyn-Archdderwydd Tilsli a'r darlledwr William Morris. Roeddwn yn blentyn ysgol yn Eisteddfod Caerffili yn 1950 pan gadeiriwyd y Parchedig Gwilym Tilsley am ei awdl fuddugol 'Moliant i'r Glöwr'. Ymhen chwe blynedd, byddwn yn astudio'r union awdl ar gyfer arholiad Safon A gydag Elfet Thomas yn Ysgol Cathays Caerdydd.

Y person arall wrth fwrdd y beirniad yn Llanrwst oedd y darlledwr William Morris. Roedd fy rhieni yn hoff o wrando ar raglenni min nos ar y radio o Neuadd y Penrhyn, rhwng hanner awr wedi wyth a naw o'r gloch, yn enwedig Tommy Handley! Roeddwn wedi tyfu fyny gyda hyfrydlais hudol William Morris, heb wybod dim oll am ei ymddangosiad, dim ond ei lais bariton addfwyn. Fedrwn i ddim credu 'mod i'n rhannu bwrdd y beirniaid gyda'r ddeuddyn enwog hyn! Mawr oedd fy mraint yn wir. Yn yr eisteddfod honno, des ar draws dau eicon cerddorol arall, sef Richie Thomas Penmachno, clerc y rhagbrawf, a'r cyfeilydd Rhys Jones. Rhagbrawf yr unawd tenor oedd yr achlysur. Ni chofiaf ryw lawer am y cantorion, ond cofiaf y tynnu coes a fu rhwng Rhys a Richie. Roeddent ill dau wrthi'n hau ati rhwng y datganiadau, gan sôn am gantorion a throeon trwstan a ddigwyddai mewn rhagbrofion.

Mae gofyn stamina, amynedd, cof da a meddwl chwim wrth fod yr unig feirniad cerdd mewn eisteddfod leol. Mae cynulleidfa eisteddfodau lleol yn edrych ymlaen at glywed y beirniad cerdd yn traethu ac yn cyfiawnhau dyfarniadau. Yn adran y plant, weithiau ceir rhwng deg ac ugain yn canu alaw fechan sy'n para am funud yn unig. Rhaid gwrando, asesu a marcio pob cystadleuydd o fewn ychydig o eiliadau. Fwy na hynny, mae rhai rhieni yn disgwyl beirniadaeth ysgrifenedig hefyd yn dilyn crynodeb o'r llwyfan. Yna, yng nghyfarfodydd yr hwyr, mae mwy o bwysau ar y beirniad druan, yn enwedig pan fo mwy o gantorion nag o lefarwyr ar yr her unawd.

Bendith bob tro fyddai cael arweinyddion llwyfan fel Charles Williams, Geraint Lloyd Owen, Huw Bach ac Aled Lloyd Davies; gallent i gyd ddiddanu'r gynulleidfa gyda straeon digri rhwng pob datganiad. Dyma'r unig gyfle a gâi'r beirniad druan am baned neu ymweliad â'r tŷ bach hyd yn oed! Dysgais yn fuan fod ysgrifennu'n daclus a gwrando ar y cystadlu yn grefft ar ei phen ei hun.

Wn i ddim faint o feirniadaethau a sgwennes yn ystod fy ngyrfa fel beirniad – cannoedd ar gannoedd mae'n siŵr! Haws fyddai cyfrif sawl pâr o drowsus a dreuliwyd tra eisteddwn wrth fwrdd y beirniaid, neu sawl cetrisen o inc a ddefnyddiwyd! Cas beth gen i yw beiro. Doeddwn i ddim yn caniatáu defnyddio beiro yn fy nosbarthiadau Cerdd yng Nglantaf. 'Mae beiro yn difetha'r llawysgrifen' oedd fy mhregeth feunyddiol!

Bues yn beirniadu wyth gwaith ar y Sadwrn yn Eisteddfod Abergynolwyn rhwng 1986 a 2006 a chael croeso twymgalon bob tro. Roedd yno gystadlu safonol, a chynulleidfa ddysgedig a brwdfrydig. Dyna'r eisteddfod 'undydd' hiraf a gofiaf erioed. Roedd yn bedwar o'r gloch y bore Sul un flwyddyn wrth inni ganu 'Hen Wlad fy Nhadau'. Dim ond fi, y swyddogion, y cyfeilydd a'r her unawdwyr oedd ar ôl. Roedd y gynulleidfa wedi hen fynd adref, ac yn eu gwelyau ers tro byd! Roedd teulu Dolgellau lle'r arferwn letya pan fyddwn yn y gogledd wedi ffonio'r heddlu am 3.45 y bore, rhag ofn 'mod i wedi bod mewn damwain. Yr ateb a ddaeth o orsaf yr heddlu oedd y byddai deifwyr yr heddlu yn archwilio gwaelod y llyn yn y bore rhag ofn bod fy nghar wedi mynd iddo. Erbyn i mi gyrraedd Dolgellau am bump fore Sul, roedd yn gwawrio dros fynydd Cader Idris!

Cofiaf ysgrifenyddes yr Eisteddfod hon yn sôn wrtha' i fod y diweddar George Guest wedi methu cwblhau beirniadaethau ysgrifenedig yn sesiwn yr hwyr, ac y bu'n rhaid i'r arweinydd llwyfan geisio llenwi bylchau hirion tra bod George yn dal i ysgrifennu. Yn y pen draw, bu rhaid i bob cystadleuydd adael eu cyfeiriadau cartref gyda'r ysgrifenyddes, ac fe addawodd hithau anfon beirniadaeth ysgrifenedig atynt yn ystod yr wythnos. Cefais brofiad o gydfeirniadu gyda George sawl gwaith yn y Genedlaethol. Cofiaf un tro iddo fy holi ar ganol cystadleuaeth gorawl ynglŷn â chenedl 'tonyddiaeth' a 'brawddeg'. Roedd geiriadur ganddo bob amser ac roedd yn awyddus i gael yr iaith gywir yn ei feirniadaeth ysgrifenedig.

Ces y pleser a'r fraint o feirniadu yn Eisteddfodau Môn droeon. Braf oedd y cyfle i ymweld ag eisteddfodau fel Llandyfaelog, Llandegfan, Llannerch-y-medd, Llanddeusant, Llangefni, Bodffordd, Y Talwrn, Maelog a Brynsiencyn. Cof da gen i am Eisteddfod Môn yn Llannerch-y-medd yn 1980. Charles Williams oedd arweinydd sesiwn yr hwyr, ac mewn llawn hwyl gyda'i straeon. Cystadleuaeth y corau meibion oedd y gystadleuaeth gyntaf yn y babell yn sesiwn olaf yr eisteddfod. Daeth y côr cyntaf i'r llwyfan, Côr y Traeth os cofia i'n iawn. Wedi ychydig funudau o ganu, dychmygais i mi weld rhes gefn y côr yn diflannu o'r golwg. Mewn eiliadau, daeth sŵn o gyfeiriad y llwyfan a'r cantorion yn dechrau suddo i lawr yn ara deg ar y glaswellt. Roedd y llwyfan wedi chwalu dan bwysau'r côr a'r piano. Daeth Charles Williams, yr arweinydd, ymlaen a difyrru'r gynulleidfa am hanner awr tra bod y criw a fu'n codi'r babell yn ailadeiladu'r llwyfan. Roedd Charles druan yn gorfod cystadlu â sŵn dyrnu morthwylion a hoelion ac ati. Yn y pen draw ailgodwyd y llwyfan gan 'giang o hogiau iach', ac ailgydiwyd yn y gystadleuaeth. Cafodd y gweithwyr gymeradwyaeth wresog gan y gynulleidfa ac yna daeth y côr ymlaen i ailffurfio ar y llwyfan cyn dechrau unwaith eto. Popeth yn iawn, meddyliwn, a ninnau'r beirniaid yn gwrando'n astud. Credwch neu beidio, ymhen rhai munudau digwyddodd yr un peth am yr eildro! Ymlaen â Charles unwaith eto gyda'i straeon digri tra bod y 'pwyllgor adeiladu' yn cynnal cyfarfod brys wrth ochr gweddill y llwyfan. Gwelsom fod y llwyfan yn y babell wedi'i godi ar nifer o focsys pren tebyg i focsys oren 'slawer dydd. Penderfyniad y pwyllgor oedd cynnal gweddill y cystadlu ar y glaswellt a oedd erbyn hyn yn chwyslyd ac yn llaith. Roedd gwisg y corau meibion bob amser mor drwsiadus, ond roedd eu sgidiau duon yn sgleinio gyda lleithder y glaswellt. Doedd dim sôn am Ddeddf Iechyd a Diogelwch y dwthwn hwnnw yn Llannerch-y-medd. Er yr holl helbul a'r helynt, cafwyd Eisteddfod Môn lwyddiannus a chofiadwy. Y côr meibion a enillodd y gystadleuaeth y noson fythgofiadwy honno oedd Côr y Traeth!

Cefais gyfleon ymhen amser i feirniadu eisteddfodau yn Sarn Mellteyrn, Abersoch, Mynytho, Llanaelhaearn a Chlynnog Fawr. Mae Pen Llŷn yn ardal ddiwylliedig gyda thraddodiad eisteddfodol cyfoethog, a chymanfaoedd canu ardderchog yn perthyn iddi hefyd. Cofiaf fin nos fel y byddai'r cyddwysiad yn rhedeg i lawr y waliau a'r toeau sinc. Yn sicr, yr eisteddfod oeraf y bûm yn beirniadu ynddi erioed oedd Eisteddfod Capel Trawsfynydd. Roedd yn felltigedig o oer ganol gaeaf, a minnau'n ceisio sgwennu mewn menig gwlân. Dim ond un gwresogydd oedd yno.

Dros y blynyddoedd cefais y pleser o rannu bwrdd gyda dwsinau o feirniaid gwahanol. Rhaid dweud fod rhannu bwrdd y beirniaid gyda Geraint Lloyd Owen yn brofiad pleserus bob amser. Mewn un eisteddfod ym Mhen Llŷn, pan gyhoeddodd yr arweinydd llwyfan mai cystadleuaeth yr alaw werin oedd nesaf, dwedodd Geraint wrtha' i y byddwn yn siŵr o gael syrpréis. Daeth hen ŵr o'r enw Llwyn ymlaen ar y llwyfan ac er rhoi o'i orau, chafodd e ddim gwobr gen i. Roedd Geraint bron â diflannu dan y bwrdd pan gafodd Llwyn drafferth ar y llafariad 'a' ar y gair 'farw' a bu bron iddo golli ei ddannedd gosod! Ces fy syfrdanu, wrth gwrs, gan nad oeddwn wedi gweld na chlywed perfformiad tebyg na chynt na chwedyn! Pe bai *clapometer* yn mesur maint cymeradwyaeth y dorf, byddai Llwyn wedi cael y wobr gyntaf am ganu 'Yr asyn a fu farw wrth gario glo i'r Fflint'. Ef oedd ffefryn y gynulleidfa ac yn dipyn o seléb yn yr ardal, er nad oedd wedi ennill gwobr erioed mewn eisteddfod (chwedl yntau wrth gael ei holi ar Radio Cymru.) Pan ddechreues fy meirniadaeth ar y llwyfan aeth pobman yn dawel fel y bedd. Byddai pawb yn gwrando'n astud ar bob gair a ddeuai o enau'r beirniad ifanc o Gaerdydd, wrth i mi drafod perfformiad Llwyn. Yn fy meirniadaeth bûm yn ofalus rhag sarhau perfformiad y brawd. Er tegwch i weddill y cystadleuwyr, roedd rhaid i mi gyfeirio at wendidau yn ei berfformiad, megis rheolaeth dros y donyddiaeth, anghysondeb y brawddegau a llyfndra'r perfformiad wrth symud o lais y frest i lais y pen. Ond fe roddais ganmoliaeth iddo am ei arddull werinaidd naturiol. Roedd yn olaf allan o chwe chystadleuydd. Ond nid aeth adre'n waglaw chwaith. Pasiodd y gynulleidfa het o gwmpas y neuadd i gasglu pres am yr 'adloniant' a gafwyd gan berfformiad Llwyn. Cafodd fwy o bres na'r enillydd!

Pleser bob amser fyddai derbyn gwahoddiad i feirniadu yn eisteddfodau teulu Syr David James yn Llanbedr Pont Steffan, Aberteifi a Phontrhydfendigaid. Nid eisteddfodau lleol undydd mohonynt o gwbl! Roeddynt yn debycach i'r hyn a elwid yn '*Semi National*' slawer dydd – yn sgil nawdd hael gan Ymddiriedolaeth Pantyfedwen. Ces y fraint o feirniadu ar saith achlysur o ganol y 1970au hyd at 2013 yn Steddfod y Bont. Roedd arian mawr yn denu unawdwyr a chorau o bob man, a'r gŵr wrth y llyw oedd y cymeriad hoffus Moc Morgan. Fe roddodd y cyfle i mi fwrw prentisiaeth fel beirniad yno. Ar ôl i Moc orffen, daeth Neli Jones i lywio'r Eisteddfod gyda graen a brwdfrydedd tawel, effeithiol.

Cefais brofiadau gwerthfawr dros ben wrth gydfeirniadu gyda nifer o enwau adnabyddus a berthynai i gymdeithas y Gwyliau Cerdd Prydeinig. Y mwyaf enwog ohonynt oedd prif feirniad Prydain ar y pryd, Maurice Jacobson, brodor o Lundain a astudiodd dan Holst yn y Coleg Brenhinol. Maurice oedd y beirniad a roddodd y wobr gyntaf i ferch ifanc mewn gŵyl gystadleuol yn Carlisle yn 1937. Ei henw oedd Kathleen Ferrier. Roedd llais contralto cyfoethog ac unigryw gan y ferch hon i ysgolfeistr a anwyd yn 1912. Bu Kathleen yn gweithio mewn canolfan ateb galwadau teliffon yn Sir Gaerhirfryn, ac yn ferch ifanc roedd hi'n hoff o chwarae'r piano. Dechreuodd gystadlu fel unawdydd contralto mewn gwyliau cerdd yn y 1930au. Bu'n llwyddiannus sawl tro, gan ddenu sylw Maurice Jacobson, Syr Malcolm Sargent a Benjamin Britten, ynghyd â cherddorion amlwg eraill o Brydain. Mewn cyfnod byr, daeth Kathleen yn seren ryngwladol fyd-enwog. Daeth ei gyrfa lwyddiannus i ben yn ddirybudd yn 1953 pan fu farw o gancr y fron a hithau ond yn 41 oed. Bu Maurice Jacobson yn hynod o glên wrtha' i, gan gynnig cynghorion buddiol iawn sy'n dal efo fi hyd heddi. Roedd rywsut wedi sylweddoli yn ôl fy sylwadau fod gen i draw perffaith. Ei gyfaill mawr oedd Arthur Reckless, y bariton enwog ac athro canu Bryn Terfel am dair blynedd yn y Guildhall.

Un ffefryn arall yn Eisteddfod y Bont oedd Percy Young, yr awdurdod ar Edward Elgar. Roedd yntau'n barod iawn ei gyngor wrth fwrdd y beirniaid. Dyma galibr y beirniaid y bu Moc Morgan yn eu denu i'r Bont. Ysgol brofiad wych i mi, yn sicr. Erbyn i mi gael gwahoddiadau i Aberteifi a Llanbed roeddwn wedi aeddfedu trwy ddysgu wrth draed aml i Gamaliel fel Maurice Jacobson. Ces gyfle i ymuno â'r Gymdeithas Gwyliau Cerdd Prydeinig fel beirniad ar ôl i Maurice gymeradwyo'r cais. Yn dilyn f'aelodaeth o'r gymdeithas freintiedig hon, ces wahoddiadau di-rif i feirniadu dros Brydain Fawr, a mwynhau'r profiad drwyddo draw. Yn anffodus, oherwydd ymrwymiadau i arwain cymanfaoedd yng Nghymru, fedrwn i ddim derbyn ond traean o'r cynigion a ddaeth i law o dde Lloegr. Roedd llefydd fel Bryste a Minsterly yn hawdd eu cyrraedd o Gaerdydd, ond gwyliau yn swydd Efrog braidd yn bell! Bu rhaid i mi dynnu f'enw oddi ar y rhestr o feirniaid cerdd yn llawlyfr y Gymdeithas.

Nid yw beirniadu yn fêl i gyd. Roeddwn yn cyd-feirniadu un tro gyda'r diweddar Kenneth Bowen, Llanelli a Llundain, yn y Genedlaethol. Roedd Ken yn denor seingar poblogaidd, a fu'n unawdydd gyda Chôr Eisteddfod Caerdydd, yn canu 'Nessun Dorma' yn 1978. Dyna ble'r oedd e a minnau'n barod yn ein lle mewn capel i wrando ar bymtheg o denoriaid yn brwydro yn y rhagbrawf am le ar y llwyfan fore trannoeth yn y gystadleuaeth unawd tenor agored. Roedd safon y gystadleuaeth yn bur dda, a gwaith hawdd oedd dewis y tri fyddai ar y llwyfan. Ar ôl y diolchiadau arferol i'r cyfeilydd, y gynulleidfa a'r cantorion a stiward y rhagbrawf, daeth un o'r cystadleuwyr at fwrdd y beirniad gan ofyn i Ken pam nad oedd e wedi cael bod yn un o'r tri ar y llwyfan. Roedd e'n meddwl ei fod yn haeddu ei le fel un o'r tri. Eglurodd Ken wrtho nad oedd ei farciau yn y rhagbrawf wedi cyrraedd safon y tri a fyddai'n mynd i'r llwyfan drannoeth. Meddai wrth y ddau ohonom, 'You'll be hearing from my solicitor. I've been recording the whole prelim.' Dywedais wrtho nad oedd dim hawl ganddo gyhuddo Ken a minne o ffafrio neb, ac aeth ymaith a'i gwt rhwng ei gynffon.

Ni feddyliais erioed y byddwn yn cael gwahoddiadau i feirniadu yn y Wladfa, ond cefais y fraint o fynd yno bedair gwaith, yn 2001, 2004, 2006 a 2015. Dysgais lawer am Batagonia pan ddaeth criw drosodd i Gymru ar gyfer dathlu canmlwyddiant y glanio yn 1965. Gofynnwyd i aelodau Capel Minny St gynnig llety i'r fintai. Daeth bachgen ifanc swil i aros efo ni. Doedd ganddo ddim un gair o Saesneg ond roedd ei Gymraeg yn berffaith gydag acen hyfryd Sbaeneg ar ei dafodiaith. Ei enw oedd Elvey MacDonald. Cofiaf iddo ddweud wrtha 'i bryd hynny ei fod wedi gofyn yn aflwyddiannus i blismon, yn Gymraeg, ble gallai ddal y bws i'n cartref ni yn y Mynydd Bychan. Chafodd Elvey ddim ateb! Roedd Elvey, yn ei ddiniweidrwydd, yn meddwl fod pawb yng Nghymru yn siarad Cymraeg. Rydym ein dau yn cadw cysylltiad ers pan ddaeth yn gyfarwyddwr Eisteddfod yr Urdd yng Nghymru. Ef fyddai'n gyfrifol am yr holl drefniadau angenrheidiol o Lundain i Buenos Aires ac ymlaen i faes awyr Trelew, pan fyddwn i'n beirniadu neu yn arwain cymanfaoedd yn y Wladfa.

Mae Eisteddfod yr Ifanc ac Eisteddfod i bawb yn digwydd yn flynyddol yn y Wladfa ym mis Medi a mis Hydref. Maent yn debyg iawn i'n heisteddfodau ni yma yng Nghymru. Mae cystadlaethau dawnsio'r tango yn wledd i'r llygad fel y mae'r coroni a'r cadeirio yng Nghymru. Yr unig wahaniaeth yw fod Gorsedd y Wladfa yn gwisgo ponshios glas. Bydd unigolion, deuawdau a phartïon o ardal Chubut ac o Gwm Hyfryd, Trefelin ger yr Andes, yn cystadlu'n frwd yn erbyn ei gilydd. Caneuon Cymraeg hen a chyfoes yw'r darnau gosod cerdd. Mae'r beirniaid Cerdd, Llefaru, Llenyddiaeth a Dawnsio yn eistedd mewn un rhes wrth fyrddau'r beirniaid gyda meicroffon i bob un ar draws yr awditoriwm. Eisteddfod ddwyieithog ydyw, sef Cymraeg a Sbaeneg. Byddwn yn rhoi'r feirniadaeth yn Gymraeg, a swyddog sy'n medru'r Gymraeg a'r Sbaeneg yn ei chyfieithu i Sbaeneg ar y pryd. Yna, byddwn innau'n cyhoeddi'r canlyniad yn Gymraeg a Sbaeneg: Resultados *(Canlyniadau)*, Primero/a *(Cyntaf)*, Segundo/a *(Ail)*, Tercero/a *(Trydydd)*.

Mae eisteddfodau'r Wladfa ar-lein bellach a chaf bleser wrth ddilyn yr eisteddfod yn flynyddol ar fy nghyfrifiadur wyth mil o filltiroedd i ffwrdd yn fy nghartref yng Nghaerdydd. Doedd dim argoel bod unrhyw beth anghyffredin yn debyg o ddigwydd yn y byd ar y daith i'r Wladfa yn 2001. Hedfanais dros nos o Lundain ar 10 Medi gan lanio yn Buenos Aires ar fore 11 Medi. Roedd llawer o gyffro yn y maes awyr a thanciau a'r fyddin yn bresennol ym mhob man. Ni fedrwn amgyffred y gallai unrhyw beth anghyffredin fod wedi digwydd: tybiais mai fel hyn roedd y fyddin yno'n ymddwyn bob amser. Wrth lanio ym maes awyr Trelew, roedd hi wedi nosi yn y Wladfa. Y cyfan a welwn drwy ffenestri tai y Gaiman wrth gerdded i'r llety oedd setiau teledu yn dangos adeiladau uchel ar dân. Tybiais mai ffilm 'drychineb' debyg i *Towering Inferno* oedd ar sgriniau pawb. Yr ail fore, mewn siop bapur yn y pentre, gwelais bapurau newyddion yn yr iaith Sbaeneg â lluniau o'r gyflafan a ddigwyddodd yn yr Amerig pan oeddwn yn hedfan y bore cynt. Dyna'r adeg y sylweddolais beth oedd y dinistr a'r lladd a gyflawnwyd gan y terfysgwyr yn Efrog Newydd.

15

Cyhoeddi

NI CHREDAF i mi glywed unrhyw sôn am ysgrifennu creadigol neu adolygiadol yn ein teulu ni. Ond os oes diferyn o inc yn fy ngwaed, yn sicr gellir ei olrhain yn ôl i fy nhad, D. T. Guy. Yn ystod ei gyfnod maith fel Ysgrifennydd Mudiad Addysg y Gweithwyr yn Ne Cymru (1938–1970), bu Nhad yn gyfrannwr cyson i gylchgrawn Cymdeithas Addysg y Gweithwyr yng Nghymru. Enw'r cylchgrawn o dan olygyddiaeth David Thomas, Bangor, oedd *Lleufer*. Byddai pedwar rhifyn y flwyddyn yn ymddangos, ac am flynyddoedd maith byddai Nhad yn llunio erthygl bob chwarter dan y pennawd 'O'r swyddfa yng Nghaerdydd'. Byddai Nhad yn llunio'r erthyglau yn Saesneg, a David Thomas, y golygydd, yn eu trosi i'r Gymraeg. Yn ein teulu ni, Meinwen, fy ngwraig, oedd y llenor a'r cyfieithydd a minnau'r cerddor. Mae Sioned ein hunig blentyn wedi etifeddu'r elfennau llenyddol a cherddorol oddi wrth ei mam a minnau.

Rown i'n hoff o wersi *composition* yn Ysgol Gynradd Llwynfedw, Caerdydd. Cyfrwng yr iaith ysgrifenedig oedd Saesneg, wrth gwrs. Fy hoff lyfr yn yr ysgol oedd *First Aid in English*. Mae'r llyfr yn dal yn fy meddiant. Y llyfr hwn, mae'n debyg, oedd sail y rhan fwyaf o wersi pob dosbarth fyddai'n paratoi disgyblion ar gyfer

arholiad yr Ysgoloriaeth II+. Dyma rai enghreifftiau . . .
Change all Masculines into corresponding Feminines: (1) *The heir to the estate is a bachelor.* (2) *The mayor talked to the father of the little boy.* Yna byddai ymarferion atalnodi: *Punctuate the following sentences: A boy said to his chum are you going to the pictures no replied the other im on my way home*

Caem brofion beunyddiol ar sillafu a dirnadaeth ysgrifenedig gan yr athro, Idwal Evans, Cymro Cymraeg oedd yn ddiacon yn Eglwys Ebeneser Caerdydd. Cefais y gansen droeon ganddo am gamsillafu berfau a lluosog enwau ac yn y blaen. Byddai Mr Evans yn dweud wrtha' i cyn fy nghosbi â'r gansen, '*This will hurt me much more than it will hurt you, boy! Now bend over!*' Yn yr arholiad II+ yn Ysgol Llwynfedw yn 1949, lluniais draethawd ar '*Road Safety*' er bod digon o ddewisiadau testunau amgen ar gael ar y papur arholiad. Ni chofiaf yr un gair o'r traethawd ond cofiaf gyngor fy rhieni, sef dim brawddegau hirion, a pharagraff newydd wrth newid cyfeiriad y cynnwys. Dyna ddechrau a diwedd f'ymdrechion ysgrifennu creadigol. Drwy gydol fy nghyfnod yn yr ysgol ramadeg, rhoddid y pwyslais ar *précis* – sef ailysgrifennu a chywasgu erthygl/stori papur newydd o 500 gair i lawr i 300 heb golli ystyr a phrif bwyntiau'r erthygl. Roeddwn yn hoff iawn o'r cwestiwn hwn a fyddai'n orfodol ar bapur Lefel O Saesneg yn nes ymlaen yn yr ysgol ramadeg.

Arferai fy nhad brynu'r *Manchester Guardian* a'r *News Chronicle* yn rheolaidd, ac roedd Mam yn hoff o'r *South Wales Echo*. Byddwn i'n darllen y papurau o glawr i glawr, yn enwedig y tudalennau chwaraeon a'r llythyron. Roedd fy chwaer Janie yn dosbarthu papur wythnosol *Y Tyst* yn Minny St, ond yn fy arddegau doedd dim awydd arna' i i bori drwy erthyglau crefyddol.

Y tro cyntaf i mi ysgrifennu erthygl fer oedd i bapur newydd y *News Chronicle*. Roedd gan gapten tîm Lloegr ar y pryd, Billy Wright, golofn wythnosol ar y tudalen chwaraeon am faterion yn ymwneud â phêl-droed. Mentrais ddweud wrtho mewn erthygl 'mod i'n synnu bod clwb Fulham yn bwriadu talu cyflog o £100 yr wythnos i'r chwaraewr rhyngwladol Johnny Haynes! Daeth ateb yn y papur yr wythnos ganlynol gan Billy Wright yn diolch i *Mr Alan Guy* [*sic*] am ei sylwadau amserol. Doedd e ddim yn cytuno â mi bod jyst cael un chwaraewr talentog fel Haynes yn gallu sicrhau llwyddiant i'r clwb. Dyna fi wedi dewis fy ngyrfa felly! Yn f'arddegau roeddwn am fod yn ohebydd chwaraeon fel yr eicon J. B. G. Thomas o Bontypridd yn y *Western Mail*. Ces gyfle i ymweld â swyddfeydd y *Western Mail*, a chwrdd â'r dyn pwysig ei hun. Cartre'r *Western Mail* yn y pumdegau oedd llawr isaf, tywyll hen adeilad nid nepell o Stadiwm Rygbi Cenedlaethol Cymru. Wrth gerdded heibio'r stryd roedd modd gweld, drwy'r ffenestri aflan, y papurau newyddion yn cael eu hargraffu gan beiriannau brwnt a swnllyd. J B G oedd prif ohebydd rygbi'r papur rhwng 1946 ac 1982, cyfnod hirfaith o 36 o flynyddoedd. Pan glywodd 'mod i'n gyn-ddisgybl o Ysgol Cathays, lle'r oedd yntau hefyd wedi bod yn ddisgybl, cefais groeso brwdfrydig ganddo. Erbyn hyn rown i wedi cyffroi'n lân o gyfarfod â'r enwog Bryn Thomas! Aeth â mi o gwmpas pob adran o'r argraffty cynllun agored, gan ddangos ei deipiadur annwyl. Arno y byddai'n llunio pob erthygl ac adroddiad am rygbi yng Nghymru ar hyd y blynyddoedd. Cefais anogaeth ganddo i fwrw mlaen gan ddarllen mwy o bapurau newyddion, ac i fi geisio mabwysiadu fy arddull bersonol fy hun o ysgrifennu. Derbyniais ei gyngor gan obeithio nawr fod gen i fy arddull bersonol! Bûm yn llythyru'n gyson drwy f'arddegau yng ngholofnau'r *Western Mail* ar bynciau amrywiol, fel mai gwastraff arian i'r trethdalwyr oedd y *Royal Yacht*. Roedd fy mam wedi dweud wrtha' i y byddai rhyw frenhinwr rhonc yn lluchio bricsen drwy ffenest ein tŷ os oeddwn yn rhoi fy enw a chyfeiriad ar waelod y llythyr. Felly ufuddhau i fy mam a wnes gan arwyddo'r llythyr fel 'Taxidermist (stwffiwch y cwch)'. Dro arall ysgrifennais at yr *Echo* gan gwyno bod amser y bws olaf o dre Caerdydd yn rhy gynnar o lawer!

Penderfynais mai arddull gohebwyr papurau newydd fyddai fy arddull innau o hyn allan. Roeddwn yn prynu'r *Football Echo* pinc yn rheolaidd bob nos Sadwrn i weld sut roedd Cardiff City wedi gwneud. Bob wythnos roedd y golofn lythyrau yn cynnig gwobr ariannol o £1 1 swllt (gini) am y llythyr gorau, a 7s 6ch am bob llythyr arall a gâi ei gyhoeddi. Cefais sawl gwobr gan y golygydd, Horace Phillips.

Ces wahoddiad gan W. J. Jones, darlithydd yn Adran y Gymraeg yng Ngholeg Cyncoed Caerdydd, i gyfrannu i gyfres *Enwogion y Byd rhif 6: Cyfansoddwyr Enwog* gan Wasg Cambria, Aberystwyth. Roedd W. J. am i mi lunio ysgrifau ar fywydau pump o gyfansoddwyr y cyfnod Clasurol a'r cyfnod Rhamantaidd: Haydn, Mozart, Schubert, Wagner a Mahler. Treuliais wyliau hanner tymor Hydref 1983 yn ymchwilio ac yn ymateb i'r gwahoddiad. Dyna'r tro cyntaf i mi fynd ati o ddifrif i lunio ysgrifau. Wn i ddim pam, ond cefais wythnos wrth fy modd, a'r cyfan oll yn dod mor rhwydd i mi. Cefais ganmoliaeth gan W. J. am fy nghyfraniadau i'r gyfrol. Melys moes mwy, meddyliais! Ac yn wir, ymhen rhai blynyddoedd daeth gwahoddiad arall yn gofyn i mi gyfrannu at gyfres *Enwogion y Byd rhif 15: Cerddorion Enwog*. Y tro hwn roedd W. J. Jones yn awyddus i mi ganolbwyntio ar fyd jazz a chantorion o'm dewis. Fy newis i oedd Louis Armstrong, Benny Goodman, Glenn Miller, Django Reinhardt, Cleo Laine ac Elvis Presley.

Wedi dechrau ar fy swydd fel Pennaeth Cerdd yn Glantaf, sylweddolais ymhen tair blynedd y byddai angen paratoi nodiadau yn y Gymraeg ar gyfer disgyblion a fyddai'n sefyll arholiadau safon TGAU a Safon A yn y pen draw. Doedd dim prinder gwybodaeth am weithiau gosod cerdd yn yr iaith Saesneg pan own ym Mhontypridd, ond prin oedd y deunydd oedd ar gael yn y Gymraeg. Roedd yr ysfa i ysgrifennu nodiadau biopig am y cyfansoddwyr cerdd a'r gweithiau gosod wedi cydio ynof. Wrth i mi fynd yn hŷn a chael cyhoeddusrwydd ar y cyfryngau am arwain cymanfaoedd a beirniadu, cawn wahoddiadau mynych i adolygu recordiau ac i ysgrifennu llyfrau addysgol i ysgolion yn y sector Cymraeg. Bu papurau wythnosol *Y Faner* a'r *Cymro* yn hwb arbennig i mi helaethu fy mhrofiad o lunio erthyglau. Ni fûm erioed yn berson creadigol fyddai'n creu nofel neu ddrama. Ymateb i wahoddiad oedd pob llyfr, erthygl neu adolygiad a luniais.

Y cyntaf i ofyn i mi am gyfraniad i'r *Faner* oedd y cyn-Archdderwydd Geraint Bowen ym mis Mawrth 1977. Roedd newydd gael ei benodi'n olygydd. Gofynnodd i mi lunio erthygl am 'Yr hyn yr ydw i'n gobeithio ei wneud ar gyfer Eisteddfod Caerdydd' yn 1978. Cofiaf bostio'r erthygl drwy ddrws ei gartref wrth ochr y briffordd yn ymyl Tal-y-llyn. Cefais ganmoliaeth ganddo ynghyd â thâl o £10 o'r swyddfa yn y Bala! Mae'n rhaid 'mod i wedi plesio oherwydd daeth llythyr arall ganddo'n fuan yn fy ngwahodd i ysgrifennu erthyglau ar unrhyw bynciau cerddorol o'm dewis. Oherwydd fy ngwaith yn paratoi ar gyfer Eisteddfod Caerdydd y flwyddyn ganlynol fel arweinydd Côr yr Eisteddfod a dechrau ar fy swydd yn Ysgol Glantaf, chefais ddim siawns i sgwennu dim oll yn anffodus. Erbyn 'mod i'n barod i ailgydio yn fy 'ngyrfa' fel colofnydd cerdd roedd Geraint Bowen wedi ymddeol ar ôl cyfnod byr yn y swydd: bu dadl rhyngddo ef a Chyngor y Celfyddydau ynglŷn â chyfeiriad golygyddol y papur.

Prin fod enw Jennie Eirian Davies wedi cael ei gyhoeddi fel y golygydd newydd i olynu Geraint Bowen, cyn iddi fy ffonio ryw noson yn 1979, am drafod a fyddwn yn fodlon cyfrannu fel un o golofnwyr cerdd y *Faner* 'newydd'. Cytunais yn syth oherwydd rown i'n hoff iawn ohoni fel beirniad. Roedd yn meddu ar farn bendant a chroyw. Bues yn rhannu bwrdd y beirniaid gyda Jennie a'i phriod Eirian hyd oriau mân y bore mewn eisteddfodau mawr a bach lawer tro. Roedd ei brwdfrydedd heintus mewn galwadau ffôn yn falm i enaid blinedig athro ysgol o'r brifddinas! Deuai galwadau ffôn cyson o'i chartref ym Mhant-y-mwyn yn awgrymu erthyglau ar bob math o bynciau cerddorol cyfredol. Jennie Eirian yn anad neb arall oedd y dylanwad pwysicaf arnaf ym myd ysgrifennu a newyddiadura. Am gyfnod o 1979 hyd ei marwolaeth ddisymwth yn 1982, bues yn adolygu'r cystadlaethau cerddorol a'r cyngherddau yn yr Eisteddfodau Cenedlaethol. Bûm yn adolygu recordiad y Bryn Terfel ifanc, ac yn ysgrifennu teyrnged i'r cyfansoddwr enwog Carl Orff. Amhosibl fyddai gwrthod gwahoddiad gan Jennie. Byddai'n ysgrifennu llythyr o ddiolch ar ôl pob cyfraniad a luniais iddi. Hefyd byddai pob llythyr yn dechrau gyda'r geiriau, 'A fyddai'n bosibl i chi sgrifennu gair bach (rhyw 400 – 500 o eiriau) am ...' ac yn gorffen efo'r geiriau, 'Mi fuaswn yn rhyfedd o ddiolchgar pe lluniech gyfraniad bach'. Yn anffodus bu farw Jennie Eirian, fy mentor, ym mis Mai 1982 pan oeddwn wrthi'n llunio rhagair ar gyfer rhaglen cyngerdd ffarwél Syr Geraint Evans ym mis Awst y flwyddyn honno. Roedd ei marwolaeth ddisymwth yn sioc ac yn ergyd ofnadwy i Gymru, ei theulu, ac i minnau'n bersonol. Mae bwndel o lythyron oddi wrth Jennie yn dal yma yn y stydi, a phob brawddeg ohonynt yn gadarnhaol ac yn gefnogol. Doedd yna byth ddim arwydd o gwbl o iselder ysbryd nac egwan ffydd wrth inni sgwrsio fin nos ar y ffôn. Roedd Jennie ar dân dros bob agwedd o Gymreictod a'i dylanwad yn bellgyrhaeddol. Fues i ddim yn ei hangladd, ond bydd coffadwriaeth am y cymeriad arian byw o Lanpumsaint, Llandre a Phant-y-mwyn yn aros yn y cof tra byddaf.

Cefais lythyr oddi wrth Elfed Roberts yn 2001 yn fy ngwahodd i fod yn Olygydd Cerdd yr Eisteddfod Genedlaethol i olynu'r diweddar John Stoddart. Dyma'r flwyddyn y cefais fy nerbyn i'r Wisg Wen yn yr Orsedd. Roedd John Stoddart wedi bod yn cyflawni'r gwaith golygu ers rhai blynyddoedd gyda chlod mawr. Byddai dilyn gwaith John yn her arbennig o anodd, ond yn y diwedd derbyniais y swydd. Yr Eisteddfod gyntaf i mi gwblhau'r gwaith o olygu cyfieithiadau ar ei chyfer oedd Eisteddfod Sir Benfro Tyddewi yn 2002. Dyletswydd Golygydd Cerdd yr Eisteddfod yw sicrhau fod pob cyfieithiad i'r Gymraeg yn addas o ran yr acenion a'r brawddegau, yr ieithwedd a naws y gerddoriaeth. Mae'n rhaid i'r cyfieithiadau fod yn ganadwy, wrth gwrs, gan osgoi'r defnydd o gytseiniau tywyll ar uchafbwyntiau lleisiol a fyddai'n anodd i'r llais. Ar hyd y daith o bron ugain mlynedd, bûm yn ffodus dros ben o gael Elinor Jones yn bennaeth dros yr Adran hon. Byddai Elinor yn cadw golwg fanwl a chraff ar y cyfieithiadau yn ogystal â pha gerddoriaeth oedd ar gael ac ati. Byddai'n anfon y cyfieithiadau a'r gerddoriaeth ataf drwy'r post yn rheolaidd er mwyn i mi sicrhau bod popeth yn ffitio'r lleisiau ac yn y blaen. Erbyn heddi, mae ein cyfrifiaduron yn siarad efo'i gilydd. Buom yn ffodus iawn yn yr Adran hon o gael cyfieithwyr arbennig o dalentog fel Dafydd Jones, Eifion Lloyd Jones, John Stoddart,

Geraint Løvgreen, Mererid Hopwood, Dyfnallt Morgan, Angharad Price a Siân Meinir i enwi dim ond wyth o'r rhai a fu wrthi'n cyfieithu'n ddiwyd. Wn i ddim sawl darn y bûm yn eu golygu ers 2001, ond pleser fu'r cydweithio rhwng Elinor a minnau. Mae cronfa ddata o rai cannoedd o ddarnau gafodd eu cyfieithu dros y blynyddoedd yn swyddfa Elinor.

Yn 2003, roedd cyd-fyfyriwr i mi yn y Brifysgol yng Nghaerdydd, D. Bryan James, wedi derbyn gwahoddiad gan Wasg Gomer i olygu cyfres o lyfrau Cymraeg. Gofynnodd Bryan i mi gyfweld â chwech o gantorion adnabyddus Cymru ac ysgrifennu portread o bob un ohonyn nhw. Teitl y gyfrol gyntaf fyddai *Cantorion o Fri: ar lwyfan Cymru*. Bues yn crwydro o gwmpas cartrefi'r chwe unawdydd gyda'm peiriant recordio a'm *sat nav* dros gyfnod o rai wythnosau. Ces groeso twymgalon gan Shân Cothi, Dai Jones, Tom Gwanas, Trebor Edwards, John Eifion Jones a Fflur Wyn. Roedd y broses o ddod i'w hadnabod yn un bleserus. Dim ond o fwrdd y beirniaid yr arferwn eu gweld a'u clywed mewn eisteddfodau. Cyhoeddwyd y gyfrol yn 2004 yn Eisteddfod Casnewydd lle cynhaliwyd y lansiad swyddogol yng nghwmni'r cantorion.

Y flwyddyn ganlynol, wele gais arall yn dod o gyfeiriad Bryan James gan ofyn i mi gyfweld â chwe chantor o Gymru sydd bellach ymhlith mawrion y byd cerddorol. Bryn Terfel, Rhys Meirion, Gwyn Hughes Jones, Rebecca Evans, Katherine Jenkins a Stuart Burrows oedd fy newis personol. Teitl yr ail gyfrol hon fyddai *Cantorion o Fri: ar lwyfan y byd*. O'r chwech dim ond Stuart Burrows sy wedi encilio o olwg y cyhoedd; mae'n dal i fyw yn Sain Ffagan ac mae ganddo stiwdio yn y tŷ lle mae'n medru ailwrando ar rai o funudau enwocaf ei yrfa. Bues yno ddwywaith a chael derbyniad gwresog iawn gan y tenor o Gilfynydd. Wrth imi ymadael â'i gartref rhoddodd anrheg ecsgliwsif i mi o gyfres o ganeuon a recordiwyd ganddo ef a John Constable, y cyfeilydd enwog. Nid yw'r recordiad hwn ar gael yn unman. Ni lwyddodd Katherine Jenkins a minnau i gyfarfod am gyfweliad gan ei bod hi mor brysur, ond cawsom sgwrs hanner awr dros y ffôn a minnau'n recordio'r sgwrs gyda chaniatâd Katherine. O rywle yng nghanol Llundain yr oedd yn fy ffonio; roedd wedi parcio ei char wrth ochr y palmant. Hanner ffordd drwy'r sgwrs daeth llais dyn (*Cockney*) dros y ffôn, '*You can't park here, luv. Get going or I'll give you a ticket.*' Yna, mae'r warden parcio yn adnabod y ddynes ar y ffôn ac yn ymddiheuro i Katherine. '*Sorry luv, I didn't know it was you, Miss Jenkins.*' Meddai hi, '*Thanks mate! I'm being interviewed by Alun Guy of Cardiff for his new book,*' a sŵn traed y warden yn diflannu!

Daeth gwahoddiad i ysgrifennu llyfr arall, yn Saesneg y tro hwn, gan Wasg Gomer yn 2006. Roedd ganddynt gyfres, *The Insider's Guide to Wales* dan olygiaeth Ceri Wyn Jones, yn cynnwys *Welsh Icons*, *Welsh Sporting Heroes*, *Highlights of Welsh History* a chyfrolau eraill. Yr enw ar y gyfrol yr oeddynt am imi ei hysgrifennu oedd *Great Welsh Voices*. Fy newis oedd lleisiau Syr Geraint Evans, Stuart Burrows, Tom Jones, Côr Meibion Pontarddulais, Dennis O'Neill, Meic Stevens, Caryl Parry Jones, Rebecca Evans, Opera Genedlaethol Cymru, Shân Cothi, Syr Bryn Terfel a Katherine Jenkins. Roeddwn yn hynod falch o gael y cyfle i oleuo ymwelwyr i Gymru am y talentau a geir yn ein gwlad.

Tra oeddwn yn gweithio i CBAC fel Prif Arholwr TGAU a Safon A, ces gyfle i ysgrifennu wyth o lyfrau gwaith cwrs i athrawon a disgyblion, pedwar yn y Gymraeg, a phedwar ohonynt yn gyfieithiadau i'r Saesneg ac un cyfieithiad i'r Gymraeg:

Sgorau i gefnogi Cerddoriaeth Uwch Gyfrannol, Alun Guy, CBAC, 2009. CD yn gynwysedig o'r 18 darn gosod. Cyhoeddwyd gan Gynllun Adnoddau Addysgu a Dysgu CBAC a Phrifysgol Aberystwyth yn y Gymraeg ac yn Saesneg. Antholeg wedi'i llunio ar gyfer myfyrwyr sy'n astudio cwrs Cerddoriaeth Safon A. Mae'r dadansoddiadau o'r 18 gwaith gosod yn canolbwyntio ar strwythurau sylfaenol y gerddoriaeth. Nid traethawd academaidd ar gyfer cerddolegwyr mo'r bwriad, ond ymdrech i egluro'r broses o ddadansoddi, all fod yn ddryslyd ar adegau. Dylai'r enghreifftiau o gordiau, trawsgyweirio, harmoni a dyfeisiau cyfansoddi fod yn fan cychwyn ar gyfer ymchwil bellach.

TGAU Cerddoriaeth – Llawlyfr y Myfyriwr ar gyfer manyleb, CBAC 2005, Alun Guy ac Iwan Llewelyn Jones.[*] CD yn gynwysedig Cyhoeddwyd gan Gwmni Rhinegold yn y Gymraeg ac yn Saesneg. Mae'r Llawlyfr hwn yn ategu gwaith yr athrawon yn y dosbarth. Yr athrawon sy'n asesu'r gwaith cyfansoddi a'r arholwr allanol fydd yn asesu'r gwaith ymarferol ac ensemble. Mae'r llyfr yn cynnwys nifer o gwestiynau 'Profwch eich hun' ar bob maes astudiaeth. Mae'r cwrs TGAU hwn yn cynnig gwybodaeth am arddulliau pop ac arddulliau clasurol. Hefyd, mae adrannau ar gyfresiaeth, cerddoriaeth aleatorig a minimaliaeth.

---

[*] Dr Iwan Llewelyn Jones. Yn hanu o Sir Fôn yn wreiddiol. Unawdydd Piano llawn amser yw Iwan Llewelyn Jones, yn arbenigo mewn Cerddoriaeth Gymreig a Ffrengig. Astudiodd ym Mhrifysgol Rhydychen a Choleg Cerdd Brenhinol Llundain. Bu'n arholwr perfformiadau allanol dan nawdd CBAC Cymru ers nifer o flynyddoedd.

Profion Gwrando Cerddoriaeth TGAU i Ddisgyblion, Alun Guy, 2009.

Cyhoeddwyd gan Gwmni Rhinegold yn y Gymraeg ac yn Saesneg. Mae'r llyfryn hwn yn cynnwys 25 o ddyfyniadau fydd yn asesu adnabyddiaeth o arddull, cyweiredd, offerynnau a lleisiau. Hefyd, mae yma gwestiynau sy'n canolbwyntio ar wybodaeth o rythmau, gwead, ffurf, arddull a chyfnod.

Profion Gwrando Cerddoriaeth TGAU i'r Athrawon, Alun Guy, 2009. CD yn gynwysedig.

Cyhoeddwyd gan Gwmni Rhinegold yn y Gymraeg ac yn Saesneg. Bwriad yr atebion a roddir yma yw cynnig canllaw; nid y rhain yw'r unig atebion posibl bob tro. Dylai atebion gwahanol dderbyn credyd os ydynt yn cynnig ateb cywir a diamwys i'r cwestiwn. Mae cynllun marcio ar gael i bob un o'r 25 cwestiwn.

Study Guide AS and A level Music, Jan Richards, Rheingold, 2017. Cyfieithiad gan Alun Guy

16

Arholwr

COFIAF gael hen bapurau arholiad oedd yn gofyn am gyfieithu o'r Saesneg i'r Gymraeg gan ein hathro Cymraeg, Elvet Thomas. Ar flaen y papur roedd y llythrennau CWB – yr hen Central Welsh Board. Nhw oedd yn gyfrifol am arholiadau yng Nghymru tan 1948, pan ddaeth y Bwrdd Arholi presennol CBAC i fodolaeth.

Wedi ymddeol o Ysgol Glantaf yn 1998, clywais fod CBAC yn hysbysebu am Brif Arholwr Cerdd TGAU. Roedd gen i ddiddordeb, a minnau nawr yn gerddor llawrydd. Doeddwn i ddim yn gwbl sicr, ychwaith, 'mod i am ddilyn y llwybr o osod papurau arholiad a'u marcio weddill fy nyddiau. Y rhan o'r swydd a barodd i mi newid fy meddwl oedd y cyfarfodydd undydd a drefnir gan CBAC i athrawon Cerdd Cymru. Bob hydref yn dilyn y canlyniadau arholiad, disgwylir i brif arholwyr deithio i ganolfannau fel Caerdydd, Bangor, Llanberis a Chaerfyrddin i drafod y cwricwlwm ac egluro'r cynllun marcio ac ati i'r athrawon Cerdd. Hon oedd yr elfen a apeliai fwyaf ataf. Rheswm arall dros newid fy meddwl ynglŷn â chynnig am y swydd oedd y cyfle i ddiwygio cwrs Cerdd TGAU. Roeddwn yn anghytuno â sawl elfen o'r cwrs. Roedd angen ei ddiwygio a'i ddiweddaru.

Yn dilyn cyfweliad, pan ges i gyfle i amlinellu fy nghynlluniau am ddiwygio'r cwrs Cerdd, es adre gan ddweud wrth fy ngwraig, 'Dyna un swydd fedra' i anghofio amdani, ond fe wnes i fwynhau'r cyfle i arllwys fy mol wrth y panel apwyntio, fodd bynnag!' Aethom i ffwrdd dros y penwythnos i fwynhau tridiau yn Bournemouth lle'r oeddwn yn arwain cymanfa ar y Sul. Roedd tair neges ar beiriant ateb y ffôn ar ôl cyrraedd adref, yn gofyn i mi ffonio swyddfa CBAC. Er mawr syndod, cynigiwyd y swydd i mi drannoeth ac fe'i derbyniais yn llawen. Wele gychwyn ar gyfnod hynod o hapus a bodlon yn fy natblygiad fel cerddor. Pan own yn athro, doedd dim llawer o ddiddordeb gen i yn y broses o osod papur arholiad cerdd a marcio. Roedd mwy o ddiddordeb gen i mewn paratoi fy nisgyblion ar gyfer yr arholiadau. Bues yn y swydd tan 2019 – cyfnod o ugain mlynedd. Yn y cyfnod cynnar, ar ddechrau canrif newydd, roedd gen i swyddogion pwnc ardderchog fel Sybil Bevan, Hywel Jones ac Elaine Carlisle – pob un ohonyn nhw'n gyn-athrawon. Nhw fyddai'n arolygu a threfnu'r arholiadau Cerdd TGAU a Safon A o'r cam cyntaf hyd at y dyfarnu graddau – cyfnod o chwe mis, fwy neu lai.

Roedd tair elfen i'r arholiad TGAU, sef perfformiad unigol ac ensemble, cyfansoddi ffolio, ac arholiad ysgrifenedig. Yn ystod y blynyddoedd cyn dyfodiad y cwricwlwm cenedlaethol yn 1988, roedd y maes llafur Cerdd Lefel O yn apelio at gerddorion clasurol gan fwyaf. Prin iawn oedd nifer y disgyblion a astudiai'r pwnc yn yr ysgolion. Doedd dim lle mewn gwirionedd i'r bandiau roc, nac ychwaith i'r sawl a ymddiddorai mewn mathau amgen o gerddoriaeth. Yn 1988 daeth cyfle i ehangu'r maes llafur Cerdd gyda'r Cwricwlwm Cenedlaethol newydd dan lywodraeth Margaret Thatcher. Roedd jazz, roc a phop yn cymryd eu lle ar y maes llafur diwygiedig, yn ogystal â dj-io, rapio a chaneuon o'r sioeau. Gofynnwyd i Ed Holden, yr arch rapiwr ei hun, ddod lawr i ganolfan CBAC yng Nghaerdydd i gynnal ysgol undydd i'n harholwyr. Cafodd Ed wahoddiadau lu i nifer fawr o ysgolion Cymru i gynnal sesiwn undydd yn sgil ei gysylltiad â'n Bwrdd Arholi. Roedd y niferoedd a fynnai astudio cerddoriaeth TGAU bellach yn tyfu'n aruthrol. Ond yn bwysicach na hynny, roedd y cwrs Cerdd Safon Uwch ac Uwch Gyfrannol yn newid hefyd.

Er mwyn hyrwyddo'r pontio academaidd rhwng astudio cerddoriaeth TGAU a'r arholiad Cerdd Uwch Gyfrannol a Safon Uwch, daeth gwahoddiad i mi ymuno â phaneli Safon Uwch CBAC. Rwy'n dal i arholi UG a Safon Uwch o gwmpas colegau 6ed dosbarth, ac ysgolion uwchradd yng Nghymru a Lloegr. Llynedd, bûm yn arholi yn ysgolion uwchradd Ynys Manaw ac Ynys Wyth. Tan y llynedd, byddwn yn arfer hedfan i Ynys Cyprus bob mis Mai i asesu perfformiadau TGAU a Safon Uwch y disgyblion oedd â'u rhieni yn aelodau o'r fyddin Brydeinig yno. Roedd yr elfennau cyfansoddi ac ymarferol yn rhywbeth newydd i ddisgyblion TGAU yn 1986. Doedd dim cyfansoddi o gwbl o dan yr hen drefn Lefel O. Nid oedd yr elfen berfformio yn orfodol cyn 1988. Cefais y pleser o bontio ac ehangu'r maes llafur TGAU yn ystod fy nghyfnod fel prif arholwr. Rwy'n gwybod 'mod i wedi plesio nifer wrth gynnwys cerdd dant ar y maes llafur, a cherddoriaeth Gymreig ar y papur gwrando.

Byddwn yn cynllunio'r papur(au) gwrando bob Nadolig gan ddewis cerddoriaeth o bob cyfnod ar gyfer y cwestiynau a sicrhau bod hyd y dyfyniadau yn gywir. Yna, byddai panel o dri neu bedwar athro a minnau a'r swyddog pwnc yn cyfarfod, ac yn mynd drwy'r papur gyda chrib mân. Rhaid oedd sicrhau bod y cwestiynau'n eglur a'r termau ar y papur yn rhan o'r maes llafur. Yna, byddwn yn cyfieithu'r papur ac yn recordio'r cyfarwyddiadau a'r dyfyniadau yn y Gymraeg a'r Saesneg. Ar ôl yr arholiad byddai criw o rhwng chwech ac wyth o athrawon yn marcio'r papurau dros gyfnod o dair wythnos, ar ôl inni gytuno ar gynllun marcio terfynol. Yn yr hydref yn dilyn yr arholiad, byddai'r swyddog pwnc yn trefnu cyfarfodydd i'r athrawon Cerdd gael holi'r prif arholwr am gynnwys y papur gwrando, safoni'r cyfansoddiadau a'r asesu perfformiadau ymarferol. Roeddwn yn hoff o gyfarfod athrawon Cerdd Cymru a Lloegr a chael dadleuon brwd am faterion yn ymwneud â'r arholiad. Mae gofyn i bob prif arholwr gyhoeddi adroddiad manwl ar bob elfen o'r gwaith cwrs, yr asesiad ymarferol, a'r papur arholiad fesul cwestiwn. Bellach, daeth tro ar fyd a hynny ers dwy flynedd. Mae'r elfen ymarferol yn cael ei hasesu'n fewnol gan yr athrawon Cerdd, a recordiadau o'r perfformiadau'n cael eu hanfon ar-lein i'w safoni gan Fwrdd Arholi CBAC.

Yn ystod tymor fy swyddi gyda'r Cydbwyllgor roedd y galw am lawlyfrau a phrofion gwrando yn cynyddu. Roedd pob bwrdd arholi ym Mhrydain yn cyhoeddi llawlyfrau i gefnogi manylebau pob pwnc pan fyddai cynnwys y manylebau yn newid. Gofynnwyd i mi ac i Iwan Llewelyn Jones ysgrifennu llawlyfr i gefnogi manyleb newydd Cerdd TGAU yn 2004. Y cyhoeddwyr oedd cwmni Rhinegold yn Llundain. Yna, yn 2008, daeth cais oddi wrth yr un cwmni i mi ysgrifennu llyfr o brofion gwrando a fyddai'n gymorth wrth baratoi ar gyfer y papur gwrando Cerdd TGAU. Roedd y llyfrau yn Gymraeg ac yn Saesneg ar gyfer y disgyblion a'r athrawon. Y flwyddyn ganlynol daeth cais oddi wrth CAA Aberystwyth (Cynllun Adnoddau Addysgu a Dysgu CBAC) i ysgrifennu llawlyfr o ddadansoddiadau o

18 o weithiau gosod amrywiol i gefnogi manyleb newydd AS cerddoriaeth. Roedd y cyfnod hwn o bedair blynedd rhwng 2004 a 2008 yn un hynod o brysur o ran ysgrifennu gwerslyfrau. Rwy'n dal i weld copïau o'r llyfrau hyn ar silffoedd yr ystafelloedd Cerdd mewn ysgolion ar hyd y wlad. Cafwyd seibiant byr cyn i mi gael cais yn 2016 oddi wrth adran olygyddol CBAC i gyfieithu llyfr fyddai'n gymorth i gwrs newydd TGAU gan un o'n harholwyr, Jan Richards.

17

Codetta

P AN OEDD Meinwen, fy ngwraig, yn gwaelu yng
ngwanwyn 2002 roedd hi'n mynnu y dylwn barhau i
arwain, beirniadu ac ysgrifennu. Er i mi addo y gwnawn
hynny, doedd fawr o awydd arna' i ymhél ag unrhyw
beth a wnelo â cherddoriaeth neu lenyddiaeth yn ystod
y gwanwyn du hwnnw. Roedd ein hymweliad olaf â'r
arbenigwr yn Ysbyty'r Waun ddechrau mis Ebrill yn
ddirdynnol. Roedd cancr y fron, meddai'r arbenigwr,
wedi ymledu trwy ei chorff egwan ers tro, ac nid oedd
gobaith am wellhad. Roedd hithau wedi ymladd y gelyn
dinistriol mor ddewr ers nifer o flynyddoedd. Dewisodd
Meinwen ddod adref am weddill ei dyddiau yn hytrach
nag aros yn yr ysbyty. Bu farw ddydd Sul Ebrill 21,
bedwar mis ar ôl inni ddathlu ei phen blwydd yn drigain
oed yng ngŵydd ei holl ffrindiau a'n teuluoedd yng
Ngwesty Coed y Mwstwr ger Pen-y-bont. Gyda chymorth
Sioned, fy merch, a'i gŵr Gordon, Janie fy chwaer, Iwan
fy mrawd, a Lyn ei wraig, daeth haul ar fryn unwaith eto
wrth imi ailgydio yn fy mywyd. Mae cerddoriaeth yn wir
yn gallu bod yn falm i'r enaid clwyfus ar brydiau – ac felly
y profais innau. Cedwais y ffydd ac ymlaen yr euthum i
deithio dramor ac ailgydio yn fy ngyrfa fel arweinydd ac
fel beirniad.

Un o'r eisteddfodau a'r cymanfaoedd canu cyntaf y bues ynddyn nhw ar ôl y cyfnod tywyll hwn yn fy mywyd oedd Eisteddfod a Chymanfa Ganu Môn, Llannerch-y-medd. Yno roedd cyfaill annwyl i mi, Evie Lloyd, yn barod i estyn ei groeso twymgalon arferol, ac yn gymorth hawdd ei gael mewn cyfyngder. Roedd cyd-feirniad i mi, y soprano Miriam Bowen, yn gwmni hawddgar hefyd ac yn glust oedd yn barod i wrando a chynnig cyngor, wrth inni deithio o Gaerdydd i Sir Fôn ac yn ôl.

Cefais wahoddiad yn 2008 i arwain y gymanfa ganu am y pumed tro yn y Genedlaethol. Dyna'r gymanfa genedlaethol orau erioed y ces i'r fraint o'i harwain. Roedd Robert Nicholls, perthynas i mi o Ben-clawdd, wrth yr organ a cherddorfa siambr o offerynwyr yn cyfeilio. Mae sawl rheswm pam mai hon oedd y gymanfa orau. Roedd y gerddorfa gyfan yn ffrindiau personol i mi neu'n gyn-ddisgyblion i mi yng Nglantaf, a chefais ddewis fy hoff emyn-donau yn y rhaglen. Dyma'r côr unedig mwyaf cryf a seingar y cefais y fraint o'i arwain erioed; rown i'n adnabod pob copa walltog y tu ôl i mi ar y llwyfan. Bu'r gynulleidfa'n canu mor frwdfrydig, ond yn bwysicach oll, roedd yn *home gig* o flaen fy mhobl i fy hun ar deledu byw!

Heb yn wybod i mi, roedd mam a merch o Gaerdydd yn rhan o'r gynulleidfa yn y pafiliwn nos Sul agoriadol Eisteddfod Genedlaethol Caerdydd ar gyfer y darllediad byw o'r gymanfa. Roedd y ddwy hefyd yn bresennol ar y nos Sadwrn ganlynol yn y cyngerdd fyddai'n cloi'r Eisteddfod. Roeddwn wedi gwahodd Syr Karl Jenkins i arwain ei waith yn ail hanner y cyngerdd. Rown i mor falch ei fod wedi derbyn fy ngwahoddiad i fod ar y rostrwm ac arwain *Dewi Sant*. Roedd tad Karl, J. D. Jenkins, wedi aros ar hyd ei fywyd yn ei bentref genedigol, yn athro ysgol ac yn organydd a chôr-feistr eglwys

Tabernacl ar lan moryd Llwchwr. Roedd fy nhad, D. T. Guy, yntau wedi gadael Pen-clawdd, ac wedi ymsefydlu yng Nghaerdydd yn ei swydd gyda'r W.E.A. Pan oeddem yn blant, byddem yn arfer cwrdd yn ysbeidiol yn swyddfa fy nhad yn Heol Siarl Caerdydd a chael lifft adre ganddo yn y car. Bu'r W.E.A. yn cyflogi sawl ysgrifenyddes yn ystod ei gyfnod. Un ohonyn nhw oedd merch ifanc o Gaerdydd o'r enw Maureen Ginn, merch i blismon oedd yn byw yn ymyl croesffyrdd Rhodfa'r Gorllewin yn ardal y Mynydd Bychan. Roedd ganddi wallt lliw melyn a dillad cyfoes ffasiynol, os cofiaf yn iawn. Bu'n garedig wrthym ni blant, gan adael i ni chwarae gyda'r teipiadur ac yn y blaen. Wedi cyfnod o flwyddyn neu ddwy, daeth ysgrifenyddesau newydd i weithio yn y swyddfa ac ni welsom Maureen na chynt na chwedyn, ond . . . wele lythyr yn glanio ar lawr fy nghartref ar 21 Awst 2008, a'r dyddiad postio 5 Awst arno (ar ôl i'r Eisteddfod orffen a symud ymlaen i'r Bala). Y cyfeiriad ar y llythyr oedd, *Alun Guy c/o Eisteddfod, Pontcanna Fields, Cardiff.* Rhaid canmol y Swyddfa Bost am waith ditectif arbennig yn dargyfeirio'r llythyr ataf i Riwbeina! Syrpréis hyfryd oedd darllen cynnwys y llythyr, a gweld enw cyn-ysgrifenyddes fy nhad ar y gwaelod – Maureen Ginn. Roedd hi a'i merch wedi mwynhau'r gymanfa a'r cyngerdd yn yr Eisteddfod yn fawr iawn ac yn fy llongyfarch am fy ngwaith. Doeddwn i ddim wedi gweld Maureen ers 1953 – cyfnod o 55 o flynyddoedd. Wedi sgwrs fer ar y ffôn, trefnwyd iddi ddod i'm cartref yn Rhiwbeina i gael swper a chlonc am ein bywydau ers 1953! Ei merch Julie roddodd lifft i'w mam y noson honno ac a fu'n eistedd yn amyneddgar iawn yn gwrando arnom yn dal i fyny am ein hanesion teuluol ers dros hanner can mlynedd. Wedi cyfnod o rai blynyddoedd, sylweddolais 'mod i am dreulio gweddill fy nyddiau gyda Julie. Roedd yn berchennog ar gwmni diogelwch yng Nghaerdydd ac yn fam i ddau blentyn yn eu harddegau, Adam a Lillie. Er i Julie a minnau drafod priodas, ni theimlem fod yr amser yn iawn bryd hynny. Wedi i'r plant fynd drwy'r brifysgol ac ymgartrefu, daeth yr amser inni feddwl am brynu cartref i'r ddau ohonom. Teimlem fod yr haul yn gwenu unwaith eto ar ein bywydau. Fis Medi 2018 yn Eglwys Dewi Sant Caerdydd daeth teuluoedd Julie a minnau ynghyd i ddathlu ein priodas. Merch o Gaerdydd yw Julie sy'n dysgu Cymraeg ac fel syrpréis hyfryd i bawb llefarodd addunedau'r briodas yn y Gymraeg yn ystod y gwasanaeth. Mae Sioned, Gordon a'r ddau fab, Keith a Cian, nawr yn byw yn fy hen gartref yn Rhiwbeina. Mae Julie a minnau'n byw yn hapus mewn tŷ yn y Mynydd Bychan, nid nepell oddi wrth weddill y teulu.

18

Epilog

P AN WELAF neu glywed y gair 'epilog', daw darlun cysurlon a hapus i'm cof. Rwy'n un ar ddeg oed, ac yn eistedd yn y neuadd fawr bren yng Ngwersyll yr Urdd Llangrannog ar derfyn dydd, gyda'r swogs a'r gwersyllwyr i gyd. Yr arfer oedd inni ymdawelu a gorffen holl fwrlwm y dydd gyda gweddi, a chydganu'r geiriau, 'Nefol Dad, mae eto'n nosi, gwrando lef ein hwyrol weddi, nid yw'r nos yn nos i ti; Rhag ein blino gan ein hofnau, rhag pob niwed i'n heneidiau, yn dy hedd, O cadw ni.' Deuai ymdeimlad o hiraeth drosof am fy rhieni a'm teulu, wrth i bawb ymlwybro'n ôl i'w cabanau neu eu pebyll cyn clwydo. Daw'r un ymdeimlad o hiraeth yn ôl heddi wrth lunio pennod olaf f'atgofion am dyfu'n gerddor.

Doedd y daith gerddorol ddim bob amser yn esmwyth: mi faglais lawer gwaith a phrofi troeon trwstan ar y ffordd. Wrth bwyso fy ngyrfa yn y glorian, fel Belsasar gynt, yn wahanol iddo fe, credaf ar y cyfan 'mod i wedi ceisio gwneud cyfiawnder â'r dalent a ddaeth i'm rhan. Un o hoff ddywediadau fy mam oedd, '*Self praise is no recommendation.*' Gwir pob gair. Nid anghofiais hynny gydol fy mywyd.

Byddaf bob amser yn cofio am y profiadau cerddorol

mewn cymanfaoedd a chyngherddau. Byddaf hefyd yn gwerthfawrogi'r cyfleoedd a gefais i deithio'r byd. Yn fwy na hynny, bu'r cyfle i gyfarfod â chymaint o gantorion, beirdd, offerynwyr, cyfansoddwyr a cherddoregwyr talentog, yn fraint nad anghofiaf fyth. Rwy'n dal i fwynhau fy ngwaith o asesu gwaith cwrs TGAU gyda CBAC yng Nghaerdydd, a marcio sgriptiau ar-lein. Hefyd, rwy'n parhau i ymweld ag ysgolion a cholegau fel arholwr allanol i asesu disgyblion Safon Uwch Cerddoriaeth. Rwy'n dal yn arweinydd Côr Ffilharmonig Caerdydd. Ers 1992, bûm yn ymwelydd cyson â Chapel Pen-rhiw, ac yn arwain y carolau yng Ngŵyl Nadolig Amgueddfa Sain Ffagan dros gyfnod o 27 mlynedd. Mawr hyderaf y caf fynd yno eleni eto i'r capel bychan annwyl.

Ni fûm erioed ag uchelgais go iawn, neu â breudd-wydion arbennig, oherwydd gwelais droeon gydag eraill, sut y gall methiant i gyrraedd y brig gael effaith andwyol a sinigaidd ar fywyd unigolyn. Hapusrwydd personol a theuluol sydd yn bwysicach na dim oll i mi, a hyn sydd wedi llywio cwrs fy mywyd. Rhaid cyfaddef, fodd bynnag, 'mod i'n falch iawn o gael fy nerbyn i Wisg Wen yr Orsedd yn 2000, ac o dderbyn gwahoddiad i fod yn un o lywyddion anrhydeddus Eisteddfod yr Urdd Caerdydd yn 2019. Ymddengys mai megis ddoe yr enillais fy ngwobr gyntaf yn Eisteddfod Minny St. Wele fi heddi ymhen 75 o flynyddoedd wedi arwain fy nghymanfa olaf ym Mhenarth yn Ebrill 2017: cymanfa arbennig ydoedd er cof am y cerddor Joseph Parry. Bûm yn beirniadu yn yr Eisteddfod Genedlaethol am y tro olaf yn 2016 yn y Fenni, ac yn Eisteddfod Genedlaethol yr Urdd am y tro olaf ym Mhen-y-bont yn 2017.

Credaf y daeth yr amser i roi'r baton a'r ysgrifbin ar y bar. *Quit while you're winning*, meddai'r hen ddywediad! Rwy'n dal i fwynhau iechyd da ac yn cadw'n iach drwy seiclo'n ddyddiol. Hefyd, mae gwaith tocio gwrychoedd a choed yn aros amdana' i yn ein cartref newydd yn y Mynydd Bychan. Mae Julie a minnau'n ddedwydd ein byd gyda'n teuluoedd nid nepell i ffwrdd. Ydw i'n falch o'r hyn a gyflawnais yn ystod fy mywyd? Rwy'n sicr 'mod i wedi joio'r daith. Ond, yn y cyfrif terfynol, y cyhoedd all farnu a dyfais yn gerddor – nid myfi!

Atodiad 1

Gwobrau a Chwpanau Eisteddfodol
Côr Aelwyd Caerdydd 1962 – 1970

Cwpan Aelwyd	1962	Rhuthun	1af	Côr Aelwyd
Cwpan McMahon	1963	Llandudno	1af	Côr Ieuenctid
Cwpan *Western Mail*	1963	Caerfyrddin	1af	Prif Gorawl
Cwpan Aelwyd	1964	Porthmadog	1af	Côr Aelwyd
Cwpan Tredegar	1964	Abertawe	1af	Ail Gorawl
Cwpan *Y Cymro*	1964	Abertawe	1af	Prif Gorawl
Cwpan Tredegar	1965	Y Drenewydd	1af	Ail Gorawl
Cwpan Aelwyd	1965	Caerdydd	1af	Côr Aelwyd
Cwpan McMahon	1966	Aberafan	1af	Côr Ieuenctid
Cwpan Aelwyd	1966	Caergybi	1af	Côr Aelwyd
Cwpan *Y Cymro*	1967	Y Bala	1af	Prif Gorawl
Cwpan McMahon	1967	Y Bala	1af	Côr Ieuenctid
Cwpan Aelwyd	1967	Caerfyrddin	1af	Côr Aelwyd
Cwpan *Y Cymro*	1968	Y Barri	1af	Prif Gorawl
Cwpan McMahon	1968	Y Barri	1af	Côr Ieuenctid
Cwpan *Y Cymro*	1969	Y Fflint	1af	Prif Gorawl
Cwpan *Y Cymro*	1970	Rhydaman	1af	Prif Gorawl

Darnau a berfformiwyd gan y Côr gyda Cherddorfa

Gloria	Vivaldi
Requiem	Verdi
Four Sacred Pieces	Verdi
Songs of the Bavarian Highlands	Elgar
Requiem	Mozart
Mass in E♭	Schubert
Mass in F minor	Bruckner
Orestes (*première* BBC)	Daniel Jones
Ieuenctid y Dydd (*première* Urdd)	Alun Hoddinott
Cantata 34	J. S. Bach
Toward the Unknown Region	Vaughan Williams
Messiah Handel	Handel
Choral Fantasia	Beethoven
Gweddi	Arwel Hughes
Salm 150	William Mathias
Song of Destiny	Brahms
Blest Pair of Sirens	Hubert Parry
Nelson Mass	Haydn
Stabat Mater	Dvorak
Mass in C	Beethoven
Chandos Anthem rhif 9	Handel
Tri Darlun (*première*)	Arwel Hughes
Te Deum	Haydn
Requiem	Brahms

Cyngherddau Côr Aelwyd Caerdydd

Reardon Smith	Caerdydd
Ysbyty'r Waun	Caerdydd
Ysgol Uwchradd	Caerdydd
Cymdeithas Gymraeg	Corby
Cymdeithas Gymraeg	Sanclêr
Cymdeithas Gymraeg	Dre-fach
Cymdeithas Gymraeg	Cwmbrân
Cymdeithas Gymraeg	Maesteg
Capel y Gurnos	Ystalyfera
Capel y Ton	Tonyrefail
Cyfarfod Jiwbili yr Urdd	Llanuwchllyn
Cymdeithas Gymraeg	Treorci
Capel yr Annibynnwyr	Aberdâr
Cymdeithas Gymraeg	Tregaron
Cymdeithas Gymraeg	Aberafan
Cymdeithas Gymraeg	Pen-y-bont ar Ogwr
Capel Tabernacl	Pen-clawdd
Capel Bethel	Pen-clawdd
Cymdeithas Gymraeg	Cilfynydd
Cymdeithas Gymraeg	Caerffili
Gŵyl Llandaf BBC Cymru	Caerdydd

Atodiad 2

Beirniadu Eisteddfodau

1970au > 1976

Eisteddfod Newbridge			1970au
Eisteddfod Llanilar			1970au
Eisteddfod Pontsenni			1970au
Eisteddfod Aberaeron			1970au
Eisteddfod Llwchwr			1970au
Eisteddfod Genedlaethol yr Urdd Abertawe		Mehefin	1971
Eisteddfod Genedlaethol yr Urdd Y Bala		Mehefin	1972
Eisteddfod Genedlaethol yr Urdd Llanelli		Mehefin	1975
Cymdeithas Gymraeg Llundain	27	Mawrth	1976
Eisteddfod y Borth	24	Ebrill	1976
Eisteddfod Llanbedr Pont Steffan	28	Awst	1976
Eisteddfod y Pandy	6	Tachwedd	1976
Eisteddfod Dyffryn Ogwen	12	Tachwedd	1976
Eisteddfod Llandeilo	4	Rhagfyr	1976

1977

Eisteddfod Minsterly	19	Mawrth	1977
Eisteddfod y Groeslon	3	Ebrill	1977
Eisteddfod Pontrhydfendigaid	27-28	Mai	1977

Eisteddfod Genedlaethol yr Urdd Y Barri	**8-11**	**Mehefin**	**1977**
Eisteddfod Genedlaethol Wrecsam a'r Cylch	**1-6**	**Awst**	**1977**
Eisteddfod Llanwrtyd	26	Tachwedd	1977
Eisteddfod Llandeilo	3	Rhagfyr	1977

1978

Eisteddfod Ryng-golegol	11	Chwefror	1978
Eisteddfod Y Groeslon	7	Mawrth	1978
Eisteddfod Clynnog Fawr	19-20	Mai	1978
Eisteddfod Llanfachreth	10	Mehefin	1978
Eisteddfod Llanrwst	17	Mehefin	1978
Eisteddfod Llanddeusant	15	Gorffennaf	1978
Eisteddfod Butlins	16	Medi	1978
Eisteddfod Dyffryn Ogwen	17-18	Tachwedd	1978

1979

Eisteddfod Minsterly	24	Mawrth	1979
Eisteddfod y Dysgwyr	23	Mawrth	1979
Eisteddfod Llandegfan	6-7	Gorffennaf	1979
Eisteddfod Powys	20-21	Gorffennaf	1979
Eisteddfod Llanbedr Pont Steffan	25-26	Awst	1979

1980

Eisteddfod BBC Radio Cymru	1	Mawrth	1980

Eisteddfod Môn, Llannerch-y-medd	16-17	Mai	1980
Eisteddfod Genedlaethol Dyffryn Lliw	**3-8**	**Awst**	**1980**
Eisteddfod Caerfyrddin	18	Hydref	1980

1981

Eisteddfod Abergynolwyn	14	Chwefror	1981
Eisteddfod Llanllyfni	14	Mawrth	1981
Eisteddfod Môn Brynsiencyn	23	Mai	1981
Eisteddfod Llandegfan	3-4	Gorffennaf	1981
Eisteddfod Genedlaethol Maldwyn a'i Chyffiniau	**1-8**	**Awst**	**1981**
EisteddfodSarn Mellteyrn	3	Hydref	1981
Eisteddfod Powys Corwen	9-10	Hydref	1981

1982

Eisteddfod Minsterly	20	Mawrth	1982
Eisteddfod Llanegryn	23	Mai	1982
Eisteddfod Y Tymbl	18	Mai	1982
Eisteddfod Powys D. C	1-2	Hydref	1982
Eisteddfod Dyffryn Ogwen	12-13	Tachwedd	1982

1983

Eisteddfod Minsterly	19	Mawrth	1983
Eisteddfod Y Borth	30	Ebrill	1983
Eisteddfod Pwll-glas	14	Mai	1983

Eisteddfod Llanegryn	23	Mai	1983
Eisteddfod Pantyfedwen	27-28	Mai	1983
Eisteddfod Llandegfan	1	Gorffennaf	1983
Eisteddfod Genedlaethol Ynys Môn	**1-6**	**Awst**	**1983**
Eisteddfod Butlins	10	Medi	1983
Eisteddfod Capel Treforys	5	Tachwedd	1983

1984

Eisteddfod Arthog	28	Ebrill	1984
Eisteddfod Llanuwchllyn	26	Mai	1984
Eisteddfod Genedlaethol yr Urdd Yr Wyddgrug	**28-31**	**Mai**	**1984**
Eisteddfod Caerfyrddin	10	Hydref	1984
Eisteddfod Treuddyn	3	Tachwedd	1984
Eisteddfod Aelhaearn	24	Tachwedd	1984

1985

Eisteddfod Talsarnau	15-16	Mawrth	1985
Eisteddfod Genedlaethol Y Rhyl a'r Cyffiniau	**3-10**	**Awst**	**1985**
Eisteddfod Tregaron	14	Medi	1985
Eisteddfod Treuddyn	9	Tachwedd	1985
Eisteddfod Aelhaearn	30	Tachwedd	1985

1986

Eisteddfod Abergynolwyn	8	Chwefror	1986
Eisteddfod Talsarnau	14-15	Mawrth	1986

Eisteddfod Môn Maelog	6-7	Mehefin	1986
Eisteddfod Llangwm	28	Mehefin	1986
Eisteddfod Powys	4-5	Gorffennaf	1986
Eisteddfod Knighton	20	Medi	1986
Eisteddfod Dyffryn Ogwen	7-8	Tachwedd	1986
Eisteddfod Chwilog	5-6	Rhagfyr	1986

1987

Eisteddfod Abersoch	10	Ionawr	1987
Eisteddfod Pandy Tudur	20	Ebrill	1987
Eisteddfod Genedlaethol Bro Madog	**1-8**	**Awst**	**1987**
Eisteddfod Deiniolen	30-31	Hydref	1987

1988

Eisteddfod Talsarnau	18-19	Mawrth	1988
Eisteddfod Mynytho	8-9	Ebrill	1988
Eisteddfod Llanegryn	23	Ebrill	1988
Eisteddfod Môn Bro Frogwy	10-11	Mehefin	1988

1989

Eisteddfod Talsarnau	17-18	Mawrth	1989
Eisteddfod Llanegryn	22	Ebrill	1989

1990

Eisteddfod Abergynolwyn	10	Chwefror	1990

Eisteddfod Llandegfan	7	Gorffennaf	1990
Eisteddfod Knighton	15	Medi	1990
Eisteddfod Harlech	10	Hydref	1990

1991

Eisteddfod Dinas Mawddwy	30	Mawrth	1991
Eisteddfod Môn Bryngwran	8	Mehefin	1991
Eisteddfod Bodffordd	19	Hydref	1991

1992

Eisteddfod Abergynolwyn	8	Chwefror	1992
Eisteddfod Minsterly	21	Mawrth	1992
Eisteddfod Môn Llangefni	6-7	Mehefin	1992
Eisteddfod Llangwm	27	Mehefin	1992
Eisteddfod Llandegfan		Gorffennaf	1992
Eisteddfod Genedlaethol Aberystwyth	**1-8**	**Awst**	**1992**

1993

Eisteddfod Dinas Mawddwy	10	Ebrill	1993
Eisteddfod Pwll-glas	15	Mai	1993
Eisteddfod Genedlaethol yr Urdd Dyffryn Lliw	**2-5**	**Mehefin**	**1993**
Eisteddfod Llanrwst	19	Mehefin	1993
Eisteddfod Aberteifi	25-26	Mehefin	1993
Eisteddfod Castellnewydd Emlyn	16	Hydref	1993

| Eisteddfod Y Talwrn | 6-7 | Tachwedd | 1993 |

1994

Eisteddfod Ryng-golegol	12	Chwefror	1994
Eisteddfod Llanegryn	26	Chwefror	1994
Gŵyl Corau Meibion Weston	5	Tachwedd	1994

1995

Eisteddfod Abergynolwyn	11	Chwefror	1995
Eisteddfod Llangwm	6	Mehefin	1995
Gŵyl Corau Meibion Brixham	11	Tachwedd	1995

1996

Eisteddfod Carno	2	Chwefror	1996
Eisteddfod Abergynolwyn	10	Chwefror	1996
Eisteddfod Pontrhydfendigaid	3-5	Mai	1996
Eisteddfod Genedlaethol yr Urdd Bro Maelor	**27-31**	**Mai**	**1996**
Eisteddfod Y Tymbl	21	Medi	1996

1997

Eisteddfod Minsterly	22	Mawrth	1997
Eisteddfod Pwll-glas	17	Mai	1997
Eisteddfod Aberteifi	4-5	Gorffennaf	1997

1998

| Eisteddfod Llanuwchllyn | 23 | Ebrill | 1998 |

Eisteddfod Genedlaethol Pen-y-bont ar Ogwr	1-8	Awst	1998
Eisteddfod Llanbedr Pont Steffan	29-31	Awst	1998
Eisteddfod Llanwrtyd	26	Medi	1998
Eisteddfod Sain Ffagan	21	Tachwedd	1998

1999

Eisteddfod Llanddeusant	10	Gorffennaf	1999
Eisteddfod Castellnewydd Emlyn	17	Gorffennaf	1999
Eisteddfod Genedlaethol Môn	1-7	Awst	1999
Eisteddfod Llandrindod	9	Hydref	1999

2000

Eisteddfod Minsterly	18	Mawrth	2000
Eisteddfod Caerfyrddin	9	Ebrill	2000
Eisteddfod Llanbryn-mair	25	Mai	2000
Eisteddfod Genedlaethol yr Urdd Bro Conwy	28-31	Mai	2000
Eisteddfod Llangwm	24	Mehefin	2000

2001

Eisteddfod Abergynolwyn	10	Chwefror	2001
Eisteddfod Genedlaethol Dinbych	6-11	Awst	2001
Eisteddfod Patagonia	14-15	Medi	2001
Eisteddfod Pant-y-dŵr	3	Tachwedd	2001

2002

Eisteddfod Abergynolwyn	9	Chwefror	2002
Eisteddfod Castellnewydd Emlyn	1	Ebrill	2002
Eisteddfod Môn Llannerch-y-medd	15	Mai	2002
Eisteddfod Powys Croesoswallt	5-6	Gorffennaf	2002
Eisteddfod Y Tymbl	21	Medi	2002
Eisteddfod Llandrindod	12	Hydref	2002

2003

Eisteddfod Dinas Mawddwy	19	Ebrill	2003
Eisteddfod Pontrhydfendigaid	2-3	Mai	2003
Eisteddfod Llandegfan	5	Gorffennaf	2003
Eisteddfod Genedlaethol Maldwyn a'r Gororau (Meifod)	**2-9**	**Awst**	**2003**

2004

Eisteddfod Yr Hendy	8	Mai	2004
Eisteddfod Llandudoch	22	Mai	2004
Eisteddfod Llanbryn-mair	29	Mai	2004
Eisteddfod Genedlaethol yr Urdd Ynys Môn	**1-5**	**Mehefin**	**2004**
Eisteddfod Llanbedr Pont Steffan	28-29	Awst	2004
Eisteddfod Powys Machynlleth	8-9	Hydref	2004
Gŵyl Blaenau Ffestiniog	16	Hydref	2004

| Eisteddfod Pant-y-dŵr | 6 | Tachwedd | 2004 |

2005

Eisteddfod Maenclochog	2	Mai	2005
Eisteddfod Genedlaethol yr Urdd Caerdydd	**1-4**	**Mehefin**	**2005**
Eisteddfod Llanrwst	18	Mehefin	2005
Cystadleuaeth Corau Meibion y BBC	3	Rhagfyr	2005

2006

Eisteddfod Abergynolwyn	1	Chwefror	2006
Eisteddfod Aberaeron	3	Mawrth	2006
Eisteddfod Yr Hendy	13	Mai	2006
Eisteddfod Y Drenewydd	10	Mehefin	2006
Eisteddfod Genedlaethol Abertawe a'r Cylch	**7-12**	**Awst**	**2006**
Eisteddfod Patagonia	28	Hydref	2006

2007

Eisteddfod Chwilog	20	Ionawr	2007
Eisteddfod Cenarth	27	Ionawr	2007
Eisteddfod Ffair-fach	2	Chwefror	2007
Eisteddfod Minsterly	24	Mawrth	2007
Eisteddfod Pontrhydfendigaid	4-7	Mai	2007
Eisteddfod Llanuwchllyn	26	Mai	2007
Eisteddfod Aberteifi	6-7	Gorffennaf	2007
Eisteddfod Genedlaethol Sir y Fflint a'r Cyffiniau	**6-11**	**Awst**	**2007**

2009

Eisteddfod Pontrhydfendigaid	1-2	Ebrill	2009
Eisteddfod Yr Hendy	9	Mai	2009
Eisteddfod Genedlaethol yr Urdd Caerdydd	**25-30**	**Mai**	**2009**
Eisteddfod y Cymoedd	16	Hydref	2009

2010

Eisteddfod Llannerch-y-medd	14-15	Mai	2010
Eisteddfod Genedlaethol yr Urdd, Ceredigion	**1-5**	**Mehefin**	**2010**
Eisteddfod Y Fenni	19	Mehefin	2010
Eisteddfod Aberteifi	2-3	Gorffennaf	2010
Eisteddfod Genedlaethol Glynebwy	**2-7**	**Awst**	**2010**
Eisteddfod y Cymoedd	15	Hydref	2010
Eisteddfod y Ffermwyr Ifainc	20	Tachwedd	2010
Eisteddfod Powys Llanidloes	22-23	Hydref	2010

2011

Eisteddfod Glantaf	1	Mawrth	2011
Eisteddfod Powys Llanrhaeadr	15-16	Gorffennaf	2011
Eisteddfod Genedlaethol Wrecsam a'r Fro	**1-5**	**Awst**	**2011**
Eisteddfod Llanbedr Pont Steffan	26-29	Awst	2011

trosodd . . .

2012

Eisteddfod Minsterly	24	Mawrth	2012

2013

Eisteddfod Pontrhydfendigaid	3-6	Mai	2013
Eisteddfod Genedlaethol Sir Ddinbych a'r Cyffiniau	**3-10**	**Awst**	**2013**
Eisteddfod Llandyfaelog	2	Tachwedd	2013

2014

Eisteddfod Llandegfan	5	Gorffennaf	2014
Eisteddfod Castellnewydd Emlyn	19	Gorffennaf	2014

2015

Eisteddfod Genedlaethol yr Urdd Caerffili	**1-6**	**Mehefin**	**2015**
Eisteddfod Patagonia	4-7	Tachwedd	2015

2016

Eisteddfod Genedlaethol Sir Fynwy a'r Cyffiniau	**1-6**	**Awst**	**2016**

2017

Eisteddfod Genedlaethol yr Urdd Pen-y-bont ar Ogwr	**1-3**	**Mehefin**	**2017**

Atodiad 3

Darnau a berfformiwyd gan
Gôr Ffilharmonig Caerdydd 1979 –

Cymru	Alun Hoddinott
Mass in C	Beethoven
Te Deum	Haydn
Christmas Oratorio	J.S.Bach
Stabat Mater	Dvorak
Blest Pair of Sirens	Hubert Parry
Zadoc Ŵr Duw	Handel
Choral Fantasia	Beethoven
Nelson Mass	Haydn
Coronation Anthem	Handel
Bavarian Highlands	Edward Elgar
Messiah	Handel
Welcome Yule	Arthur Wills
In festo Natalis	Victoria
Mawr yw Jehovah	Schubert
Four Sacred Pieces	Verdi
Requiem	Mozart
Mass in F	Bruckner
Dives and Lazarus	Alun Hoddinott
Alleluia	Randall Thompson
Te Deum	Verdi
Requiem	Brahms
Nessun Dorma	Puccini
Elijah	Mendelssohn

Hymn of Praise	Mendelssohn
Dewi Sant	Arwel Hughes
Fantasia	Vaughan Williams
Creation	Haydn
Requiem	Fauré
Moled y Bobloedd	William Mathias
Gloria	Vivaldi
Sanctaidd	Arwel Hughes
Cadwyn	Gareth Glyn
Rhapsodi Gorawl	Percy Fletcher
Yfory	Robat Arwyn
Traddodiad	Tchaikovsky
Stabat Mater	Rossini
Toward the Unknown region	Vaughan Williams
Cantique Jean Racine	Fauré
Messe Solennelle	Charles Gounod
Te Deum	Purcell
The King shall rejoice	Handel
Mass in C minor	Mozart
The Seasons	Haydn
Cenwch newydd gân	William Mathias
Requiem	Luigi Cherubini
St Cecilia Mass	A. Scarlatti
Requiem	Karl Jenkins
Heilig Mass	Haydn
Missa Brevis	Mozart
Mass in A♭	Schubert
Easter Hymn	Pietro Mascagni
Polovtsian Dances	Alexander Borodin

Grand March from Aida	Verdi
Mass in B♭	Johann Nepomuk Hummel
Gweddi	Arwel Hughes
O Fab y Dyn	Eric Jones
Dewi Sant	Karl Jenkins
Magnificat	J.S. Bach
Chandos Anthem 9	Handel
Pater nostra	Verdi
Canon	Pachelbel
Merry Widow	Franz Lehar
Phantom of the Opera	Andrew Lloyd Webber
Aspects of love	Andrew Lloyd Webber
Les Miserables	Claude Schonberg
Student Prince	Sigmund Romberg
Waltz of my Heart	Ivor Novello
Keep the home-fires burning	Ivor Novello
Rhuad y Ddraig	Eric Jones/Christine James
Nes clywo'r byd	Eric Jones
Cwyd dy lais	Eric Jones
Gweddi'r Arglwydd	Eric Jones
Santegryn	Eric Jones
Atgof o'r Sêr	Robat Arwyn
O Nefol Addfwyn Oen	Sioned Williams
Rho fory i minnau	Trefniant Alun Guy
Tair Cân Hwngaraidd	Trefniant Alun Guy
Nôl i'r Cwm	Delwyn Siôn/Christine James
Dyrchaf fy llygaid	Robat Arwyn

Atodiad 4

Cymanfaoedd Canu

1963 – 1975

Cymanfa Wrecsam	Hydref	1963
Cymanfa Tre-gŵyr	Hydref	1964
Cwmllynfell	Hydref	1964
Cymanfa Glan-llyn	Awst	1964
Aberystwyth	Mehefin	1965
Cymanfa Corris	Mai	1965
Cymanfa Caerdydd	Mai	1965
Cymanfa Rhydychen	Hydref	1966
Cymanfa Corby	Mai	1967
Cymanfa'r Rhondda	Mawrth	1968
Cymanfa Pontypridd	Hydref	1969
Cymanfa Ystrad	Mehefin	1970
Cymanfa Cwmafan	Mai	1972
Cymanfa Dynfant	Mehefin	1973
Cymanfa'r Bont-faen	Ebrill	1974
Cymanfa Aberafan	Gorffennaf	1975

1976

Cymanfa Rhydaman	Ebrill	1976
Cymanfa Porthcawl	Ebrill	1976
Cymanfa'r Tymbl	Ebrill	1976
Cymanfa Ystradgynlais	Mai	1976
Cymanfa Blaenau Ffestiniog	Mai	1976

Cymanfa Y Barri	Mai	1976
Cymanfa Porthmadog	Mai	1976
Cymanfa Llŷn ac Eifionydd	Mehefin	1976
Cymanfa Crymych	Gorffennaf	1976
Cymanfa Gorseinon	Hydref	1976
Cymanfa Llundain	Hydref	1976
Cymanfa Aberhonddu	Tachwedd	1976
Cymanfa Llanbedr-y-fro	Rhagfyr	1976

1977

Cymanfa Crwys Caerdydd	Mawrth	1977
Cymanfa Unedig Caerdydd	Ebrill	1977
Cymanfa Port Talbot	Ebrill	1977
Cymanfa Ystradgynlais	Mai	1977
Cymanfa Dolgellau	Mai	1977
Cymanfa Porthmadog	Mai	1977
Cymanfa Southampton	Mai	1977
Cymanfa Blaenau Ffestiniog	Mehefin	1977
Cymanfa Eisteddfod yr Urdd Islwyn	Mehefin	1977
Cymanfa Glyn-nedd BBC	Mehefin	1977
Cymanfa Llŷn ac Eifionydd	Mehefin	1977
Cymanfa Llŷn ac Eifionydd	Mehefin	1977
Cymanfa Eisteddfod Genedlaethol Wrecsam	**Awst**	**1977**
Cymanfa Caerdydd	Hydref	1977
Cymanfa Gorseinon	Hydref	1977
Cymanfa Caerfyrddin	Hydref	1977
Cymanfa Aberafon	Tachwedd	1977

1978

Cymanfa Glyn-nedd	Mawrth	1978
Cymanfa Porthcawl	Mawrth	1978
Cymanfa Ystalyfera	Mawrth	1978
Cymanfa Ystradgynlais	Mai	1978
Cymanfa Blaenau Ffestiniog	Mai	1978
Cymanfa Dolgellau	Mai	1978
Cymanfa Southampton	Mai	1978
Cymanfa Eisteddfod Genedlaethol Caerdydd	**Awst**	**1978**
Cymanfa Sir Fôn	Awst	1978

1979

Cymanfa Gorseinon	Mawrth	1979
Cymanfa Rhydaman	Ebrill	1979
Cymanfa Alltwen	Ebrill	1979
Cymanfa Hendre	Ebrill	1979
Cymanfa Treorci	Mai	1979
Cymanfa Dyffryn Nantlle	Mai	1979
Cymanfa Blaenau Ffestiniog	Mehefin	1979
Cymanfa Llŷn ac Eifionydd	Mehefin	1979
Cymanfa Treffynnon	Gorffennaf	1979
Cymanfa Pwllheli	Medi	1979
Cymanfa Port Talbot	Hydref	1979
Cymanfa Corwen	Hydref	1979
Cymanfa Dathlu'r BBC Y Bala	Mawrth	1979

1980

Cymanfa Crwys Caerdydd	Mawrth	1980
Cymanfa Pontarddulais	Ebrill	1980
Cymanfa Castell-nedd	Ebrill	1980
Cymanfa Maesteg	Ebrill	1980
Cymanfa Glynarthen	Ebrill	1980
Cymanfa Treorci	Mai	1980
Cymanfa Llanbedr Pont Steffan	Mai	1980
Cymanfa Porthmadog	Mai	1980
Cymanfa Llanuwchllyn	Mai	1980
Cymanfa Llŷn ac Eifionydd	Mehefin	1980
Cymanfa Caernarfon	Hydref	1980
Cymanfa Caerfyrddin	Hydref	1980
Cymanfa Caerdydd Codi'r To	Hydref	1980
Cymanfa Ffynnongroyw	Tachwedd	1980

1981

Cymanfa Caerdydd	Ebrill	1981
Cymanfa Gwaelod-y-garth	Ebrill	1981
Cymanfa Llangrannog	Ebrill	1981
Cymanfa Blaenau Ffestiniog	Mai	1981
Cymanfa Porthmadog	Mai	1981
Cymanfa Ffestiniog	Mehefin	1981
Cymanfa Rhiwbeina	Mehefin	1981
Cymanfa Y Bala	Gorffennaf	1981
Cymanfa Unedig Môn	Medi	1981
Cymanfa Gorseinon	Hydref	1981

1982

Cymanfa Cefneithin	Ebrill	1982
Cymanfa Llanbedr Pont Steffan	Mai	1982
Cymanfa Dolgellau	Mai	1982
Cymanfa Porthmadog	Mai	1982
Cymanfa Southampton	Mehefin	1982
Cymanfa Glyn-nedd	Mehefin	1982
Cymanfa Llŷn ac Eifionydd	Mehefin	1982
Cymanfa Porthaethwy	Mehefin	1982
Cymanfa Arfon	Gorffennaf	1982
Cymanfa Rhiwbeina	Gorffennaf	1982
Cymanfa Cwmdulais	Hydref	1982

1983

Cymanfa Birmingham	Chwefror	1983
Cymanfa Brynaman	Ebrill	1983
Cymanfa Llanbedr Pont Steffan	Mai	1983
Cymanfa Milo	Mai	1983
Cymanfa Glyn-nedd	Mehefin	1983
Cymanfa Llŷn ac Eifionydd	Mehefin	1983
Cymanfa Wilkes-Barre, UDA	Medi	1983
Cymanfa Llanuwchllyn	Hydref	1983

1984

Cymanfa Pontarddulais	Ebrill	1984
Cymanfa'r Tymbl	Ebrill	1984
Cymanfa Llŷn ac Eifionydd	Mehefin	1984

Cymanfa'r Wyddgrug	Gorffennaf	1984
Cymanfa Unedig Môn	Medi	1984

1985

Cymanfa Hendre	Ebrill	1985
Cymanfa Dolgellau	Mai	1985
Cymanfa Eisteddfod yr Urdd Caerdydd	Mehefin	1985
Cymanfa Llŷn ac Eifionydd	Mehefin	1985
Cymanfa Bethesda	Mehefin	1985
Cymanfa'r Wyddgrug	Gorffennaf	1985
Cymanfa Caernarfon	Hydref	1985
Cymanfa Gorseinon	Tachwedd	1985

1986

Cymanfa Llantrisant	Mawrth	1986
Cymanfa Llŷn ac Eifionydd	Mehefin	1986
Cymanfa'r Wyddgrug	Gorffennaf	1986

1987

Cymanfa Birmingham	Chwefror	1987
Cymanfa Porthmadog	Mai	1987
Cymanfa Romsey	Mehefin	1987
Cymanfa Llŷn ac Eifionydd	Mehefin	1987
Cymanfa'r Wyddgrug	Gorffennaf	1987
Cymanfa Môn	Medi	1987

1988

Cymanfa Ceinewydd	Mawrth	1988
Cymanfa Gwaelod-y-garth	Ebrill	1988
Cymanfa'r Tymbl	Ebrill	1988
Cymanfa Porthmadog	Mai	1988
Cymanfa Llŷn ac Eifionydd	Mehefin	1988
Cymanfa Bournemouth	Hydref	1988

1989

Cymanfa Ddathlu'r BBC Y Bala	Chwefror	1989
Cymanfa Rhydaman	Mawrth	1989
Cymanfa Gwaelod-y-garth	Ebrill	1989
Cymanfa Sain Ffagan	Ebrill	1989
Cymanfa Treffynnon	Mai	1989
Cymanfa Dolgellau	Mai	1989
Cymanfa Llŷn ac Eifionydd	Mehefin	1989
Cymanfa'r Wyddgrug	Gorffennaf	1989
Cymanfa Remsen Talaith Efrog Newydd, UDA	Medi	1989

1990

Cymanfa Ystalyfera	Ebrill	1990
Cymanfa Romsey	Mehefin	1990
Cymanfa Glyn-nedd	Mehefin	1990
Cymanfa Llangefni	Medi	1990
Cymanfa Bournemouth	Hydref	1990

1991

Cymanfa Môn	Mehefin	1991
Cymanfa Slough	Hydref	1991

1992

Cymanfa Dolgellau	Mai	1992
Cymanfa Llŷn ac Eifionydd	Mehefin	1992
Cymanfa Abertawe	Mehefin	1992
Cymanfa Llannerch-y-medd	Medi	1992
Cymanfa Casnewydd	Tachwedd	1992
Cymanfa Sain Ffagan	Rhagfyr	1992

1993

Cymanfa Rhiwbeina	Chwefror	1993
Cymanfa Llŷn ac Eifionydd	Mehefin	1993
Cymanfa'r Wyddgrug	Gorffennaf	1993
Cymanfa Wilkes-Barre, UDA	Medi	1993
Cymanfa'r Tymbl	Medi	1993
Cymanfa Crymych	Hydref	1993
Cymanfa Sain Ffagan	Rhagfyr	1993

1994

Cymanfa Rhiwbeina	Mawrth	1994
Cymanfa Porthmadog	Mehefin	1994
Cymanfa'r Wyddgrug	Gorffennaf	1994
Cymanfa Newbury	Hydref	1994
Cymanfa Sain Ffagan	Rhagfyr	1994

1995

Cymanfa Dechrau Canu Dechrau Canmol	Ionawr	1995
Cymanfa Rhiwbeina	Mawrth	1995
Cymanfa Cydweli	Mai	1995
Cymanfa Glyn-nedd	Mehefin	1995
Cymanfa Sain Ffagan	Rhagfyr	1995

1996

Cymanfa Rhiwbeina	Mawrth	1996
Cymanfa Glyn-nedd	Mehefin	1996
Cymanfa Dynfant	Hydref	1996
Cymanfa Llangefni	Medi	1996
Cymanfa Sain Ffagan	Rhagfyr	1996

1997

Cymanfa Caerdydd	Mawrth	1997
Cymanfa Rhiwbeina	Ebrill	1997
Cymanfa'r Wyddgrug	Gorffennaf	1997
Cymanfa Sain Ffagan	Rhagfyr	1997

1998

Cymanfa Rhiwbeina	Ebrill	1998
Cymanfa Dolgellau	Mai	1998
Cymanfa Romsey	Mehefin	1998
Cymanfa Casnewydd	Mehefin	1998

Cymanfa Newbury	Hydref	1998
Cymanfa Sain Ffagan	Rhagfyr	1998

1999

Cymanfa Rhiwbeina	Ebrill	1999
Cymanfa Caerdydd	Ebrill	1999
Cymanfa Caerffili	Mai	1999
Cymanfa Caernarfon	Mehefin	1999
Cymanfa Bournemouth	Hydref	1999
Cymanfa Birmingham	Tachwedd	1999
Cymanfa Glyn-nedd	Tachwedd	1999
Cymanfa Sain Ffagan	Rhagfyr	1999

2000

Cymanfa Melbourne Awstralia	Chwefror	2000
Cymanfa Llangennech	Mawrth	2000
Cymanfa Rushmoor	Ebrill	2000
Cymanfa Rhiwbeina	Mai	2000
Cymanfa Caerffili	Mai	2000
Cymanfa Caernarfon	Medi	2000
Cymanfa Dyffryn Tanat	Medi	2000
Cymanfa Eisteddfod yr Urdd Conwy	Hydref	2000
Cymanfa Reading	Hydref	2000
Cymanfa'r Fenni	Hydref	2000
Cymanfa Birmingham	Tachwedd	2000
Cymanfa Caerdydd	Tachwedd	2000
Cymanfa Sain Ffagan	Rhagfyr	2000

2001

Cymanfa Wilkes-Barre, UDA	Chwefror	2001
Cymanfa Castell-nedd	Mawrth	2001
Cymanfa Rhiwbeina	Mawrth	2001
Cymanfa Pen-y-bont ar Ogwr	Ebrill	2001
Cymanfa Porthmadog	Mehefin	2001
Cymanfa Patagonia	Medi	2001
Cymanfa Sain Ffagan	Rhagfyr	2001

2002

Cymanfa Môn Llannerch-y-medd	Mehefin	2002
Cymanfa Pen-clawdd	Mehefin	2002
Cymanfa Eisteddfod yr Urdd Caerdydd	Mehefin	2002
Cymanfa Llŷn ac Eifionydd	Mehefin	2002
Cymanfa'r Fenni	Hydref	2002
Cymanfa Bournemouth	Hydref	2002
Cymanfa Sain Ffagan	Rhagfyr	2002

2003

Cymanfa Melbourne Awstralia	Mawrth	2003
Cymanfa Barbados	Mai	2003
Cymanfa'r Wyddgrug	Gorffennaf	2003
Cymanfa Bournemouth	Hydref	2003
Cymanfa Sain Ffagan	Rhagfyr	2003

2004

Cymanfa Portsmouth	Mawrth	2004

Cymanfa Birmingham	Chwefror	2004
Cymanfa'r Tymbl	Ebrill	2004
Cymanfa Eisteddfod Genedlaethol Casnewydd	**Awst**	**2004**
Cymanfa Sain Ffagan	Rhagfyr	2004

2005

Cymanfa Rhiwbeina	Chwefror	2005
Cymanfa Llandysul	Mawrth	2005
Cymanfa Wilkes-Barre, UDA	Mai	2005
Cymanfa Cydweli	Mai	2005
Cymanfa Môn Llannerch-y-medd	Medi	2005
Cymanfa'r Fenni	Hydref	2005
Cymanfa Sain Ffagan	Rhagfyr	2005

2006

Cymanfa Melbourne Awstralia	Mawrth	2006
Cymanfa Portsmouth	Mawrth	2006
Cymanfa Dolgellau	Mehefin	2006
Cymanfa Reading	Hydref	2006
Cymanfa Bournemouth	Hydref	2006
Cymanfa Patagonia	Hydref	2006
Cymanfa Sain Ffagan	Rhagfyr	2006

2007

Cymanfa Portsmouth	Mawrth	2007
Cymanfa Pontypridd	Mehefin	2007
Cymanfa Rhiwbeina	Gorffennaf	2007

Cymanfa Llanwennog	Medi	2007
Cymanfa Wilkes-Barre, UDA	Hydref	2007
Cymanfa Birmingham	Tachwedd	2007
Cymanfa Sain Ffagan	Rhagfyr	2007

2008

Cymanfa Porthcawl	Mawrth	2008
Cymanfa Pen-clawdd	Mai	2008
Cymanfa Llanrhaeadr-ym-Mochnant	Mehefin	2008
Cymanfa Rhiwbeina	Gorffennaf	2008
Cymanfa Eisteddfod Genedlaethol Caerdydd	**Awst**	**2008**
Cymanfa Pontarddulais	Hydref	2008
Cymanfa'r Fenni	Hydref	2008
Cymanfa Bournemouth	Hydref	2008
Cymanfa Sain Ffagan	Rhagfyr	2008

2009

Cymanfa Llŷn ac Eifionydd	Mawrth	2009
Cymanfa Llandeilo	Mai	2009
Cymanfa Llangennech	Mehefin	2009
Cymanfa Amlwch	Gorffennaf	2009
Cymanfa Genedlaethol Meirion a'r Cyffiniau	**Awst**	**2009**
Cymanfa Caerdydd	Tachwedd	2009
Cymanfa Sain Ffagan	Rhagfyr	2009

2010

Cymanfa Melbourne Awstralia	Mawrth	2010
Cymanfa Glynebwy	Mawrth	2010
Cymanfa Llandysul	Ebrill	2010
Cymanfa Caerdydd	Mai	2010
Cymanfa Llangennech	Mehefin	2010
Cymanfa'r Fenni	Hydref	2010
Cymanfa Birmingham	Tachwedd	2010
Cymanfa Caerdydd	Tachwedd	2010
Cymanfa Sain Ffagan	Rhagfyr	2010

2011

Cymanfa Dechrau Canu Dechrau Canmol Dewi Sant	Chwefror	2011
Cymanfa Llanelli	Mawrth	2011
Cymanfa Rhiwbeina	Gorffennaf	2011
Cymanfa Llandeilo	Medi	2011
Cymanfa Sain Ffagan	Rhagfyr	2011

2012

Cymanfa Sain Ffagan	Rhagfyr	2012

2013

Cymanfa Pen-clawdd	Mai	2013
Cymanfa Birmingham	Tachwedd	2013
Cymanfa Sain Ffagan	Rhagfyr	2013

2014

Cymanfa Gwendraeth	Ebrill	2014
Cymanfa Pen-clawdd	Mehefin	2014
Cymanfa Dechrau Canu Dechrau Canmol Yr Wyddgrug	Mehefin	2014
Cymanfa Llangennech	Mehefin	2014
Cymanfa Tafwyl Caerdydd	Gorffennaf	2014
Cymanfa Sain Ffagan	Rhagfyr	2014

2015

Cymanfa Pen-clawdd	Mehefin	2015
Cymanfa'r Wyddgrug	Gorffennaf	2015
Cymanfa'r Hendy	Hydref	2015
Cymanfa Patagonia	Tachwedd	2015
Cymanfa Sain Ffagan	Rhagfyr	2015

2016

Cymanfa Pen-clawdd	Mehefin	2016
Cymanfa Rhiwbeina	Gorffennaf	2016
Cymanfa Llannerch-y-medd	Medi	2016
Cymanfa Birmingham	Tachwedd	2016
Cymanfa Sain Ffagan	Rhagfyr	2016

2017

Cymanfa Joseph Parry	Ebrill	2017
Cymanfa Pen-clawdd	Mehefin	2017
Cymanfa Sain Ffagan	Rhagfyr	2017

Atodiad 5

Llyfrau a Threfniannau SATB gan Alun Guy

Cyfansoddwyr Enwog,	Gwasg Cambria, 1983
Cerddorion Enwog,	Gwasg Cambria, 1988
Ar lwyfan Cymru,	Gwasg Gomer, 2004
Ar lwyfan y byd,	Gwasg Gomer, 2005
Great Welsh Voices,	Gwasg Gomer, 2006
Llawlyfr TGAU Cerdd,	Gwasg Rhinegold, 2005
Profion Gwrando Cerdd,	Gwasg Rhinegold, 2008
Nodiadau Cerdd UG,	CAA Aberystwyth, 2009

Pan Ddaw Yfory, Gwasg Curiad, 1993
Mae'r gyfrol yn cynnwys trefniannau o'r caneuon canlynol:

Pan ddaw yfory,	Caryl Parry Jones
Ysbryd y nos,	Hefin Ellis/Clive Harpwood
Yr oes o'r blaen,	Myfyr Isaac
Cymru,	Martyn Geraint
Yma o hyd,	Dafydd Iwan
Traddodiad,	Tchaikovsky
Chwarae'n troi chwerw,	Caryl Parry Jones
Dewch tua'r ffair,	Traddodiadol
Ti a dy ddoniau,	Ryan Davies
Dashenka,	Islwyn Ffowc Elis
Pan fo'r nos yn hir,	Ryan Davies

Bytholwyrdd 2, Gwasg Curiad, 1996
Mae'r gyfrol yn cynnwys trefniannau o'r caneuon canlynol:

Mardigras ym Mangor Ucha',	Bryn Fôn
Nos yng nghaer Arianrhod,	Caryl Parry Jones
Parti'r Ysbrydion,	Huw Chiswell

Ti a Mi,   Fiona Bennett
Y Cwm,   Huw Chiswell

Boed Noël, Gwasg Curiad, 1993
Mae'r gyfrol yn cynnwys trefniannau o'r caneuon
canlynol:
   Fugeiliaid Deffrowch!,   Alaw o Ffrainc
   Ganwyd Brenin Nef,   Edward Murdoch
   O Newydd Llon,   G.F.Handel

Darnau SATB a drefnwyd i gerddorfa lawn
   O cenwch newydd gân,   Wiliam Mathias
   O Nefol Addfwyn Oen,   Sioned Williams
   Cantique de Jean Racine,   Gabriel Fauré
   Distracted with care,   Joseph Haydn
   Sheep may safely graze,   J.S.Bach

Atodiad 6

Sylwadau ac Adolygiadau

MRS O. M. LLOYD, Fron Deg, Caernarfon, 1980
Eisie diolch i chwi yr wyf am eich gwaith ardderchog
yn y Gymanfa yng Nghaernarfon. Cawsoch hwyl
fendidgedig, a'r Gymanfa yw testun pob sgwrs yn y
dref ac yn y capel.

JENNIE EIRIAN DAVIES, Pantymwyn, Clwyd 1979
Rwyf wedi cael pleser rhyfedd yn darllen eich
adolygiad: nid *clichés* cyffredinol, ond manylu ar y
rhinweddau – i'r dim. Dyma'r unig fath o adolygu
sy'n werth ei gael. Rwy'n gwerthfawrogi'n fawr eich
bod mor ddiffuant yn eich ysgrifennu. Rwy'n hynod
o falch mod i wedi sicrhau eich gwasanaeth i'r *Faner*.

Western Mail, 'Wales and the World', 1983
A Signal honour has been awarded to Alun Guy,
one of Wales's Leading choir conductors, who has
been much in demand as an adjudicator in recent
years. He is the first Cardiff-born conductor to be so
honoured to conduct in Wilkes-Barre, Pennsylvania.

THE LORD MAYOR OF CARDIFF, City Hall,
Cardiff, 1982
I would like to thank you most sincerely for the
effort and expertise that you put in to making the
Lord Mayor's charity concert such a great success.
Choristers commented on your enthusism and the
way you conducted the six choirs in what proved to
be a magnificent unit of sound on that evening.

ADOLYGIAD Alun Guy, *Y Faner*, Ebrill 1990
Mae Bryn Terfel yn awr yn troedio'r llwybr aur
sydd yn agored i gyfran fechan iawn o gantorion
rhyngwladol. Ni fu erioed gymaint o ddarogan am
ddyfodol disglair nag i'r canwr poblogaidd yma o
Bant Glas.

SYR T. H. PARRY WILLIAMS, Wern, North Road,
Aberystwyth, 1972
Annwyl Mr Guy, Diolch yn fawr iawn am eich
llythyr caredig. Roeddwn yn falch dros ben o ddeall
fod eich Côr enwog yn cael hwyl ar ganu 'Ieuenctid
y dydd'. Rwy'n anfon fy nymuniadau gorau i chwi a
hwythau, gan obeithio y bydd llwyddiant mawr ar y
perfformiadau.

YR ATHRO WILLIAM MATHIAS, Coleg y Brifysgol,
Bangor, 1977
Dear Alun, A brief note to express my appreciation of
your performance with the Cardiff Eisteddfod Choir
and the BBC Welsh Symphony Orchestra. It was a
strong, well thought out performance, and one which
combined choral and orchestral elements with real
satisfaction.

ARWEL HUGHES, Pennaeth Cerdd BBC Cymru,
Arwelfa, Penylan, Caerdydd 1983
Annwyl Alun, ar ôl cyrraedd adre neithiwr, rhaid
oedd rhoi i lawr ar bapur fy argraffiadau ar ôl clywed
eich perfformiad o 'Dewi Sant'. Ni allaf feddwl am
unrhyw berfformiad arall a roddodd fwy o fwynhad
i mi. Roedd y perfformiad yn deilwng ac yn llawn
urddas, a hynny mi gredaf oherwydd eich dewis o'r
tempi.

YR ATHRO ALUN HODDINOTT, Coleg y Brifysgol
Caerdydd, Maesawelon, Cyncoed, Caerdydd 1985
Dear Alun, Many thanks for including my work
'Dives and Lazarus' in your choral programme in
the University Concert Hall in Corbett Road. I was
delighted that the performance went so well. I would
be delighted to write a work especially for you.

Y FONESIG LADY EDWARDS, Bryneithin,
Aberystwyth 1979
Annwyl Mr Guy, Rwy newydd ddarllen eich erthygl
yn y *Faner*, ac mae'n rhaid i mi ddanfon gair o ddiolch
amdano. Fe gododd fy nghalon a gobeithiaf bydd yr
erthygl yn fodd i roi hwb i'r Urdd a'r Eisteddfod yn yr
hanner canrif nesa.

MOUNTBATTEN OF BURMA, Broadlands, Romsey,
Hampshire. 1977
I feel I must write and congratulate all concerned
on the outstanding success of the Cymanfa Ganu
in Romsey yesterday. Mr Alun Guy was a brilliant
conductor who contributed enormously to the
success of the day.

Y GWIR ANRHYDEDDUS JOHN MORRIS QC AS,
Y Swyddfa Gymreig, Whitehall. 1977
Annwyl Alun, dim ond gair i ddweud i mi fwynhau
yn fawr y Gymanfa Ganu yn Romsey. Credaf iddo
fod yn achlysur llwyddiannus dros ben. Rwy wedi
dweud wrth bawb na chlywais erioed well ganu
mewn unrhyw Gymanfa yng Nghymru neu Loegr.
Mwynheais fy hun yn ardderchog. Diolch yn fawr
i chi.

GWYNFOR EVANS, Talar Wen, Llangadog, 1984.
Ysgrifennaf i gyflwyno'r syniad i chi am fod Mererid
Davies (Hopwood) yn bwriadu sgrifennu atoch i'ch
gwahodd i arwain Côr Cydwladol o fyfyrwyr fel
cyfraniad tuag at greu cyfeillgarwch heddychlon
rhwng gwledydd Ewrop. Byddai'n wych pe bai'n
bosibl i chi arwain y Côr.

ADRIAN ROBSON a JAYNE COWAN, Cynghorwyr
y Ddinas, Rhiwbeina, Caerdydd 2014
Annwyl Mr Guy, Llongyfarchiadau ar arwain
Cymanfa fendigedig neithiwr yn Eglwys Beulah.
Rydych yn arweinydd o fri, ac roedd y cantorion a'r
canu yn arbennig iawn. Diolch i chi am Gymanfa
wych.

PAUL CAREY JONES, Canwr Opera, Cyn-ddisgybl
Ysgol Glantaf 2000
Annwyl Alun, Nodyn i ddweud diolch o galon am y
cyfle i ganu yn y cyngerdd bythefnos yn ôl. Hyfryd
oedd cael canu gyda'r Côr Philharmonig a chithau yn
llywio'r perfformiad unwaith eto.

GWILYM ROBERTS, Arweinydd Aelwyd Caerdydd,
Blodau'r Ffair 1964
Ni welwyd mo Alun Guy erioed mewn panic.
Ein braint ni yw cael bod o dan ei ddylanwad, ei
ddisgyblaeth a'i hyfforddiant. Teimlwn yn sicr y
clyw Cymru lawer mwy am y gŵr ifanc hawddgar a
arweiniodd ei gôr o fuddugoliaeth i fuddugoliaeth yn
Eisteddfod Genedlaethol 1964.

KENNETH LOVELAND, *South Wales Argus*, San
Remo, Italy festival 1965

The Cardiff Aelwyd Choir Gave a fine account
of themselves, which greatly pleased the Italian
audience at the fine modern Ariston Theatre. The
young singers from Cardiff were immensely popular,
conducted by *Maestro* Guy, showing excellent choral
discipline and tone.

DYFED WYN EDWARDS, Golygydd Cerdd Cwmni
Cyhoeddiadau Curiad, 1996
Mae Alun Guy, awdur y cyfrolau o ganeuon *Pan ddaw
yfory*, yn adnabyddus fel Pennaeth Adran Gerdd
Ysgol Glantaf, Caerdydd. Mae ei brofiad fel athro
a cherddor yn amlwg yn y trefniannau hwylus ac
ymarferol hyn.

ELAINE CARLISLE, Director of Assessment Delivery,
WJEC, Cardiff, 2017
It is definitely no exaggeration to state that without
the professionalism and commitment of people
like you, WJEC would be unable to function as an
awarding organisation. You have been one of our
most reliable and consistent examiners. We are
very grateful for the sterling work you have done for
WJEC over the years.

NORMAN LLOYD EDWARDS, Llywydd Cymdeithas
Cerddoriaeth Cymru, 2017
Am ei gyfraniad eithriadol i addysg gerddorol yng
Ngymru, mae'n bleser gen i gyflwyno gwobr Joseph
Parry 2017 i Mr Alun Guy.

IOAN GRUFFUDD, Actor, *Times Educational
Supplement*, 2007
My best teacher was my form teacher, Mr Alun

Guy, who also taught me music. When people ask me where my confidence came from as an actor, it was through music. He was the most encouraging of teachers – we were constantly laughing in his classes and we were always singing in the choirs and playing in the school orchestra. There was no doubt he was a classy guy.

HYWEL WYN EDWARDS, Trefnydd Eisteddfod Genedlaethol Glynebwy, 2010
Ar ran Pwyllgor Gwaith yr Eisteddfod Genedlaethol hoffwn ddiolch i ti am fod yn gyfrifol am Gôr yr Eisteddfod. Yn ôl dy arfer mi wnest ti'r gwaith yn hollol ddiffwdan ac yn broffesiynol, a gwyddwn ein bod mewn dwylo diogel wrth ofyn i ti wneud y gwaith, a hynny am yr eildro o fewn dwy flynedd.

DILYS ELWYN EDWARDS, PETER GELLHORN a ROY BOHANA, beirniaid yn Abertawe 1964
Adnoddau lleisiol arbennig o dda, ac asio cynnes. Tyfai'r brawddegau o un i'r llall yn naturiol. Mae aeddfedrwydd anhygoel yma. Cafwyd rhanganu glân yn y rhannau gwrthbwyntiol a hyd yn oed yn y rhannau distaw. Roedd diddordeb yn y mynegiant. Y wobr gyntaf i Gôr Aelwyd Caerdydd.

CWMNI CYHOEDDI RHINEGOLD, Rhagair ar gyfer ei lawlyfr ar gyfer manylebau CBAC
Mae Alun Guy wedi ysgrifennu'n helaeth ar faterion addysg cerddoriaeth ar gyfer cylchgronau a chyfnodolion. Mae ei waith fel beirniad ac arweinydd yn mynd ag ef i bob cwr o'r byd, yn cynnwys De America, Awstralia, Barbados ac Unol Daleithiau Amerig.

ALED LLOYD DAVIES ar derfyn Eisteddfod Tymbl
am 2.00 o'r gloch y bore Sul

> Alun Guy sy'n lon ei gân – yn gyrru
> Ei gar heb bendwmpian.
> Er dyddio, mae'n ŵr diddan,
> Herio mae yr oriau mân.

PROFESSOR COLIN RIORDAN, Is-Ganghellor
Prifysgol Caerdydd, Hydref 2020
> It is with great pleasure that I write, on behalf of the
> University, to congratulate you on your award of a
> British Empire Medal in the Birthday Honours List.
> This recognition for your services to music, language
> and culture in Wales is an outstanding achievement
> and recognises many years of commitment.

PRIF WEINIDOG CYMRU, MARK DRAKEFORD,
Hydref 2020
> Roeddwn yn falch o weld eich enw ar y Rhestr
> Anrhydeddau BEM, ac fe hoffwn innau ategu'r llu
> llongyfarchiadau y byddwch yn siŵr o'u cael wrth
> dderbyn yr anrhydedd hwn. Rydych yn llawn haeddu
> cael eich cydnabod fel hyn.

Y CYNGHORYDD HUW THOMAS, Arweinydd
Cyngor Dinas Caerdydd, Tachwedd 2020
> Roedd yn bleser i mi weld eich enw ar restr
> Anrhydeddau BEM, a hoffwn eich llongyfarch, yn
> bersonol ac ar ran Cyngor Dinas Caerdydd. Mae'n
> wych gweld eich gwasanaethau i Gerddoriaeth, Iaith
> a Diwylliant yng Nghymru yn cael eu cydnabod
> gydag anrhydedd mor haeddiannol.

NEW INTER**[**
BIBLICAL CO**[**

Old Testament Editors,
Robert L. Hubbard Jr.
Robert K. Johnston

LEVITICUS AND NUMBERS

For the congregation
Highland Park Baptist Church
Austin, Texas

In celebration of and gratitude for
the congregation's commitment to worship and
scholarship

Old Testament Series

NEW INTERNATIONAL BIBLICAL COMMENTARY

LEVITICUS AND NUMBERS

W. H. BELLINGER JR.

Based on the New International Version

First published jointly, 2001, in the United States by
Hendrickson Publishers and in the United Kingdom by the
Paternoster Press, P. O. Box 300, Carlisle, Cumbria CA3 0QS.

Printed in the United States of America

First printing — August 2001

Library of Congress Cataloging-in-Publication Data

Bellinger, W. H.
    Leviticus and Numbers / W. H. Bellinger, Jr.
       p. cm. — (New International biblical commentary. Old
Testament series; 3)
    "Based on the New International Version."
    Includes bibliographical references and indexes.
    1. Bible. O.T. Leviticus—Commentaries. 2. Bible. O.T.
Numbers—Commentaries. I. Title. II. Series.

BS1255.53 .B45 2001
222'.1307—dc21

                              2001039005

ISBN 1–56563–213–3 (U.S. softcover)
ISBN 1–56563–589–2 (U.S. hardcover)

British Library Cataloguing in Publication Data
A catalogue record for this book is available
from the British Library.

ISBN 1–85364–724–0 (U.K. softcover)

Table of Contents

Foreword
New International Biblical Commentary

As an ancient document, the Old Testament often seems something quite foreign to modern men and women. Opening its pages may feel, to the modern reader, like traversing a kind of literary time warp into a whole other world. In that world sisters and brothers marry, long hair mysteriously makes men superhuman, and temple altars daily smell of savory burning flesh and sweet incense. There, desert bushes burn but leave no ashes, water gushes from rocks, and cities fall because people march around them. A different world, indeed!

Even God, the Old Testament's main character, seems a stranger compared to his more familiar NT counterpart. Sometimes the divine is portrayed as a loving father and faithful friend, someone who rescues people from their greatest dangers or generously rewards them for heroic deeds. At other times, however, God resembles more a cruel despot, one furious at human failures, raving against enemies, and bloodthirsty for revenge. Thus, skittish about the Old Testament's diverse portrayal of God, some readers carefully select which portions of the text to study, or they avoid the Old Testament altogether.

The purpose of this commentary series is to help readers navigate this strange and sometimes forbidding literary and spiritual terrain. Its goal is to break down the barriers between the ancient and modern worlds so that the power and meaning of these biblical texts become transparent to contemporary readers. How is this to be done? And what sets this series apart from others currently on the market?

This commentary series will bypass several popular approaches to biblical interpretation. It will not follow a *precritical* approach that interprets the text without reference to recent scholarly conversations. Such a commentary contents itself with offering little more than a paraphrase of the text with occasional supplements from archaeology, word studies, and classical theology. It mistakenly believes that there have been few insights into the Bible since Calvin or Luther. Nor will this series pursue an *anticritical* approach whose preoccupation is to defend the Bible against its detractors, especially scholarly ones. Such a commentary has little space left to move beyond showing why the Bible's critics are wrong to explaining what the biblical text means. The result is a paucity of vibrant biblical theology. Again, this series finds inadequate a *critical* approach that seeks to understand the text apart from belief in the meaning it conveys. Though modern readers have been taught to be discerning, they do not want to live in the "desert of criticism" either.

Instead, as its editors, we have sought to align this series with what has been labeled *believing criticism*. This approach marries probing, reflective interpretation of the text to loyal biblical devotion and warm Christian affection. Our contributors tackle the task of interpretation using the full range of critical methodologies and practices. Yet they do so as people of faith who hold the text in the highest regard. The commentators in this series use criticism to bring the message of the biblical texts vividly to life so the minds of modern readers may be illumined and their faith deepened.

The authors in this series combine a firm commitment to modern scholarship with a similar commitment to the Bible's full authority for Christians. They bring to the task the highest technical skills, warm theological commitment, and rich insight from their various communities. In so doing, they hope to enrich the life of the academy as well as the life of the church.

Part of the richness of this commentary series derives from its authors' breadth of experience and ecclesial background. As editors, we have consciously brought together a diverse group of scholars in terms of age, gender, denominational affiliation, and race. We make no claim that they represent the full expression of the people of God, but they do bring fresh, broad perspectives to the interpretive task. But though this series has sought out diversity among its contributors, they also reflect a commitment to a common center. These commentators write as "believing critics"—scholars who desire to speak for church and academy, for academy and church. As editors, we offer this series in devotion to God and for the enrichment of God's people.

ROBERT L. HUBBARD JR.
ROBERT K. JOHNSTON
Editors

Preface

My vocation has centered on the worship texts of the Old Testament, and it is that concern which has led me to study Leviticus and Numbers. These books are seldom read by Christians today, but I have come to believe passionately that contemporary communities of faith can find much benefit in them.

In line with the purposes of this series, I have resisted the temptation to document much of the secondary literature. Most of the references are found in the additional notes and reflect dialogue with the most recent literature especially germane to the text at hand. Readers will understand, however, that I am greatly indebted to the works of many scholars.

The production of any volume owes much to many. I am grateful to Hendrickson Publishers and to the series editors for the opportunity to work on these texts and publish in the series. I am grateful to Baylor University and my colleagues for a context in which to work. I am especially grateful for a sabbatical in 1997 during which I wrote much of the commentary. My colleague James M. Kennedy has been most helpful, as have graduate students Walter Crouch, Matt Kerlin, Phyllis Tippit, and John Vassar and my pastor, Brett Younger. My wife and children continue to support my scholarly vocation.

Because few people study Leviticus and Numbers, many think the whole enterprise odd. I, however, have found the study most rewarding. My fervent hope is that this commentary might contribute to contemporary readers' understanding of these much-neglected books.

Abbreviations

AASOR	Annual of the American Schools of Oriental Research
AB	Anchor Bible
BARead	*Biblical Archaeologist Reader*
CBQ	*Catholic Biblical Quarterly*
cf.	compare
HUCA	*Hebrew Union College Annual*
JBL	*Journal of Biblical Literature*
JPOS	*Journal of the Palestine Oriental Society*
JPS	Jewish Publication Society
JSOTSup	Journal for the Study of the Old Testament: Supplement Series
NICOT	New International Commentary on the Old Testament
OTL	Old Testament Library
SBLDS	Society of Biblical Literature Dissertation Series
SJT	*Scottish Journal of Theology*
TOTC	Tyndale Old Testament Commentaries
VT	*Vetus Testamentum*
WBC	Word Biblical Commentary
WMANT	Wissenschaftliche Monographien zum Alten und Neuen Testament
ZAW	*Zeitschrift für die alttestamentliche Wissenschaft*

Leviticus

Introduction

Following Jewish custom, the Hebrew title of the book of Leviticus is its first word, *wayyiqra'*, "and he called," reflecting Yahweh's summons to Moses to receive the revelation contained in the book. Leviticus is the third of the five books of Moses known as the Pentateuch, the Law, or Torah that constitutes the beginning of the Hebrew Bible. The English title comes from the Vulgate (the medieval Latin translation), which in turn derives from the LXX (the Septuagint, a commonly used ancient Greek translation of the OT). The title means "the Levitical book," and while allusions to the Levites are rare, that group of Israelites was associated with worship and other priestly matters, about which Leviticus is concerned. The title is appropriate.

Reading Leviticus as part of the broader Pentateuch is important for understanding the book's logic. The immediate literary and theological setting for Leviticus comes from the book of Exodus: Ancient Israel's God has delivered the people from slavery in Egypt. At Sinai, Yahweh and the people forge a relationship, a covenant that God initiates with Israel and to which Israel responds. God states, "I will be your God," and Israel answers, "We will be your people."

Leviticus depicts God at Sinai instructing the Israelites through the mediator Moses in how to live as covenant people. A significant component of this instruction relates to worship. Such teaching begins in Exodus 25 and continues through Leviticus and into the first part of Numbers. At the beginning of this block of material, in Exodus 25–27 and 31, Moses receives directions for building the tabernacle, the portable place of worship for this wilderness community. In Exodus 28–30, God informs Moses concerning the ordination of the Aaronic priests, who are to preside at the tabernacle worship. In Exodus 35–40 the tabernacle is built according to the instructions. Finally God accepts the tabernacle as an appropriate place of worship and fills it with divine glory.

The actual ordination of the Aaronic priests and the inauguration of sacrificial worship at the tabernacle are delayed until Leviticus 8–10. Before the priests and people can institute that sacrificial worship, they need instruction in sacrifice. A section called by modern scholars the "Manual of Sacrifice," in Leviticus 1–7, appears first. The people experience difficulties with worship in Leviticus 10, and accordingly chapters 11–27 deal with careful preparation for worship. The Manual of Purity (chs. 11–16) begins with Jewish dietary laws and concludes with a description of the yearly observance of the Day of Atonement. The Holiness Code (chs. 17–27) contains instruction on maintaining holiness, including texts on the Sabbath and Jubilee. A high point of the Holiness Code comes in Leviticus 19:18 with the commandment to "love your neighbor as yourself." The following outline of the book of Leviticus clarifies these divisions.

I. The Manual of Sacrifice (Lev. 1–7)
   A. The Whole Burnt Offering (1:1–17)
   B. The Grain Offering (2:1–16)
   C. The Fellowship Offering (3:1–17)
   D. The Purification Offering (4:1–5:13)
   E. The Guilt Offering (5:14–6:7)
   F. Instructions for the Administration of Offerings (6:8–7:38)
II. Historical Narrative (Lev. 8–10)
   A. The Ordination of the Priests (8:1–36)
   B. The Inauguration of Sacrificial Worship (9:1–24)
   C. The Unfortunate Incident of Nadab and Abihu (10:1–20)
III. The Manual of Purity (Lev. 11–16)
   A. Clean and Unclean Animals (11:1–47)
   B. Uncleanness at Childbirth (12:1–8)
   C. Skin Diseases and Contamination in Clothing (13:1–59)
   D. Purification from Contamination (14:1–32)
   E. Contamination in Buildings (14:33–57)
   F. Bodily Discharges (15:1–33)
   G. The Day of Atonement (16:1–34)
IV. The Holiness Code (Lev. 17–27)
   A. Slaughter and Sacrifice (17:1–16)
   B. Sexual Relations (18:1–30)
   C. Instructions in Worship and Ethics (19:1–37)
   D. Penalties for Offenses (20:1–27)
   E. Priests and Offerings (21:1–22:33)
   F. The Festival Calendar (23:1–44)
   G. Daily Worship (24:1–9)
   H. Blasphemy: An Incident and Instruction (24:10–23)
   I. The Sabbath and Jubilee (25:1–55)
   J. Blessings and Curses (26:1–46)
   K. Redemption and Vows (27:1–34)

Composition

The origins of Leviticus, and of the Pentateuch as a whole, are a matter of continuing debate.[1] For centuries these first five books of the Bible were attributed to Moses. During the European Enlightenment, with its interest in literature, history, and the diversity of cultures, scholars began to suggest that the Pentateuch did not originate entirely from one hand. Their reading of the Pentateuchal books provided clues for a reconstruction of the history of how various layers came together from different eras to make up the modern text. Eventually a view developed that the Pentateuch is the product of four documents.

This view, labeled the Documentary Hypothesis, became accepted by much of OT scholarship, though many scholars acknowledged that "document" might not be the best term. Scholars came to talk instead about several "traditions" making up these books. They recognized that the various strands of the Pentateuch developed over time and may never have been independent documents in the ordinary sense. The earliest tradition, from the era of the united monarchy founded by King David, is labeled the Yahwist tradition (or J, after the German spelling of Yahweh, *Jahve,* the divine name most commonly used by this author or tradition). Scholars also identified the Elohist (E) tradition after its primary divine name, Elohim. Deuteronomy (D), connected with the reforms of Josiah in the seventh century, also became part of the hypothesis, and a postexilic Priestly (P) tradition completed it.

The Documentary Hypothesis has not fared well in recent scholarship. The question of the Pentateuch's origin seems to be open again, with scholars proposing assorted possibilities.[2] Some have abandoned the search entirely, saying that it is impossible to give an assured account of the origin and that the quest distracts people from the task of interpreting the canonical text.[3] Indeed, such research will not provide *the* clue for understanding these books. At the same time, to ignore the question is to abandon a historical inquiry that could be helpful to modern readers.[4] The following sketch of how Leviticus, as part of the Pentateuch, might have originated may inform the interpretive task.

Leviticus preserves ancient traditions carrying the authority of the Mosaic covenant.[5] Certain discernable groupings developed over time. The Manual of Sacrifice (chs. 1–7) was likely preserved at sanctuaries, including the Jerusalem temple, and reflects pre-exilic custom. The same would be true of the Manual of

Purity (chs. 11–16). In all likelihood the Holiness Code (chs. 17–27) had a similar history but came together somewhat later, probably in the sixth century B.C.E., near the end of the Jerusalem monarchy or even after its demise. These texts demonstrate similarities to the book of Ezekiel, which is from that era. The origin of the Holiness Code and whether any such document existed independently are matters of significant debate.[6] I tend to consider the chapters as a piece, since they reflect similar concerns.[7]

The present form of Leviticus may have originated near the end of the Babylonian exile in the sixth century, when a group of priests began to look forward to their community's return home and to the rebuilding of their temple. As a result, they engaged in an extensive narrative project (P) in order to provide for the people a foundation for reaffirming their identity and looking forward to the future as God's faith community. By revising and supplementing earlier traditions, they produced the bulk of what we now know as Genesis, Exodus, Leviticus, and Numbers.

The historical narrative moved from the exodus to the inauguration of worship at the tabernacle in Leviticus. The Manual of Sacrifice (chs. 1–7) was inserted before the initiation of sacrifice. After further history (chs. 8–10) links in Leviticus 10 suggested placement of the Manual of Purity (chs. 11–16) next. This commentary will examine why the Day of Atonement (ch. 16) was placed at this pivotal point at the end of the Manual of Purity. The chapters of the Holiness Code (chs. 17–27) then followed, with chapter 27 included at the end to complete Leviticus. Subsequently, the work of these priests continued to bring together the text of the book of Numbers. The identity of this Priestly community is unclear, but their concerns are pervasive throughout the texts that this commentary covers. I will call those who preserved, shaped, and transmitted these important faith traditions the Priestly tradents.

Our task is to interpret the canonical book of Leviticus. An account of how the book originated can be helpful in the process, but it will not be the center of attention. Instead I will operate from what I have called a hermeneutic of curiosity, which attends to questions of origin, text, and reader.[8]

Recurring Themes

A basic understanding of several of the book's recurring themes will help us accomplish the task of interpretation.

The Divine Presence. The primary theological notion pervading Leviticus is the presence of God. The book is cast as divine revelation, and the sanctuary with its attendant divine presence is at the heart of the text. The manifestation of the divine presence in Leviticus 9 as a sign of God's acceptance of the priests and sacrifices elicits joy and awe. This presence is holy, awesome, life-giving, and dangerous. The dangerous side surfaces in the instructions on sacrifice and purity (Lev. 8:35; 15:31; 16:2) and in the deaths of Nadab and Abihu (Lev. 10:1–3). Concerns for holiness in the latter chapters and the severe penalties prescribed for violating community structures also make clear that this presence is volatile. The powerful deity encountered at the tablernacle brings both blessing and danger. Such a view of the divine presence reflects a comprehensive view of life.

As R. E. Clements noted,

> The first and most far-reaching belief that underlies the laws of Leviticus is that God is actually present with [the] people. The regulations for worship, and especially for the offering of sacrifice, are set out as commands which are to be fulfilled in the very presence of God, who is to be found in the tabernacle. It is here that God's presence is revealed to [ancient] Israel by means of [the divine] glory.[9]

Holiness. The God present with ancient Israel is a holy God. The Hebrew term *qodesh* means "set apart." There is none like God. As God is different or distinct, so the people of God are to be different. In Leviticus holiness is used less to separate than to confirm a positive relationship to God. As God's people ancient Israel reflects God's holiness, and that is their distinction from other nations. Leviticus applies this view to many lifestyle issues; holiness pervades every aspect of life. Instructions about holiness then sustain life as well as faith. God is perfectly holy and lives in the tabernacle among the people, but this holy God cannot dwell in the midst of sin and impurity. The people are called to holiness, so God will continue to be present with them and to give them life. Without God's holy presence holding it together, the community could splinter and lose its distinctiveness. Without the divine presence, Israel has no purposeful identity.

Leviticus develops the implications of such a holy presence. In the geography of the community, holiness radiates from the center. The location of the tabernacle, as the place of the divine presence, is the site of worship. The tabernacle and its component parts, furniture, and functionaries (priests) are also holy in the sense that they are dedicated to God. By dedication, offerings brought to the tabernacle and special times of worship become holy as well.

Negatively, Leviticus is much concerned with avoiding contact between any holy person or thing and whatever might be unclean. Such an encounter would be explosive. Warnings to maintain holiness protect the Israelite community from disasters, known fully only to God, that occur when the holy and the unclean collide. Threats of uncleanness also encourage the community to bear its witness as a holy people. The purpose of the Levitical holiness system is to sustain this community of faith. As such it is a gracious gift from God, yet it can be wielded either constructively or oppressively by the powerful people who manage it—in this case the priests. Nevertheless, despite the dangers associated with God's presence and possible human misuse of holiness regulations, God is passionately involved in the life of the covenant people. In warning them against uncleanness, God protects them from danger.

The prophet Ezekiel, who was a probable contemporary of the Priestly tradents, envisioned the divine presence leaving an unclean temple. The result was the devastating judgment of exile, yet this judgment also purified, so that the presence of God could return to a new Jerusalem. Annie Dillard's more modern expression resonates with this view:

> On the whole, I do not find Christians, outside of the catacombs, sufficiently sensible of conditions. Does anyone have the foggiest idea of what sort of power we so blithely invoke? Or, as I suspect, does no one believe a word of it? The churches are children playing on the floor with their chemistry sets, mixing up a batch of TNT to kill a Sunday morning. It is madness to wear ladies' straw hats and velvet hats to church; we should all be wearing crash helmets. Ushers should issue life preservers and signal flares; they should lash us to our pews. For the sleeping god may wake someday and take offense, or the waking god may draw us out to where we can never return.[10]

We live in a world that is obsessed with being "user-friendly." Encountering the living God in worship should not alienate, but Leviticus makes clear that being confronted by God is not always comfortable, comforting, or easily understood. The journey of faith is not a cozy one. Leviticus reminds us of how awe-full God is and that taking worship seriously can be dangerous. Worshipers might be shaken to realize that the

Creator is present. Prayers might humble one to conclude that certain behavior is wrong and should be stopped. Scripture readings could open a painful awareness that a life is poorly invested. Worship might generate unplanned giving in a believer. Worship could change a whole life. Careful planning and attention to detail, as opposed to a casual attitude, are important for powerful worship. Like artists who practice and practice, so too congregations and worship leaders who prepare carefully are likely to benefit the worship of God, the powerful divine-human encounter.

As the Scriptures have done through the centuries, Leviticus may challenge our assumptions about the holy divine presence.

Purity. The anthropologist Mary Douglas has suggested that the notion of wholeness underlies Leviticus's view of holiness, and that any anomaly in that wholeness causes uncleanness.[11] In Leviticus, the world is divided between those things which are holy and those which are common. The holy is dedicated to God (tabernacle, priest, etc.). Common things are divided into two further categories, clean (or pure) and unclean (or impure). What is clean can become holy, but the unclean and the holy are to be kept separate. Mixing the unclean and the holy brings danger. The clean is tolerated and the unclean is prohibited.[12] Furthermore, impurity is contagious. Leviticus helps the people avoid impurity because it disqualifies them from worship, steering them clear of peril.

The rationale behind particular purity regulations of Leviticus is greatly debated. Some have suggested that they are simply an arbitrary test of obedience or an attempt to avoid what was used in idolatrous religions of the day. Others have suggested that health concerns underlie the instructions. Each of these theories has some merit, but none of them explains a sufficient number of texts to be wholly satisfactory.[13]

Mary Douglas has taken the lead among anthropologists as they provide helpful perspectives.[14] She suggests that the purity regulations classify and order the world. Every culture classifies the world, as is necessary for social coherence and conceptual well-being. Those things that are unclean are those that are anomalous to the classification system, hence dangerous to ordered society, and thus to be avoided. The Priestly classification system goes back to the creation account in Genesis 1. The system centers on movement. Land animals walk and run, creatures of the sea swim, and creatures of the sky fly. Uncleanness comes from confusing those categories. Such confusion brings disorder or chaos rather than the wholeness God intends for creation. Michael Carroll considers impurity not only in terms of anomaly but also according to the nature/culture distinction. Where the natural world invades human society, there is impurity.[15] Another suggestion is that all impurity is associated in some way with death, the ultimate impurity.[16] The causes of impurity in Leviticus are not likely to be explained by one element alone, but the notion of order does seem to be vital. Leviticus articulates classifications and boundaries that regulate life for the Israelite community. The classification is based on a view that suggests profound respect for creation but also a need to control it. Any purity system divides and assigns control—in this case to the priests who manage the system.

Sacrifice. Sacrifice is important in dealing with impurity. The first major section of Leviticus provides instruction for offering sacrifices, which are then inaugurated in the tabernacle. Such sacrificial offerings remain important throughout the book. Biblical scholars have made many attempts to explain sacrifice.[17] Yet Leviticus does not articulate a theory of sacrifice but simply describes a variety of sacrifices. Anthropologists have also studied the phenomenon of sacrifice; their perspectives can aid our understanding. Edmund Leach suggests that sacrifice provides a bridge between the human and divine worlds, fostering communication between the two.[18] Thus the biblical time, place, and priests are part of that liminal, or border, zone.

Various proposals have been made to explain the sacrifices described in Leviticus. Here, in summary, are three.[19]

(1) Sacrifice can be seen as a gift. The cereal offering seems to be of that type, and at times the whole burnt offering is so described. The gift recognizes what comes from God and gives part of it back to God, in contrast to the manipulative "gift" that seeks favor from the deity.

(2) The notion of communion can also underlie sacrifice. Communion or relationship with God and with other members of the community may be enriched in the sacrificial meal. Such a notion appears to underlie the fellowship offering.

(3) Other sacrifices in Leviticus relate to atonement; they are intended to heal a relationship that has been fractured. Douglas

Davies has helpfully linked sacrifice to ancient Israel's covenant.[20] By restoring the covenant relationship, sacrifice functions to keep chaos and social disruption at bay. Those who move into the realm of chaos can return to the realm of order by way of rituals of incorporation, including sacrifice. The Priestly tradents assume that because sin and impurity will occur and will disrupt relationship with God, sacrifices provide a means to repair that relationship. Leach's description of sacrifice as a liminal rite, with holy people and objects, is relevant here. Sacrifice is a central event in the relation between deity and congregation. The work of A. Baring and J. Cashford articulates a provocative social function for sacrifice.[21] As people disturb the environment with hunting and agriculture, the resulting exploitation and disruption concerns the community and needs restoration by ritual.

> The violence of killing is re-enacted in the death of the animal, but abstinence from the blood signifies a profound respect for the life force, and acknowledges that life and all that sustains it must be nurtured. The effect is, paradoxically, that the shedding of blood in sacrifice comes to be understood as a means by which life is renewed.[22]

While theories of the social origins of sacrifice can be helpful, Leviticus seems to operate at a more pragmatic, theological level. The person brings a sacrifice, and the crucial event is the death of the sacrificial victim with the passing of the victim's very life from the natural to the divine world. The benefit accrues to the donor who has identified with the sacrifice.[23] In the slaughter of the animal, its blood is shed. The blood atones; Leviticus 17:11 tells us that the life of the animal is in the blood. The ritual killing of the animal releases the life of the animal. Taking that step is a risk for the worshiper because life belongs to God. God mysteriously honors this courageous act of sacrifice and exonerates the worshiper. Such atoning sacrifice is more than mere external ritual; it reflects the worshiper's internal desire for atonement, effected by this costly sacrifice of an animal, to recover the divine/human relationship.

No single theory of sacrifice explains the texts of Leviticus, but certainly these three views are all helpful. Unmistakably, within Leviticus in the Manual of Sacrifice, the sacrifices are regularized and boundaries and classifications are set. These purposes are important for ordering a world.[24]

Theological Context and Tensions

These recurring themes are put into a literary context in Leviticus. We have already seen how Leviticus participates in the Sinaitic covenant of Exodus. Brevard Childs has especially emphasized this context.[25] He notes that both the beginning and end of the book relate it to instruction or *torah* given by God to Moses at Sinai. The conclusion of the Manual of Sacrifice also links this section to Sinai (7:38), and we have noted the connection of Leviticus 8–10 to the teaching in Exodus. The Holiness Code (chs. 17–27) speaks of God's making the people holy and delivering them from bondage in Egypt (Lev. 22:31–33). Leviticus 26:12–13 speaks explicitly of the covenant. The book is depicted as a gift from Yahweh, with directions for structuring God's covenant community. Rather than being a legalistic guide, showing people how to earn God's favor, Leviticus reveals many avenues of response to God. Leviticus is a piece of covenant theology.

The book also relates to a broader context. Jewish commentators since Martin Buber have noted parallels between the creation of the world in Genesis 1 and the building of the tabernacle in Exodus,[26] which is a symbolic creation of the world. Frank Gorman extends the parallel:

> Seven Acts of Speech: construction of the created order (Gen. 1:1–2:4a)
>
> Seven Speeches: instructions for the construction of sacred space (Exod. 25–31)
>
> Seven Acts of Moses: the actual construction of sacred space (Exod. 40:17–33)
>
> Seven Speeches: instructions for sacrificial activity in sacred space (Lev. 1–7)
>
> Seven Acts: the ritual for the ordination of the priesthood (Lev. 8)[27]

Gorman notes that no sooner is sacrifice inaugurated at the tabernacle than a problem arises in chapter 10. Gorman argues that the following chapters, Leviticus 11–16, then offer instruction in how to restore the order of sacred space in the tabernacle. Indeed, Gorman convincingly maintains that worship in the tabernacle, with its sacrifice and purification, is the means of righting the cosmic order when it is fractured by the effects of sin and uncleanness. We have already noted that anthropologists relate the classification of creatures in Leviticus to the Priestly creation account in Genesis 1.[28] Various scholars have suggested that the theology underlying the Priestly tradition is creation theology.[29] Leviticus, then, is also a piece of creation theology.

Both covenant and creation themes underlie Leviticus. We have seen other ambiguities along the way. The divine presence is both life-giving and dangerous. The focus on holiness both emphasizes the distinctiveness and identity of the people and legitimates the priests' influence and revenue in the community. The purity system reflects both a reverence for life in creation and the priests' exclusive power.

The purpose of Leviticus is also ambiguous. We have explored the possibility that the book is part of a foundation document for those returning from exile, emphasizing their identity as God's people. The book also may be an idealized portrait of Israel's life and worship, an exaggerated picture intended not so much for practice as to call the community to love the Lord in holiness and the neighbor as the self. Leviticus is both a document of historical significance and an idealized portrait of faith. The book depicts the faith community that ancient Israel seeks to realize, and it provides instruction for the people returning from exile.

Surprisingly, ambiguity, matters subject to more than one interpretation, seems to be vital to Leviticus.[30] Because ambiguity is inherent to life, texts riddled with ambiguity resonate with life and help to clarify it. In our world, ambiguity seems to move ever to the center of human experience. For example, even cloning is possible today. While it is a notable scientific achievement with great potential, it is also fraught with serious questions and difficulties, many of which are ethical. Human motivation and experience are enigmatic, and Leviticus, with its ambiguities, reflects that reality. For this reason, the book is theologically viable. Leviticus relates to life as experienced in the ancient community; in a remarkable way, as we shall see, it continues to relate to life as people today experience it.

An Approach to Reading Leviticus

Leviticus is difficult reading for modern readers. It requires understanding a document far removed from our culture. This commentary will not reflect the traditional historical-critical treatment, which concentrates on the origin of the text. It will rather be a cultural/historical/theological treatment, which attends to the cultural structures through which the book developed and the literary shape of the book, along with its theological perspectives.[31] Such an approach is intended to facilitate interaction between modern readers and the proclamation of Leviticus. I have become convinced that a primary purpose of Leviticus is to articulate the Priestly view of life for that community, even with inherent ambiguity. The tradents are laying their grid on the world and commending that order to their community.[32] That grid offers us much:

> A world with worship of an awesome God at the center.
>
> A world shaped by identity as people of God.
>
> A world offering hope of recourse when the community's structures go awry.
>
> A world with a healthy respect for life and creation.

We can benefit from dialogue with such a view of life and the world. We live in a world in which the center has faded, if not disintegrated. Now, as then, ecology and community suffer, and people search for identity and hope. Leviticus still speaks to modern readers.[33]

Notes

1. For an account, see R. Rendtorff, *The Old Testament: An Introduction* (Philadelphia: Fortress, 1986), pp. 157–64; O. Kaiser, *Introduction to the Old Testament: A Presentation of Its Results and Problems* (trans. J. Sturdy; Oxford: Basil Blackwell, 1975), pp. 33–133; N. K. Gottwald, *The Hebrew Bible: A Socio-Literary Introduction* (Philadelphia: Fortress, 1985), pp. 135–47; B. S. Childs, *Introduction to the Old Testament as Scripture* (Philadelphia: Fortress, 1979), pp. 109–35; P. J. Budd, *Leviticus* (New Century Bible Commentary; Grand Rapids: Eerdmans, 1996), pp. 5–24.

2. For example, see R. N. Whybray, *The Making of the Pentateuch: A Methodological Study* (JSOTSup; Sheffield: JSOT Press, 1987); R. Rendtorff, *The Problem of the Process of Transmission in the Pentateuch* (JSOTSup; Sheffield: JSOT Press, 1990).

3. See Childs, *Introduction to the Old Testament*, pp. 127–35; D. J. A. Clines, *The Theme of the Pentateuch* (JSOTSup; Sheffield: JSOT Press, 1978).

4. See W. H. Bellinger Jr., *A Hermeneutic of Curiosity and Readings of Psalm 61* (Studies in Old Testament Interpretation; Macon, Ga.: Mercer University Press, 1995), pp. 1–23.

5. See R. E. Clements, "Leviticus," in *The Broadman Bible Commentary;* vol. 2 (ed. C. J. Allen; Nashville: Broadman, 1970), pp. 4–5.

6. See J. E. Hartley, *Leviticus* (WBC; Dallas: Word, 1992), pp. 247–60; W. C. Kaiser Jr., "Leviticus," in *The New Interpreter's Bible;* vol. 1 (Nashville: Abingdon, 1994), pp. 993–95.

7. For the hypothesis of a Holiness editor (H), see I. Knohl, *The Sanctuary of Silence: The Priestly Torah and the Holiness School* (Minneapolis: Fortress, 1995); J. Milgrom, *Leviticus 1–16: A New Translation with Introduction and Commentary* (AB; New York: Doubleday, 1991), pp. 1–67. I have not followed that hypothesis.

8. See Bellinger, *A Hermeneutic of Curiosity,* pp. 1–23.

9. Clements, "Leviticus," p. 5.

10. A. Dillard, *Teaching a Stone to Talk: Expeditions and Encounters* (New York: Harper & Row, 1982), pp. 40–41.

11. See M. Douglas, "The Abominations of Leviticus," in *Anthropological Approaches to the Old Testament* (ed. B. Lang; Issues in Religion and Theology; Philadelphia: Fortress, 1985), pp. 100–116; cf. G. von Rad, *Old Testament Theology* (trans. D. M. G. Stalker; vol. 1; New York: Harper & Row, 1962), pp. 272–79.

12. On the categories, see D. P. Wright, *The Disposal of Impurity: Elimination Rites in the Bible and in Hittite and Mesopotamian Literature* (SBLDS; Atlanta: Scholars Press, 1987).

13. See G. J. Wenham, *The Book of Leviticus* (NICOT; Grand Rapids: Eerdmans, 1979), pp. 166–71, for a helpful survey of the various explanations.

14. See Douglas, "The Abominations of Leviticus," pp. 100–116; P. P. Jenson, *Graded Holiness: A Key to the Priestly Conception of the World* (JSOTSup; Sheffield: JSOT Press, 1992), pp. 75–88; J. F. A. Sawyer, ed., *Reading Leviticus: A Conversation with Mary Douglas* (JSOTSup; Sheffield: Sheffield Academic Press, 1996).

15. M. P. Carroll, "One More Time: Leviticus Revisited," *Anthropological Approaches to the Old Testament* (ed. B. Lang; Philadelphia: Fortress, 1985), pp. 117–26.

16. Jenson, *Graded Holiness,* pp. 79–80.

17. See Budd, *Leviticus,* pp. 28–34; Kaiser, "Leviticus," pp. 989–92; Hartley, *Leviticus,* pp. lxvii–lxxii, for surveys of the various explanations.

18. E. Leach, "The Logic of Sacrifice," *Anthropological Approaches to the Old Testament* (ed. B. Lang; Philadelphia: Fortress, 1985), pp. 136–50. Note the diagram on p. 137.

19. See Milgrom, *Leviticus 1–16,* pp. 440–43, for a helpful discussion of the issue, especially some of the older theories.

20. D. Davies, "An Interpretation of Sacrifice in Leviticus," *Anthropological Approaches to the Old Testament* (ed. B. Lang; Philadelphia: Fortress, 1985), pp. 151–62.

21. A. Baring and J. Cashford, *The Myth of the Goddess: Evolution of an Image* (London: Viking, 1991); quoted in Budd, *Leviticus*, pp. 28–34.

22. Budd, *Leviticus*, p. 32.

23. Leach, "The Logic of Sacrifice," pp. 136–50.

24. Budd, *Leviticus*, provides helpful summaries of the various offerings and the importance of their organization.

25. Childs, *Introduction to the Old Testament*, pp. 180–89.

26. M. Fishbane, *Text and Texture: Close Readings of Selected Biblical Texts* (New York: Schocken Books, 1979), pp. 11–13.

27. F. H. Gorman Jr., *The Ideology of Ritual: Space, Time and Status in the Priestly Theology* (JSOTSup; Sheffield: JSOT Press, 1990), pp. 39–60, here pp. 49–50.

28. See, for example, Douglas, "Abominations of Leviticus," pp. 100–116; Carroll, "One More Time," pp. 117–26.

29. See, for example, W. Brueggemann, "The Kerygma of the Priestly Writers," in *The Vitality of Old Testament Traditions* (ed. W. Brueggemann and H. W. Wolff; 2d ed.; Atlanta: John Knox, 1982), pp. 101–13.

30. See especially Budd, *Leviticus*.

31. See W. H. Bellinger Jr., "Leviticus and Ambiguity," *Perspectives in Religious Studies* 25 (1998), pp. 217–25.

32. Budd, *Leviticus*, operates from this perspective.

33. As one example of a contemporary statement which resonates with Leviticus's view, see P. J. Haas, "The Sacred and the Mundane: The Message of Leviticus," *Christian Century* 114 (1997), pp. 877–82.

The Manual of Sacrifice (Lev. 1–7)

We have noted the logical structure of the book of Leviticus. Since sacrifice is first offered at the tabernacle in chapter 8, instruction for offering sacrifice (chs. 1–7) precedes that act. These seven chapters comprise the first major section of the book, and they are aptly titled "The Manual of Sacrifice."

These chapters were probably composed over a period of time. The rituals described no doubt date back into the history of ancient Israel. It may well be that the instructions were originally recited in public by priests. These chapters do seem to form a coherent unit and most likely were eventually housed at the central sanctuary in Jerusalem. This suggests preexilic usage. The OT's accounts of the kingdom period describe a rather mixed history of worship in Jerusalem. Reforms, such as those of Hezekiah and Josiah, were frequently necessary. How often preexilic worship actually adhered to the format in Leviticus is open to question. No doubt the instructions were also adapted along the way. The trauma of exile and hope of return led the Priestly school to unite their traditions, including this Manual of Sacrifice.

The Manual consists of two major sections, chapters 1–5 and chapters 6–7. Each section describes the same sacrifices from different perspectives. The first section treats the burnt offering, grain offering, fellowship offering, sin offering, and guilt offering in that order. This first section can be further divided between chapters 1–3 and chapters 4–5, with the latter chapters on the sin and guilt offering. The second section follows a different order: burnt offering, grain offering, sin offering, guilt offering, fellowship offering, and it adds the grain offering at ordination. This second section focuses on priests' administration of the sacrifices and particularly on the matter of disposal. That the burnt offering is described first in both major sections suggests it was the most common sacrifice and among the most ancient.

§1 The Whole Burnt Offering (Lev. 1:1–17)

Chapters 1–7 outline the procedures for sacrifice and distinguish between the acts performed by the people and those performed by the priests. The first chapter, along with much of Leviticus, is certainly legal material; more specifically, it is legal material with the purpose of instructing the community (laity) in cultic matters. Following the introduction in verses 1–2, Leviticus 1 contains three paragraphs on the burnt offering (vv. 3–9, 10–13, 14–17). The first paragraph contains great detail and treats the most valuable sacrifice. Then come the less valuable offerings. The second and third paragraphs are brief, assuming the content of the first. The structure is straightforward, with the general case given in verse 2: **When** *(ki)* **any of you brings an offering.** Each paragraph in the chapter then deals with a subordinate situation and begins with **If** *('im)* **the offering** (to the Lord) **is a burnt offering from.** The pattern is fairly consistent and distinguishes between the roles of worshiper and priest. Each paragraph concludes with, **It is a burnt offering, an offering made by fire, an aroma pleasing to the Lord** (vv. 9b, 13b, 17b).

The perspective is a dramatic one, in which each action in the ritual is described for the worshipers. The text enables one to envision the event with its interaction between worshiper, priest, and God. These rituals would instill the centrality of these acts of worship and thus bring order to the life of the community. The text does not specify the purpose of the ritual or its theological implications. The narrative setting of the text itself is further instruction for the people at Sinai. The description of the rituals offers continuing instruction for the cult during the monarchy and then for the Priestly community in exile and beyond. According to the Priestly tradents, the sacrificial laws operated to renew the covenant relationship with God and to restore the order begun in creation. The dramatic quality of the text fits these purposes.

1:1 / The book begins with God summoning Moses. The terminology is distinctive: **The LORD called to Moses and spoke to him.** In most other cases of OT divine self-revelation, the Lord "spoke" to someone and then "said." The language here is similar to Exodus 19:3 where God "calls" to Moses from the mountain of Sinai. Here the divine revelation emanates from **the Tent of Meeting,** or tabernacle, connecting it to the concluding paragraph of Exodus, where the glory of the Lord fills the tabernacle, accepting it as a worthy place of worship (Exod. 40:34–38). Moses could not enter the glory (cloud)-filled Tent of Meeting, and thus God calls to him from that place. The manifestation of the glory demonstrates that God is present and active in the Tent.

The Tent of Meeting is the portable tent sanctuary at the center of the covenant community. It serves two purposes—to mark a place for the whole community to gather and to provide the place where God meets the people. One might call it the Tent of Encounter. The cloud is a theophanic symbol, as indicated in Exodus 19 with God's descending on Mount Sinai. In Leviticus God speaks to Moses no longer from Mount Sinai but from the Tent of Meeting. The central sanctuary is now the place of theophany and revelation, but Moses is still the mediator of instruction to the people. The text actually narrates God's call to Moses and then quotes the divine speech, casting God's words in the context of a report about the revelation. While it presupposes that Moses will present the speech to the people, it never actually says that he did. The introduction emphasizes the divine authority of these words; they are part of the instruction of the Mosaic covenant.

1:2 / We have already noted that verse 2 uses **when** *(ki)* to introduce the general case in this cultic instruction. The chapter then moves from the general to the specific with the use of **if** *('im)* in verses 3, 10, 14, so that the chapter takes a legal form. A number of recent interpreters have noted that the language used in these instructions is inclusive. The force of the phrase **and say to them** emphasizes that whenever *any* individual **brings an offering to the LORD,** that person is to follow the sacrificial procedures. The term used *('adam)* is the same one used in the Priestly creation account in Genesis 1:26–27, a text which emphasizes that humans *('adam)*, both male and female, bear the image of God. Certainly ancient Israel was a patriarchal society with a cult dominated by males, but women were not excluded; indeed, in some places women are instructed to bring offerings (e.g., Lev. 12; 15).

In the last phrase of verse 2, **bring as your offering an animal from either the herd or the flock,** the term translated "animal" usually refers to domestic rather than wild animals. Those from the herd would be cattle, those from the flock sheep or goats. The sacrifice of these animals was costly for the ancient Israelite. Meat was a rare luxury in that world; the offering was to be genuinely sacrificial.

1:3 / Verses 3–9 comprise the basic paragraph of this chapter. Note the diagram on page 21 as we move through the exposition. The first case considered is the bringing of **a burnt offering from the herd.** Cattle were used for meat, hide, and milk. The animal, **a male without defect,** is to be a young bull, whole, without blemish—in honor of the pure God to whom it is devoted. The prophet Malachi later railed against those who would offer blemished animals for sacrifice (Mal. 1:6–14). Such actions pollute the sanctuary and are an affront to God. The best is to be offered to God, in this case the male, a most valuable possession.

The offering is presented **at the entrance to the Tent of Meeting,** in the court of the tabernacle. That act brings the offering "before the Lord," which is the literal translation of the last two words of the verse. The worshiper brings an appropriate animal to the appropriate place, both fundamental to an acceptable sacrifice.

1:4 / Next the worshiper is **to lay his hand on the head of the burnt offering.** The meaning of this act has been greatly debated. Jacob Milgrom suggests four basic explanations: (1) transference—of sin to the animal or ownership to God, (2) identification with the animal, (3) declaration of purpose, or (4) ownership of the animal. While the worshiper may make a declaration of purpose by the gesture, the text gives no indication of that. Certainly with the pressing of the hand the worshiper identifies in some significant way with the sacrificial victim. The offering is again here labeled a burnt offering, literally "what goes up," when burned and the smoke rises. Perhaps a more complete title would be "whole burnt offering." The whole animal (except the skin) is burned and made into smoke, which ascends. Leviticus 22:18 speaks of the whole burnt offering as a votive or freewill offering, but Leviticus 1 gives only atonement as the function of the sacrifice. The English word indicates putting a relationship at one, "at-one-ment." Sacrifice at the sanctuary makes communication between the human and the divine possible (see the Introduction).

The Court of the Tent of Meeting

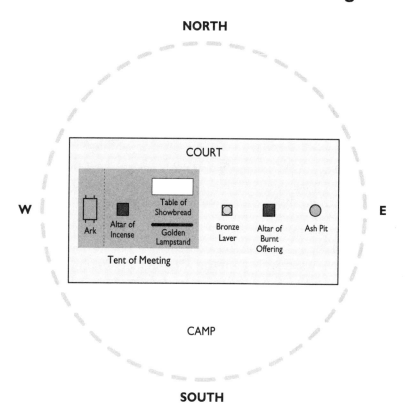

NORTH

COURT

Table of
Showbread

W　　Ark　Altar of
Incense　Golden
Lampstand　Bronze
Laver　Altar of
Burnt
Offering　Ash Pit　　**E**

Tent of Meeting

CAMP

SOUTH

1:5 / The remainder of the paragraph emphasizes the parts to be played by the worshiper, in contrast to those played by the priest. The worshiper slaughters the animal, but anything to do with the sacred altar falls in the domain of the priest, who is also sacred. The priests deal with the blood, an important sacred element. The blood is splashed against the sides of the altar, which belongs to God, because the blood already belonged to God and is thus returned to God rather than participating in the gift portion of the sacrifice.

1:6 / The worshiper then prepares the animal's carcass for sacrifice by skinning it and cutting it into pieces. The skin is not burned, but used in other ways.

1:7 / This verse again emphasizes the task of the priest, especially in relation to the altar. **The sons of Aaron the priest** include all Aaronic priests. Their tasks include initially arranging wood, setting the **fire** on the sacrificial altar, and keeping the fire going.

1:8 / **Aaron's sons the priests** are to **arrange** the parts of the sacrifice on the altar. Milgrom suggests that the parts were quarters; the animal was probably cut according to prescribed customs. Placing the pieces upon the altar was a decisive beginning of the movement of the sacrifice upward, ultimately to God.

1:9 / **The inner parts and the legs** are to be cleansed with water. The purpose is to remove from the sacrifice any uncleanness from the animal's excrement. The entrails and hind legs, perhaps defiled from the entrails, are washed—not all the internal organs. Then the entirety of the animal, the whole burnt offering, is burned on the altar. This paragraph, describing the whole burnt offering, concludes, **It is a burnt offering, an offering made by fire, an aroma pleasing to the LORD.** The syntax of the Hebrew is more broken and more vivid than the English: "And its entrails and its legs he will wash with water, and the priest will burn the whole thing on the altar, a burnt offering, a gift, a pleasing aroma for Yahweh."

This atoning sacrifice also symbolized the commitment of one's entire life to God, with the burning of the whole offering on the altar as a gift of pleasant smoke. God then determines the effect of the offering.

1:10–13 / This paragraph provides an alternative to the offering of a bull, **a burnt offering from the flock, either the sheep or the goats.** The procedure is the same as in verses 3–9. Sheep and goats were less costly than a bull, and sheep are frequently cited as sacrificial animals in the OT.

1:14–17 / The final paragraph of the chapter provides yet another alternative for the whole burnt offering, for those who are poor, without a bull or sheep or goat, but who could bring an offering of birds. **If the offering to the LORD is a burnt offering of birds, he is to offer a dove or a young pigeon.** Because the offering is quite different, it must be treated differently. The priest will wring or pinch off the head and burn it; the blood is drained, again on the side of the altar. Then **the crop with its contents** is removed and thrown on the ash heap to remove any uncleanness from the sacrifice. The bird is small enough that it is not cut up but torn by the wings. The tearing enables the offering to burn better and perhaps increases its apparent size, giving the impression of a more substantial gift. The paragraph ends with the same conclusion as in verses 9 and 13.

The whole burnt offering provides a possibility for putting back "at one" the covenant and for reconciling the cosmic relationship which was broken by sin and uncleanness. The goal of the ritual is for God to grant atonement. The concern of the text is to regulate the ritual so that it can be acceptable to God.

The themes of Leviticus 1 appear throughout Scripture. The crucifixion as the ultimate atoning sacrifice is central to the NT text (Mark 10:45; Eph. 5:2; 1 Pet. 1:18–19), and subjects such as forgiveness (1 John 1:5–10) and total commitment (Matt. 10:34–39; Heb. 13:15–16) arise frequently.

Additional Notes §1

1:1 / Wenham (*Leviticus,* p. 49) has noted the distinctiveness of the language. R. Knierim's detailed treatment of Lev. 1:1–9 has demonstrated well the limits of interpretation (R. P. Knierim, *Text and Concept in Leviticus 1:1–9: A Case in Exegetical Method* [Forschungen zum Alten Testament; Tübingen: J.C.B. Mohr, 1992]).

1:2 / Hartley (*Leviticus,* p. 9) and Knierim (*Leviticus 1:1–9,* pp. 14–16) exemplify those interpreters who note the inclusive language. The word for the offering, *qorban,* is used twice in the verse and is a general term indicating that which is brought near. The verb from which the term derives, *qarab,* "to come near," is used twice in the verse in the *hip'il,* "to cause to come near" or "bring near." The offering is what is brought near to Yahweh, to the Tent of Meeting.

1:3 / From a more pragmatic perspective, Milgrom has suggested that the male animal was economically more expendable because the female was needed to produce milk and offspring (*Leviticus 1–16,* p. 147).

1:4 / The NIV translation **He is to lay his hand on the head of the burnt offering** is correct in that the text clearly speaks of putting one hand on the head of the animal. However, the translation of the verb is somewhat misleading. *Samak* means to press or lean; so the worshiper presses a hand upon the head of the animal, perhaps controlling the animal with the other hand. See B. Levine's comment on the significance of this ritual act (*Leviticus* [JPS Torah Commentary; Philadelphia: Jewish Publication Society, 1989], p. 6).

The title of the offering, *'olah*, comes from the verb *'alah*, "to go up." Milgrom notes that the title could mean either a burnt offering or a whole offering, though he prefers "burnt offering" (*Leviticus 1–16*, p. 172).

See E. Gerstenberger: "The completely burned sacrifice is probably an Israelite peculiarity. Its preeminent significance especially in the later period of the OT derives above all from the theological and literary need to emphasize complete devotion to Yahweh" (*Leviticus: A Commentary* [OTL; Louisville: Westminster John Knox, 1996], p. 34).

The meaning of the Hb. verb used for "atonement," *kipper*, has been debated. Wenham argues that the word means "to pay a ransom." The worshiper offers the sacrifice as a ransom, a lesser payment to be released from the consequences of sin (Wenham, *Leviticus*, pp. 57–63). A difficulty with this interpretation is the canonical context of Leviticus. God has already delivered ancient Israel, now God's covenant people, and Leviticus is part of the instruction in living according to that covenant. For sacrifice to pay a ransom could suggest that God is to be "bought off" or that some divine wrath will be assuaged with the sacrifice, that God's favor has to be earned. The other rendering of "make atonement" fits the context better: "to wipe clean" (Levine, *Leviticus*, p. 23). Other options are "to cover," "to atone," or "to expiate." It is difficult to make a clear judgment about etymology, and one could make a case for any of these translations.

1:5 / The verb *shakhat* is the verb for ritual slaughter by slitting the throat.

1:9 / The translation of *'isheh* is a matter of debate. NIV follows the traditional translation, "an offering made by fire," associating the term with *'esh*, "fire." Other options have been followed by some recent interpreters because *'ishsheh* is used to describe some offerings that are not burned (Wenham, *Leviticus*, p. 56; Budd, *Leviticus*, p. 50). Either "gift" or "food" has been suggested as a better translation (Hartley, *Leviticus*, pp. 13–14; Knierim, *Leviticus 1:1–9*, pp. 67–82). The more general term seems appropriate, and so I have used the term "gift."

1:11 / The location at which the sacrifice from the flock—sheep or goat—is slaughtered is added to the information in vv. 3–9. Milgrom has suggested that the location "at the north side of the altar before the LORD" was dictated by practical reasons (*Leviticus 1–16*, p. 164). With the ash heap to the east, the laver to the west, and the ramp up to the altar to the south, only the area to the north of the altar was available. An animal from the flock would have been easier to control, and so a specific place for slaughter could be prescribed.

1:15 / *Malaq* is the term used for the ritual slaughter of the bird sacrifice, indicating wringing or pinching off the head. Apparently the head can be easily removed from a bird when the head has been separated from vertebrae (Milgrom, *Leviticus 1–16*, p. 169).

§2 *The Grain Offering (Lev. 2:1–16)*

This chapter describes the ritual of cereal or grain offering for the worshiper and gives alternative possibilities for the details of the offering. The first section on the cereal offering (vv. 1–3) presents the basic regulation for the offering, and the second section (vv. 4–10) gives additional instruction on cereal offerings baked in an oven, on a griddle, or in a pan. The procedure consists of preparation of the offering, presentation of the offering, offering up part of the grain, and burning it. There are also instructions for what to do with leftover grain, probably wheat or barley. These first two sections, similar to those in chapter 1, begin with **When** *(ki)* **someone brings/If you bring a grain offering** (vv. 1, 4) and end with **an offering made by fire, an aroma pleasing to the Lord** (vv. 2, 9) and **it is a most holy part of the offerings made to the Lord by fire** (vv. 3, 10). The third section of the chapter (vv. 11–16) supplements the instruction, commenting on the use of yeast, honey, and salt, and relating the instruction to the firstfruits.

The instruction on the grain offering may be quite old, but the variations in the procedure indicate that the offering varied over time, with an eventual standardization for temple practice. This chapter makes it clear that the grain offering is to be part of tabernacle worship and not of private worship. These instructions on the grain offering are to enable worshipers to offer sacrifices acceptable to Yahweh, whereas private offerings were subject to corruption and idolatrous practices (Jer. 7:18).

2:1 / The regulation begins, as it did in the first chapter, with inclusive language: **When someone** *(nepesh)* **brings a grain offering.** Oil and incense are to be added to the fine flour to make the offering more desirable. Olive oil, associated with joy and richness, helped the offering to burn, and the rich incense, sometimes translated "frankincense," enhanced the fragrance.

2:2 / The worshiper takes the offering to the priest, who performs all the actions connected with the altar. The priest takes a portion of the fine flour mixed with oil and incense and burns them on the altar. The portion is called **a memorial portion.** The worshiper is to remember God's grace in giving food and so might speak words of praise and thanksgiving to God. The memorial portion could also function to stir God's memory so that God will remember the divine commitments to the covenant and act graciously toward the worshiper.

2:3 / The remainder of the offering is given to the priests as part of their income. As **a most holy part of the offerings,** it is to be eaten in the temple precincts by ritually clean priests and not by their families or others associated with the temple. In this way, the grain offering serves the practical function of providing the priests with food.

2:4 / While verses 1–3 appear to relate to uncooked grain offerings, verse 4 begins a longer instruction on cooked or baked grain offerings. No incense is included; Milgrom has suggested that the exclusion is a concession to the poor since the incense was expensive (*Leviticus 1–16,* p. 183). The first type of baked grain offering is one **baked in an oven.** It could be in the form of a cake **mixed with oil** or **wafers** (thin cakes) ... **spread with oil.** The same kind of **fine flour** is used, but no yeast. The cake would be in the form of a loaf of bread baked from dough, perhaps round or twisted. The oven, which functions as a baker's oven, was common in ancient Israel. A clay cylinder was heated with fire, the ashes were removed, and then the dough was put in the cylinder, perhaps kept in a hole in the ground, to bake.

2:5–6 / The grain offering could also be prepared on a clay or iron griddle. This form of a grain offering could be understood as something similar to toast, a flat cake, or a pancake. The cake is to be crumbled up and oil poured on it before it is offered as a grain offering. Again, this method of preparing the "cake" would reflect common eating practices. The people offered their everyday diet to God.

2:7 / The third method of preparing the grain offering is in a **pan.** The offering was probably fried in oil until crisp in a deep pan with a lid.

2:8–10 / The procedure for presenting the cooked grain offerings is quite similar to that for the uncooked offerings (vv. 1–3). The entire offering is brought, only the memorial portion burned on the altar, and the remainder goes to the priests. This portion of the Manual of Sacrifice is addressed to the whole community, while chapters 6–7 of the Manual is addressed specifically to the priests. Milgrom suggests that contemporary practice in other ancient Near Eastern religions included burning the whole cereal offering on the altar (*Leviticus 1–16*, p. 188). Leviticus emphasizes burning only the designated portion. The practice thus implies the distinctiveness of this community of God's people.

2:11–12 / The final section of the chapter, beginning at verse 11, presents some instruction to the congregation on various dimensions of the offering. The reference to **honey** was probably not to bees' honey; it is more likely to something sweet from dates or some other fruit. Ancient Israel's neighbors used honey in their rituals, but Israel is forbidden here from using honey in any substance to be burned on the altar. Part of the motivation behind the prohibition may be to forbid ancient Israel from idolatrous practices. In contrast, grain offerings prepared with yeast, or leaven, and honey are allowed in the offering of firstfruits. The firstfruits belonged to God. They were a circular gift from God to the people and then from the people back to God. Worshipers recognized this priestly theological perspective in recounting the history of God's saving deeds when presenting the firstfruits (Deut. 26:1–11).

The use of yeast was probably forbidden because it brought about fermentation, which was thought to change the nature of the cereal and thus was a symbol of corruption. Yeast was actually taken from something previously baked and left to spoil, and thus it was associated with death and decay. The cakes without yeast may have reminded the community of the wilderness experience with unleavened bread. The custom continued in ritual long after the wilderness era. "Another explanation is that yeast is a living organism, and only dead things could be burned on the altar in sacrifice" (Wenham, *Leviticus*, p. 71), but the association of fermentation with deterioration and death is probably operative here.

2:13 / **Season all your grain offerings with salt.** The verse recommends the use of salt three times. **The salt of the covenant of your God** reflects the abiding nature of God's covenant with ancient Israel since salt was not only a seasoning but also the primary preservative in the ancient Near East. Salt is required in the grain offering, but yeast and honey are excluded.

2:14–16 / The final verses of the chapter relate to **a grain offering of firstfruits.** Fresh grain that is just ripening is to be roasted, then ground or crushed. Incense and oil are added, and the memorial portion is offered. The firstfruits are always to be offered to God in recognition of the Lord and giver of the harvest. God gives the gift of food, and the grain offering dedicates daily life, reflected in its diet, to God. Grain offerings were usually offered along with whole burnt offerings and fellowship offerings, and thus it is natural to find this instruction between the instructions on those two offerings. The tie to Leviticus 1 is important. The whole burnt offering effects atonement. With the grain offering, the worshiper offers thanksgiving to the atoning God. Jewish tradition holds that the grain offering functioned as a whole burnt offering for the poor, but although the grain offering was often presented along with the whole burnt or fellowship offering, in Leviticus 2 the grain offering is presented as a different and independent sacrifice.

These themes are certainly reflected in the NT calls for sacrifice (Rom. 12:1–2; Heb. 13:15–16). Also relevant is Jesus' reference to believers as "the salt of the earth" (Matt. 5:13). As salt is an agent of seasoning and preservation, so believers are to "season" life from the basis of a preserved or continuing relationship with God. When Jesus refers to himself as "the bread of life" (John 6), he calls the community of faith to partake of bread and wine as sacrificial food, a memorial portion for all believers, an act of faith in the one who gives life.

Additional Notes §2

2:1 / The title of the offering is *minkhah* ("gift"), and the word is used in a variety of ways in the OT to indicate a gift. In the Priestly texts of Leviticus and Numbers, *minkhah* normally has the restricted meaning of **grain offering** (Hartley, *Leviticus*, p. 29). The offering is sometimes called "a meal offering." The older translation of "meat offering" (KJV) was a reference not to animal meat but to an older general meaning of "meal." The NIV translation of "grain offering" is perhaps best. The offering usually accompanied the whole burnt offering and often the fellowship offering. A libation was frequently offered with the grain offering (Num.

15:6–10). Grain offerings were also presented with offerings of firstfruits (Lev. 23:16–17; Num. 28:26). Elsewhere, *minkhah* is used with other terms indicating sacrifices, and when combined with *zebakh* indicates the whole range of offerings—those wholly presented to God and those that become a festive meal *(zebakh)*. Malachi uses *minkhah* for sacrifices in general (Mal. 1:10–11, 13; 2:12–13; 3:3–4). The grain to be used is *solet*, **fine flour.** Milgrom suggests that *solet* must be wheat and not barley *(Leviticus 1–16*, p. 179). *Solet* is a choice, expensive grain like semolina—not ordinary flour (which is a coarse mixture of whole grain and bran) but the fine flour taken from the inner kernels of wheat then ground and sifted (Hartley, *Leviticus,* p. 30).

2:2 / The meaning of **memorial portion** is debated. Its meaning is central to the significance of the grain offering. Milgrom *(Leviticus 1–16,* pp. 181–82) notes four possible interpretations for that portion of the grain offering which is burned on the altar: (1) memorial portion, (2) burnt portion, (3) fragrant portion, (4) invocation portion. Each suggestion is based on uses of the word *'azkarata,* which is probably associated with the root *zakar,* to remember. Milgrom suggests that the "memorial portion" is a remembrance of the entire grain offering representing the remainder, and should be translated "token portion." Mutual remembrance is probably more to the point of the sacrifice (Hartley, *Leviticus,* p. 30).

2:11 / See Hartley *(Leviticus,* p. 33) on the use of honey by ancient Israel's neighbors.

2:12 / Milgrom has suggested that the **firstfruits** are not those crops that ripen first but those that are processed first *(Leviticus 1–16,* pp. 190–91). The word translated as "firstfruits," *re'shit,* is simply an adjective meaning "first." If Milgrom is correct, the usage in v. 12 is in contrast to that of the firstfruits in v. 14, which does seem to suggest grain that ripens first.

2:14 / The word for the **crushed heads of new grain** is *karmel,* meaning "fresh" or "fertile." Mount Carmel and its range were so named because of fertility in growth (N. H. Snaith, *Leviticus and Numbers* [Century Bible; London: Nelson, 1967], p. 37). The verse might be translated: "And if you bring a grain offering of firstfruits to the Lord, crushed new grain roasted in the fire, fresh ears you will offer for the cereal offering of your firstfruits." Milgrom has argued that the grain must be barley *(Leviticus 1–16,* pp. 192–93).

§3 The Fellowship Offering (Lev. 3:1–17)

This chapter, like chapters 1 and 2, contains three sections, each of which follows a similar pattern. The first section relates to an offering from the herd (cattle), the second and third concern offerings from the flock (sheep and then goats). Each section begins with a reference to the animal and distinguishes the tasks of worshiper and priest. The worshiper deals with the animal, and the priest again performs any tasks directly associated with the altar. Each section ends with a reference to the sacrifice as offered to God. The final section appends an instruction on fat and blood. The difference in the types of offerings accounts for the three-part structure. Apart from the fat tail of the sheep that is burned on the altar, the sacrifices are the same. The chapter provides for the three types of animals used in fellowship offerings but makes no provision, as does chapter 1, for birds, presumably because here a larger animal was necessary for the fellowship meal. Birds would also offer only a very small amount of blood to be splashed and fat to be burned.

That these offerings were probably practiced throughout history in a variety of ways is perhaps indicated by the variations in the section conclusions. The reference in verse 5 to burning the fat on top of the burnt offering may also suggest modification over time. The text of Leviticus 3 standardizes the practice.

Chapter 3 is very much like the first chapter of Leviticus in describing how the animal is sacrificed. With this dramatic depiction, the chapter fixes these ritual acts at the center of covenant community life. Sacrifices are offered at the Tent of Meeting, as is the whole burnt offering in chapter 1. They are offered only to the living God.

3:1 / Although the traditional rendering is "peace offering," the NIV's **fellowship offering** associates the sacrifice with the fellowship meal cooked from the meat that was not burned on the altar.

The conditions of the sacrifice are determined by the animal offered, here **from the herd,** a cow. The animal without blemish may be either male or female. The more solemn atoning sacrifice of the whole burnt offering in chapter 1 required a male animal. No mention is made of the age of the animal in chapter 3. Allowances of such variety in the animal may relate to the fact that only the fat of the animal is burned on the altar. Again the animal is brought **before the LORD,** at the tabernacle.

3:2 / The next verse distinguishes between the acts of the worshiper and those of the priest. The worshiper is to press one hand on the head of the animal and then is to **slaughter it at the entrance to the Tent of Meeting.** Only the fat is burned on the altar. The remainder of the meat becomes a fellowship meal for worshipers. What is burned on the altar, such as the whole burnt offering, or what is given to the priests, comes inside the tabernacle and is not removed; such offerings are holy and belong to God. The priests deal with anything related to blood or the altar. The blood is splashed against the sides of the altar and thus returned to God.

The pressing of the hand on the head of the animal here clearly does not relate to transference; the fellowship offering is not an atoning sacrifice. In this act the worshiper identifies with the animal.

3:3–5 / These verses designate the part of the animal to be burned on the altar: **From the fellowship offering he is to bring a sacrifice made to the LORD by fire.** The fat covering and clinging to the entrails or intestines, the kidneys with attached fat, and the lobe of the liver are burned. The fat beneath the skin and surrounding the intestines could be peeled off. The kidneys, situated in the fattest part of an animal, the fat beside them on the sinew, and the lobe of the liver would be removed together.

The hard fatty tissue was inedible but nevertheless was viewed as the best part of the animal. On the other hand, the kidneys and liver were delicacies. They were vital organs associated with inner feelings. These inner organs, especially the lobe of the liver, were used in the ancient Near East in divination, predicting future events. Officials would read the entrails to get a divine message. The Hebrew Bible specifically forbids the practice as associated with idolatry (Deut. 18:9–13). In the fellowship offering, the inner organs are offered as a valuable gift to God and thus unavailable for divination. The portion is placed by the priests on top of, or with, the whole burnt offering that has already been offered and burned on the altar. The conclusion to the section defines the offering as a gift of a pleasant smell with hope for divine acceptance.

3:6–8 / The fellowship offering from the flock is divided into two sections, offerings of sheep and of goats. The material is quite similar to what we have already seen. For the fellowship offerings of sheep, the animal may again be male or female and is to be presented **in front of the Tent of Meeting,** before the Lord.

3:9–11 / For the sheep the portion to be burned on the altar is somewhat different: **its fat, the entire fat tail cut off close to the backbone, all the fat that covers the inner parts or is connected to them.** The part associated with the kidneys and liver is the same and the conclusion similar. Broad-tailed sheep are well known in Jewish tradition.

The conclusion of this section refers to the sacrifice as *lekhem,* **food** or "bread." Milgrom suggests that the word is a fossil harkening back to earlier times when sacrifices were to feed the gods, a practice rejected by the Hebrew Bible (*Leviticus 1–16,* p. 213). This use of *lekhem* is unusual, but it may emphasize that God is also present with worshipers in the festive sacrificial meal made from the part of the fellowship offering that is not turned.

3:12–16 / The text makes no mention of the gender of the goat. Because the term used here, *'ez,* often refers to female goats, Hartley suggests that females may be the required animal (*Leviticus,* p. 41). Milgrom, however, suggests that verse 6 has already stipulated male or female for offerings from the flock, whether sheep with a fat tail or goat (*Leviticus 1–16,* p. 213). The offering of a goat is dealt with in the same way as the other fellowship offerings.

The last line of verse 16 begins an addition to the last section of the chapter: **All the fat is the LORD's.** The fat, or suet, is burned on the altar as a gift of the best to God. The congregation does not consume the fat or use it in any other way. Everyday cooking is done in oil rather than animal fat.

3:17 / The final verse of the chapter also prohibits consumption of fat or blood. Blood, the life of an animal and the means of atonement, and fat, the best that was given to God, are not consumed by humans. The prohibition covers all circumstances, as indicated by the series of broadening expressions: **a**

lasting ordinance for the generations to come, wherever you live. No circumstances of time, age, location, or distance from a sanctuary, or even exile, justify violating the prohibition. This verse clearly standardizes all sacrificial practice concerning fat and blood, and places significant control on the use of all meat at the sanctuary.

We have already noted that the fellowship offering concludes with a sacred meal of the meat not burned on the altar. What little Leviticus says about the meal is primarily in chapter 7 (vv. 15–16, 20), but Deuteronomy 12:7 describes a covenant meal: "You shall eat before the LORD your God, and you shall rejoice, you and your households, in all that you undertake, in which the LORD your God has blessed you" (RSV). God was present in this communion meal, and so the relationship between God and the community was deepened. Accordingly, the meal was a festive occasion celebrated with meat, a luxury in ancient Israel.

Leviticus 7 suggests three types of fellowship offerings: confession offerings, vow offerings, and free-will offerings. Confession offerings have to do with "confessing," or narrating, God's saving events. Vows are promises made as part of the celebration of God's salvation. Psalm 56 connects confession and vow offerings. Free-will offerings were spontaneous acts of giving. Thus the fellowship offerings were joyous ones, especially in conjunction with the meal. Leviticus 3:5 indicates that the fellowship offering was burned on top of the atoning whole burnt offering. Having received atonement, the worshiper responded with a joyful fellowship offering. While the chapter concentrates on how the sacrifice is offered, it is clear from other parts of the Hebrew Scriptures that this offering was one of rejoicing and communion in eating.

Christians often speak of joyful communal meals like that associated with the fellowship offering. Although the specific name of the sacrifice is not used in the NT, Jesus refers to the blood of the new covenant at the Last Supper. The new covenant brings rejoicing in communion.

Additional Notes §3

3:1 / The name of the offering has occasioned considerable discussion. The traditional translation, "peace offering," is based on a Hb.

word related to *shalom*, "peace," which however carries a broader meaning. Thus some newer translations use the term "sacrifice of well-being" (e.g., NRSV). Other possibilities include the **fellowship offering** of NIV or "shared offering" or the "concluding offering."

The Hb. is *zebakh shelomim*. *Zebakh* has to do with the killing of sacrificial animals, whose meat, Milgrom suggests, is eaten by worshipers (*Leviticus 1–16*, p. 218). The meaning of *shelomim* is more complicated. While associated with *shalom*, the root word *shalem* means "to be complete, sound, whole, or healthy." The plural form here could be an abstract noun indicating prosperity or well-being (Hartley, *Leviticus*, p. 38). Hartley and Milgrom support this translation. Since the sacrifice is an occasion of joy, it does celebrate the worshiper's welfare. Supporting the alternative translations of "shared" or "communion" sacrifice is the fact that the sacrifice is shared by the worshiper's family, the priests, and God—celebrating peace or harmony in the divine-human relationship and thus well-being for the worshipers. The fellowship offering is part of the celebrations on a variety of festive occasions in the Hb. Scriptures (e.g., Deut. 16:10; 27:7; 1 Kgs. 8:62–66).

The historical construction of R. Rendtorff has received much attention. He suggests that the two words initially reflected different offerings. *Shelomim* was the older offering—a royal, festal, public offering that concluded a series of offerings. The *zebakh* was a private, occasional sacrifice. When the two were combined in the *zebakh shelomim*, the *zebakh* became a public sacrifice which included the blood rite and the burning of the fat (R. Rendtorff, *Studien zur Geschichte des Opfers im Alten Israel* [WMANT; Neukirchen-Vluyn: Neukirchener, 1967], pp. 119–68). Rendtorff's construction is interesting, and he marshals considerable support for it, but finally it is too hypothetical (Hartley, *Leviticus*, pp. 37–39; Milgrom, *Leviticus 1–16*, pp. 204, 217–21). A simpler solution is to take the first term as the generic one for sacrifice and the second as a defining term for the sacrifice—well-being or fellowship.

Martin Noth suggests that *shelomim* has to do with the intactness of the relationship between God and worshipers. Noth associates that with the communal meal, which invigorates and renews that relationship (M. Noth, *Leviticus: A Commentary* [OTL; rev. ed.; Philadelphia: Westminster, 1977], p. 31). There seems ample support to follow the NIV translation "fellowship offering."

Milgrom has suggested that since the verse begins with *'im* rather than *ki*, it really operates from the introduction in Lev. 1:1–2 as another instance of voluntary animal offerings introduced there (*Leviticus 1–16*, p. 203). The sacrifice is again called "what is brought near" to the Tent of Meeting.

3:2 / The slaughter is done by the offerer: **He is to lay his hand on the head of his offering and slaughter it.** That fits the Hb. better than Milgrom's impersonal translation (*Leviticus 1–16*, p. 204).

3:3–4 / The portion of the sacrificial animal to be burned on the altar is described in some detail. The fat covering the entrails and connected to them refers generally to the omentum, the membrane enclosing the intestines and to which fat clings. The lobe of the liver is usually identified as the caudate lobe. The liver would be full of blood, a sacred substance (Hartley, *Leviticus*, p. 40).

3:6 / The Hb. for **without defect** is *tamim*, meaning "whole, complete, faultless, or blameless." The term has to do with the soundness or integrity of the offering.

3:9 / Milgrom suggests that **its fat** is a general term for the part of the animal to be burned on the altar and then described: "its suet: the broad tail completely removed close to the sacrum" and the other portions described in vv. 3–4. Although the broad tail of the sheep is part of the burned portion, the meat itself could be edible. The reference to the fat tail indicates a breed of broad-tailed sheep documented in Palestine. They had very heavy tails, and it is suggested that shepherds even crafted carts to support the tails (Milgrom, *Leviticus 1–16*, pp. 210–13). Milgrom includes a figure of such a sheep. The descriptions of these fat tails are remarkable.

§4 The Purification Offering (Lev. 4:1–5:13)

We come now to a different kind of sacrifice. We are still in the Manual of Sacrifice, but the concluding verse of chapter 3 prepares the reader for a section on the breaking of prohibitions. Those sacrifices portrayed in chapters 1–3 are voluntary. Chapters 4 and 5 consider sin, or purification, offerings and guilt, or compensation, offerings. While chapters 1–3 place the sacrificial animal at the fore, chapters 4–5 focus on the type of sin that necessitates the sacrifice and on the position of the offerer.

Wenham points out that chapter 4 describes offerings for inadvertent sins, and Leviticus 5:1–13 describes offerings for sins of omission (*Leviticus,* p. 87). (Lev. 5:14–19 has to do with guilt offerings for inadvertent sin and Lev. 6:1–7 for deliberate sin.) Most main sections begin with someone sinning and conclude with the priest making atonement and the sinner being forgiven. The paragraphs within each section start with "if." Chapter 4 includes a description of purifications offered for the high priest, for the whole congregation, for a tribal leader, and for other persons in the congregation.

The rites described in this chapter appear to be quite ancient. The procedure and its elements have, no doubt, been standardized and filled out with greater specificity to complete the text at hand. Yet it would be difficult to reconstruct the stages which finally brought about Leviticus 4.

4:1–2 / The chapter's introduction begins as chapter 1 did, by designating the section as divine speech delivered to Moses. Moses, in turn, delivers this message to **the Israelites,** the covenant community. The instruction on this offering has to do with inadvertent sins: **When anyone** *(nepesh ki)* **sins unintentionally.** The language includes both genders and also resident aliens. Unlike deliberate, defiant sin, this sin is committed in error or inadvertently, out of human ignorance or unawareness. For example, one might eat unclean meat without knowing that it is unclean. The language indicates negligence or ignorance.

The unintentional sin breaks a prohibitive command in God's covenantal relationship with ancient Israel. The person **does what is forbidden,** and this error or failure "sets up reverberations that upset the divine ecology" (Milgrom, *Leviticus 1–16,* p. 229) and thus necessitates a purification offering.

4:3–4 / The anointed priest is the high priest. Since he is a representative of the people, his purification offering is significant and is described first. The unintentional sin of the high priest involves the whole community since the priest is the leader of the cult. The priest is also the one who makes atonement for the people, and thus the purification offering for the priest takes priority. The offering of the most valuable animal, the bull, emphasizes the importance of this sacrifice. The sin of the high priest puts the community at risk, exposing the people to danger by way of a misfortune that has occurred. The priest could inquire through the Urim and Thummim whether he had inadvertently sinned and could then offer a purification offering. The resulting sacrifice would not be usual. The required procedure resembles that of a fellowship offering.

NIV translates the title of the sacrifice with the traditional **sin offering,** while its purpose is purification.

4:5–10 / The use of the blood distinguishes this offering as a purifying agent, a kind of holy detergent. The use of blood might evoke disgusting images for us, but in ancient Israel, sacrificial blood is a sacred cleansing agent. The priest dips his finger into the blood and sprinkles it seven times, the number for completeness, **before the LORD, in front of the curtain** separating the Holy of Holies and the sanctuary. Blood is also put on the horns of the incense altar, handles that represent the whole altar. The remainder of the blood is poured out at the base of the larger altar for the burnt offerings. The blood thus serves to purify the Holy of Holies and both of the Tent's altars. The remainder of the procedure resembles that for the fellowship offering, and the fat portion is burned on the sacrificial altar. The holy place is thereby cleansed of the pollution caused by the unintentional sin(s) of the high priest.

4:11–12 / In purification offerings for the high priest (or community), the remains are to be burned outside the camp. Because the priest might be involved in the sin, the priest could not appropriately consume the offering. The enumeration of the parts of the animal **(the hide of the bull and all its flesh, as well as the head and legs, the inner parts and offal—that is, all the rest of the bull)** reflects a concern that none of the animal be used by humans. The remainder of the bull is consumed, but not as a sacrifice. This place where the ashes from the altar are burned would be a closely regulated place.

After each of the rest of the sacrifices in the chapter, the priest will declare that atonement has been made for the person(s) offering sacrifice. Since it would not be appropriate for the priest to announce his own atonement, the statement is missing from the end of this first section.

4:13–15 / Exactly who constitutes **the whole Israelite community** is a puzzle. Wenham suggests that the term used here (*'edah*) probably indicates a clearly defined group with representative and legal functions rather than the whole of the community; he would call it "the congregation" (*Leviticus*, pp. 98–99). Such was probably a kind of parliament including many of the people. A different term is used in verse 13 (*qahal*), an assembly of people perhaps gathered for worship. Budd suggests that the terms are used interchangeably, which is the view reflected in the NIV rendering (*Leviticus*, pp. 85–86). The community has sinned **unintentionally.** Eventually the sin comes to light by whatever means, and guilt comes to the fore. A purification offering of a **young bull** is thus necessary.

The elders of the congregation then, as representatives of the community, press their hands against the head of the bull—an act of identification with the sacrifice.

4:16–21 / The ceremony continues to resemble the purification offering for the high priest, with cleansing by blood, the burning of fat, and the proper disposal of the rest of the animal. For the first time in the passage about sin offerings, in verse 20 we find a phrase that is repeated throughout the remainder of this section, **In this way the priest will make atonement for them, and they will be forgiven.** God forgives the worshipers, wipes the slate clean, and puts the divine/human relationship back together, at one. The purification of the ritual makes that atonement possible by removing the effects of sin and uncleanness from the sanctuary. Accordingly, Yahweh may remain present to give life to the community and stability to the created order.

4:22 / The **leader** guides a tribe or a group within a tribe. The term can refer to the king, but that does not seem to be meant here. Because leaders were in positions of authority in ancient Israel, their sin was significant.

4:23–26 / The animal offered is not a bull, but **a male goat without defect.** The choice of animal and the association of the cleansing blood with **the altar of burnt offering** rather than the Holy of Holies indicate that this purification offering is not as serious as the first two discussed in this chapter. Probably the pollution has not reached the Holy of Holies. The ritual proceeds like the others.

4:27–28 / The final purification offering described in chapter 4 cleanses a member of the community. When this person's unintentional sin and guilt come to light, he or she is to sacrifice **a female goat without defect.**

4:29–31 / The offering then proceeds like that for a tribal leader. In verse 31, the phrase describing the sacrifice as **an aroma pleasing to the LORD,** which occurs only here within the instruction on the purification offering, fits the context of atonement in the next sentence.

4:32–35 / A worshiper may also bring a female lamb for the offering. The animal is killed **at the place where the burnt offering is slaughtered.** The fat is burned **on top of** or along with **the offerings made to the LORD.**

5:1–4 / The beginning of chapter 5 articulates four occasions when a purification offering would be needed. The fact that verses 2–4 begin with **or** (*'o*) suggests that the four occasions are parallel. The first occasion is the failure to respond to **a public charge** for witnesses to come forward so the guilty party may be properly judged. The safety and solidarity of the covenant community are dependent on the honesty and forthrightness of its citizens in revealing any prohibited activity. The second and third occasions reflect the contagion of uncleanness in animals and humans. The regulations on clean and unclean conditions come later, in chapters 11–16. The fourth occasion concerns taking a rash oath: A speaker, such as Jephthah in the book of Judges (ch. 11), unthinkingly takes upon himself or herself a course of action, without realizing its consequences. Members of the covenant community need to be able to fulfill their obligations (Num. 30:2;

Deut. 23:21–23; Ecc. 5:1–7), and failure to fulfill obligations may cause discord. When a person commits a sin, even if it is an unconscious or forgotten one, that person is responsible for addressing the sin.

5:5–6 / When a person has committed such a sin, he or she is to confess the sin and provide an offering **and the priest shall make atonement for him for his sin.**

5:7–10 / The mention of bringing "a female lamb or goat from the flock" in verse 6 leads to a discussion of just what may be sacrificed as a sin offering. Because anyone in the community is liable to sin and may need to bring a purification offering, the instruction allows for various offerings. Those who **cannot afford a lamb** may bring **two doves or two young pigeons.** One bird is offered as a burnt offering according to the instructions in Leviticus 1, as an atoning sacrifice. The second bird is a sin offering whose significant blood is handled in accord with chapter 4—some of the blood is sprinkled on the side of the altar and the rest **drained out at the base of the altar.**

5:11–13 / The concluding paragraph in this section on the purification offering makes further provision for the poor by allowing **a tenth of an ephah of fine flour** as an offering. There is uncertainty in the modern equivalents for ancient weights and measures, but this amount is the smallest of grain offerings, about the amount for one day's bread for one person. Since the sin offering calls for austerity and seriousness, oil and incense are omitted. **A memorial portion** is sacrificed, and the rest goes to the priest, as in Leviticus 2.

These offerings for inadvertent sins and sins of omission relate to atonement, but the consistent and distinctive characteristic is purification with blood. Blood is a cleansing agent; here it cleanses the sanctuary from the contagious effects of sin and uncleanness. The underlying belief is that God is holy and cannot endure to dwell in the midst of the effects of sin and uncleanness. Yet God seeks to be present with the community and to give life. The Manual of Sacrifice shows that although the community may fracture their relationship with God through sin and uncleanness, these rites of purification provide a way for the community to cleanse the divine dwelling place of the sanctuary. God could thus continue to be present and bless the covenant community. The danger is to lose the divine presence and thus full life, but purification makes possible wholeness of life in relationship with God. The purification offering may seem odd to modern believers, but it is actually a gracious provision for the faith community. The NT uses images of the purification rite, especially the cleansing significance of blood, to interpret the import of the crucifixion in Hebrews 9, 10, 13, and 1 John 1:7. The Christ event has the life-giving efficacy of the sacrifice.

Additional Notes §4

4:1–5:13 / Hartley's description of the structure is a bit more complex than Wenham's. He treats the purification offering as the "usual" sin offering in ch. 4 and the "graduated" sin offering in Lev. 5:1–13. In each of the four cases covered in ch. 4, the basic instruction and ritual procedure are described. The "regular" sin offerings are divided between the greater for the covenant community, including the high priest, and the lesser for individuals, including tribal leaders. The greater offering is more elaborate and purifies the more potent pollution of the Tent of Meeting.

4:3 / **Sin offering,** the traditional translation of the name of this sacrifice, from the Hb. term *(khatta't),* does come from a root related to sin, violating the community's religious standards. The use of the intensive form of the verb, however, often indicates purifying or decontaminating from the effects of sin. Thus, the "sin offering" is sometimes translated "purification offering" (Hartley, *Leviticus,* p. 55).

4:10 / The term translated **ox** in the NIV *(shor)* distinguishes the animal used in the **fellowship offering** from the "bull" used for the purification offering for the priest. The word translated **ox** is a single animal from the herd; in English the phrase "a head of cattle (ox)" would be equivalent.

4:11–12 / **The hide of the bull and all its flesh, as well as the head and legs, the inner parts and offal—that is, all the rest of the bull** is destroyed but not sacrificed. Milgrom has suggested that these remaining parts of the animal are not sacrificed because they are polluted by the sin of the one offering sacrifice *(Leviticus 1–16,* pp. 239–40), but the destruction of these remaining parts of the animal in **a place ceremonially clean** does not support that view. The mixing of clean and unclean is not desirable. The parts of the animal are destroyed as a further symbol of the removal of the effects of sin and uncleanness, and to show that no one could benefit from the effects of sin. Perhaps the refusal to sacrifice these parts of the animal on the altar makes clear that God also does not benefit from the sin.

4:13 / **The whole Israelite community** is *'adat yisra'el,* while **community** is *qahal.* NRSV uses "whole congregation" and "assembly."

4:20 / Mary Douglas has suggested that the sacrifice has protective as well as purificatory functions; a broken relationship is made good (cited in Budd, *Leviticus,* p. 88).

5:2–7 / The use of the term *'ashem* in these verses is ambiguous. In vv. 2–5, the verb form is used and is translated **is guilty.** The verb can also carry the sense of feeling guilty. In vv. 6–7 the noun form is used and is translated **penalty.**

5:8 / It may well be that the **neck** of the bird was slit and the resulting blood sprinkled.

§5 The Guilt Offering (Lev. 5:14–6:7)

Just as in 4:1, the introductory formula of 5:14 signals a shift. The next two paragraphs (Lev. 5:14–19 and 6:1–7) treat the guilt or compensation offerings for inadvertent and deliberate sins respectively. The relationship with Yahweh has been breached, and the community must make a sacrifice. The second paragraph concentrates on times when items are obtained by deception.

5:14–16 / This text is concerned that the proper animal, **a ram from the flock, one without defect and of the proper value in silver,** be offered. The value is standardized by way of the sanctuary shekel. Again, the offering is in response to an unintentional sin, but here it is connected to **the LORD's holy things.** Restitution is required, plus an additional twenty percent of the value of **what he has failed to do in regard to the holy things.** Perhaps the person has misappropriated something that belongs to the sanctuary or the priests. He or she brings the guilt offering with the intention of effecting atonement and forgiveness.

5:17–19 / These verses generalize the instruction and standardize practice and value, again to bring about reconciliation in the divine/human relationship. The verses emphasize a breach of faith and completion of the atoning sacrifice. Either the person is not aware of the violation, or there is some question about it. The involuntary nature of the breach is emphasized in verses 17–18: **even though he does not know it** and **the wrong he has committed unintentionally.**

6:1–7 / These verses focus on occasions which require a guilt offering. The violations appear to be intentional; goods have been procured under false pretenses. Offenses include failure to return something entrusted by another, falsely indicating that whatever was entrusted is no longer available, the deceptive confiscation of goods, and extortion. Such offend God as well as violate a human relationship. The offender has sworn falsely, perhaps with the divine name, thus breaking the commandment about misusing the Lord's name. The ritual requires a guilt offering as well as restitution to the proper owner of the goods plus twenty percent. Restitution and reparation probably entail an act of repentance and confession. Violations indicated here are difficult to prove legally because they often involve conflicting testimony. This instruction puts the offenses in the context of the covenant cult.

Guilt is a frequent topic for psychologists today. Many people seem to think that if they feel guilty, they have fulfilled their religious responsibilities. In contrast, these biblical texts deal less with emotion than with breaches of relationship with God and with a fellow member of the covenant community, a **neighbor** (Lev. 6:1). Violating the covenant relationship, human or divine, brings responsibility and calls for acts of reconciliation.

This section provides a cultic, corporate way to deal with such breaches of faith. To ignore the violations would jeopardize the whole community's relationship to God, because sin affects God's presence. Again, the ritual is described in a dramatic fashion, and its purpose—reconciliation—is emphasized several times. In the call for restitution to a wronged neighbor, the text connects worship and ethics. The reparation provides the guilty person a means of acting upon the need for reconciliation and is thus a helpful and healthy dimension of the ritual.

Additional Note §5

5:15 / The root meaning of the verb *'ashem* has to do with guilt or responsibility, and so the traditional translation of **guilt offering** is quite understandable. The word connotes less the emotion of feeling guilty than culpability in breaches of formal standards. The noun form of the word relates to the reparation or compensation in the ritual for the sacrifice described in this section.

§6 Instructions for the Administration of Offerings (Lev. 6:8–7:38)

Verse 8 initiates a new section of the Manual of Sacrifice that deals with the priestly administration of the sacrifices and so proceeds from that perspective. The material, which may seem repetitious to the contemporary reader, complements what has come before. The text moves from practical instruction for the worshipers to practical instruction for the people who administer the offerings. This final part of the Manual standardizes sacrificial practice and answers the important question: Which parts of sacrificial offerings belong to the priests? As was the case with Eli's sons (1 Sam. 2:12–26), the system could be abused, so clear standards were needed. Chapters 6–7 deal with each type of sacrifice, beginning with the most common.

6:8–13 / The phrase **Give Aaron and his sons this command** directs these **regulations** *(torah)* to the priests. The section centers on the altar fire and the ashes. The priests are instructed to keep the offering on top of the altar overnight and to ensure that the fire does not go out. The continuity of the fire may symbolize divine presence continuing with the community.

The remainder of the section deals with the removal of the ashes from the altar. The priest is to be attired appropriately and place the ashes beside the altar. His **linen clothes** are religious garments and provide a contrast to the clothes worn for taking the ashes outside the camp. **Linen undergarments** or shorts are gathered at the bottom and serve to protect the holy altar from any exposure to unseemly body parts. The priest then changes clothes in order to **carry the ashes outside the camp.** The change of clothes screens the holy garments from contamination and guards those who come in contact with the priest, because without proper preparation holiness can be dangerous. Even the ashes of the offering are deposited in **a place that is ceremonially clean.**

The importance of keeping the fire burning is again empha-
sized in verse 12, along with a mention of the **fellowship offer-
ings.** Besides being a symbol of divine presence, the continuously
burning fire answers the practical concerns that offerings be con-
sumed entirely and that fire always be available. The brief section
illustrates well the Priestly boundaries of holiness. Offerings be-
long to God, and even the ashes must be disposed of properly. The
priests' dress code also emphasizes holy boundaries in the Priestly
scheme of the camp.

6:14–18 / This segment further instructs priests on **the
grain offering** and the disposal of its remains—verse 15 echoes
chapter 2. The portion of the offering which is not consumed by
fire is eaten by the Aaronic priests. Since the offering is holy to
God, it must be eaten **in a holy place,** at the sanctuary. (The prohi-
bition against **yeast** reflects the instruction in Lev. 2:11.) The offer-
ings are **most holy.** Even the priests are considered holy because
they have been properly consecrated. These offerings are also im-
portant to the priests as a significant source of food for them.

6:19–23 / This section handles a special priests' offering
that the initial part of the Manual of Sacrifice does not treat. It is lo-
cated here because it is, for all practical purposes, a grain offering.
Pertaining particularly to priests, it supplements the instructions
on ordination in Exodus 29 and Leviticus 8–9, although those
texts do not refer to this particular grain offering. Verse 19 reiter-
ates that this instruction comes from God to Moses.

Grain is offered by a priest on the occasion of his ordination.
The offering is **a regular grain offering** of **fine flour** as in Leviticus
2. In that chapter, however, the measure of the offering is not speci-
fied. Here it is **a tenth of an ephah** "of fine flour as a regular grain
offering." The amount is the same as in Leviticus 5:11. Half of the
offering is to be offered in the morning and half in the evening.

It is prepared **with oil on a griddle,** as in Leviticus 2:5–6.
Unlike the grain offering of Leviticus 2, however, this offering
must be entirely burned just like a whole burnt offering. The of-
fering is split or **broken.** Verses 22–23 distinguish this as an ordi-
nation offering. No one may eat of any part of it. It is completely
dedicated to God, as are the priests being ordained. Falling as it
does in a series of instructions on the disposal of remains from sac-
rifices, it is important to note that this grain offering has no such
instruction. Thus it must be entirely burned on the altar. This of-

fering reflects the gravity of ordination as well as priestly importance and holiness.

6:24–30 / These verses present additional instruction on the sin offering as described in Leviticus 4:1–5:13, and particularly on the disposal of remains. While the earlier instruction on **sin offering** describes offerings brought for different people, the offering of the present passage is specifically for a leader or member of the community. In these cases, however, the priest can representatively consume a holy offering. It is also **to be eaten in a holy place, in the courtyard of the Tent of Meeting.** The holy and the profane must not mix. The holiness of the offering is contagious and is to be guarded. Any garment touching the offering must be cleansed properly so that blood from the purification offering is removed.

If the offering is prepared in a **clay pot,** then the pot is **broken.** The contagion could be absorbed in the clay. Apparently clay pots to replace broken ones were also readily available. **If it is cooked in a bronze pot, the pot is to be scoured and rinsed with water.** Bronze was less porous. Finally, in contrast to offerings for individuals or leaders, those for priest and for congregation are not to be eaten, but are to be burned on the altar, because the blood of the offerings **is brought into the Tent of Meeting.** This section again seeks to emphasize the place of the priesthood and to preserve the boundary between holy and profane.

7:1–7 / The discussion of offering disposal continues with the **guilt offering.** The *torah,* or "instruction," here revisits sacrifices in the ritual of Leviticus 5:14–6:7. While the guilt offering is similar to the purification offering, its blood is dealt with differently. The **blood is to be sprinkled against the altar on all sides.** The earlier instruction focuses this rite on restitution from the offender rather than on the sin offering's purification of the sanctuary. In fact, this offering is most like the fellowship offering. The fat is burned as the best part. The remainder of the sacrifice is **eaten in a holy place** by priests, reflecting other holy offerings described in this section and akin to the disposal of the sin offering for individuals (as v. 7 indicates).

7:8–10 / Priestly disposal of the reparation offering leads to further comment on priests' prerogatives. The officiating priest may keep the skin or **hide** of a burnt offering. The section conclusion further clarifies the disposition of grain offerings. The officiating priest may take the unburned portion from grain offerings, as in Leviticus 2:4–7. Verse 10 indicates that uncooked grain offerings are shared among the Aaronic priests.

7:11–15 / This next section describes the disposal of the **fellowship offering** and the various reasons for bringing it. It may be a thanksgiving offering, votive offering, or freewill offering. When the offering is given as an expression of gratitude, it should also contain unleavened cakes mixed with oil, unleavened cakes spread with oil, and **cakes of fine flour** soaked with oil. Contrast this instruction with that in Leviticus 5:11, in which oil is prohibited from those grain offerings associated with purification rites. The oil dedicates the offerings to God and so makes them offerings of thanksgiving.

As we have seen, the Hebrew notion of thanksgiving is closely tied to praise. The worshiper recounts the story of how God has delivered or blessed, and in rejoicing brings a fellowship offering along with grain products akin to those used in the grain offering.

The priest who officiates at the fellowship offering receives one of each kind of cake. It is **a contribution to the LORD.** Traditionally the word was translated "heave" offering, perhaps because it was raised up as a special contribution to go to the priest whose status is clearly protected here. The meat of the fellowship offering is eaten on the day of the sacrifice in order to avoid contamination.

7:16–18 / The one who offers a fellowship offering that is votive or **freewill,** in contrast to a fellowship offering for thanksgiving, may consume part of the meat on the next day. Anything left over at that time must be burned. Again, holiness is contagious and could be dangerous. It is not clear why the text reflects different customs here. This could indicate a combination of practices from different times or some confusion in the instructions. The concern might be that too many sacrifices will be offered, and a requirement to consume them all in one day would be unreasonable.

Any meat lasting beyond the specified time limit is **impure,** an abomination. Probably the meat is not just deteriorated and thus inedible but is now desacralized and cultically unacceptable. Eating it, the worshiper incurs guilt or uncleanness. The section concludes with a warning that the worshiper must accept the consequences of violating this eating prohibition.

7:19–21 / These verses offer a brief supplement on the disposal of fellowship offerings—the only sacrifice in which laity eat meat. The verses operate out of a medical model in which uncleanness is contagious and thus dangerous. Contact with the unclean could make meat unclean, and thus it must be burned, presumably outside the holy precincts, and not eaten. Such meat now does not belong to the Lord. Those who are clean may eat clean meat. Conversely, one who is unclean may not eat the meat of the **fellowship offering belonging to the LORD.** The consequence is serious; verse 21 repeats the instruction in an expanded form, giving some further indication of what is unclean. The punishment is some kind of excommunication: **that person must be cut off from** the people. Perhaps the person loses all family and property inheritance rights. Uncleanness was contagious and dangerous. Such directions supported the Priestly order reflected in Leviticus.

7:22–27 / This section is addressed not only to the priests but also **to the Israelites.** People should not eat fat. Fat from any animal which could be sacrificed is prohibited; as the best part, it is dedicated to God and thus holy. Even fat from animals found dead may not be used for food, but for other purposes, such as fuel for lighting, polish, or grease. Fat was important to the sacrificial system, and that is why this addendum occurs here. Meat was also considered a luxury that required regulation. The consequence of breaking the ban is the same kind of excommunication as in the last section. The consumption of blood is also prohibited; it is also holy. These instructions relate to the sacrifices but also suggest how the sacrificial system influenced the whole of life. These prohibitions again work to preserve the boundaries fundamental to the Priestly order.

7:28–36 / The text now returns specifically to disposal of the fellowship offering that was treated in verses 11–21. The passage seeks to standardize practice about what parts of the animal are the priest's portion.

This teaching again addresses **the Israelites.** Part of the offering is burned on the altar. The worshiper takes clear responsibility for bringing this holy portion to God **as a wave offering.** The basic meaning of the word communicates a waving motion. The offering has a special status. Perhaps this part of the sacrifice was presented with some sort of elevated or waving motion to indicate special dedication. The fat is burned but the breast goes to the priests.

The fact that certain portions go to the priests indicates that the priests have a means of living. In fact, these regulations put the priest in a much favored status. These portions come to the priests regularly. God supports these gifts to the priests with a first-person statement in verse 34, and the practice is associated with priestly ordination in verses 35–36. **The portion[s] of the offerings . . . were allotted to Aaron and his sons . . . as their regular share for the generations to come.** The reference to the ordination also helps the reader make a transition to the historical narrative on the ordination of the priests that will follow in chapters 8–10. Priests' income and status are secured with these instructions.

7:37–38 / These two verses conclude the Manual of Sacrifice. The order of the offerings listed is that followed in chapters 6–7, which constitute the second section of the Manual on the priestly administration of the sacrifices. This *torah*, or "instruction," ends by invoking as authority God's commands about offerings to Moses at Mount Sinai.

The Manual of Sacrifice has twice treated five different types of sacrifice. These texts are framed in a literary context of preparation to enter the land of Canaan to live as people of the Lord among the Canaanites. No doubt, the instructions aided in offering sacrifice in the Jerusalem cult and provided hope for those returning from Babylonian exile. They are woven into the warp and woof of ancient Israel's experience.

It is tempting for the contemporary reader to dismiss these texts as a mix of arcane relics, regulations whose significance has been lost in time. These instructions might seem to be legalistic requirements of an obsessively hostile god or merely the external trappings of an ancient past. However, the dramatic movement and intensity of the training suggest that these were instructions for people who fervently believed in their efficacy. Sacrifice provided a rite of passage in their relationships with the divine. Reality and drama interacted in cultic movements. In the ritual, the worshiper freely acted to restore relationship. That act was no less sincere for being standardized. As in all cultures and times, the worshiper followed conventions in relationships, including the divine-human relationship.

The context of these rituals in worship implies people's profound beliefs. The actions would have been accompanied by words, quite probably from the Psalms. Those words would articulate the significance of rituals. The theological backgrounds of the Manual of Sacrifice are both covenantal and Priestly. Creator and liberator, God here instructs the community of faith. God has delivered ancient Israel from oppression in Egypt and teaches the people how to relate to the divine. The Priestly structure of life first countenanced in Genesis 1 is also determinative for much of the sacrificial code. Exodus 19:6 says, "You will be for me a kingdom of priests and a holy nation," and these chapters direct the Israelites to incarnate that authorization. As Scripture, Leviticus again challenges our notions of God, worship, and atonement.

The NT picks up the image of sacrifice in a variety of places. Notable also is the image of God as a consuming fire in Hebrews 12:28–29: "Therefore, since we are receiving a kingdom that cannot be shaken, let us be thankful, and so worship God acceptably with reverence and awe, for our 'God is a consuming fire.' " Also note the emphasis in 1 Corinthians 14:33, "For God is not a God of disorder but of peace." Perhaps the church could gain in attending to the Manual of Sacrifice. These texts show that care and attention to detail, rather than casualness, are inherent in powerful worship. Wenham uses the image of the actor or musician who practices unceasingly and attends to minute details to give great and lively performances (*Leviticus*, p. 128). So too the careful preparation of congregation and worship leaders is likely to facilitate the genuine worship of God, an empowering divine-human encounter.

Additional Notes §6

6:18 / The last sentence of v. 18 is somewhat problematic: **Whatever touches them will become holy.** Is the NIV rendering the best translation or should one follow the marginal suggestion "Whoever touches them must be holy"? The commentators are not of one mind. Hartley (*Leviticus*, p. 97) and Levine (*Leviticus*, pp. 37–38) follow the alternate reading and see the phrase as a further warning. Milgrom supports the primary NIV rendering and sees the phrase as reflecting the contagion of holiness (*Leviticus 1–16*, pp. 443–56). Holiness can be dangerous to the unprepared, and thus those who are not priests should avoid contact with these most holy offerings. The boundaries of holiness are to be maintained. Milgrom's diagram (*Leviticus 1–16*, p. 616) demonstrates that contact between the holy (or sacred) and the unclean (or impure) is most problematic.

7:10 / Milgrom suggests that the verse reflects the privilege of the officiating priest to distribute the grain products (*Leviticus 1–16*, pp. 411–12). In any case, consumption is limited to the priests of Aaron.

7:18 / Time limits were clearly important to the priests, and infringement of such limits negated the genuine intent of the worshiper. Meat left until the third day became an abomination. Hartley (*Leviticus*, p. 100) and Wenham (*Leviticus*, p. 124) suggest that the base meaning of the word for **impure** indicates that the meat is turning soft and spoiled or rancid. Milgrom prefers the translation "desecrated meat" (*Leviticus 1–16*, p. 422). The Hb. term is limited to references to defiled sacrificial meat.

7:30, 32 / The Hb. word for the **wave offering** is *tenupah* and for **contribution** is *terumah*, which is traditionally translated as "heave offering." The meanings of the roots have to do with waving and lifting (Wenham, *Leviticus*, pp. 126–27; Kaiser, "Leviticus," p. 1054). NRSV translates *tenupah* as "elevation offering." *Tenupah* generally refers to gifts to the priests or tabernacle (Budd, *Leviticus*, p. 126; Hartley, *Leviticus*, p. 101). Both of these priestly portions carry the sense of "exalted, best, dedicated," or "separate" portions, but the exact meaning of the terms is not clear. See also on 10:12–15, 22:12, and Num. 6:20.

Historical Narrative (Lev. 8–10)

The next portion of Leviticus is primarily a historical narrative of the ordination of the priests and the inauguration of the priestly cult of ancient Israel. These chapters pick up the story from the book of Exodus where God gives instructions for building the tabernacle and for ordaining the priests connected to the place of worship. The tabernacle is completed and accepted as a proper place of worship in Exodus 40:34–38. The ordination of the priests to offer sacrifice in the cult then takes place beginning in Leviticus 8. Chapters 8–10 legitimate not only the Jerusalem cult as reenacting the Sinai theophanic experience but also the Aaronide claim to priority in the priesthood. The chapters demonstrate continuity with the sacrificial legislation presented in chapters 1–7.

§7 The Ordination of the Priests (Lev. 8:1–36)

The first chapter of this narrative describes the ordination of priests according to the instructions given to Moses in Exodus 29. Ordination sets the priests apart as those who officiate in the tabernacle cult and equips the ordinands with the tools of their tasks, such as the Urim and Thummim. The origins of the Aaronic priesthood are a matter of some debate (Budd, *Leviticus*, pp. 130–32) and like the sources of the rituals described in this ordination narrative, appear to be lost in history.

8:1–4 / The first four verses set the scene for the ordination. God instructs Moses to gather Aaron and his sons and the people **at the entrance to the Tent of Meeting.** Other necessary elements for the ritual are also listed in verse 2. The priestly **garments** are alluded to in Exodus 28, 35, 39; **the anointing oil** (Exod. 30:22–24), also employed to anoint other cultic objects, suggests elevated status. The animals will serve for sin, ordination, and burnt offerings, and the unleavened bread for a wave offering. The people are gathered—it is important that this ceremony be carried out correctly, in the proper place, and before **the entire assembly.**

8:5–9 / These verses describe the preparation of Aaron and his sons. First, they are washed. Aaron is then clothed in the high priestly garments: the linen **tunic, . . . sash,** and **robe.** These garments are described in Exodus 28. The robe was blue and fringed with bells and pomegranates. Under the robe, **the ephod,** a kind of vest, was held to the priest's body by **its skillfully woven waistband.** The ephod went over the shoulders and chest, was made of colored linen, and held two stones engraved with the names of the twelve tribes. Worn over the ephod was **the breastpiece,** a decorated square of fabric with precious stones also inscribed with the names of the tribes. In addition, the breastpiece carried **the Urim and Thummim,** two stones used in early Israel for consultative purposes (some have called them the "sacred dice"). Finally came **the turban** and the holy crown.

It is important to see that these acts carry out instructions given by God to Moses, the mediator. Moses prepares Aaron as the high priest, clothing him in garments which symbolize his new position as the new mediator in the cult. Aaron is now the one who represents ancient Israel before God and teaches the people God's instruction. The proper attire indicates the beginning of the process of moving priests to the state of holiness—set apart from the rest of the community. Their lives will become a vocation, wholly given to service of the living God in worship.

8:10–13 / In the anointing rites that follow, first **the tabernacle** and its furniture are anointed. The oil with spices and scents indicates that the tabernacle and priests are now holy, different from the rest of the camp. (Compare the use of oil with the grain offering in Lev. 2.) The tabernacle is the holy place, the dwelling place of God, the place of the cult. Because seven is the number for completeness (see Gen. 1), Moses then sprinkles **the altar and all its utensils and the basin with its stand** seven times. These articles are anointed as holy to God. Aaron is also anointed, making him part of this larger holy complex, with tabernacle, altar, and laver (or basin). Finally Aaron's sons are attired with **tunics, . . . sashes,** and linen **headbands.** All symbolize the position of the priests.

8:14–17 / Now the sacrificial part of the ordination rite begins. First comes the sin offering of a bull. **Aaron and his sons laid their hands on its head,** indicating their connection with the sacrificial animal, as in Leviticus 4. Purification must begin with the priests so they are clean when they offer purifying sacrifices for others. Moses then completes the sacrifice, purifying the altar with the blood of the sacrificial animal acting as cleansing agent. The skin of the animal is burned up outside the camp so that this consecrated offering cannot be contaminated. The holy precincts and priests are methodically cleansed and consecrated so they can begin their function of providing purification and atonement for the people. The conclusion of verse 15 is interesting: **So he consecrated it to make atonement for it.** The blood purifies the altar and so makes it holy, protecting it from any contamination. The altar, at the point of entry into the holy tabernacle, must also be protected.

Significantly, the sin offering is sacrificed first. Any un-
known or inadvertent error must be dealt with at the beginning.
Only when the holy places, things, and people have been purified
can the rites involving them continue.

8:18–21 / As Moses turns to the whole burnt offering of
a ram, he meticulously follows divine directives. In this rite he is
the chief mediator and acts, in a sense, like the high priest to pre-
pare Aaron for that role. The burnt offering is sacrificed according
to the instructions in Leviticus 1. **Aaron and his sons** press their
hands on the head of the ram to indicate that the animal is their of-
fering set apart for this sacrifice. The blood is handled properly as
a special part of the rite. Following purification, the whole burnt
offering expresses the priests' total dedication to God. Since now
their relationship with God is reconciled, the additional special
rites of this ordination event can proceed.

8:22–29 / Next come the offerings that are central to the
ordination according to the instructions in Exodus 29. This **other
ram** is for a special ordination offering, but the practice begins in a
familiar way, with Aaron and his sons pressing their hands upon
the head of the animal. Although this offering is distinct, it has af-
finities with both the fellowship and the whole burnt offerings. In
verse 23 we encounter a distinctive feature of this ordination sac-
rifice: Moses puts blood from the ram **on the lobe of Aaron's right
ear, on the thumb of his right hand and on the big toe of his right
foot.** The same is done with Aaron's sons. The extremities prob-
ably signify the whole, everything in between, as is the case when
blood is put on the horns of the altar. Here also the blood is a
cleansing and protecting agent. The right side appears to be the
preferred one in biblical texts (Gen. 48:17–22; Matt. 25:31–46).
Aaron has previously been anointed; now he is also purified and
protected, like the cultic site and furniture. The priests are part of
the larger holy context. Next, the blood is **sprinkled** or dashed
against the altar.

Distinctive of this ordination is the **wave offering.** Unleav-
ened bread is put **on the fat portions and on the right thigh.** (The
unleavened bread is reminiscent of the fellowship offering for
thanksgiving [Lev. 7:12].) In a wave offering Aaron and his sons
then raise the mixture and move it back and forth in a waving mo-
tion before the tabernacle. The wave offering is burned on the
altar on top of the burnt offering in the manner of other sacrifices.
The fat is God's portion of the offering, as with the fellowship of-

ferings in Leviticus 3. Because the priests are making these offerings on their own behalf and would not receive these customary priests' shares, the bread and thigh are burned on the altar. However, Moses does get the breast (v. 29) since he is, in a sense, the high priest at this rite. God and Moses are the ones carrying out the ordination of Aaron and his sons.

In this ordination sacrifice, it is clear that the priests have become liminal persons, those who mediate between the human sphere and the divine sphere. Since they will facilitate the interaction, this rite effectuates the new role of these cultic leaders. That state explains the distinctiveness of this rite and the care with which it is executed.

8:30 / This verse concludes the rite. Moses sprinkles the priests and their garments with anointing oil and blood, and thus consecrates them. The garments are donned as part of the holy complex. This act, a distinctive part of the ordination, is reminiscent of the sprinkling of blood in the tabernacle during the sin offering (Lev. 4:1–5:13; 6:24–30). Priests and priestly attire are protected from defilement. The final act with oil and blood indicates the significance of the ordination event and emphasizes the importance of the people, place, and objects associated with the holy cult.

8:31–36 / The chapter's final verses deal with the disposal of the offerings and expectations for the remaining days of the ordination event. The priests are to cook and eat the remaining meat portions and to eat the remaining bread. Again, this feature recalls the fellowship offering. Any portions left from the day of sacrifice are burned.

In moving toward the state of holiness, the priests prepare for a seven-day period, with the inauguration of their priestly ministry on the eighth day. The process has begun with proper attire and then anointment to set the priests apart for this transition to holiness. The sin and burnt offerings protected from inadvertent mistakes. With the ordination offering, the priests become part of the holy environment and are prepared to take up their priestly role. The placing of the wave offering in the hands of the priests indicates that they are now fit for their task.

The chapter concludes with notice that Moses and the Aaronic priests have taken great care with this rite, in obedience to divine command. This conclusion emphasizes the holiness of the priests and the tabernacle precincts, as well as the danger its inappropriate use will cause. The seven days reflect the notion of completeness, and the length of the process stresses the seriousness of the rite of passage. Because priests are vulnerable, it is appropriate for days to pass before the inauguration of sacrificial priestly worship at the tabernacle. We have seen elsewhere in Leviticus that time limitations are important in the Priestly tradents' scheme of things. Exodus 29 indicates that the work of atonement continues in these days with various sacrifices, especially purification offerings for the altar. Presumably Moses still officiates, while Aaron and his sons remain in the tabernacle precincts. On the eighth day they begin their ministry in a powerful and dangerous state of holiness along with the sanctuary precincts and objects.

Two NT references are especially relevant. In John 17:19, Jesus describes his own ministry in terms reminiscent of that of the high priest. Similarly, in Hebrews 7:26–27 Jesus is described as the high priest. Here, however, Jesus, the high priest, offers himself as the ultimate sacrifice, precluding any further need for daily sacrifices.

In Leviticus the ordination of the Aaronic priests is important: it marks the move toward inauguration of the sacrificial cult, of worship at the tabernacle. It also establishes a priestly family which continues into Israel's future.

§8 The Inauguration of Sacrificial Worship (Lev. 9:1–24)

This central historical narrative continues the account of the Aaronic priests' ministry, especially their first offering of sacrifice in the tabernacle cult. On the eighth day, after the proper ordination rites, the priests assume their duties.

9:1–7 / As is generally characteristic of Leviticus, the text begins with preparation for the upcoming major event. These first verses introduce the details of these first sacrifices. Burnt, grain, fellowship, and sin offerings will be offered. The priest will supply burnt and sin offerings; the people will supply burnt, sin, fellowship, and grain offerings. The new priests will get initial experience by offering most types of sacrifices.

The scene begins **on the eighth day** with Moses gathering the priests, after the completion of their ordination, and **the elders,** a group we have seen previously. The elders are to represent the people. At this point in the narrative, Moses is still instructing. Aaron brings **a bull calf** for a sin offering and **a ram** for his burnt offering. The ram satisfies previous specifications for the burnt offering, but a bull rather than bull calf is usually required for a sin offering. Perhaps this is an allusion to the golden calf in Exodus 32, an idol produced by Aaron. Aaron is central in this text, and the beginning of his ministry as high priest here represents his rehabilitation and incorporation into the full scheme of the Yahweh cult. It is ironic that the first sacrifice Aaron is to offer as high priest is a calf.

Moses then tells Aaron to instruct the people to bring **a male goat** for the sin offering. This animal is included in the regulations for that offering in chapter 4, although there it is associated with a sin offering for a leader. The **burnt offering** is to be **a calf and a lamb.** The calf is the bull calf in Aaron's offering. Lambs were used in burnt offerings in Exodus 29. The **fellowship offering** is to be **an ox and a ram.** The use of an ox is not common in Leviticus, but it is one of the animals prescribed for this offering in chapter 4, and the ram is also given as an option for the fellowship offering in earlier instructions. The only specification given for the **grain offering** is that it be **mixed with oil.**

Moses is still in charge, although he is telling the high priest to give instructions. All of this preparation, it is important to see, happens in the context of the hope of theophany, an appearance of God to the community. Central to theophany in the OT is proper preparation to encounter the divine presence. Without it, the encounter could be quite hazardous. In addition to the fellowship offering, this initial sacrificial worship is similar to the Day of Atonement ritual we will see in Leviticus 16, an appropriate way to begin worship for the community. It starts by putting the relationship with God at one and then moves on to other issues.

As with the beginning of the ordination rites in chapter 8, here **the entire assembly** comes **to the front of the Tent of Meeting.** Moses is still giving instruction, and he associates the worship prescribed here with theophany. **Glory** is a manifestation of divine presence and activity in the world. To dedicate something to the glory of God expresses the hope for a manifestation of God in life. Moses then invites Aaron to offer his and the people's offerings.

The last verse in this preparatory section indicates that the primary function of these offerings is **atonement**—for Aaron first to prepare him properly and next **for the people.** Again, this follows the logic of sacrifice. Atonement comes in order to facilitate the life-giving encounter with the divine presence.

9:8–11 / Aaron and his sons actually begin their ministry at the altar. First comes **the calf as a sin offering for** Aaron, so that he is purified before offering the sacrifices of the people. He purifies the altar with the cleansing agent, blood. Aaron burns **the fat, the kidneys and the covering of the liver** on the altar, as appropriate for a sin offering, and the remainder of the animal is **burned up outside the camp,** as one would expect for a sin offering for priests.

What is missing, however, is the pressing of the hand upon the animal and the blood purification of the curtain, as indicated in the instructions for a sin offering for priests in Leviticus 4. These parts of the ritual are probably assumed. In chapter 8, the imposition of the hand is mentioned. Based on Leviticus 6:30, the burning of the remainder of the animal probably indicates that the offering has been taken into the holy place, presumably for the cleansing of the veil.

9:12–14 / Next comes the whole burnt offering for the priests. It is accomplished according to the previous instructions. The pressing of the hand on the animal is not mentioned here either. The emphasis is on the distinctive parts of the burnt offering. It is important to keep in mind the centrality of Aaron in the movement of these texts. Aaron's sons serve in an assisting capacity. After the purification accomplished in verses 8–11, Aaron and his sons can offer the atoning whole burnt offering as an indication of their total dedication to God.

9:15–21 / In these verses, Aaron and his sons offer most of the types of sacrifices. Not much detail is given, but the rites follow the instructions given in the Manual of Sacrifice. The guilt offering is not part of the ritual; presumably it was not yet needed. The animals offered are the larger ones that the instructions give as options. No sacrifices of birds are yet enacted. The reader will not be surprised by the sequence of the offerings: sin, burnt, grain, and fellowship offerings.

Aaron offers the purification offering **for the people, . . . as he did with the first one** (vv. 8–11, for himself). The offering is a precaution before proceeding. Then come the whole burnt and grain offerings sacrificed **in the prescribed way**. The phrase that Aaron **took a handful of** the grain offering may echo the language of ordination. The **fellowship offering** is described with a bit more detail, with the sprinkling of the blood and the burning of the fat. This offering connotes communion with God, emphasizing that God, people, and priests are linked by their participation in this sacrifice. This link is celebrated in the communal meal. **The breasts and right thigh** are described in verse 21 **as a wave offering.** These parts of the fellowship offering were offered to God with a side-to-side motion as special parts of the sacrifice. At this point, the work of sacrifice on the eighth day for Aaron and his sons is essentially complete, and their sacrificial ministry is fully inaugurated.

9:22–24 / The description of the first sacrifice at the tabernacle concludes with a priestly blessing and a fiery theophany. In verse 22, Aaron raises his hands to pronounce the blessing, presumably the Aaronic blessing found in Numbers 6:24–26, which includes divine presence, peace, and protection and concludes with the comment that this benediction puts the divine name on the people. The raising of the hands indicates an oath on behalf of God. Then verse 22 notes again the main sacrificial offerings Aaron has enacted.

Moses and Aaron enter **the Tent of Meeting,** then come out and pronounce another blessing. It is significant here that Aaron now goes into the Tent of Meeting as the high priest. Previously God had met only Moses there. **The glory of the LORD** then appears **to all the people.** The term *kabod,* "glory," is common in Priestly texts as a visible splendor often associated with worship in the temple. The glory appears immediately prior to the instructions to build the tabernacle and then again in Exodus 40 when the tabernacle is completed and accepted as a proper place of worship. In that text and others, the glory is associated with the cloud as a permanent visible sign of Yahweh's presence with the community. Here, however, the glory takes the form of fire. In each case, glory is a manifestation of God's presence and activity in the world.

Fire, as a visible manifestation of divine presence, of theophany, is not uncommon. In this context the fire is a devouring fire. In the most fundamental of theophanies, such as in Exodus 19, smoke and lightning appear. Here the **fire came out from the presence of the LORD and consumed the burnt offering and the fat portions.** Presumably the fire came from the Tent of Meeting. In response the people **shouted for joy** and then prostrated themselves as an indication of reverence and worship. This response suggests respect and awe, since if the devouring, fiery divine presence can consume what is on the altar, it can also consume the people.

This manifestation of the divine glory and response of worship from the people concludes this initial sacrificial service at the tabernacle. Just as the tabernacle was gloriously accepted as a place of worship, so now the Aaronic priests and their sacrifices there are accepted. The sacrificial cult is fully operational, with properly prepared and anointed priestly leaders. This ritual was unique in the history of the faith community of ancient Israel and was carried out with great care and attention to detail. Through theophany, God completes the eight-day rite of ordination and inauguration of sacrifice at the tabernacle.

Additional Note §8

9:2 / **The bull calf** is associated with idolatry in a number of OT texts, and so most sacrifice in the OT does not use this animal. Jewish commentators have noted that a ram, here the burnt offering, is offered by Abraham in place of Isaac in Gen. 22. There was a long tradition of offering the ram in sacrifice.

§9 The Unfortunate Incident of Nadab and Abihu (Lev. 10:1–20)

The historical narrative continues through chapter 10, a narrative of joy interrupted by trouble. Such a pattern is not unusual in the Hebrew Scriptures and in this case raises important issues about obedience in the life of the people. In a sense this incident mars the climax to the inauguration of tabernacle worship in Leviticus 9:22–24, but it also punctuates the story with a startling reassertion of Yahweh's holiness. The unfortunate incident of Nadab and Abihu confirms that improper preparation for encountering that holiness is dangerous. The episode leads to further precautions and reiterates the instruction on priestly rights and responsibilities from chapters 6–7.

10:1–3 / The chapter begins with the sudden and stunning deaths of Aaron's two older sons, **Nadab and Abihu.** They are devoured by divine fire because of an unacceptable incense offering. They broke the divine command and **offered unauthorized fire before the LORD.** The fire was in **their censers,** to which they **added incense.** There are actually two fires—the unauthorized fire and the fire that consumed Nadab and Abihu.

Scholars have debated the nature of this offense. While no conclusion is definite, considering possible wrong elements is important. Perhaps the breach was in terms of time or place: Nadab and Abihu were not prepared to enter the sanctuary, or they did so at the improper time. Perhaps the fire in their censers had come from the wrong place and was not holy. The problem could have been with the incense: perhaps it was improper, or the use of incense itself was a problem. The text is not explicit about any of these possibilities. The issue hinges on the last part of verse 1: "and they offered unauthorized fire before the LORD," **contrary to his command.** The word translated "unauthorized" here could mean "alien" and so refer to fire from other cults (see Exod. 30:9). The warning then would be against any idolatrous practice.

Here, at the beginning of tabernacle sacrifice, it is impera-
tive to inculcate obedience to proper practice, for idolatrous or
improper practice is dangerous. Idolatrous practices were the es-
tablished, culturally accepted ones in the world surrounding an-
cient Israel. To counter a tendency toward old habits, chapters 8–9
emphasize obedience. The priests, sacrifice, and all worship at the
tabernacle are uniquely and rightly ordered. One implication is
that the Aaronic priesthood must also be properly ordered and so
shown to be legitimate. The deaths of Nadab and Abihu thus
serve as a powerful warning to the priests and to the community
that this worship of a holy God is to be taken seriously and per-
formed carefully. The possibility of death for priests is raised in
8:35, and fire comes to the fore in 9:24. Now death from the fire
has occurred, and people and priests are on notice, from the be-
ginning, of the gravity of this undertaking. This same fire devours
people in the rebellion recounted in Numbers 16 (vv. 35, 40).

In verse 3, Moses interprets the deaths as a warning to the
whole people. God has been shown to be **holy.** God is defending
the proper boundaries in the divine dwelling place. Aaron keeps
his peace. The family deaths are a difficult matter, but the point
appears to be a life-giving one for the community. They must
learn to worship properly and thus live fully. The deaths of Nadab
and Abihu could enable the community to see the significance of
worship at the tabernacle. The Priestly boundaries are important;
they provide structure for life. To cross or confuse the boundaries
could bring danger for ancient Israel.

10:4–7 / In the aftermath of the deaths, Moses takes ac-
tion by ordering Mishael and Elzaphan to remove the bodies of
Nadab and Abihu, still in priestly garb. They are to remove them
from the front of the sanctuary, . . . outside the camp. They must
be removed by members of the family of Aaron and cleared away
from the holy place. This task was important so that no further
harm would come. The cousins obey Moses. Aaron and his other
two sons stay in the holy precincts and thus cannot remove the
bodies. As newly ordained priests, they could not risk contact
with the unholy. The sixth verse concedes that the deaths bring
grief; the community will mourn the loss of priests. Yet the verse
also makes clear that the priest cannot bow to pagan customs
of grief. The issue is again the protection of holiness. Mixing holi-
ness and idolatry is dangerous and can invite harm to **the whole
community.** The priests are obedient. Leviticus 21 gives further

instruction on the responsibilities of priests in such contexts; the Priestly order of things, which is distinct from heretofore accepted practices, is to be maintained.

10:8–11 / The incident leads to further comment on priests' duties and boundaries. The weight of these instructions is seen in the penalty and the notice that **this is a lasting ordinance.** The task of the priests is to **distinguish between the holy and the common, between the unclean and the clean.** The purpose is to help the community avoid the unclean. Again, mixing the categories is treacherous. It is the task of the priests to teach such distinctions and **all the decrees the LORD has given them through Moses.** Intoxication would make the accomplishment of this task difficult if not impossible. The fermentation in the drinks may also introduce confusion between substances and so be contrary to the Priestly categories.

The categories the priests are to distinguish are significant. As we have seen, the holy is that which is divine, while the common can be used by humans. The clean and the unclean are within that which is common. The clean is available for use, while the unclean breaches the Priestly boundaries and is thus to be avoided as anathema.

In these verses God addresses Aaron directly and alludes to instruction given to the Israelites through Moses. Aaron is moving toward full approval as the high priest and mediator.

10:12–15 / The rest of this chapter continues with loosely related injunctions for the priests. The material recalls the content of chapters 6–7 and 9, in particular regarding grain and fellowship offerings. This section is tied to the category of the holy referred to in verse 10, and that may be the reason for its placement here. **The grain offering** is **most holy** and so is to be consumed by Aaron and his sons in a holy place, **beside the altar.** The wave and heave offerings, the breast and the thigh, can be eaten also by the women in the Aaronic clan. These priestly shares of the fellowship offerings are food for the priestly families and are to be eaten in a clean place. The fellowship offering carries a sense of community, while the grain offering is a gift specifically to God. These instructions reflect earlier passages in the book; they further specify the priests' part and responsibilities.

10:16–20 / This last section of the chapter seems more closely associated with the narrative in verses 1–7, although it continues on the theme of that which is most holy. The conflict here between Moses and Aaron and his sons over the disposal of the sin offering also alludes to chapter 6.

The dispute arises when Moses inquires about the disposal of **the goat of the sin offering.** In chapter 4, the goat is prescribed for a sin offering for a ruler or an individual in the community. The context here, however, suggests that the offering under discussion was the sin offering described in 9:15, the special purification offering for the people on the eighth day, at the beginning of tabernacle worship. Moses expresses anger toward **Eleazar and Ithamar, Aaron's remaining sons.** They had disposed of the sin offering improperly. It should have been eaten **in the sanctuary area** rather than burned, for **it is most holy.**

The instruction that the priests should consume this type of offering in the holy place is found in 6:26. Chapter 4 distinguishes between those offerings for priest and the larger community—offerings of a bull, the blood of which is carried into the Tent of Meeting—and those sin offerings for a leader or a lay person (a male goat or female lamb). If the blood does not go into the Tent of Meeting, the offering is disposed of by the priests consuming it in the sanctuary precincts. Offerings which entered the Tent of Meeting were to be burned. In this case, the priests had burned an offering they should have eaten. The priests were to function as God's holy representatives in consuming the offering, and they did not.

The latter part of verse 17 is interesting and difficult: **It was given to you to take away the guilt of the community by making atonement for them before the LORD.** We have previously discussed the matter of atonement; here it is tied to purification. The notion of taking away the guilt of the community has to do with accepting the consequences of an error. Although some have suggested that the impurity is absorbed into the meat and is then removed when the priest consumes it, that interpretation seems unlikely. Then priests would be eating unclean food in a holy place. It is more likely that by executing this dangerous and powerful atoning sacrifice, the priests accomplish the removal of guilt. Moses emphasizes the seriousness of the sacrifice. In any case, the disposal of the meat is not a trivial matter, to judge from these verses. The further difficulty is that the priests have already failed to follow instructions, and the deaths of Nadab and Abihu have raised great concern over that mistake.

Aaron answers for his sons as the responsible father. His reply suggests a motivation: attending to the holiness and power

of God which has destroyed his sons Nadab and Abihu. They
were judged presumptuous in their actions; Aaron did not want
to be so judged. In the midst of grief and anxiety, would it be ap-
propriate to partake of a priestly gift, the meat from the offering?
Deuteronomy 26:14 speaks of refraining from a sacred portion
while in mourning. Aaron did not think it responsible to eat of the
meat. Moses accepts Aaron's response as reasonable and the nar-
rative concludes.

Moses and Aaron seem to be looking from different per-
spectives here. Moses is concerned about the disposal of the offer-
ing, especially in relation to the manipulation of the blood. Aaron
may be concerned about the uncleanness caused by the deaths at
the beginning of the chapter. The two confront the issue and come
to a resolution. Aaron as the new high priest gives a reasonable re-
sponse, and Moses as the leader of the community accepts it. The
incident shows that practice could change and adjust appropri-
ately to circumstances and current need. It also highlights the sig-
nificant position of Aaron. Aaron is now fully the high priest and
head of the tabernacle sacrificial cult. He gives even the mediator
Moses a ruling about a cultic issue—and Moses is satisfied by it.

This eighth day was a significant one. It was full of triumph
and tragedy. The divine presence brought great reverence and
joy in consuming by fire the sacrifices at the end of chapter 9.
It brought great tragedy and grief with the sin of Nadab and
Abihu at the beginning of chapter 10. These incidents of holy fire
demonstrate in startling ways the power of God's presence and
the need for people and priest to observe divine *torah*. The daunt-
ing responsibility of priests looms large in these texts (see Luke
12:47–48 and James 3:1). Chapter 10 ends at a very different place
from where it began. In contrast to the sin and death in the open-
ing verses, Moses is now **satisfied.** The priests now enjoy Mosaic
sanction, and hope has resurfaced.

This incident with Nadab and Abihu will puzzle and dis-
turb many modern readers. Death through divine punishment
seems out of place with the grace of the Christian God and gospel.
The difficulty is not limited to Leviticus or to the OT. A number of
OT texts raise the issue, as do NT texts such as the beginning of Acts
5, with the deaths of Ananias and Sapphira. In the case of Leviti-
cus 10, several factors are important to remember. The text warns
of the danger inherent in the holy divine presence, which gives
life and is so powerful that when encountered in an unprepared
or improper way, can result in death. The text also presents the

deaths of Nadab and Abihu in the context of the community. The responsibility of the priests for the common good is mentioned in Leviticus 10:6, 17. Unholy sacrifice jeopardizes the whole community. The continuation of the community, more than the individuals Nadab and Abihu, is the central issue and a sign of God's graciousness.

With the close of chapter 10, the historical narrative and the inauguration of the cult come to a full and eventful conclusion. The first two sections of Leviticus cover the cult, its nature, and its origin. Chapter 10 provides a significant transition to the remainder of the book. The mention in verse 10 of the priests' task of teaching the distinction between clean and unclean prepares the reader for the Manual of Purity, which begins in chapter 11. In a jarring way, the deaths of Nadab and Abihu also illustrate the importance of learning what is to follow in the book. Chapters 17 and following attend to matters of holiness. In a sense, while the first two sections of Leviticus describe the tabernacle cult, the last two sections teach how to worship in that cult by attending to purity and holiness.

Another interesting matter in these historical narratives is the development of the character of Aaron. Exodus 32 interrupts the cultic instruction to recount the rebellion of the golden calf and Aaron's part in that debacle. By the end of Leviticus 10, Aaron is fully rehabilitated and functions as the high priest of Yahweh's true cult and founder of its priesthood, even instructing Moses. Divine forgiveness covers even offensive sins. Through all the high points and low points, the character of Aaron is a hopeful one. The text now turns from Aaron to his handbook, the Manual of Purity.

Additional Notes §9

10:1 / Budd notes that the word used for **unauthorized,** *zarah,* carries the sense of unholy and can refer to that which is foreign; Jeremiah uses the notion of something not commanded by God in relation to idolatrous cultic practices (*Leviticus,* p. 151). In fact, J. Laughlin posits that the fire may have been related to Zoroastrian worship (" 'The Strange Fire' of Nadab and Abihu," *JBL* 95 [1976], pp. 559–65). Milgrom understands the text as a polemic against private offerings of incense (*Leviticus*

1–16, p. 631). Gerstenberger associates the incident with a conflict between priestly groups (*Leviticus*, p. 117).

10:6 / The terms used for the signs of grief are somewhat unusual. The loose or **unkempt** hair is not usually associated with grief. It may relate to lack of restraint (Budd, *Leviticus*, p. 152). In Lev. 13:45 and Num. 5:18, loose hair is used in negative contexts. The tearing of garments is a common practice for grieving.

10:9 / **Wine or other fermented drink** is also forbidden to the Nazirites. The other fermented drink is variously translated as "strong drink," "beer," or "ale." The explanation that the fermentation confuses the Priestly categories seems more likely than the views that the deaths of Nadab and Abihu were somehow related to drunkenness, or that strong drink was used to comfort mourners (Hartley, *Leviticus*, p. 135).

The Manual of Purity (Lev. 11–16)

Chapter 11 begins the third section of Leviticus, which provides instructions on what is clean and what is unclean. Although these chapters are somewhat disparate, this theme unifies them—thus the title "Manual of Purity." Following these instructions, chapter 16 describes the ritual of the Day of Atonement. Some commentators (e.g., Hartley) treat chapter 16 separately, but while it does allude to the narrative in chapter 10, it also provides a means of removing the effects of the uncleanness discussed in chapters 11–15. Chapters 11–15 were probably inserted as a unit into their present context, but the placement fits the logic of Leviticus in its current form.

The Priestly categories of clean and unclean are central to these texts. An unclean object is not "dirty" in the sense of having dirt on it which can be washed off. Rather, "clean" denotes that which has the possibility of involvement in worship, and "unclean" denotes that which does not. Further, as we have seen, the texts work out of a medical model in the sense that impurity is contagious. Contact with that which is impure or unclean makes one unclean and thus unable to worship. In a community like ancient Israel, in which worship is central, such a prohibition would be significant. Thus these texts are meant to help people avoid what is unclean and avoid that unfortunate state.

The texts also explain the distinction between the clean and the unclean in different circumstances. They do not, however, articulate the rationale for determining the distinction. Readers are left to infer this rationale, and a variety of suggestions have come forth. Some commentators understand the distinction to be quite arbitrary and thus a test of obedience. Whether ancient Israelites keep these instructions is simply a measure of their loyalty to God's instructions, and there is no organizing principle regarding the clean and the unclean. One would hope for a better explanation. Other commentators give a cultic explanation. What is unclean is that which is used as part of idolatrous worship in that day. There is some evidence to support this view about some of the animals, but it clearly does not account for much of the textual information.

A more popular rationale could be called the hygienic one. Health concerns account for the distinctions between clean and unclean. Certain animals were dirty and thus prohibited because they could cause sickness; some were scavengers or animals the meat of which would spoil. This view could explain some of the textual data but does not provide an explanation for all the evidence. Other interpreters have followed a more symbolic scheme. The animals and objects that are clean or unclean are somehow symbolic of righteousness and unrighteousness, or of life and death; but the full import of the symbolic system is not clear.

As we have seen in the Introduction, anthropological study of this issue, by scholars such as Mary Douglas and Michael Carroll, has caused the most discussion recently and holds the most promise. Although probably none of these systems explains all the information, this anthropological approach does seem to be the most helpful as modern readers seek to understand these texts. Certainly the chapters center upon maintaining boundaries and avoiding confused categories. Since purity relates to acceptability for worship, the place of sacrifice is significant. Life and blood belong to God. Sacrifice reflects that view and becomes a bold venture in the divine-human relationship which is based upon it. To avoid uncleanness, death and blood would affirm the divine creator and Lord.

The Manual of Purity treats the distinction between clean and unclean by topics, the first of which is food. After the instruction is introduced, a principle is set forth and then illustrated. The listing of clean and unclean animals comes in verses 1–23 of chapter 11; the remainder of the chapter deals with the question of cleansing from uncleanness caused by contact with impure animals. The listing is organized according to creatures of land, sea, and sky.

One of the difficulties with this chapter is determining how to translate a number of the animal names. I have attempted to follow the best interpretive traditions, but there is not always consensus or a secure basis for decision. Some names are lost in obscurity, and so some decisions are tentative. Today's readers can still profit from working through the text.

11:1–8 / The first verse addresses the instruction **to Moses and Aaron.** Aaron, as the fully instituted high priest, is now a mediator of the divine *torah* along with Moses. The instruction relates to diet, surely a fundamental issue for any community. First, the text treats **animals that live on land.** Those which are clean and may be eaten are identified with physical characteristics: a split hoof and chewing cud. The categories are not to be mixed; both are necessary. The various groups may be akin to those in the Priestly creation account in Genesis 1, with land animals, as distinct from humans. Examples of those which do not fit both qualifications follow in verses 4–7. The camel, coney, and rabbit chew cud but do not have a split hoof. A coney is a rock badger of the hyrax family. The pig meets the hoof requirement but not the cud-chewing one. There is evidence that associates pork with idolatrous rites in the ancient Near East; some interpreters see that evidence behind the prohibition of pork. Eating unclean animals and contact with their carcasses (which indicate death) induces impurity.

The examples given clarify difficult cases. Animals which fit both categories may be consumed: cattle, sheep, goats. The common diet of the people would have been considered clean; sacrificial animals would have been clean. The animals deemed clean by this categorization are useful to the community and so are taken to illustrate wholeness. The significance of cud chewing is not clear. The clean animals do not consume blood. The categorization is probably not as clear as the text would suggest, but the concern to preserve wholeness is apparent.

11:9–12 / The next category is water creatures. The basic identifying principle is again physical characteristics. Those creatures with **fins and scales** are clean and those without are not and are thus inedible. Fish is acceptable as a food, but water creatures, whether **swarming things** or others without fins and scales, must be avoided (e.g., eels, shellfish, reptiles, or sharks). Such unclean creatures are also labeled **detestable,** a term sometimes translated as "abomination," apparently a particularly intense category of uncleanness.

Douglas ("The Abominations of Leviticus," p. 114) suggests that fins and scales determine the typical means of locomotion for water creatures and thus normality, wholeness, or purity. Swarming as an indeterminate motion would disqualify a creature. Douglas further argues that the lack of fins and scales may also imply vulnerability; the vulnerable are protected from being eaten. The biblical passage simply identifies the principle emphatically and moves to the next category.

11:13–19 / These verses cover flying creatures and list **birds** which are unclean or **detestable.** A physical characteristic is not identifiable, but many in the list are birds of prey. They would kill and eat meat and thus consume blood, clearly a prohibition in the Priestly order—and so consuming such birds of prey would also be detestable. The precise identification of some of these birds is impossible, but eagles or vultures, falcons, ravens, owls, and marsh or sea birds make up most of the list.

11:20–23 / These verses continue with flying creatures and consider **flying insects,** or winged insects. Here a principle is identified, a physical characteristic, and the text gives illustrations. The method of locomotion is key. Insects with wings must be able to fly. If they also **walk on all fours,** they are unclean; animals—not flying creatures—are to walk on all fours. If they **have**

jointed legs for hopping, however, they may be eaten. Perhaps the hopping or leaping was considered comparable to birds. The creatures are not upright, but hop. **Any kind of locust, katydid, cricket or grasshopper** qualifies.

11:24–28 / These verses shift to examine how one deals with uncleanness caused by contact with the prohibited animals. Concern with the **carcasses,** which is central to this section, reveals a concern about contact with death. Note that the uncleanness is contagious for the person's **clothes,** which must be washed. Touching or carrying carcasses would probably entail contact of the carcass with the clothing. The resulting impurity, which lasts for the day, **till evening,** is a fairly common event in Leviticus (e.g., 14:46–47; 15:5–8; 17:15). Washing and waiting until the evening are appropriate measures for moving back into cleanness from this temporary uncleanness, which is less serious than some other examples later in Leviticus. The day as a unit of time is recognized from Genesis 1, and waiting until evening here represents passage of this most basic period.

The text repeats the identifying characteristic for land creatures: **Every animal that has a split hoof not completely divided or that does not chew the cud is unclean for you.** Their carcasses are also unclean. Animals **that walk on their paws are unclean.** The word for paw often means the curve or palm of the hand but can refer to the hollow of the foot. Perhaps walking on the "hand" was seen to be a method of locomotion inappropriate for these land creatures. It may also be the case that these creatures are wild and consume meat and blood. The text does center on dead carcasses. When alive, these animals may compete with humans for food resources and so disrupt wholeness by introducing disorder. Such animals might include bears, lions, monkeys, or dogs. These verses emphasize the chapter's concern with uncleanness.

11:29–38 / The interest here is in smaller animals **that move about on the ground.** They can contaminate food, water, utensils, and clothes. First the text lists the unclean animals that swarm and then notes that contact with their carcasses brings uncleanness **till evening.** These small creatures often die in human environments, leaving contaminating remains and polluting objects. This uncleanness also requires washing. Because a **clay pot** is porous and thus the uncleanness cannot be removed, the pot must be destroyed (see Lev. 6:28). Any food in such a pot is unclean, as is any liquid. The liquids could spread the uncleanness to other food. **An oven or cooking pot** is to be treated the same way for the same reason. The uncleanness is clearly contagious.

A spring . . . or a cistern can remain clean, however, presumably because it is the source of running water and thus perpetually cleansing and rejuvenating. Seeds which are still encased are clean; the impurity cannot penetrate them. Budd considers water and seed to contain life force as sustainers of life—hence their cleanness (*Leviticus*, p. 178). When water falls on a seed, it begins to break out of its case, and so the uncleanness could penetrate the shell. Perhaps ground creatures are unclean because they move about in an anomalous way, on all fours; that is, on hands that are their front feet. Or perhaps these creatures are from the natural realm and are presumed to be intruding into human culture, competing for culture's space. This perspective brings to the fore the nature-culture distinction.

11:39–40 / These verses make the point that the carcasses of otherwise clean animals are also unclean, and that contact with them or eating them makes a person unclean and requires washing of the clothes and remaining unclean until the evening. Death and impurity are closely connected in the Priestly order of things.

11:41–45 / **Every creature that moves about on the ground** signifies creatures that swarm on the land. Here they are all said to be **detestable,** and inedible (cf. vv. 29–30). Verse 42 mentions the means of locomotion of these creatures: moving on the belly or walking **on all fours or on many feet.** The "all fours" would here mean very short legs. Both their indeterminate locomotion and their invasion of the space of culture may result in uncleanness for these animals. Verses 44–45 then give a historical rationale. When God delivered ancient Israelites from Egypt, God called them to **be holy,** which requires avoiding uncleanness.

11:46–47 / These final verses provide a summary for the chapter and are typical of the Manual of Purity. The instruction, called *torah,* sets out the creatures in four categories: **animals, birds, every living thing that moves in the water and every creature that** swarms on the earth. Its purpose is to inform members of the community about how they can avoid impurity for worship. The verses remind the reader of the covenantal context and the call to holiness. Avoiding impurity is part of that call (see 1 Pet. 2:9).

The NT call is the same, although it moves beyond the boundaries of clean and unclean to wholeness determined by faith.

Additional Notes §10

11:10 / The Hb. term translated as **swarming things** suggests swarming or teeming. Here and in Gen. 1, the context is aquatic, but the rest of the chapter makes clear that creatures could also swarm on land or in the air. The implications of "swarming" are not clear. It could relate to quantity or multiplication. It could also relate to a confused manner of locomotion, quick darting back and forth. Or the movement could be in the form of creeping and crawling. In contrast to fins and scales—the preferred way to move in water—swarming confuses order. Also, some sea creatures without scales are scavengers and may represent death in some way.

11:14–19 / **The kite** is a buzzard; **the cormorant** an owl; **the hoopoe** is a bird which eats small animals and searches for food in dung hills (Budd, *Leviticus*, p. 170). It is strange for **the bat** to be included in this list, but it flies and so may have seemed like a bird. Its nocturnal, cave-dwelling habits may have been sufficiently odd to make it risky. Its manner of flight might also have been considered indeterminate.

11:22 / Locusts often appear in the Bible (e.g., Matt. 3:1–6; Mark 1:1–8). They were eaten in that desert environment and at times enabled survival. Perhaps this allowance of locusts for food reflects that practical consideration. It is possible that the verse lists four types of locust, but I suspect it lists four different creatures: swarming locusts, bald or long-headed locusts, crickets, and grasshoppers, although the distinction between locusts and grasshoppers is probably not firm. The term for the swarming locusts is used in Joel's description of the locust plague, but the other three terms are not used by the prophet.

11:29–30 / Most contemporary readers will recognize the creatures weasel, rat, lizard, gecko, chameleon. "Mouse" might be a better translation than **rat**. **Skink** is a less common term, but it is also a lizard, perhaps a sand lizard.

The instructions on purity move from food to the beginning of life and childbirth. The purpose, again, is to help the community avoid uncleanness in tabernacle worship. Mothers birthing children was crucial for the ancient Israelite community, so it is natural to include childbirth in this Manual of Purity. This chapter also moves beyond defining the uncleanness associated with childbirth to describing means of purification.

12:1–5 / These verses describe the periods of uncleanness after giving birth to a male or female child and further periods of waiting. Childbirth was a time fraught with danger and fear. Death was often imminent. The loss of blood could be extensive, and blood was significant in the Priestly scheme of things. Dealing with such a dangerous loss of blood would keep one from worship. The woman who gives birth to a son is **ceremonially unclean for seven days,** just as **during her monthly period.** Anyone coming into contact with the mother during this time would become unclean. The boy is circumcised **on the eighth day.** The mother must wait an additional **thirty-three days** before going to worship or coming into contact with anything **sacred,** or holy. During the additional time the mother awaits further purification. The phrase **to be purified from her bleeding** significantly shows the connections between the loss of blood and uncleanness in this case.

With the birth of a daughter, the period of uncleanness is **two weeks** and the additional waiting period **sixty-six days.** Some scholars attempt to account for the gender differences with scientific data, but the different time periods seem to reflect primarily the male chauvinism of the culture, a social preference for males in the Priestly ideology. Levine, in contrast, associates the longer times with respect for the power of female fertility (*Leviticus,* pp. 249–50). These verses reveal the belief that childbirth is a serious and fearsome experience that is to be treated with great care and caution.

12:6–8 / The remainder of the chapter describes the sacrifices to be offered on behalf of the mother. At the end of the full waiting period, she brings a **lamb for a burnt offering and a young pigeon or a dove for a sin offering.** The chapter makes clear, in line with the instructions in the Manual of Sacrifice, that these are atoning sacrifices. The summary of the chapter is, in fact, the last part of verse 7. Provision is made for the poor in verse 8— two birds may be offered instead of a lamb and a bird.

It seems odd to require these offerings. What is the reason? When the sacrifices have been offered, the mother **will be ceremonially clean from her flow of blood.** Blood is associated with life and essential for atonement in the Priestly order, and so the issue of blood in childbirth was a matter of concern and a mystery, particularly from a male perspective. These offerings celebrate the move from the dangers of childbirth back to full community in faith.

The offerings for cultic purification attest to the sacredness of life rather than implying that reproduction and birth are disgusting or evil. The text understands that life is beyond human control. The mother was vulnerable during this time. The whole burnt offering also points to the dedication of life. Interestingly, the sacrifices required are the same in the birth of either a male or a female child. Children of each gender were fully valued. Still, the offerings were really on behalf of the mother and not the children. Uncleanness and consequential atonement and restoration result from the loss of blood and proximity to death and disorder rather than from sin.

§12 Skin Diseases and Contamination in Clothing (Lev. 13:1–59)

The next two chapters deal with the diagnosis and treatment of a condition which has traditionally been translated "leprosy." It is much more accurate to think in terms of a variety of skin diseases and the uncleanness they cause. **Infectious skin disease** is a reasonable translation. The condition occurs in objects as well as persons and in fact includes a variety of diseases of the skin. The term does not refer to what is called leprosy today, Hanson's Disease.

These chapters show that impurity is not just of the cultic variety, but has implications in wider community life. The priests are quite important here; they serve as public health inspectors and preside over restorative processes.

The Priestly ordering of life emphasizes boundaries, and these texts describe boundaries in relation to these various conditions. Probably the well-being of the community is at stake. Impurity from such conditions is a clear illustration of the systematic nature of the texts. The predictable structure also exhibits a system: first are the symptoms, then the examination, the diagnostic guidance, and finally the result.

13:1–8 / Again the instruction is addressed to Moses and Aaron, befitting a text in which priests figure so prominently. A person who has a symptom that could **become an infectious skin disease** is taken to a priest for examination. The text describes three sores. The first is a swollen or discolored area. The second is **a rash** or boil. The third is likely some kind of scar, a shiny spot, or an inflammation. The initial test is whether any hair in the spot **has turned white** or whether the sore is **more than skin deep.** If the answer is affirmative, uncleanness is declared.

If the spot does not meet these initial tests of uncleanness but is white, further testing is needed, and the person is isolated for a week. The priest's examination **on the seventh day** determines whether the sore has spread. If not, another seven days of isolation are required. At the end of this period, if the sore has not spread and has faded, the person must wash his or her clothes and will then be clean. The spot is pronounced a minor **rash,** perhaps resulting from a fever or some other condition. If the rash has spread, the person will be pronounced **unclean** . . . [with] **an infectious disease.**

13:9–17 / These verses give further diagnostic guidance for skin conditions. If a skin inflammation has turned any hair white and has **raw flesh,** an ulceration, in it, it is a **chronic skin disease** and is unclean. Isolation is not necessary; the diagnosis is already clear. The question is whether the patchy disease is only a surface bump, a dermatitis, or a major disease. Healing is possible, but proper precautions must be taken. If the disease is all over the body, and especially if it is **white,** it is a chronic skin condition that is not unclean. The presence of raw flesh, however, indicates uncleanness, though this condition can also heal. The priestly task is to control dangerous and contagious diseases.

13:18–23 / This section follows the typical procedure of this part of the Manual of Purity. A symptom occurs, is inspected by the priest, is diagnosed, and the results are announced. The symptom here is a discoloration appearing after **a boil** has healed. The discoloration could be **a white swelling or reddish-white spot.** The priest examines the place with the tests now familiar from the first part of this chapter. If any hair in the area in question **has turned white** or if the spot is **more than skin deep,** the person is declared unclean—the skin disease is serious. If neither of those conditions exists and the discoloration appears to be fading, a time of isolation is prescribed. The question is whether the discoloration is spreading. If, after **seven days,** the condition is spreading, the priest declares the person unclean. If not, the person is clean—the spot was **a scar from the boil.**

This last notice of purity reminds the reader that not all skin conditions treated in this chapter are unclean or dangerous for the person affected or for the community. The issue is making that determination. This chapter demonstrates the central and dominant position of the priests. They exercise much social control in this process. They also need much knowledge and discernment to carry out their tasks. These instructions would have been crucial for them.

13:24–28 / These verses relate to the circumstance of a skin burn. It may be in this case that the appearance of the skin condition leads to an examination by the priest. The process is akin to what has come before. Presumably the skin condition is the scar from a burn, and a **spot** occurs in the ulcerated flesh of the scar. If the spot is **reddish-white or white,** an examination is necessary. The diagnostic guidance is the same as before. **If the hair in it has turned white** or if the spot is **more than skin deep,** the diagnosis is clear. Infectious skin disease is the verdict, and uncleanness announced. If, in contrast, neither of these conditions holds and the spot **has faded,** or lightened in color, a seven-day confinement is indicated. Again the question is whether the condition spreads. If so, then uncleanness is pronounced. If not, cleanness is the verdict. The condition was a swelling of the scar from the burn.

Noticeable in all of these instructions is their limitation to diagnosis. It is sufficient for the priest to pronounce whether the person is clean or unclean. The text gives no indication of remedies or consequences at this point. The issue is determining the question of purity.

13:29–37 / These verses turn to a somewhat different topic: conditions of the scalp and lower facial area. If a sore appears on **the head or on the chin,** a priestly examination is in order. The diagnostic is somewhat similar to earlier tests. If the sore is **more than skin deep,** it indicates uncleanness. The other possibility is if **the hair in it is yellow and thin.** The term indicates hair that is withering, and the color is in contrast to the black hair of verse 31. In either case, the sore is infectious, making the person unclean. The text calls the sore **an itch** of the scalp or beard in the case of a man, of the chin area in the case of a woman. The term indicates a scaliness and the inclination to scratch or peel the area.

The text continues with the circumstance in which the decision is not immediately clear. A seven-day period of confinement is again required. The sore does not appear to be deeper than the skin, but **there is no black hair in it.** Black hair is healthy and thus a sign of purity. The priestly examination comes **on the seventh day.** Three conditions are mentioned: the sore has not spread, there is no yellow hair in it, and it appears to be no deeper than the skin. In that case, the person is shaved, except for the sore, and isolated for another week. In some texts (e.g., Num. 6; Judg. 16:17), hair is representative of life. Shaving here is probably an attempt to remove uncleanness from life. At the end of this second confinement, another priestly examination is conducted. Now the question is whether the condition has spread, and whether it appears to be **more than skin deep.** If not, cleanness is the verdict. The person is to wash the clothes as a rite to complete restoration to purity. Washing can be effective for a rash (v. 6), or an itch of the scalp or chin area, but not for an infectious skin disease. Even after purity is achieved, the condition may return. If the sore has spread, the disease is taken to be infectious, and impurity is the priestly verdict. The importance of distinguishing the various kinds of skin diseases is clear. The patchy, scaly skin conditions which the text covers could be something like psoriasis, but in this last case, the presence of yellow hair more probably indicates favus.

13:38–39 / These two verses handle a condition of white skin patches, perhaps those called vitiligo or leucoderma today. The description is of white spots or blisters. A dull color to the spots would indicate **a harmless rash** and thus a verdict of purity.

13:40–44 / These verses deal with a specific case, that of baldness in a man and the relation of baldness to skin disease. Baldness itself is deemed to be clean whether on the back or top of the head, or on the forehead and temples. Losing hair is not itself unclean. Other conditions may develop. If a **reddish-white sore** appears on the scalp, a priestly examination is required. Swelling and the reddish-white color are indications of **an infectious skin disease** and thus uncleanness. This condition might be psoriasis or a heavy dandruff. The issue is whether the condition at hand is contagious, and the priest must be able to determine the differences in these specific instances.

13:45–46 / These verses bring the first part of chapter 13 to a conclusion and describe the consequences of a priestly determination that a person is unclean. Those deemed to have **an infectious disease** are to follow certain customs, some of which are associated with mourning. First is the tearing of garments and then **unkempt,** or disheveled, or loosened hair. **The lower part of the face** is to be covered. Whether the whole mouth or only upper lip is covered is a matter of debate. This covering can also be a sign of mourning. The person must also proclaim the condition of impurity, crying out, **"Unclean! Unclean!"** and is subjected to social isolation **outside the camp.** Numbers 5, 12, and 2 Kings 7 illustrate this circumstance. The concern is that diseases, which are not superficial but abnormal conditions, are contagious. They threaten the wholeness of the community. Thus they need to be isolated. More important than the skin conditions themselves is the functioning of the Priestly protective boundaries for the community in this purity system.

13:47–52 / With these verses, the text shifts to impurity in garments. The same symptoms occur in clothing as occur in humans, and the same responses of examination and confinement are prescribed. The result is either cleansing or destruction. NIV translates the contamination as **mildew.** Some kind of fungal condition does seem to be at issue; mold would be an alternate description.

The types of garment are wool, linen, and leather. Wool was a valuable product in OT times. The text further distinguishes the garments of wool and linen according to whether they are **woven or knitted material.** Leather refers to things made from animal hide or skin. The garment symptom in question is discoloration. If the relevant area is **greenish or reddish,** it is spreading, and a priestly inspection is in order. The green is a pale green. A period of confinement of **seven days** comes next in the process. The priest will examine the material at the end of the week. If the mildew is spreading, it is destructive or perhaps malignant and unclean, and so the material must be destroyed by burning to guard against any further damage. The **contamination** is so ingrained in the material that washing is not an option. The description of the problem and means of dealing with it are put forward in a simple manner.

13:53–58 / Now the text moves to the possibility that **the mildew** has not spread and thus can be cleansed. Washing is prescribed and then another week's confinement. At the end of this time, even if the fungus has not spread, if it **has not changed its appearance,** it is unclean and must be burned. The destruction is necessary regardless of where the infected area is. It may be, however, when the definitive inspection takes place, that the mildew **has faded** after the washing. In such a circumstance, the priest is to tear out **the contaminated part** of the garment. This process would make repair and further use of the garment possible. It is washed again and then considered clean. If the fungus reappears, it is a sign of its spreading, and the garment must be burned. Where possible, it would be advantageous to preserve garments, and so the distinctions drawn in this chapter are important. Not all fungus in garments is unclean.

13:59 / The last verse provides a summary of this quite practical part of the Manual of Purity on garments, which applies the basic procedures used with human impurities to wool, linen, and leather. The instructions on garments would have important implications for the daily lives of these ancient people.

Additional Notes §12

13:2 / The term for **infectious skin disease** is *tsara'at.* In this chapter, it appears to refer to a variety of serious skin diseases with a scaly appearance. NIV uses "infectious" in its translation. Alternatives would be "malignant, defiling, disfiguring, grievous, virulent." We will follow the NIV rendering as being just as good as any other. For additional description of the various skin conditions, see the helpful study by J. Wilkinson, "Leprosy and Leviticus: The Problem of Description and Identification," *SJT* 30 (1977), pp. 153–69.

13:48 / The traditional translation of **woven or knitted** is "warp and woof," indicating the thread that goes lengthwise on the loom and then crosswise. The chapter seems to countenance the possibility that the contamination could be in one or the other. That hardly seems possible for either warp or woof. An alternative would be to see the two terms as indicating two types of yarn which might have been kept separate. Again, the NIV has a reasonable rendering.

§13 Purification from Contamination (Lev. 14:1–32)

Chapter 14 proceeds to the issue of how one can move from the condition of "unclean" into the condition of "clean." The procedure is a rite of passage embodying a new beginning for the person and the surrounding community. The passage marks the occasion, making it palpable for those involved and contributing to social stability. The first part of the chapter describes cleansing from impurity, and the latter alternative offerings for the poor.

14:1–9 / The instructions are addressed to Moses and are characterized as *torah,* or **regulations.** The rite takes place in different settings. Outside the camp, the healing is confirmed, and procedures of renewal take place. Within the camp, rites of reincorporation are specified: On the eighth day, special sacrifices take place.

The priest goes to the person **outside the camp,** where the unclean must dwell, and confirms the healing. Renewal rites with **two live clean birds** follow. One bird is **killed over fresh water in a clay pot.** The live bird, cedar wood, scarlet yarn, and hyssop are dipped in the water mixed with the blood of the bird. Cedar was an important building material and yarn a valued item, used also in the construction of some of the tabernacle precincts. The yarn was colored with a precious dye that symbolized the power of blood. The herb hyssop is associated with cleansing in Exodus and Psalms (51:7). Presumably all these items are understood as cleansing agents, though the specific background of each is somewhat obscure. In addition, the priest is to **sprinkle** the healed person with this cleansing mixture **seven times** for completeness. Perhaps the wood, yarn, and hyssop are used for the sprinkling. The live bird released to fly away, symbolizing the removal of the impurity. Then the person is pronounced clean. With the use of blood and sprinkling, this procedure is reminiscent of the sin offering (Lev. 4:6, 17).

Next the person washes his or her clothing, shaves, and bathes. Then comes entry into the camp. Still, the person remains outside his or her tent for another week and then again shaves off all hair, washes clothes, and bathes. Then the person is clean. The hair is symbolic of life; its removal signifies rebirth and beginning new life.

14:10–20 / These verses bring us to the final procedures of the cleansing rite, the sacrifices that are now appropriate to offer. The ceremony shifts to the **entrance to the Tent of Meeting.** The site of restitution has moved from the realm of the unclean outside the camp to the realm of the common inside the camp to the place of holiness, the Tent, where the transition to wholeness is completed. The sacrificial animals and oil—two male lambs and one female lamb, along with **three-tenths of an ephah of fine flour mixed with oil and one log of oil**—are brought to the priest, who is to pronounce the cleansed person as clean.

The first sacrifice is a guilt offering of a male lamb along with the log (measure) of oil. Both are presented as wave offerings. They are elevated with that motion as especially dedicated to God. What is the significance of the guilt offering in this context? What is the need for the compensation associated with that sacrifice? Could it be offerings lost to the sanctuary? Perhaps the disease causes damage to the image of God in the person. Another possibility is that the priest is the one compensated. Verse 13 clarifies that the offering goes to the priest. It is the priest who must go to the unclean person and conduct these rites of restitution. Possibly a connection between sin and sickness was assumed in ancient Israel.

With blood from the guilt offering, the priest anoints the right extremities of the person being cleansed, signifying the cleansing of the whole person. This rite is reminiscent of the ordination of priests (Lev. 8:23–24). Then the priest takes oil and sprinkles it **seven times** before the Lord. This particular use of oil also recalls priestly ordination (Lev. 8:10–12). Seven-fold sprinkling is associated with sin offerings, which use blood, not oil, for sprinkling. Presumably the oil protects the sanctuary from contamination. Next oil is applied to the person in the same way the blood was, an act of cleansing the whole person again. The remaining oil is **put on the head of the one to be cleansed** as a final act of full purification. The sin offering, burnt offering, and grain offering are then sacrificed, completing the rites. Hope is effected, and cleansing is complete. The person's relationship with God and the faith community had been fractured by impurity. Now atonement is accomplished, and the relationships are intact. The individual's place in the community is restored. The person is able to fully enjoy God's created world rather than coping with any disorder outside the camp. The camp is ordered by way of the Holy Presence. The use of the number seven, and especially the attention to seven days, remind the reader that God, according to Genesis 2, had *completed* the creation in seven days.

14:21–32 / These verses provide for the poor in relation to restoration sacrifices. Not everyone could afford three lambs, so the use of **one male lamb** for the guilt offering is allowed. The amount of flour is reduced to **a tenth of an ephah.** Doves or young pigeons are substituted for the other two lambs for the sin and burnt offerings. Verses 23–31 lay out the procedure for the offerings on the eighth day, precisely as verses 12–18 did. The final verse of this section is a summary. Cleansing is full and complete.

§14 Contamination in Buildings (Lev. 14:33-57)

The remainder of this chapter concerns "leprosy in buildings," that is, contamination in buildings which must be restrained. The verses deal with diagnosis and purification.

14:33-42 / At the fore is a concern for holding a spreading infection in check. Both Moses and Aaron receive these instructions; priests continue to be central in the processes described. The contamination is called **a spreading mildew in a house.** Again, the condition is probably a fungal growth. The instructions anticipate ancient Israel's entry into the land of Canaan. When a suspicious growth appears in a house, the owner must call the priest, who functions as public health inspector. The first step is to empty the house, a move that keeps portable possessions from being included in the ensuing quarantine and saves them from possible destruction. This is an economic concession to the owner of the house. The priest will then inspect the house and decide whether the mildew is **greenish or reddish** and whether it appears to sink below the surface of the walls. A quarantine period of **seven days** comes next.

When the priest returns, he inspects the house again to determine whether the fungus has spread. If so, the affected stones are disposed of in an unclean place outside the town. All the inside walls are scraped and the resulting material similarly dumped. Then repairs are made. These directions presume an urban setting.

14:43-47 / Recurrence of contamination has been covered in the instructions for persons and garments. Now it appears for buildings. The priest must examine the building. If the fungus has returned, it is classified as **a destructive mildew,** or malignant and corrosive, and declared unclean. The whole building must be torn down and all the materials that were in it disposed of in an unclean place outside the town. No doubt the priest was to supervise this process. Destruction would have been a severe loss to the owner, but the destruction is necessary to prevent the spread of a dangerous growth that threatens the wholeness of the community.

Attention to those in contact with the offending structure comes in verses 46–47. Those entering the house during the quarantine are **unclean till evening.** Anyone sleeping or eating in the house will need to wash his or her clothes.

14:48–53 / If the repairs suggested in verse 42 are successful, as with persons purified from infectious skin diseases, rites of purification must follow. When the priest inspects the house after the repair, if the mildew has not spread, the house will be pronounced clean. Rites of restoration can proceed. The rites are the same ones we saw earlier in the chapter. A bird is killed **over fresh water in a clay pot. Cedar wood, hyssop, scarlet yarn,** and the **live bird** are dipped in the mixture of **blood** and **water.** All the ingredients are cleansing agents. The house is then sprinkled **seven times,** completely. All of this activity is for the purification of the house. The priest will then release the living bird into **the open fields outside the town.** The bird carries the uncleanness of the structure away, and the building is now clean. This comment in verse 53 shows how different contemporary notions of atonement are from those in Leviticus: **In this way he will make atonement for the house.** Note the absence of the magical and demonic from these instructions. Atonement here puts the building back into a whole state, into cleanness, and into relationship with the community.

14:54–57 / This summary of chapters 13–14 is typical of the Manual of Purity, helping to keep the reader on track in the midst of so much detail and description of ritual. Again, the word **regulations** is a translation of *torah*. Since the instructions on garments and offerings for the poor both have a summary (Lev. 13:59; 14:32), those sections may well have been inserted into this textual unit. The summaries also provide a clue to the purpose of these instructions. The priests must be able to distinguish clean and unclean. Cleanness is fundamental to wholeness, and any disruption of that system with uncleanness threatens the community. Impurity occurs unpredictably and unexpectedly. An impure person, garment, or building could come into contact with the holy and endanger the whole community. Since it is important for the community to avoid impurity, these instructions, a gracious provision, will aid in that task. God does not leave the people in question but reveals the divine will for all of life, even for fungal growths in buildings.

Another way to think about the import of these instructions is to remember that the Leviticus community is centered around the perfectly holy divine presence. Because Yahweh is holy, God cannot tolerate the effects of impurity. If the sanctuary precincts become defiled, God will not stay with ancient Israel to give life to the community. Impurity also restricts persons from the life-giving activity of worship. These regulations help avoid that unfortunate circumstance. These chapters serve a significant purpose in the Priestly community and are still about a central theme of Leviticus—preparation for worship.

Additional Note §14

14:10 / The book of Leviticus has used the measure of an ephah previously. **Three-tenths of an ephah** is probably about six liters or seven quarts. This amount is used in the book of Numbers (e.g., 15:9; 28:12; 29:3) as offerings for major festivals. Verse 21 discusses the situation of those who may not be able to afford that much flour. They are called upon to bring forward the minimal one-tenth of an ephah. The other measure used here is **one log of oil.** Apparently a log equaled about 0.3 liters or two-thirds of a pint.

§15 Bodily Discharges (Lev. 15:1–33)

This chapter is the final one to offer explicit instructions on hygiene, specifically concerning bodily emissions or discharges. It leads to the description of the ritual of the Day of Atonement, which offers a way to remove impurity.

These discharges cause impurity, but impurity that does not last very long. Wenham has raised the possibility that chapters 11–15 are organized according to the duration of the impurity, from longest to shortest (*Leviticus*, p. 216). Chapter 15 itself seems to be organized according to that principle. First come male discharges and then female discharges. The description of male discharges begins with those of longer duration and moves to those of shorter duration; the description of female discharges follows in reverse order. This structure is called chiasmus and is common in Hebrew literature. It usually designates two sides of a unity, in this case, the unity of humanity in male and female. The pattern here is:

> A Male discharges resulting in longer-term impurity (vv. 1–15)
> B Male discharges resulting in shorter-term impurity
>   (vv. 16–18)
>   C Sexual intercourse (v. 18)
> B′ Female discharges resulting in shorter-term impurity
>   (vv. 19–24)
> A′ Female discharges resulting in longer-term impurity
>   (vv. 25–30)

Such would be in consonance with the Priestly creation account in Genesis 1:27. So the unity and interdependence of male and female are woven into the structure of Leviticus 15. The crowning point of the chapter is verse 18 and the act of sexual intercourse, which is an expression of that unity and interdependence.

The instructions on emissions follow a typical order. The issue is defined, and the consequences of the emission are enumerated, along with any necessary purification procedures. Usually the prescription is to wash and wait until evening. The emissions treated here center on blood and semen, both of which are vital to life, according to Leviticus. Loss of these fluids or their presence in the wrong place could threaten life. In addition, various components of these issues are beyond human control and mysterious—all the more reason to advise caution.

15:1–12 / God speaks to both Moses and Aaron, and instructs them to address the people with these statutes. This first part of the chapter treats bodily discharges that are of longer duration, for men. Most of the emphasis is on the effects of such discharges and ways to purification. What is the kind of discharge? Since much of the chapter relates to discharges from the sexual organs, they are likely so here, especially since there is no mention of blood. Still, the text is ambiguous in these verses, and some scholars suggest that it deals with the discharge of venereal disease. Of primary concern is the possibility of contagion.

The discharge is unclean, and so contact with it carries uncleanness. Anything the unclean person sits or lies on becomes unclean, and so those in contact with those objects, or with the unclean person, contract uncleanness. The text attends to a particular kind of sitting which would have been common: **riding.** It is also the case that any **clay pot** or **wooden article** the man contacts is infected. The porous pot must be destroyed; the uncleanness cannot be removed. Wood articles could be rinsed. These regulations may reflect a concession to economics. Clay pots were readily available; wood was more precious. Anyone the unclean person spits on, whether accidentally or intentionally, also becomes unclean.

The uncleanness here appears less serious than that from infectious skin diseases. The means of purification are familiar: washing clothes, bathing, and waiting until evening. The purpose of these instructions is to limit contagion.

15:13–15 / These verses focus more explicitly on the means of purification. When the discharge stops, the man must wait **seven days** and then move to the familiar cleansing procedures: washing clothes and bathing with **fresh water.** He is then clean. The familiar sacrifices are offered on the eighth day. Two birds are brought, one for a sin offering and one for a burnt offering. The sin offering removes the effects of uncleanness from the sanctuary, and the burnt offering dedicates the person to God. The relationship with God is back at one. This person has not been

banned from the camp. The purification rites are less strenuous
than those for persons with infectious diseases.

15:16–18 / The chapter now moves to the more tran-
sient variety of bodily discharges in males, **an emission of semen.**
This circumstance appears to be unrelated to the discharge treated
in verses 1–15. The man who has an emission of semen is unclean
and must **bathe his whole body with water.** The impurity lasts **till
evening.** Likewise, **any clothing or leather** in contact with the
semen must be washed and will be unclean for the day. When the
emission occurs during sexual intercourse, both man and woman
must bathe and are unclean until the evening. Despite unclean-
ness, no sacrifices are offered. Bathing, washing, and waiting are
sufficient. The impurity here, therefore, is less serious than those
discussed in chapters 13–14.

It may seem odd that uncleanness is a part of sexual inter-
course, especially with the Priestly authorization of procreation in
Genesis 1. Still, when semen is emitted, something of life has been
discharged. The event is wondrous and mysterious, so precaution
is in order to prevent the semen as a life-producing agent from
coming into contact with inappropriate items. It is possible that
the emission discussed here is premature, but most commentators
do not take that view.

We have already noted that verse 18 provides the middle
point of the chapter's structure, thus giving sexual intercourse a
significant place, reflecting the mutual interdependence and ful-
fillment of male and female as part of God's creation of humanity.

15:19–24 / These verses consider female bodily emis-
sions and begin with the more transient variety, the **regular flow
of blood, . . . her monthly period.** There is again no indication of
sacrifice or of sin; it is a matter of following the prescribed pro-
cedures. The impurity lasts seven days and anyone who touches
her becomes unclean. Concerns with the spread of the unclean-
ness are familiar by now. Anything the woman sits or lies on
will be unclean, as will anyone who touches these objects. Any
man who lies with the woman and contacts the **monthly flow**
will be unclean for **seven days,** and any bed he lies on will also
be unclean. The man finds himself in the same circumstance of
cultic impurity as does the woman. Perhaps the case envisioned
here is when menstruation begins during intercourse. Sexual in-
tercourse with a woman who is menstruating is condemned in

Leviticus 18. The familiar ways of cleansing are enumerated: washing, bathing, waiting.

Impurity associated with menstruation was common in the ancient Near East, but in Leviticus menstruation was accepted as normal, as was the emission of semen. No atonement or sacrifices are indicated. It is often suggested that early marriages and frequent child-bearing may have made menstruation less of a factor for women in ancient Near Eastern society than it is today (Budd, *Leviticus,* p. 219; Milgrom, *Leviticus 1–16,* p. 953). While aesthetics of female bleeding may be part of the reason for the impurity here, surely the primary concern is the loss of blood. As we have seen in the Priestly scheme of things, life is in the blood. Just as with childbirth (ch. 12), any loss of blood is a serious and dangerous circumstance. Respecting the boundaries and following the cleansing rites are thus important.

15:25–30 / This last major section of the chapter deals with women's bodily discharges that are abnormal compared to her monthly period. The impurity continues as long as the discharge, which is described as lasting **for many days at a time** or as continuing **beyond her period.** The discharge is not expected—it does not occur during the normal period and may possibly concern venereal disease, according to some interpreters. The text covers the spread of impurity and procedures for purification. As with men, anything on which unclean women lie or sit becomes unclean. **Whoever touches them will be unclean** and must wash the clothes, bathe, and be **unclean till evening.**

The sacrifices mandated reflect the abnormality of the discharge. After the discharge has stopped, a woman must wait **seven days,** and she will be clean. The number seven indicates the completeness of the waiting period. **On the eighth day,** she must offer sacrifice; doves or young pigeons are the chosen offering. One is to be a sin offering, purifying the sanctuary of the effects of the uncleanness issuing from her abnormal discharge. The other offering is a burnt offering indicating dedication to God. **Atonement** is accomplished in this way.

This procedure is akin to that for longer-term discharges in men, which are dealt with in verses 1–15. Absent is the bathing (v. 13) before presenting the offerings. Although the man is also told to "come before the LORD" (v. 14), the woman simply brings the birds to the priest. Her access to God seems less direct. Abnormality was a threat to the Priestly order of things. These instructions help to limit abnormality and its concomitant impurity. They guard and, if necessary, restore, the order.

15:31 / This verse is important for interpreting chapters 11–15. While these chapters typically provide summarizing clues for the reader, this statement goes beyond them. It alludes to Leviticus 10:10–11 and the priests' task of teaching the people to distinguish between clean and unclean: **You must keep the Israelites separate from things that make them unclean.** The verb "to keep separate" *(nzr)* usually indicates positive dedication or consecration. To "consecrate" someone from the things that bring uncleanness is an odd phrase. However, consecration to God as a holy presence would entail avoiding impurity.

Another important word is **my dwelling place** *(mishkani)*, the tabernacle, the sanctuary, the place where God dwells. Yahweh's dwelling place is among the Israelites. As we have seen, that holy presence determines life for the community, but it can also cause death if the holy place is defiled. The procedures and diagnoses in the preceding chapters are intended to protect the sanctuary from any form of defilement.

15:32–33 / These final verses summarize the instructions in the chapter designed to help the people avoid impurity and to limit the spread of such defilement; contagion was a major concern. **Regulations** is again the translation of *torah*. The summary moves in the order of the chapter, except that where the reader expects mention of the material covered in verses 25–30, on longer-term discharges in women, the summary phrase used relates to discharges in men or women. An additional concern is also added: **for a man who lies with a woman who is ceremonially unclean.**

The chapter certainly distinguishes between discharges that are expected and those that are abnormal, where sacrifice and atonement are necessitated. Some contend that the primary concern is health, and some of the measures commended in chapter 15 could help control the spread of disease. Others suggest a theological rationale. The faith community's commitment to purity is a witness to their identity as people of Yahweh. Or the understanding of purity in these chapters could in some way be symbolic of righteousness and faith. We have found more helpful the anthropological approach pioneered by Mary Douglas *(Purity and Danger)*. The boundaries of clean and unclean protect normality or wholeness for the people, and in that sense protect the holy and enable God to remain with the faith community of ancient Israelites and to bless them with fullness of life.

These concerns appear in the NT too. In Mark 5, Jesus heals a woman who is suffering from an abnormal discharge like that described in Leviticus 15:25–30. When the woman touched Jesus, she was healed instead of making him unclean. In Matthew 15, while in conversation with Jewish leaders, Jesus redefines the notion of uncleanness in terms of faith. Uncleanness comes from the person and what is inside the person, from one's relationship with God. The redefinition is relevant to 1 Corinthians 6:19, with the notion that the believer's body is the sanctuary not to be defiled. The broader concern to structure the community's life around the divine presence and appropriate responses to that presence gives these texts continuing significance.

Additional Notes §15

15:2–3 / The term **discharge** indicates a "flowing" or "gushing forth." The term can be associated with disgusting conditions. Gonorrhea has been suggested, or urinary infections. It does seem to relate to infections of bodily organs of some kind. The discharge may continue or be sealed, but the impurity is still present. In v. 3, the flow would be like a running slime. Perhaps the discharge inhibits the flow of semen. The discharge may well relate to the penis, but that term is never used.

15:18 / Intercourse immediately before worship was taboo (Exod. 19:15). For an extended examination of sexual intercourse and defilement, see G. J. Wenham, "Why Does Sexual Intercourse Defile (Lev 15:18)" *ZAW* 95 (1983), pp. 432–34.

§16 The Day of Atonement (Lev. 16:1–34)

Chapter 16 brings the reader to the Day of Atonement. We include this chapter in the Manual of Purity, since the Day of Atonement provides a way of removing the effects of uncleanness. However, this chapter was probably not originally composed along with chapters 11–15. Verse 1 indicates that chapter 16 has strong connections with Leviticus 10. This chapter was perhaps part of the Priestly narrative continuing from chapters 8–10. The ritual described here may be quite old and no doubt has a complex history. It is included in the Priestly rites for the community of ancient Israel as part of the Priestly festal calendar and the autumn festal complex described in Leviticus 23.

The concern with ridding the sanctuary and community of the effects of uncleanness is precautionary and related to unwitting sins. Such sin and impurity are inevitable but also dangerous. The purification of the sanctuary is central to the Day of Atonement and is a major concern for the Priestly writers. As the Day of Atonement grew in importance, it also became a time of penitence and purification for the broader community.

16:1–5 / The chapter begins by associating the Day of Atonement with the unfortunate incident in chapter 10. The deaths of Nadab and Abihu raise the question of safety for priests when they enter the holy place. Seeing the living God is dangerous. God instructs Moses to tell Aaron that **the Most Holy Place,** often called the Holy of Holies, is not for the priest to enter at will. Rather, Aaron is to enter that room **behind the curtain** only on the Day of Atonement and only under the circumstances outlined in this chapter.

In this room rests the ark of the covenant, a visible symbol of the presence of God; God is invisibly enthroned on the ark. This text describes that phenomenon in terms of the divine glory. Glory suggests the manifestation of God's presence and activity in the world, and verse 3 indicates that God appears **in the cloud** over the ark. This text is reminiscent of the conclusion of Exodus (40:34–38), where the glory in the form of a cloud filled the whole tabernacle. Humans are not prepared to see this glory, and presumably that is part of the reason there is a curtain in front of this room. **The atonement cover,** sometimes translated "mercy seat," is the lid or cover placed on the top of the ark.

These verses outline the preparation of the high priest and people for the Day of Atonement. The priest functions as mediator between the people and God and, as we have seen before, he must be properly prepared for that role, especially here where encounter with the divine presence is so intense. The text then says that **Aaron is to enter the sanctuary area** and bring a bull and a ram, purification and burnt offerings. He is then to bathe and put on the proper priestly garments: **linen undergarments, tunic, sash,** and **turban.** The context is one of confession and purification, and so the simple linen garments fit the occasion. He is also to bring sacrificial animals for the community, two goats for the purification offering **and a ram for a burnt offering.** The practices described in this chapter probably developed over time, but these opening verses depict the high priest in a crucial position as mediator. He is the one who deals with the most holy things. He must take care with his own safety and because of concerns for the effectiveness of the atoning ritual.

16:6–10 / The basic festal ritual centers upon purification. First comes a sin offering for the priests. Since they preside over the process, it is logical to begin with them. This offering purifies the sanctuary from any defilement that Aaron or the other priests might bring. Then they present two goats from the community. One of the goats is chosen to be sacrificed by casting **lots.** Lots were cast in ancient Israel as a means of decision making, with the understanding that God guaranteed the outcome. One lot is **for the** LORD **and the other for the scapegoat.** The goat that is for the Lord is sacrificed as an offering to purify the sanctuary from the effects of the people's sin and uncleanness. The other goat is the scapegoat—the NIV has interpreted the Hebrew text here to mean something like "the goat for removal into the wilderness." The scapegoat is also part of the atonement ritual, as verse 10 makes clear, and so must be presented before the Lord.

16:11–14 / The central portion of the chapter describes the ritual in greater detail. Three vital elements to the day are offerings for priests, offerings for people, and the scapegoat. We

begin with offerings for priests. Verse 11 repeats verse 6, and the
bull for Aaron's sin offering is slaughtered. Aaron adds **two hand-
fuls of . . . fragrant incense** to coals from the altar and takes
them in his censor into the Most Holy Place. This holy incense is
crushed and spiced. The coals **from the altar before the LORD** con-
trast with the unholy fire Nadab and Abihu used in chapter 10. The
coals and incense produce smoke to conceal the ark so that Aaron
will not die while seeing God (see Exod. 33:20). Possibly the smoke
would shield God from seeing Aaron and perhaps divert divine
wrath. The smoke is also associated with the cloud of divine glory.

We have already seen that the ark of the covenant is a sym-
bol of divine presence. Here the Priestly term **Testimony** presum-
ably alludes to the ark as container of the tablets of the law as well.
This is the only time in the year when Aaron enters this holiest
place. The rite concludes with the high priest putting blood on the
cover of the ark and then sprinkling blood seven times before the
ark. As we have seen, blood is a cleansing agent, and the number
seven indicates completeness. The blood rites purify the Most
Holy Place from any defilement.

16:15–19 / Second, we turn to the offerings of the people.
Aaron is to **slaughter the goat** from the community and with its
blood carry out the same rite he did with the blood from his own
sin offering. The purpose of the rite is clear from verse 16; the
blood purifies **the Most Holy Place** from the effects **of the un-
cleanness and rebellion of the Israelites.** The atonement is for
whatever sin is at hand; the word for "rebellion" probably indi-
cates serious sins. The same is done for **the Tent of Meeting,** al-
though the text does not give details. Further care is taken that no
one else be allowed in the tabernacle during this ritual. The blood
rite to purify the sanctuary enables the divine presence to con-
tinue in the midst of the community. Thus the divine-human rela-
tionship is back "at one" for Aaron, the other priests, and the
community.

Then the main altar is cleansed. The blood cleans **the horns
of the altar,** which represent the entire altar. Blood from both the
sin offering for Aaron and the offering from the people becomes
part of the blood ritual here. Aaron again sprinkles blood on the
altar seven times. The language of verse 19 shows the purpose of
these sacrifices. Blood is **to cleanse** the altar and **to consecrate** the
altar from the **uncleanness of the Israelites.** The intent harmo-
nizes with what occurs previously; chapters 11–15 have outlined

the causes of such uncleanness. Individual conditions would have been dealt with at the time of their cause; this rite would attend to any undetected or undiagnosed uncleanness and perhaps provide protection for the new year.

16:20–22 / Purification of the holy places is complete, and now the text explains the third major element in the ritual, the scapegoat. The high priest puts his hands **on the head of the live goat and confess**[es] the sins of the people. We have previously interpreted laying on of hands as a way of identifying the offerer, here the community, with the offering. The ritual puts the sins to be removed from the community on the head of the goat. The goat is sent into the wilderness by a designated person. The person is not a priest; the threat of defilement would be too great and the consequences destructive. It is as if the sin becomes material to be taken away. The goat carries the **sins to a solitary place,** far from the community and far from the divine dwelling place. The goat is then released in a place from which it is unlikely to return. The sins thus cannot threaten the holiness in the midst of the camp and so can no longer bring damage to ancient Israel.

16:23–28 / These verses describe the remainder of the washings and sacrificial acts. The chapter has shown that the sequence of acts is important. Care must be taken to avoid any further uncleanness or pollution. Aaron goes **into the Tent of Meeting** and removes the linen garments he has worn for the blood rites. The garments are holy, especially after they have been in **the Most Holy Place,** and thus they are to stay in a holy place. He bathes again and puts **on his regular garments.** Here the washing in the tabernacle precincts probably marks a major transition in the ritual. Washing is more often a preparatory or cleansing rite rather than a concluding one. It is unlikely that the high priest was assumed to contract some uncleanness during confession or in dealing with the scapegoat. Aaron offers burnt offerings and the fat of the sin offerings for himself and the people. The ritual of the Day of Atonement is unusual in separating blood rites and burning of the fat. The effect emphasizes the blood rites as purifying ones.

Further washings are indicated. The man who released the scapegoat washes his clothes and bathes. His contact with the sin-bearing animal necessitates washing; then he may return to the camp. The remains of the sacrifices are disposed of in the proper manner, that is, burned outside the camp. Those instructions are in chapter 4 and concern offerings in which blood enters the Tent of Meeting. The priests were not to eat the other parts of the sin offering because they were offered for the priests themselves. The one who disposes of the remains of the sacrifice, here not specified to be a priest, must also wash his clothes and bathe before coming back into the camp. This prevents the spread of contagion from sin and uncleanness, especially in a ritual with the purpose of purifying from such defilement.

Purification makes it possible for the holy divine presence to remain in the midst of the people and bring them life. Purification accomplishes atonement for the people (vv. 30, 33, 34). The Day of Atonement is thus one of the most significant events on ancient Israel's calendar.

16:29–34 / These final verses indicate the seriousness of observing the Day of Atonement for the whole camp, Israelites as well as those who are not Israelite but who live in the camp. The OT often commends fair and kind treatment for aliens (e.g., Exod. 20:10; Deut. 14:29; 24:17).

The date is set as **a lasting ordinance,** a continuing practice, **on the tenth day of the seventh month,** as also indicated in Leviticus 23. During this observance there is no work. Furthermore, Israelites are to **deny yourselves,** probably an indication of fasting. The section summarizes the purpose of the ritual and action of the high priest on the Day of Atonement. Once again, purification and atonement are stressed, and its solemness is emphasized. The priest cleanses both rooms of the sanctuary and the altar, but the process also washes Israel, the holy people of God. In this way atonement is accomplished. The last verse concludes with an assertion that the ritual on the first Day of Atonement followed the divine instructions to Moses.

The Day of Atonement is central in Leviticus. The ritual is heavy on symbolism and displays the position of the high priest and the nature of atonement. The actions are not empty ritual but clearly affect the community and its members; witness the confession of sin over the scapegoat. The same kinds of confession and fasting are described in Psalm 35:13. In Christian tradition, Hebrews 9 speaks of the tabernacle and of Christ, both as the high priest and as the ultimate sacrifice for the church. Hebrews 10:1–25 addresses the impermanence of the Levitical sacrifices and the permanence of Christ's sacrifice (cf. 2 Cor. 5:21).

In sum, this chapter follows the instructions on clean and unclean. God honors the costly sacrifice and the realization of the

need for cleansing. The worship of God at the tabernacle contin-
ues. This ritual is a gracious provision for the Israelites, with possi-
bilities for the future for the community. As they prepare to enter
Canaan, during the time of the monarchy, or as they prepare to re-
turn to the land from exile, this ritual enables them to continue in
the life-giving presence of God. God is holy and immanent. For
the church, the events of Holy Week approximate the function of
the Day of Atonement. The holy God acts for humanity in Christ's
crucifixion and resurrection, which make atonement possible.
The Hebrew Day of Atonement also ensures cosmic and social
order for the coming year. Chaos and impurity are banished to the
wilderness, and the order of creation is affirmed again. Such an
emphasis is central in the canonical shape of Leviticus.

Additional Notes §16

16:2 / **Atonement cover** *(kapporet)* comes from the same root
word as the term for atonement; hence this translation in the NIV. "Mercy
seat" as an alternative comes from the same derivation plus the image of
Yahweh invisibly enthroned above the ark. The connection with atone-
ment may suggest some connection with purification, especially if atone-
ment does relate to the notion of "covering."

16:3 / **A young bull** is specified as the purification offering for
a priest in Lev. 4:3, and for the congregation in Lev. 4:13–14. The animal is
simply called a "bull" in ch. 8 and a "bull calf" in ch. 9. The **ram** as a whole
burnt offering appears in chs. 8 and 9.

16:8 / The lots were probably stones with engraving on them.
The casting of lots is not common in ritual texts, but it appears several
times in the book of Numbers (26:55; 33:54; 34:13; 36:2).

One of the goats will be the **scapegoat.** The Hb. text says one of the
goats is for Yahweh and one for Azazel *('az'azel).* The parallel structure of
the form in v. 8 suggests that Azazel may have been a deity or spirit or
demon in the early practice of this ritual. By the time the Priestly tradition
was collected, the term would have lost that connotation. The goat is
being returned to an "evil one," in keeping with the sin it bears. Some in-
terpreters reject that view because of the fierce aversion to idolatry in the
OT, which is reflected in the very next chapter of Leviticus. Some of these
interpreters connect the word with the verb meaning "to depart" and
thus think of "the goat of removal" or "the goat that departs." That view
appears to be behind the NIV rendering. Others think of a place name, in
terms of desert or cliff. In any case, the function of the scapegoat is to
carry away the sins of the people, a striking and powerful symbol.

The Holiness Code (Lev. 17–27)

We arrive now at the final major section of the book of Leviticus, the Holiness Code. Chapters 17–26 constitute a document placed here by the Priestly redactors, and Leviticus 27 is a kind of appendix. The title of the Holiness Code comes from the expression found several times in these chapters: Be holy because I, the LORD your God, am holy. The Holiness Code contains cultic and ethical instruction to help the Israelites maintain their holiness as people of Yahweh. The Code was probably read and applied in the time of the monarchy and placed here later in the Priestly material, but these chapters contain much earlier material.

In Leviticus "holy" can refer to a person or a place or to the people as a whole. The basic meaning of the term is "set apart," but the term is consistently used in a positive sense of "set apart to God" rather than in the separatistic or negative sense of "set apart from. . . ." No one is like God; God is holy, set apart, different from any other. The people are called to resemble God, set apart, different, distinct. In Leviticus the people are to follow these instructions in holiness so that this holy God will remain in their midst and give them life. The concern with holiness pervades cult and conduct of life. A number of the themes in these chapters occur also in the prophetic books.

This common concern for holiness gives the chapters cohesion, although with a variety of topics there is probably less textual unity here than in the preceding sections of Leviticus. Budd lists four main characteristics that unite the chapters (*Leviticus*, p. 239):

1. Historical allusions to the Egypt experience
2. Common terms for the laws
3. Yahweh's self-designation
4. Yahweh's holiness

Scholars debate whether these chapters ever constituted an independent manual. For an excellent examination of the history of research, see Hartley, *Leviticus,* pp. 251–60. No doubt the material has a complex editorial history, but given the structure of the book as a whole, the holiness material may have been put together in a manual like the Manual of Sacrifice and the Manual of Purity. Chapter 26 appears to bring the Holiness Code to a conclusion, and chapter 27 concludes the book in a kind of addendum. In the sixth century B.C.E. a group interested in holiness and expecting a future for God's faithful people may have brought the material together.

Chapter 17 contains restrictions on sacrifice and food. It also deals with purity and is especially concerned about blood. Instruction in the killing of animals, which relates back to the Manual of Sacrifice, addresses the laity. The chapter treats slaughter and sacrifice and then blood and impurity. The material reveals a concern to maintain holiness, particularly in relation to other religions. Yahweh often speaks in the first person. Offenses and penalties are at the core of this chapter, which was probably of a piece when it came into the Holiness Code. In a sense it functions as a prologue to the Holiness Code.

17:1–7 / When an Israelite kills an animal, it is to be offered as a fellowship offering at the tabernacle so that it will not be sacrificed to other deities. Sacrifices to Yahweh should be offered only at the tabernacle. The instruction is addressed to Moses, who is to pass it on to both priests and people. Moses is here the primary mediator of *torah*. The emphasis on Moses, and not Aaron, suggests that holiness is a concern of the whole people and carries Mosaic authority. Animal sacrifices that are offered outside **the Tent of Meeting** are to be categorized as murder. The penalty is that the person will **be cut off from his people.** As we have seen, the shedding of blood was serious because life was in the blood, and life belonged to God. Here specifically slaughtering refers to sacrifices, and the same principles apply whether the killing occurs inside or outside the camp. The penalty is a divine one and probably indicates some kind of ostracism from the community rather than a formal legal execution (although see Exod. 22:20).

The text then interprets the requirement. The purpose is to centralize all sacrifices at the tabernacle as fellowship offerings. The text assumes that the animals concerned are appropriate for sacrifice (see v. 3). The animals killed were luxuries, and it is healthier for the community to share the meat than to hoard it. There is a strong link between sacrifice and eating. The text also portrays worship as under close priestly supervision. The sprinkling of the blood and the burning of the fat are characteristic of the fellowship offering. This solemn instruction then becomes more specific in verse 7; it prohibits any sacrifice to **goat idols** or satyrs, a kind of demonic figure or alien deity that had some connection with wild goats. The image is of harlotry, as the people are said to have prostituted themselves to such idols. These verses clearly warn against any syncretism and reflect how pervasive are the concerns for holiness. The text also means to support priests' control of sacrifice, a significant economic and political practice in ancient Israel. The priests were to screen any idolatry from the sanctuaries. Ancient Israel's history documents this threat of idolatry and a mixed history of worship, a particular concern of the sixth-century prophets. Ezekiel's urgings exhibit many points of contact with these chapters in Leviticus. For example, Ezekiel's temple vision (chs. 8–11) describes the departure of the divine glory because of the corruption of idolatry; Ezekiel 14:1–8 also shows the problem with idolatry. Leviticus 17 signals the interest of the Holiness Code in idolatry. The purpose is to urge the community to avoid the death-giving idols and remain faithful to the living God, the only one who can bring wholeness to life.

17:8–9 / These verses emphasize the seriousness of the prohibition in the last section. The person who violates the prohibition will face being **cut off from his people**. The statement applies to both citizen and resident alien. **Sacrifice** apparently refers to the fellowship offering; **burnt offering** is also included here.

17:10–14 / Anyone, citizen or alien, who consumes blood will face the same penalty. Eating blood sounds odd in modern language, but the reference is to eating meat with blood in it. Such an action brings divine wrath. These verses speak some of the most famous lines in Leviticus. As we have mentioned, life is in the blood; the loss of blood can bring the loss of life. Life belongs to God. The blood is also preserved for atonement. Forgiveness costs life, and the atoning sacrifice risks taking a life to give it back to God, who honors that act and effects atonement. The cost of atonement should lead to the proper attitude toward life and sacrifice; neither citizen nor resident alien should consume blood. The word used for **life** is *nepesh*, often translated "soul." It refers to the self, life, or being of a person or animal. These instructions in the first person with God speaking are of paramount importance.

The instruction is quite practical; verse 13 applies the prohibition to hunting and thus to wild as well as domestic animals. Animal blood must also be properly disposed of, or buried, which action would protect the blood from any subsequent defilement. The term used for draining out the blood is the same one used for pouring the blood at the base of the altar in the sin offering. The last verse repeats the prohibition and consequences for breaking it. Deuteronomy 12:15–19 gives a similar instruction on this issue: Because life is in the blood, perhaps solely, one is to respect human and animal life. Such prohibitions limit human control over any kind of life.

17:15–16 / Anyone eating of the meat of an animal **found dead** is unclean until the evening. If the person does not wash and bathe, then the person **will be held responsible,** will bear guilt. This circumstance is serious and has consequences, but it does not require sacrifice or ostracism. Leviticus has already described the uncleanness associated with carcasses (11:8); verse 15 makes clear that the uncleanness attends to carcasses whether they have died or been killed **by wild animals**—and that the instruction applies to both citizens and aliens. This instruction is in line with that in the Manual of Purity but here adds the perspective of the Holiness Code.

Two issues are noticeable in this chapter. The first is the application of the Priestly perspective to both native-born and alien. Aliens are not Israelites but are living with this community. The equal application of these instructions to them reflects an equalitarian view and the inclusion in the Priestly community of non-Israelites who conform to the Priestly perspective.

The second matter is that this first chapter of the Holiness Code highlights some of the core tenets of those who put together the Code: The *nepesh* is in the blood, and blood is important because of its atoning significance. These views are consonant with the perspectives of the Manual of Sacrifice and Manual of Purity, but this chapter expresses them succinctly and emphatically. In the NT, Hebrews 9:22 addresses the same issues.

Leviticus 17 is rich with intratextual allusions. For example, Leviticus 17 reminds readers of the instructions on sacrifice in chapters 1–7 and especially the fellowship offering in chapter 3. The reference to **native-born or alien** also reminds readers of the instructions concerning the Day of Atonement in 16:29. Usually these allusions harmonize with each other, but the perspective does sometimes shift. In these chapters, holiness concerns are prominent, with emphasis on resisting any form of syncretism in sacrifice and related eating (see also 1 Cor. 10:20–22). Chapter 17 provides a good transition into the further concerns of the Holiness Code since it relates to purity and sacrifice but also moves into matters that are part of everyday life.

Additional Note §17

17:1–7 / For the relationship between sacrifice, purity, and blood, see H. C. Brichton, "On Slaughter and Sacrifice, Blood and Atonement," *HUCA* 47 (1976), pp. 19–55.

§18 Sexual Relations (Lev. 18:1–30)

This second section of the Holiness Code concerns sexual relations and matters of kinship. The narrative setting in Leviticus is still the Israelite community at Sinai. They have been delivered from slavery in Egypt and look forward to entering the promised land of Canaan. Past and future illuminate this context. In its exhortation to keep Yahweh's laws and in its first-person address from Yahweh, this chapter is characteristic of the concerns of the Holiness Code editors. The chapter concerns obedience to Yahweh but also reflects a patriarchal social structure and is written from the male perspective. The family, in which women were subordinate, was the basis of social and economic structure in ancient Israel. The Holiness Code seeks to strengthen family and clan as a means of provision and protection.

The structure of the chapter is typical of the Holiness Code. It begins with the exhortation that the people are not to live as those from the past in Egypt, or as those in their future in Canaan, but rather as people of Yahweh. Ancient Israel's holiness was its witness, its demonstration that it belonged to Yahweh. This chapter then gives specific instruction toward that end. The conclusion of the chapter returns to the basic principle with which it began, loyalty to Yahweh's instruction.

18:1–5 / These opening verses are a call to holy living. Yahweh tells Moses to speak this instruction to the people and then dictates in the first person. Living like Egyptians or Canaanites is prohibited, and living like them is contrasted to living by Yahweh's **decrees and laws** (typical Priestly terminology for the revelation of Yahweh). All of this instruction is based on the formula of divine self-revelation, **I am the LORD**. Obedience to Yahweh brings life (v. 5). The word **live** here indicates full, healthy, complete, whole living that the obedient one will enjoy.

18:6–18 / The chapter now moves to specific instruction on sexual relations and kinship. Verse 6 states the basic principle of not having sexual intercourse with close relatives and bases this on the divine self-revelation. The following verses give the specific taboos. They clearly address a man and list the women with whom he may not have **sexual relations.** The instruction does not give the rationale for each female relative included, but some explanation can be inferred. Again, the family was the basis of the social network in the Priestly order, and so any transgression of established boundaries was a threat. Initially, then, the prohibition of sexual intercourse with a mother (v. 7) or stepmother (v. 8) affirms the traditional family structure. Father and his wife have become one and so to **dishonor** the father's wife would also dishonor the father. The same would be true of intercourse with a sister, whether full sister or half sister, and whether **born in the same home or elsewhere.**

The family boundaries are also operative in verse 10 and following. The man is not to have intercourse with a granddaughter. It would bring a confusion of role and status because the granddaughter is understood to be the man's own flesh and blood. It would bring dishonor. The same would be true in verse 16 with the brother's wife. Also prohibited are intercourse with a half-sister (see v. 9), an aunt on both father's and mother's sides, an uncle's wife, a daughter-in-law, a sister-in-law related by a brother or a wife, or intercourse with two women who are closely related (v. 17), as mother and daughter or granddaughter. This last prohibition applies the family boundaries to other families. Obliterating those boundaries is also anathema. That action is described as **wickedness,** a word which indicates intention and might more closely approximate "depravity" or "lewdness." The prohibition in verse 16 is not in conflict with the practice of levirate marriage because the assumption here is that the brother is living. Verse 18 indicates that rivalry would also threaten the family structure.

The purpose of the prohibitions is to strengthen family structure. These incest taboos reflect a general OT aversion to such practice. Inbreeding can lead to genetic problems and so jeopardize the future of the family. The basis of the instruction here, however, seems more social than genetic. Certainly there are economic issues in the background. Competition for women would bring strife. Women were of monetary value to families, as was virginity (Exod. 22:16–17; Deut. 22:13–21, 28–29); some of the incest prohibited here could reduce a family's assets and threaten its economic health. Transgression of these boundaries would threaten the stability and welfare of the extended family. That background may help explain an omission: intercourse with a daughter is not prohibited. Incest with daughters was not the norm, but the taboos here seem to address the appropriation of another man's property. Since the daughter was already the father's property, such a prohibition would not fit this context.

These instructions reflect economic realities. Women were property, and the taking of another's property was evil and wrought social disruption. But there is also relational reality here. Violating the roles and status in the family structure brought confusion and disruption in the social order. These instructions also relate to the chapter's introduction, which clearly portrays the Priestly view of holiness. Ancient Israel is to live as Yahweh's people in contrast to the people of Egypt or Canaan. Interpreters often identify the incest taboos as an example of this contrast. The Canaanites were known for their sexual promiscuity, and if the Israelites follow these instructions, their distinctiveness as Yahweh's people will be clear in this dimension of life. The evidence from Canaan, however, suggests little in the way of incest. An economic and social rationale seems more likely, and the priests have absorbed this instruction in their outlook for these purposes. Both perspectives fit in the overall context of the book of Leviticus.

18:19–23 / This section brings forward a variety of other prohibitions loosely related to verses 6–18 and connected to earlier texts as well. Israel will further demonstrate her holiness by following these instructions. Four of the five prohibitions here relate to sexual matters, while the other has to do with child sacrifice. The first prohibition in verse 19 is against sexual intercourse during a woman's **monthly period.** Chapter 15 indicates that intercourse during menstruation brings uncleanness; here it is a serious offense.

The prohibition in verse 20 is against adultery. The phrase **neighbor's wife** is probably best understood as anyone else's wife. The verse shows that adultery is now incorporated in the Priestly scheme of things; it brings uncleanness and defiles. Adultery is prohibited in the Decalogue and carries the death penalty. The infringement is on the husband's rights. The wife belongs to him, and her children are to be his. The subordination of women and the stability of the social group appear to be the basis of the prohibition.

Verse 21 forbids the people to give children to Molech. The connection with the context seems obscure. It may be that Molech worship was associated with sexual rituals, or that the connection is a linguistic one: The beginning, **do not give any of your children,** is related to the beginning of verse 20, **do not have sexual relations with. . . .** Molech was an Ammonite god according to 1 Kings 11:7, and the name is probably a recasting of the title "king." The Hebrew letters are those for "king" and the vowels are those for "shame." The prohibition is of giving children to idolatry for child sacrifice—a shameful thing to do—and it may well be that such cults frequently operated in Canaan. The Priestly tradents certainly felt the need to include the prohibition. Social and cultic violations can **profane,** make unclean, the divine name.

The fourth prohibition, in verse 22, precludes sexual intercourse between men. There is evidence that such homosexual relations were not taboo in other cults, and so interpreters have suggested that this prohibition enables Israel to demonstrate its distinctiveness as Yahweh's people. The act is called **detestable** *(to'ebah),* a word which warns against the practices of other cults; compare Deuteronomy 14:3; 22:5. But there may be more to the prohibition. We have seen that boundaries are important to the Priestly structure of life. In Genesis 1, male and female in their proper places are part of the created order, and this prohibition warns against the infringement of boundaries. The other factor is probably the wasting of semen; wasting the life force in semen in such relations threatens the future security of the family. The final prohibition, in verse 23, is against bestiality, and the same factors of confusing boundaries and wasting semen may be in view, as well as contrast with other ancient cultures. Bestiality brings defilement or uncleanness. It is prohibited to both men and women. For the woman, **that is a perversion.** The term *(tebel)* indicates a mixing or confusing of boundaries, which the Priestly editors take as a threat to the cosmic order.

18:24–30 / These concluding verses revert to the themes of the chapter's introductory verses. Such a framing structure is common in Hebrew literature. We have seen that the book of Leviticus is framed with a beginning and ending. Also we have seen other summaries in the book (11:46–47; 13:59; 14:54–57; 15:32–33). The framing device is perhaps most striking here in chapter 18. The concluding section exhorts Israel to avoid Canaanite customs that defile and details their dire consequences.

The section operates from the perspective that Yahweh will give Canaan to the Israelites, partly because the Canaanites contracted uncleanness by not attending to prohibitions such as the ones in this chapter. **The land,** personified, **vomited out the nations . . .** because of their uncleanness. The plea is to follow God's decrees and laws in order to avoid defiling the land and calling down the same fate on the Israelites. This expulsion happened, of course, with the Babylonian exile, an important piece of the Priestly perspective.

The two concluding verses reiterate the chapter's basis in divine revelation. Maintain holiness, that is, distinctiveness, as Yahweh's people, and do not be adulterous in relationship with God. The penalty for breaking these prohibitions is being **cut off from** the people. The charge is to keep Yahweh's **requirements,** and so the chapter concludes with a warning. The issue this text raises for modern communities of faith is how to structure holiness in our world, how to demonstrate distinctiveness of faith. This concern pervades all of life; family life and sexual conduct are certainly included. Prophetic calls for justice are also relevant to the task of forming life as a holy community.

Additional Notes §18

18:5 / The exhortation is to **keep my decrees and laws.** The verb *(shmr)* has to do with guarding and watching. Verse 4 speaks of walking after or following these instructions. The plural form translated **decrees** *(khoq)* is common in the Holiness Code (e.g., 18:26; 19:19; 25:18; 26:3) and has a judicial background, referring to judgments handed down, decrees or norms from the judicial process. The plural form here translated "laws" is more often translated "statutes" and is also frequent in the Holiness Code (e.g., 19:37; 20:22; 25:18; 26:15). God's statutes are recorded and passed on.

18:6 / The phrase NIV translates **to have sexual relations** is commonly translated "uncover nakedness." It is a euphemism for sexual intercourse and here carries some sense of shame with it. Wenham summarizes the prohibitions in a chart *(Leviticus,* p. 254). J. R. Wegner provides additional helpful information on the economic value of women ("Leviticus," in *The Women's Bible Commentary* [ed. C. A. Newsome and S. H. Ringe; Louisville: Westminster John Knox, 1992], pp. 36–44).

18:10 / The phrase **that would dishonor you** (see vv. 7, 8, 16) is something of a paraphrase. A more literal translation would be, "The nakedness of the daughter of your son or the daughter of your daughter, you will not uncover their nakedness for they are your nakedness." Wenham's rendering is "Do not have intercourse with your granddaughter, because she is one with you" (*Leviticus*, p. 248). The point seems to be the ultimate confusing of boundaries, the ultimate incestuous act, of intercourse with what is counted as oneself. In vv. 7–8 the reference is to dishonoring the father, in v. 16 to the brother.

18:21 / Molech may be the local title of a deity associated with the cult of the dead (Budd, *Leviticus*, p. 260). The cult is enough of a threat to be prohibited by the Priestly tradents. The prohibition **Do not give any of your children to be sacrificed to Molech** has caused considerable debate. The verb (*'br*) means to cause to pass over or through, usually taken to indicate passing through fire and thus child sacrifice (see 2 Kgs. 23:10). Some have suggested that the phrase implies dedicating the children to Molech by passing them between fires, perhaps dedicating them to service in the cult of Molech (prostitution?). Given the witness of the rest of the OT in Deut. 18:10; 2 Kgs. 16:3; Jer. 32:35; Ezek. 16:20–21, for example, it seems likely that death and sacrifice might well be involved. Giving one's seed to Molech, a kind of spiritual adultery, is as serious as giving one's seed in adultery (v. 20).

§19 Instructions in Worship and Ethics
(Lev. 19:1–37)

This chapter contains a variety of instructions regarding worship and other relationships in life. There is unity and diversity here, and connections to the Decalogue in Exodus 20 as well as to Deuteronomy. Themes characteristic of the Holiness Code appear at the beginning and at the end of the chapter, suggesting that the Priestly editors have subsumed a variety of legislation in this context as part of the divine revelation. Most of the instructions are apodictic, or universal, in form. The parallels with the Decalogue fit that frame and occur in the first part of the chapter: honoring parents, observing the Sabbath, prohibiting images, theft, false witness, honoring Yahweh's name. These laws contain long-standing practices and beliefs, from before the time of the monarchy. They were probably preserved and collected in some sort of cultic setting, here by the Priestly tradents, and addressed to the whole people. Care for all of society and for justice are central to the chapter, as is concern with specific harmful practices.

19:1–4 / The chapter opens with a classic statement from the Holiness Code, to be holy because Yahweh is holy, followed by statements in the tradition of the Decalogue. Yahweh is different, and so Israel as Yahweh's people is called to be different. This kind of holiness includes orderliness and justice. Moses again mediates this instruction for the people Israel. The first instruction (v. 3) emphasizes the importance of the extended family, and respect and care for parents. Note that the **mother** is listed first, which is unusual in the OT. Then there is observing the Sabbath, the prohibition of idolatry, and the ban on making images. The Sabbath was a day of rest for humans and animals, as well as a time of worship. Sabbath observance is important in OT faith and was a distinctive trait for the Israelites during the Babylonian captivity. The prohibition of idolatry is a significant dimension to the perspective of the Holiness Code. The injunction is: **Do not turn to idols.** Warnings against idolatry permeate the Old Testament (e.g., Exod. 20:4–6; Ps. 81:8–10; Isa. 40:18–24). The word used for idol *('elilim)* connotes worthlessness or nothingness, a common view of idols in the Old Testament. Idols are "un-gods" which can only bring death. The other term used *(massekah)* relates to molded images.

19:5–8 / The concern about idolatry in ancient Israel is also connected with the call to proper worship of Yahweh, which leads to further instruction on the fellowship offerings. The instructions here are in line with those in the Manual of Sacrifice in chapter 7, except that no distinct types of fellowship offerings are mentioned. Meat from the fellowship offerings must be consumed on the day of the sacrifice or the next day. Meat eaten on the third day causes impurity. Here the offense is serious; it desecrates the holy, and there are consequences. The offender **must be cut off from his people.** Along with the prohibitions is, again, the expectation of proper worship of Yahweh.

19:9–10 / We have seen previously the two injunctions which relate to **the poor and the alien.** Here is an attempt to care for the powerless and those in economic need. The customs are to leave the ripe crops around the edges of the fields and the **gleanings.** With the grapes, there is to be no second scouring, stripping bare, of the vines or picking up the ones which have fallen. These foodstuffs are for people without other means of support. The motivation again is the relationship with God: **I am the LORD your God.** This custom is approximated in Deuteronomy 24 and illustrated in the book of Ruth.

19:11–18 / These verses continue in the tradition of the Decalogue and relate to social justice. Verses 11–12 prohibit stealing, lying, deception, and swearing falsely. The business of living as people of holy Yahweh has significant social dimensions. The property one holds as a gift from Yahweh, whether it is human or animal or inanimate, is protected by law. Deception or deceit of any kind is prohibited. To **swear falsely** relates to taking oaths with intent to deceive. Not keeping pledges and taking false oaths appear to be in view. When such words are said in the name of Yahweh, divine honor is at stake. When the oath is false, God has been used for evil purposes—a violation of the Decalogue and this injunction.

Fearing God (v. 14) involves social justice and the integrity of the spoken word. A person of faith is not to **defraud** or **rob;**

extortion and theft are forbidden. A **neighbor** is another Israelite. The follower of Yahweh is also to pay a just wage at the proper time. The **hired man** is a day laborer who works hard and who can easily be oppressed. Honesty with **the deaf** and **the blind** is also commended; do not take unfair advantage. This concern for the disabled is noteworthy in the Priestly tradition.

The next two verses move to the setting of a court or assembly where judicial proceedings occur. The plea is for impartiality in legal proceedings; bribery was a problem at times in Israelite society. No partiality is shown **to the poor** or **to the great.** The term for partiality means literally "to lift one's face," a sign of favoritism. The prohibition in verse 16 may relate to the same setting. The responsibility of the witness is to tell the truth and not engage in gossip. The reference may well be to serious defamation of character or malicious libel. Such malicious slander could endanger the life of another.

Verse 17 commends honesty from both inside and outside. It suggests that inner hate brings inappropriate action. The issues are still justice and honestly working out relationships. The verse expresses both individual and community concerns. In Hebrew the **heart** is the seat of the intellect or mind or will, from which comes good or ill. When ill comes, the Holiness Code here indicates that a person will bear the consequences. With verse 18 we reach the center of the chapter, on a high note of morality. The verse begins with a clarification of what it means not to hate in verse 17: **Do not seek revenge or bear a grudge.** Feelings of resentment and vengeful actions are prohibited; anger will fester and come out in distorted ways. In contrast to such is love. The **love** of **neighbor** consists of a commitment to the welfare and best interests of another person, whether citizen or sojourner. Verses 17 and 18 contrast hate and vengeance with honest relationships and love. The climax of this section is the call to love one's neighbor, companion, or friend. This call is part of Jesus' text in Matthew 19:19 in speaking of the great commandment. Few readers of the gospels are aware that this text comes from the OT and specifically the book of Leviticus. The concerns for holiness relate to much of life and thus contain a strong ethical dimension. This emphasis is consonant—not in conflict—with cultic concerns dominating the first parts of Leviticus. The chapters of the Holiness Code are more explicit in combining the cultic and the ethical dimensions of life. The whole of the book of Leviticus reflects awareness of the community as the basis for life as Yahweh's people, and this call to love one's neighbor fits that theme. The section concludes with the simple but fundamental phrase, **I am the LORD**. That affirmation is basic to the laws in this chapter.

19:19–25 / These verses relate in one way or another to agricultural life. They begin with the call to keep divine **decrees**, judgments handed down. The first verse contains a series of prohibitions that develop from the Priestly notion of boundaries. Leviticus resists the mixing of categories as bringing confusion; things have their proper place. The mixing prohibited here includes mating different breeds of domestic animals and planting **two kinds of seed** in the field. The third prohibition is to avoid mixing fabrics in **clothing.**

The proper place of things also underlies many of the Priestly sexual prohibitions. Accordingly, a casuistic law, a law related to a particular case, on sexual relations follows in verses 20–22. A man has intercourse with **a slave girl** who is not yet married but is engaged. Engagement or betrothal was considered tantamount to marriage. Normally such intercourse would be a capital offense. Here, however, execution is not indicated because the woman is a slave who has not yet been freed from slavery; note Deuteronomy 22:23–27. This case specifically relates to the slave status of the woman. Betrothal would normally bring freedom, but that has not happened here. Rather, the man is to provide **a ram** for a guilt offering. The text does not mention it, but compensation to the betrothed man or to the slave owner would normally accompany such an offering. The offense is apparently not adultery; the issue is about property rather than life. The sacrifice is an atoning one. The OT recognizes distinctions between slaves and free people, although often with a dose of compassion.

Verses 23–25 relate more specifically again to farming and the planting of fruit trees. When fruit trees are planted in the promised land, the people are to give them **three years** of growth before harvesting any fruit. The term used speaks of the tree as "uncircumcised." Fruit **in the fourth year** is considered **holy,** belonging to God, and is donated as an act of praise. Thereafter the fruit is to be eaten. This practice is commended as wise agricultural practice. The instruction is thus practical and theological; see Proverbs 3:9–10. The view that underlies these verses is that the land and its produce are God's and thus are to be respected and revered.

19:26–31 / The chapter moves from agriculture to cultic practice. In the context of the Holiness Code, ancient Israel is to demonstrate loyalty to God its deliverer and so avoid idolatrous and magical customs and practices. The section begins with a typical Holiness Code prohibition against consuming **blood** and then moves to prohibit **divination or sorcery.** Divination is the use of omens and signs to predict the future, and sorcery probably reflects a similar practice. The future is God's, and so such magical practice is deemed inappropriate. Verses 27–28 prohibit certain mourning rites. The phrase **Do not cut the hair at the sides of your head** is probably a foreign mourning rite, as also may be the intentional cutting of the beard in some way. The cutting or gashing of the body as well as imprinting marks on the body **(put tattoo marks on yourselves)** are known to have been foreign mourning rites. The prostituting of a daughter (v. 29) is a practice also labeled as foreign and degrading or profaning. Cultic prostitution was characteristic of some ancient Near Eastern religions. Prostitution would bring profit, which could seduce a father into using this practice. The biblical text shows concern that such an idolatrous practice would spread and defile the land. Verse 30 articulates that concern in a positive way in terms of observing Sabbaths and respecting the sanctuary. Verse 31 concludes the section in the cultic theme by prohibiting the use of necromancy. The medium is one who communicates with the dead; presumably the **spiritists** of NIV are also practicers of necromancy, although the Hebrew term *(yidde'onim)* may refer to the spirit which the medium contacts. These practices are signs of idolatry.

19:32–34 / These verses commend respect for the old and the alien. Length of life was considered a blessing, and so the call is to honor **the elderly. Aged** is a common term for gray hair and old age, and rising is a sign of respect. This instruction again demonstrates how pervasive are the concerns for holiness. An **alien** or sojourner is one who is living with the Israelites but is not a citizen. Such a person is to be treated just like those who are **native-born.** The command from verse 18 is repeated for such resident aliens: **Love him as yourself.** The motivation here is that Israel had endured such a status in Egypt. Israelites should remember the oppression and seek to overcome it in their relationships. The concern is that the holy people of God are to live in justice, and the ethical demands flowing from that concern include care for the weak, such as the resident alien.

19:35–37 / The concern continues in the last verses of this chapter. The motivation is again a theological one. God delivered the people from slavery and created a community for them. In turn, the people now carry responsibility for following divine instruction for the good of the community. These verses illustrate that point in terms of the practice of commerce. One should use **honest scales** and measures, for the stability of the community. The chapter then concludes (v. 37) with an exhortation reminiscent of its beginning.

This chapter provides further evidence of the Priestly understanding of holiness. It relates to both cultic and ethical spheres of living. Faith of the individual and the community is to issue in a holy style of life, one demonstrating relationship with Yahweh, who is holy and distinct. This text assumes that ancient Israel is able to live the holy, healthy community life that the priests celebrate and call the people to share. Responsibility for wholeness comes with the privilege of wholeness, and the hope is that this abundant life is found in the community. At the center of the chapter lies the famous injunction to love the neighbor. Leviticus emphasizes worship and cult, but the Priestly editors clearly promote the connection between worship and the rest of life: ethical living and honest human relationships. The NT also encourages such values in 1 Peter 1:16, in Jesus' great commandment in Matthew 22:39, and in James 2:8.

Additional Notes §19

19:18 / The Hb. of this verse is rather cryptic. A literal translation might be "Do not take vengeance or keep (resentment) against the children of your people, but you will love your neighbor as you; I am Yahweh." The verb for "keep," to judge from its use in other texts, probably indicates continuing retention of anger or feelings of resentment. So the rendering **bear a grudge** is a reasonable one. The word for **neighbor** can mean "friend," "companion," or simply "another," here probably another Israelite, although v. 34 includes the resident alien. The preposition *lamed* is used with the word for "neighbor." While it may simply indicate the direct object, it could also indicate action toward, love understood as assistance for the neighbor. The translation to love the neighbor **as yourself**, that is, as you love yourself or as if the person were you, is appropriate and fits the context of the saying in the gospels. It would also be possible to take the preposition related to the neighbor: Love your neighbor who is like you, either like you in the narrow sense of a fellow Israelite or like you in the sense of being human just as you are. This last possibility might find some support in v. 34 where the alien is to be loved "like you."

19:20 / The translation for **due punishment** is debatable. The NRSV takes the term to indicate that an inquiry will be held. Wenham understands the term to refer to damages that are to be paid in compensation (*Leviticus*, pp. 270–71).

19:36 / An **ephah** was a dry grain measure of about five gallons or twenty liters. A **hin** was a liquid measure of about three liters or six pints. The ephah and hin would be used to balance scales and thus weigh out comparable amounts in transactions.

§20 Penalties for Offenses (Lev. 20:1–27)

Chapter 20 constitutes a serious set of instructions about the death penalty, which Moses receives and passes on to the people. This is significant for the community since its members will become the executioners. Much of the legal material in the Holiness Code is "apodictic," or universal law given on the basis of divine authority. This chapter employs a more casuistic form, case law related to various circumstances. It is comparable to Exodus 21:12–17, and the verb translated **must be put to death** is the *hop'al* form, "will be caused to die." The teachings are meant to preserve holiness and to treat various family circumstances. The offenses described have already been discussed in chapters 18–19; here the proper penalty is given.

20:1–7 / The first offense has to do with the Ammonite god Molech, also encountered in 18:21. The result of giving or sacrificing children to Molech is uncleanness for the sanctuary and profanation of the divine name, two consequences that are anathema to the Priestly tradents. The worship of Molech is a clear example of syncretism, and in verse 5 it is described as **prostituting themselves to Molech.** Any witness to such syncretism is responsible to bring it to light. Molech worshipers are to be stoned by the people; **the people of the community** may mean those of influence (v. 2). The prohibition of Molech worship is a serious matter, as Yahweh indicates direct divine action against it (v. 3). The same strong opposition to those engaging in necromancy is found in verse 6. Holiness demands loyalty to the one true God and the cult of Yahweh (v. 7).

20:8–21 / This section treats issues arising in the context of the family, mostly matters of sexual relationships. It begins with a classic exhortation in the style of the Holiness Code, to **keep my decrees** and to live by them, walk or **follow** after them, for these decrees come from Israel's God, Yahweh. Then verse 9 follows with a prohibition in the tradition of the Decalogue. Anyone who

curses his father or mother is liable for the death penalty and responsible for those actions: **his blood will be on his own head.** The act is one of significant dishonor to parents. The following verses treat a variety of capital offenses relating to sexual misconduct. The first capital offense is adultery. Both **adulterer** and **adulteress** are to be executed. The method of execution is not specified, but stoning is probably envisioned in the cases where a method is not given.

Prohibited relationships in the family are then covered in verses 11–21. Chapter 18 covered the same ground: incest, homosexuality, bestiality, bigamy, as well as violation of menstruation. Individual responsibility for these actions is emphasized with the phrase **their blood will be on their own heads.** The first (v. 11) is incest with the father's wife; it dishonors the father. The second is incest with a daughter-in-law, **a perversion** *(tebel)*. This word indicates the confusion and mixing of things which are distinct. The act of incest violates the Priestly order. The word is a strong one and indicates with clarity how unacceptable incest with the daughter-in-law is. Both parties to incest are to be executed. The description of homosexuality (v. 13) is as in chapter 18. The next prohibition (v. 14) of marrying two women who are mother and daughter is also covered in chapter 18. Here the language is somewhat different. The word **wicked** is the same as that used in chapter 18. This sexual act clearly violates the divine order of things as seen from the Priestly perspective and calls for the death penalty. The death penalty here is being **burned in the fire,** a means of removing impurity from the community. Both man and animal who engage in the act of bestiality are also to be executed (v. 15). The same is true with a woman and animal (v. 16).

The prohibitions in the remainder of the section are not explicit about carrying out the death penalty. Divine action appears to be assumed. The prohibition in verse 17 is of incest with a sister or half-sister. The act is called a **disgrace** for which the man **will be held responsible.** Both parties will be ostracized from the community. A man and woman who engage in sexual intercourse during a woman's menstrual period will **be cut off from their people.** This act was treated previously, but its seriousness is made more explicit here. No doubt the blood is central to this prohibition. A man and his aunt are not to engage in sexual intercourse; it would bring **dishonor** for which both are liable for punishment. Again, the dishonor is to the uncle (v. 19). In verses 11, 19, and 20, father and mother, uncle and aunt, and "close relative" have become one flesh. The incestuous relationship in view is a serious violation of the Priestly order for life. Childlessness results in verse 20, a serious loss in ancient Israel. Children were a sign of divine blessing and security for the future. Divine blessing is thus withdrawn, and the future of the family name is gone. This penalty indicates that the sentence is one carried out by Yahweh, but the Holiness Code is confident of the outcome. The same is true of incest with a sister-in-law, which is described as **impurity**. The infractions in verses 17–21 do not seem to be as serious as those in the previous verses of the section. Still, divine punishment is assured.

20:22–27 / The final verses in the chapter summarize and again exhort the people to obedience. The language and content are familiar to the reader by now—especially similar to those in chapter 18. The perspective is preparation for entering the promised land, where idolaters persist: Follow the instructions of holiness, **my decrees and laws,** so that you may remain. The land is personified as in chapter 18 and is said to vomit out contamination. The Holiness Code characteristically emphasizes distinctiveness for ancient Israelites. They are not to live as the other nations God is expelling from Canaan. The view that God **abhorred** these other nations is not surprising, but verse 23 states this idea for the first time. Holiness is a gift; God has set ancient Israel **apart from the nations.** Now the people are called to follow responsibly God's instruction for demonstrating the holiness. These verses also reflect a reverence for the creation and suggest the importance of caring for it.

Verses 25–26 allude to the Manual of Purity. They again emphasize holiness, being **set apart,** and its positive dimension, being set apart to Yahweh. The gift of deliverance in the exodus event makes Israel distinct, and the Priestly theologians exhort the people to personify that reality in their lives.

The concluding verse of the chapter decrees execution for a **medium or spiritist,** whether **man or woman.** We have seen the prohibition against necromancy in 19:31 and 20:6. This verse seems to be in an odd place, but it adds the death penalty to the necromancers as well as to those turning to them. The offense is sufficiently serious to call for stoning.

This chapter is a classic expression of the Holiness Code. God, who is holy, like no other, has made Israel holy, like no other nation. The people are called to respond to that gift of life by structuring their relationships in line with their theological distinctiveness. A clear pattern emerges: exhortation to a holy, distinct life, followed by specific instruction in how to live this way. Sanctity of life and relationships is the goal of this chapter. The community, as a corporate whole, must excise any defilement, surgically remove it. The chapter, however, is not a polemic for capital punishment. To the contrary—the listing of capital offenses has the purpose of encouraging life and avoiding death. The cry to live as holy people in many kinds of relationships will result in wholeness.

Additional Note §20

20:17 / The translation of this verse requires some comment. A literal rendering would be: "A man who takes his sister, the daughter of his father or the daughter of his mother, and he will see her nakedness and she will see his nakedness; it is a disgrace and they will be cut off before the eyes of the children of their people. He has uncovered the nakedness of his sister; he will bear his guilt." Presumably the "taking" is in marriage, and so the incest is with sister or half-sister. To see or uncover nakedness is a euphemism for sexual intercourse. As we have noted, to be cut off before the eyes of the people is probably some kind of banning from the community rather than execution. The bearing of guilt means he will be held responsible for this action. The most unusual word in the verse is the one I have translated "disgrace"; the word is *hesed*. The usual meaning is something like "steadfast love." The term is used in Proverbs 14:34 as "disgrace" or "reproach," and the meaning here is probably something like "public disgrace." Perhaps some underlying notion of passion or desire is behind such a use of the word.

§21 Priests and Offerings (Lev. 21:1–22:33)

The Holiness Code now moves to cultic issues. Chapter 21 treats issues related to priests, who carry a special holiness, and chapter 22 provides instruction on offerings that are to be handled with great care. These chapters apply the holiness perspective to the priesthood as an institution and to various offerings.

Chapter 21 addresses priests and their families and then delineates the physical requirements for entering the priesthood.

21:1–9 / The chapter begins with the notion that death causes uncleanness. In the Nazirite vow, the promise is also made to avoid dead things. Presumably death is understood to be an enemy of God, and so the priests are to avoid contact with what is dead, which brings uncleanness. This concern is related to all priests and not just the high priest. In this section Yahweh addresses Moses who is to pass the content on to the priests, **the sons of Aaron.** The initial instruction limits the contact a priest is to have with a corpse, even if the person who dies is a relative. The term used for the person who dies is *nepesh,* a self, in this case a deceased being. Priests may come into contact with only the following people who have died: **his mother or father, his son or daughter, his brother, or an unmarried sister.** These persons are close kin, those who would live in the house of the priest; the term which is used is "flesh." The case of the unmarried sister is notable. Because she has no husband, she is **dependent** on the priest. The sister is of marriageable age but remains a virgin, a fact of both moral and economic importance in that community. If the sister is married, she will be part of her husband's house and so removed from the priest's. He is not allowed to be in contact with those who have died who are **related to him by marriage.** To avoid uncleanness, a priest is not to **defile himself** because he is a leader in holiness and handles holy things. Since his uncleanness could defile the divine name and the people, these regulations are significant to the community.

The section then moves in verse 5 to mourning customs for priests, which may well be the context for the first four verses of the chapter. It is quite clear in all of these cases that the demands of holiness run through all of life. The priests are to avoid mourning rituals, which could defile. The practice of shaving parts of the head as a mourning rite is forbidden to everyone in Deuteronomy 14:1. The other two practices in this verse, shaving **off the edges of their beards** and cutting **their bodies,** are prohibited in 19:27–28. In 19:28 the practices are explicitly related to the dead. It may be that these customs bring uncleanness because of contact with death, or that they represent mourning customs related to idolatry, or that they were understood to disfigure the body. Chapter 19 applies these prohibitions to the people as a whole. It stands to reason that they would apply even more to priests.

Verse 6 contains a positive statement about holiness: **They must be holy to their God.** That statement fits the view that holiness is distinctiveness as people of a God who is like no other. Priests must also not **profane** the divine name for the reason we have already noted: **They present the offerings made to the LORD by fire.** If the priests are unclean and come into contact with such holy things, danger occurs for the whole community as well as for the priests. The phrase **the food of their God** will be used several times in chapters 21–22. The offerings are classified as food, not just the grain products of the everyday diet in ancient Israel, but any food that can legitimately be sacrificed and of which the priestly family can have a share. The phrase does not intend to suggest that sacrifice is feeding God, but rather that this food belongs to God, that it is holy and consecrated to God.

Verses 7–9 consider priests and marriage practice. Priests are not to marry prostitutes or divorced women. Those two circumstances are understood to bring uncleanness. The phrase in the NIV **defiled by prostitution** suggests two groups of women, those who have been defiled and prostitutes. Those who have been defiled may be those who were forced into defiling acts. The prostitution may relate to alien cultic practices. Priests' daughters are also to avoid prostitution, and cultic prostitution as part of idolatrous practice may well be in view here. Such an act **defiles** and **disgraces her father.** That view is consonant with earlier instructions on family sexual relations. The penalty in this circumstance is death by fire. The full motivation for these instructions comes in verse 8. We have already seen the connection between the holiness of the priests and the holy sacrifices; this verse also presents the holiness of God as motivation. Since God is perfectly holy, so the tabernacle and all related objects and persons are to be holy. Then also the people are called to holiness. So there is a graded holiness, and priests are in a linking position that makes the preservation of their holiness important for the community. The people are called to **regard them as holy,** as mediators between God and the people.

21:10–15 / The text now moves to the further restrictions on **the high priest,** in the Hebrew text "the priest who is greater than his brothers." The importance of the high priest emerges in this chapter. Historically, the position developed over time into that of a powerful chief priest. Here the emphasis is on the responsibilities of the high priest to maintain his holiness. Chapters 8–10 make it clear in the ordination rituals that Aaron is the high priest. He is anointed first and wears garments restricted to him; those indicate the special holiness or distinctiveness attached to the one in this office. The opening phrase of verse 10 here identifies the high priest and his holy condition. The concern of these verses is that the high priest will somehow break that holiness and thus endanger the community. These instructions are in line with those found in chapter 10. Letting **his hair become unkempt** would involve removing the priestly turban and letting the hair hang loose. These customs may contract uncleanness by contact with death, or they may be alien practices. The high priest is to be totally consecrated, and thus the restraints on him in the situation of a death are even more strict than those on the rest of the priests. He is not even to **enter a place where there is a dead body.** Nor may he participate in the mourning rites **for his father or mother.** Rather, he is to remain in the sanctuary. The priority for the high priest is maintaining his holiness, for he has been ordained with **the anointing oil** (see 10:7). The high priest was the one in the community charged with the task of acting in the presence of God. He was a mediator between God and the people and in some sense the representative of the whole people before God. So for the high priest to **make himself unclean** would **desecrate** the tabernacle, which result would constitute a serious problem.

This concern for holiness in the high priest also pertains to the question of whom he will marry. In addition to the restrictions in verse 7, the high priest must marry **a virgin.** That injunction rules out three other types of women: **a widow, a divorced woman,** and a prostitute. Then verse 14 clarifies that the woman must be **a**

virgin from his own people or his kin. The priesthood was to be separate, or holy, in its hereditary line, according to this instruction. The children of the high priest will then clearly be of the proper priestly line. The section concludes with the reminder that Yahweh, like whom there is no other, is the one who sets the high priest apart, **who makes him holy.**

   21:16–24 / This final section of chapter 21 centers on physical qualifications for the priesthood. In it God addresses Moses, who is to pass the instruction on to Aaron. Those with a physical **defect** may not serve as priests in the offering of sacrifice. The member of the priestly family with such a blemish remains in the family with the concomitant benefits, but may not offer sacrifice. As the animals to be sacrificed are to be without blemish, so are the priests who offer them. The conditions aim again to maintain holiness in these priests who will be in contact with holy things. Verse 18 lists the defects which disqualify one. The **blind or lame** are disqualified, as are the **disfigured or deformed.** The word for "disfigured" means "to slit." The deformed may be a person with an arm or leg longer than the other. The breaking or crippling of a **foot or hand** would also disqualify one from serving as a priest, presumably temporarily. A member of the priestly family **who is hunchbacked or dwarfed** may not serve, although the translation of those two terms is problematic. The exact sense of **eye defect** is also unclear, though it is probably some sort of vision problem or confusion. **Festering or running sores** would also disqualify a priest from service. As with the serious skin diseases discussed in the Manual of Purity, these conditions would make one unclean and thus unable to offer sacrifice. Crushed or **damaged testicles** would also disqualify a priest. The eunuch would not be able to serve. The basic requirement of not allowing a blemished member of the priestly family to offer sacrifice and thus essentially to function as a priest is repeated in verse 21. Again, boundaries are very important for the Priestly tradition. Mary Douglas ("The Abominations of Leviticus," pp. 110–12) has shown that holiness and wholeness are equivalent. Physical integrity is thus seen as a symbol of holiness, and the mixing of holiness and defect is dangerous.

   The member of the priestly family with the defect may, however, continue to eat of the priests' portions of the sacrifices. The Manual of Sacrifice has given indication of the priests' portions. The distinction between **most holy food** and **holy food** occurred in chapter 10. The most holy food needs to be eaten in a holy place. But service by one with **defect** near the altar of the curtain in front of the Most Holy Place will **desecrate** the tabernacle and threaten the act of atonement (v. 23). The word for **sanctuary** *(miqdashay)* is actually plural, indicating either more than one place of worship or holy things. The section concludes with the familiar indication that God is the holy one who makes the sanctuary holy. Verse 24 indicates that the instruction on priests was relayed from Moses to Aaron and then **to all the Israelites.**

In the NT the background to this chapter is generalized into the community of faith as a holy people (see 1 Pet. 2:5, 9). Jesus is described as the holy high priest in Hebrews 7:26. The text in Matthew 8:21–22 has some connection because the priests' contact with death is limited; their task is to serve in the presence of God. The dead will need to bury their own dead. A similar point could lie behind Luke 14:26.

22:1–9 / Chapter 22 moves from instructions focused specifically on the priests to those on offerings which the priests are to offer and the care they must take in doing so. The first sections relate to priests and holy food. The verses expand the comment in 21:22, with an eye to the concern that priests who are unclean not contact holy food. The text provides help to avoid that problem. The chapter is addressed to Aaron and his sons through Moses and begins with a warning **to treat with respect the sacred offerings.** This warning no doubt includes those portions of the offerings which are the priests'. When the offerings are consecrated to Yahweh, they become holy and must be treated as such. To do otherwise profanes the holy name and brings risk. The priests are holy functionaries and must avoid uncleanness, including in their priestly portions of the offerings, their food. Otherwise, the holy and the unclean are mixed and such is dangerous. We have already seen this concern over the contagion of uncleanness. Any priest who is unclean and approaches **the sacred offerings** will be **cut off from** the divine presence, a penalty of divine origin.

The list of causes of such uncleanness in the priests begins in verse 4. While the concern is that priests not eat holy food when they are unclean, after cleansing, they still may partake. The causes of uncleanness include **infectious skin disease or a bodily discharge,** which were treated in the Manual of Purity in chapters 13–15. Until the priest who is unclean by these causes is cleansed by the methods described there, he may not partake of the priestly portions of the sacrifices. The priest will also be made unclean if he comes into contact with anything **defiled by a corpse** or anyone unclean because of **an emission of semen.** Death, as an enemy of God, is unclean. The priest may become unclean by contact with any person or animal which is unclean. A **crawling thing** is any animal that swarms. The conclusion of verse 5 covers any conceivable cause of impurity.

Verse 6 moves to the procedures that cleanse from the uncleanness; they are in line with those in the Manual of Purity. The uncleanness lasts **till evening,** and bathing is required, of the body and not just the clothes. Verse 7 defines "till evening" as **when the sun goes down.** The priest is then eligible to eat of the priestly portion of the sacrificial offerings, **his food.** In verse 8 the concern is that the priest might consume blood. That would also incur impurity. The likelihood is high that an animal, whether it died or was killed, would contain meat with blood in it. Verse 9 urges the priests again to follow the divine requirements. Not to do so could well bring culpability and death. The warning calls for fidelity to the priestly task, a call similar to the one starting this chapter. The verse concludes with the familiar notice that God brings holiness to the priests.

22:10–16 / These verses clarify further the matter of the priestly portions of the sacrificial offerings. The food is restricted to the family or "house" of the priest. The question is what people are **outside a priest's family,** and the instruction is particularly concerned to deal with marginal cases. A **guest** is to be distinguished from a resident alien; presumably the guest is residing in the house of the priest temporarily, and so, along with the priest's **hired worker,** is not to partake of the offerings. Yet slaves bought by the priest are considered part of the household, and so are slaves born to slaves in the priest's house. The priest's daughter who marries a lay person is not to eat of the priestly portions. Her food is now to be provided by her new family. Yet if the priest's daughter should return to the priestly household, she again becomes eligible for eating the priest's portions. If the daughter were widowed or divorced without children, she would return to her father's house **as in her youth.** But if the woman has children, they are all to be cared for by the family into which she married. Verse 13 concludes with a further warning against any **unauthorized person** partaking of the priestly portions.

Next the text considers the unintentional eating of priests' portions by unauthorized people. In that case restitution is made to the priest, for he is the one who has lost part of his livelihood. The remedy is like that of a loss requiring a guilt offering. One-fifth of the value of the portion mistakenly eaten is to be given to the priest, plus the value of what is consumed. The matter of compensation leads to the conclusion of this section in verse 16, which is a warning to the priests not to allow inappropriate persons to partake of the **sacred offerings**. The priests cannot use the offerings as favors or payments. To do so would **desecrate** these holy offerings and bring **upon them guilt requiring payment.** The section concludes with the formula of Yahweh's holiness.

22:17–25 / These verses examine what offerings are blemished and what counts as a blemish. They affirm again that sacrificial offerings are to be without blemish. This part of the Holiness Code has been concerned with wholeness which is here applied to sacrificial animals. The instruction addresses both priests and people through the mediator Moses and includes an **Israelite or an alien living in Israel.** The passage begins with whole burnt offerings, whether votive (the fulfillment of a vow) or **freewill** (a spontaneous gift to God)—see the fellowship offerings in chapter 7. In either case, in order for the offering to be acceptable, it is to be **a male without defect from the cattle, sheep or goats.** The whole of the animal is sacrificed in the burnt offering, and so the animal must be fully unblemished to be given to the holy God. The description here is reminiscent of chapter 1, both in what is required and in the terminology used. The treatment of burnt offerings concludes (v. 20) with a further warning not to bring **anything with a defect;** it will be unacceptable. The word translated "defect" in verse 20 is different from the one translated "without defect" in verse 19. The term in verse 19 is the same term used in chapter 1, as "perfect" or "whole." The term in verse 20 is also used in chapter 21 in relation to the priests. That is a helpful clue; just as the priests are to be whole because they are holy, so these offerings are to be whole for they will be burned as holy on the sacrificial altar. There is to be no mixing of the categories of what is holy and what is not.

Verse 21 considers the **fellowship offering.** The principle is the same, and both terms are used here: **without defect or blemish.** The basic instructions on fellowship offerings are found in chapter 3, in the Manual of Sacrifice. Again, the offering may be votive or **freewill** and is to come from **herd or flock.** Verse 22 begins a discussion of what constitutes a blemish. The blemishes are similar to those identified in priests in chapter 21. Prohibited first are animals that are **blind** and then those which are among **the injured or the maimed.** The word "injured" means "broken" and probably indicates a broken bone. The term translated as "maimed" is related to "cutting" and may indicate some sort of mutilation. **Warts or festering or running sores** are also unacceptable blemishes. These terms remind the reader of the Manual of Purity, although the terminology is somewhat different, and neither skin diseases nor bodily discharges are mentioned here. No animals with such blemishes are to be placed on the altar to be burned in sacrifice to God.

Some allowance is made in the case of **a freewill offering.** Then **an ox or a sheep that is deformed or stunted** is acceptable. The terms here, as in chapter 21, may indicate limbs which are too long or too short. That allowance is not made, however, for offerings which fulfill a vow. A freewill offering was a voluntary one, and so more latitude is given. The next blemishes considered are those related to the **testicles** of the animal, and they also parallel the qualifications for priests. **Bruised, crushed, torn or cut** testicles are a defect. "Bruised" is akin to "squeezed," and the latter terms may indicate castration. The animals are blemished in that they do not reflect the normal wholeness and perfection of creation. Castration is a blemish because it precludes procreation, which is fundamental to creation. (Verse 24's concluding reference to **your own land** again indicates contrast with other lands and also indicates the perspective of looking toward living in Canaan.) Blemished animals such as those listed are also not to be sacrificed if they are purchased **from the hand of a foreigner.** Such animals would carry the further question of unknown origins, presumably in a land and among a people not the holy land and people. The concluding sentence of verse 25 summarizes this section. The word translated **deformed** here may indicate mutilation, though the term is a rare one. These verses mention again priestly expertise in offering sacrifice and seek to guard against wrong sacrifices and their consequences.

22:26–30 / This section, addressed to Moses, continues the treatment of offerings, with principles about animals acceptable for sacrifice. Three issues are at hand. The first is the question of how old an animal is to be before it is sacrificed—from the eighth day on. The cycle of seven days is well known and revered in the OT. This time would also allow the animal to become an offering of some size. Second is the prohibition in verse 28 against slaughtering **a cow or a sheep and its young on the same day,** which gives no motivation for the ruling. It may be that the verse reflects an economic concern for the continuation of the herd or flock. Both of these rulings may reflect a "kindness" toward animals as part of God's creation. The third concern is that any offering of thanksgiving must be eaten on the same day. Presumably this instruction is about fellowship offerings and is in line with the material in chapter 7.

22:31–33 / These concluding verses exhort the people to keep and follow God's commands. **Commands** is a general term to designate the instructions in the Holiness Code. These verses are typical of the style and theology of the Holiness Code. In the deliverance from oppression in Egypt, God created a people in relationship with this holy God. Israel's holiness is to be a reflection of God's, and as such it is a gift. The people are called to maintain that relationship by way of these instructions in living a life as God's holy people. In so doing Israel would acknowledge God **as holy.** To do otherwise would **profane** God's **holy name,** that is, would profane God.

The concern is to preserve the holiness of the people. God is holy and present with them; they encounter God's blessings in worship. To contract uncleanness would remove that hope from the community, and so these instructions for maintaining holiness become crucial.

This segment may ascribe symbolic value to its participants. The priests and sacrificial animals are equivalent and holy; the people and clean animals are both classed in the arena of normality. Those of other nations may fall into the same arena as unclean animals. These equivalents mark the boundaries of graded holiness which are part of the Priestly tradition. First Corinthians 7:14 picks up some of this perspective in the NT. These instructions also operate from the notion that sacrifice should not be casual; the best is to be given to Yahweh. It is to be costly and not an opportunity to get rid of imperfect animals. The Holiness Code, in chapters 17–22, has demonstrated concerns with both ethical and cultic matters. This section contains some of both and provides a transition to material covering worship.

Additional Notes §21

21:4 / Exactly what this verse is referring to is not clear. For a detailed discussion of the difficulties of this passage, see M. Zipor, "Restrictions on Marriage for Priests (Lev 21:7, 13–14)," *Biblica* 68 (1987), pp. 259–67. The term translated **by marriage** *(ba'al)* probably means "as a husband." The word is used in a variety of contexts and relationships as "owner," "ruler," "chief," but the sense "husband" here is a reasonable rendering. The context is a restriction on those for whom priests can participate in mourning. This verse rules out those related to the priest by marriage. Does the restriction refer to female relatives who have married or married into the priestly family? Or does it refer to the family the priest has married into, or to the priest's wife? The priest may attend to the deaths of his blood relatives (vv. 2–3). The priest's wife may not be in that category. If not, the two having become one flesh is not absolute in this case.

21:18 / The terms **disfigured or deformed** are difficult to define. For "disfigured," "mutilated" has been suggested as an alternative to "slitting." Some commentators have taken the two terms together to mean "too short or stunted" and "too long" or "overgrown," from a word meaning "stretch." Presumably the verse refers to arms or legs. Readers with disabilities or with disabled friends may be puzzled by such a text. This text is about priests and wholeness in their service of God. In the spirit of Christ in the NT (Matt. 15:1–20; Acts 10), all persons can appropriate the message of serving God fully; see also Lev. 19:14–15.

22:12 / The term translated **sacred contributions** here in v. 12 *(terumah)* is the traditional "heave offering" or special contribution raised up as a gift to the priest. The term is associated with priests' portions here. See also on 7:30, 32; 10:12–15 and Num. 6:20; 18:11.

§22 The Festival Calendar (Lev. 23:1–44)

Worship and the tabernacle were located at the center of ancient Israel's life. Chapter 23 articulates the calendar of special worship events. Exodus 23:14–17 and 34:17–26 prefigure this more detailed description, and Numbers 28–29 and Deuteronomy 16:1–17 also treat the issues. No doubt the historical development of this calendar is long and complex. Certainly early agricultural festivals underlie the festivals described in this chapter, as do practices from the Jerusalem temple. Each of the feasts also reflects its own history.

23:1–3 / The instruction is given to Moses, who is to pass it on to Israel. An important term is **appointed feasts** (*mo'ed*), the phrase to describe what is instituted in this chapter. These are special sacred times, in contrast to the daily worship at the tabernacle. The call is to **proclaim** these feasts, characterized as **sacred assemblies,** or religious festivals or holy convocations. They are the special religious observances of the year, and the people should be informed of them as major gatherings. The third verse relates to **Sabbath** observance. The Sabbath principle is well established in ancient Israel: six days of work and a day of stopping, of resting. The Sabbath is both humanitarian and theological—it brings rest for humans and animals, and it is a time reserved for the worship of God through **sacred assembly.** The injunction against work on the Sabbath is strong in this verse, as is the emphasis on the pervasiveness of Sabbath observance. **Wherever you live** indicates that the Sabbath is not only a tabernacle observance, but is relevant to any location. And the Sabbath is dedicated to God. The Sabbath principle is basic to much of the remainder of the Holiness Code.

23:4–8 / The beginning of verse 4 suggests that the list of **appointed feasts** begins again. The introduction is similar to that in verse 2. The first of the three major festivals is observed in the spring, from Passover to the Feast of Unleavened Bread. The calendar is specified to begin **the LORD's Passover** and then move to a week for **the LORD's Feast of Unleavened Bread** during which only bread without yeast is consumed. The festival is to begin and end with **a sacred assembly;** those days of assembly are days free from the routine of work. Sacrifices are presented on the seven days of Unleavened Bread. Exodus 12 attests the connection between Passover and unleavened bread. The festival enabled the people to remember, that is, to live again, the events of exodus from Egypt. In the final plague of the death of the firstborn of humans and animals, the Hebrews put blood on their doorposts, so the angel of death passed over them and they were spared. During this time they were eating unleavened bread (Exod. 12:34) so as to be ready to escape from Egypt very quickly. This festival builds into the calendar an occasion for remembering these events and realizing again their significance for the present.

23:9–14 / The connection between Passover and the harvest becomes clear with the custom of firstfruits. The perspective is of entering the land of Canaan. When the **harvest** comes, **a sheaf of the first grain** is to go to the priest as an offering. A sheaf is a dry measure, a bundle of grain (or perhaps barley here). The firstfruits are to be a priority, recognizing that the harvest is a gift from Yahweh. The sheaf is to become a wave offering **on the day after the Sabbath.** The waving motion is the manner in which the priest is to present the offering. The Sabbath would be either the Sabbath during Unleavened Bread or the day of rest at the end of Unleavened Bread. The offering of firstfruits is to be accompanied by a whole burnt offering of a lamb and a cereal offering. The grain offering is **two-tenths of an ephah of fine flour mixed with oil.** The grain offering and offering of firstfruits have already been described in chapter 2. Also included here is a **drink offering of a quarter of a hin of wine.** Such libations were usually associated with burnt offerings. The firstfruits are presented before food from the harvest is consumed. Verse 14 indicates the seriousness of the instruction.

23:15–22 / These verses move into the summer festival called the Feast of Weeks because it comes seven weeks after the firstfruits; seven is, of course, the number for completeness. Initially it was a festival associated with harvest of a different crop and later was tied to the gift of the law. It came to be known as Pentecost by derivation from the Greek word for fifty. **An offering of new grain** is brought to give thanks for the harvest and share it as a holy gift. The offering is **two-tenths of an ephah** of flour with yeast. It is in the form of **two loaves** and is also a **wave offering.** It comes from the **firstfruits**, the first cuttings of the grain. Along with the grain offering come several animal sacrifices; these offerings indicate that the festival is a serious one. The number seven occurs again in the animals to be offered: seven lambs, a bull and two rams. These are to be combined with **grain offerings and drink offerings.** Next comes a sin offering of a goat and **a fellowship offering** of two lambs. Both the two lambs and the **bread of the firstfruits** are to be offered with the waving motion. These offerings become holy and are part of the priests' portions. The grain offering is the central act, but all these other offerings accompany it. **Regular work** is prohibited on this day of a **sacred assembly.** The feast is not just an event in the tabernacle, but is to be observed in all locations, throughout the generations. Verse 22 ties the festal celebration to justice issues. As the priest is cared for with food from the sacrifices, so here **the poor and the alien** are cared for with the custom mentioned in chapter 19, of leaving the **gleanings** and the ripe crops near the edge of the field for them. Here the custom is linked with the harvest festivals.

23:23–25 / The complex of autumn festivals begins here with the celebration characterized by trumpet blasts. The festival is associated with harvest of yet other crops in the seventh month. This description is quite brief, but, along with the introductory address to Moses, it carries significance. It is also **a day of rest, a sacred assembly. . . . No regular work** is to take place. The language resembles that for the Sabbath observance. The **trumpet blasts** literally are sounds in the context of this feast. The word **commemorated** would indicate some connection with memory, although the text does not give specifics. Animal sacrifices are to be offered. This festal occasion comes from the background of Priestly practice.

23:26–32 / The next part of the autumn festal complex is the Day of Atonement, considered in chapter 16, but here subsumed in the festal calendar as part of the Holiness Code. This section is also addressed to Moses. Ten days after the trumpet blasts comes **the Day of Atonement.** There are again a **sacred assembly** and animal sacrifices. The additional injunction is to **deny yourselves,** probably by fasting; work is also prohibited. This observance is a serious one because it is about **atonement** in relationship with God. The ritual is at the heart of ancient Israel's life. Those who do not engage in the self-denial of fasting face serious consequences of divine origin. Verses 30–31 make very clear the solemnity of the injunctions about the Day of Atonement. Anyone who works **on that day** will be eliminated from the people, perhaps a penalty of capital punishment. Verse 32 describes the day as **a sabbath of rest** and concludes with the notice that this Sabbath is from **evening** to **evening**.

23:33–36 / The third part of the autumn festal complex, the Feast of Tabernacles, continues **for seven days.** Moses is again to communicate God's commands to the people. While in the wilderness during the exodus from Egypt, Israelites survived in huts or "booths" or "tabernacles." This festival celebrates that experience of deliverance and so is a joyous and festive occasion. Again, the first day involves rest and **a sacred assembly.** Then for seven days, animal sacrifices are offered. Sacrifices are offered also **on the eighth day,** a day of rest, along with a **closing assembly.** The text does not specify the substance of these assemblies, but one can infer that they celebrate the memory of the wilderness tradition in deliverance from Egypt.

23:37–38 / These verses summarize the calendar of festivals by describing them as **sacred assemblies** and times for sacrificial offerings. Offerings are then listed as burnt, grain, drink and other offerings **required for each day.** Each festival day seems to have required certain offerings, although the text never specifies them. Verse 38 notes that these festival observances are in addition to the customary Sabbath worship, as well as **your gifts** and votive and freewill offerings mentioned earlier. The NIV understandably takes these two verses as a parenthetical aside.

23:39–44 / These verses provide further information on the Feast of Tabernacles. The section clearly associates the festival with the harvest: **after you have gathered the crops of the land.** It also reiterates the calendar information, the length of the festival, and that the first and last (eighth) days of the festival are days **of rest.** Verse 39 also calls upon the people to **celebrate the festival,** indicating the joy of the occasion. On the first day of the feast, foliage from various trees is to be brought for the purpose of building booths to recreate the experience of living in booths during the wilderness period. The phrase **fruit from the trees** probably indicates fruit from special trees, perhaps foliage. Of palm branches, **leafy branches and poplars** (or willows), only the last term appears to be a proper name. The point appears to be that the branches should be sufficiently leafy to weave together to make a hut or booth that would shield people from the elements. Then comes the injunction to **rejoice before the LORD** for the length of the festival. Verse 41 reiterates the significance of this instruction and of the festival. The people are to construct booths from the foliage and stay in them for seven days, an injunction for all people of Israel. The purpose is restated: to remember the exodus experience of divine deliverance. The chapter concludes (v. 44) by affirming that these appointed feasts were **announced to the Israelites by Moses**, implying authority that commands obedience.

These last verses have demonstrated the importance of the festivals in ancient Israel's worship experience, which emphasized memory, in this case memory of the exodus. Worship rehearses that community memory, lives it, reenacts it, and so brings it into the present. The people thus can see that God is still the one who delivers and guides. They are reminded to structure their lives on that basis and to advance into the future with hope. The worship event brings past, present, and future together to enliven the community's common functioning.

The texts on worship also pass this exodus story to future generations in ancient Israel—a kind of intentional religious education in the liturgy. Chapter 23 describes that emphasis in the special annual feasts of ancient Israel. This education also contributes to the regular worship in that community. In this chapter, the Priestly tradents have systematized and regularized the festal dimension of cultic practice. No doubt the monarchy took major steps to follow that direction at times such as Josiah's reform (2 Kgs. 23:1–30). This standardization gave the people a framework to articulate and sustain identity, a significant achievement intended by religious education. The standardization also solidified and enhanced the institution of the priesthood.

In the early church, the festivals were made part of the community's life. Passover was linked to Good Friday and the Feast of Unleavened Bread to Easter. The Feast of Weeks became Pentecost. These events took on additional significance in the church, as Paul notes in 1 Corinthians 5:6–8. Now, in turn, when modern Christians study the OT background of events, Christian worship takes on greater meaning. When we observe Good Friday, we can think of crucifixion along with the Passover experience, both suggesting liberation from oppression. At Easter we can celebrate resurrection and understand it as the firstfruits of our hoped-for future (see 1 Cor. 15:20, 23). On Pentecost we can be grateful both for the gift of the Spirit and for material blessings.

Additional Notes §22

23:5 / Passover begins **on the fourteenth day of the first month.**
The first month is Abib, and it probably began somewhere in the time
from the middle of March to the middle of April, if one assumes a lunar
calendar. That is why we speak of the first festivals listed as the spring
festivals. The phrase **at twilight** literally means "between the two eve-
nings" and is usually taken to mean the time between sunset, or dusk,
and darkness. Jewish tradition takes the phrase to indicate a longer time
beginning at noon (Budd, *Leviticus,* p. 320).

23:13 / We have seen these measures previously. An ephah is a
dry measure, and **two-tenths of an ephah** for the grain offering would be
about four quarts or four liters. The **drink offering of a quarter of a hin of
wine,** would be about 1.5 pints or 0.75 liter. The amounts used in the
grain and drink offerings varied from time to time.

§23 Daily Worship (Lev. 24:1–9)

Chapter 24 continues with matters associated with worship, but the focus shifts from the special feasts to the regular or daily worship carried on at the tabernacle. The concern here is with two matters related to the sanctuary: lights and bread.

24:1–4 / God commands Moses to instruct the people. These verses then specify the oil to be used in the lamps in the sanctuary and the care to be taken with them. Apparently some kind of lighting in sanctuaries was a quite ancient practice. While providing visibility in dark tents, light also honored the deity and somehow marked provision for God's presence. We do not know much about the lamp here, but three passages in Exodus speak of the construction of the lampstand and the oil to be used in the lamp (Exod. 25:31–40; 27:20–21; 37:17–24). **Clear oil of pressed olives** was to be used **for the light.** Clear oil is pure, not contaminated by anything else. "Pressed olives" might be better rendered as "beaten olives." It was also important that the light not go out; it is to burn through the night. The light was a clay pot burning oil and not a candle, which would have been of much later origin. The lamps are in the sanctuary and not the Most Holy Place inside **the curtain.** Aaron as the holy priest is to tend these lamps in the sanctuary. Aaron and Moses are holy persons; the people will be in a clean but not holy state. Note that the lampstand is made of **pure gold.** It would have had seven branches, as indicated in Exodus 25. This instruction is a serious one for future generations. Note the diagram on page 21 for the locations of the cultic objects. The light was a significant dimension of regular worship for the Israelites. It symbolized the presence of God with them and reminded them of the light at the beginning of creation in Genesis 1. That is why the text is so concerned to keep the light burning regularly during the day and through the night. Against the background of darkness or chaos, light symbolizes order, goodness, and stability.

24:5–9 / These verses give instruction about the bread that is also to be in the sanctuary continually. The bread is mentioned in Exodus 25 as well. It is called holy bread or "bread of the Presence" and is in some sense offered to God. At the same time, the bread is part of the priestly portion for their nourishment. The title "bread of the Presence" recalls the context of the divine tabernacling with the people, of creation, covenant, and Sabbath. Verse 5 begins with instruction in how to make the bread from choice flour. The ingredients remind the people of the creator who gives bread to the community. The bread serves as an important symbol of God's gifts of food to the people. There are to be twelve loaves, as there are twelve tribes in Israel. Each loaf is to be made with **two-tenths of an ephah.**

As with everything else in the holy precincts, care is to be taken in the arrangement of the bread. It is to be placed on a **table of pure gold** in two rows of six each. Everything in the sanctuary is to be holy and in proper order. Each row is to be accompanied by (sprinkled with?) **pure incense** or frankincense. The incense is described as part of the gifts to Yahweh and as a **memorial portion** (see 2:2). The incense would remind the people of their commitments to Yahweh and remind Yahweh of commitments to the people. It is a symbol of covenant, that binding agreement between God and ancient Israel.

There are often visible signs of a covenant relationship, and the bread serves as one here. The bread is to be in the sanctuary **regularly, . . . as a lasting covenant.** Aaron is to arrange for the bread and incense each Sabbath. Because the bread is in the sanctuary, it is considered **most holy** and so is to be consumed **in a holy place** by the priests. As part of the major offerings made to Yahweh, it is part of the priestly portion. Symbols of divine presence and commitment to the people typify regular tabernacle worship. This text restates the importance of that regular worship and deals with some of the pragmatic issues surrounding it.

§24 Blasphemy: An Incident and Instruction (Lev. 24:10–23)

Chapter 24 now switches from instruction to a narrative describing an incident that leads to legislation on blasphemy. The text begins with the story of a man who commits blasphemy and continues with a series of related penalties.

This story corresponds to several others in the book of Numbers, stories that raise a legal question and move toward resolution. They have a midrashic quality about them, as they illustrate a principle and its operation. The issue raised here is blasphemy, probably in the tradition of the Decalogue prohibition against the intentional use of the divine name for evil purposes. That seems to be the issue here rather than failure to keep one's word or deception (see 19:12). The penalties described are part of Israelite tradition and are common to the Holiness Code and the Covenant Code in Exodus 21–23: murder, killing an animal, and the *lex talionis* (eye for an eye law). Shedding of blood is, of course, central to the Priestly work.

24:10–12 / The story tells how Shelomith's son quarrels and struggles with another person in the camp. The translation **a fight broke out** is reasonable because physical fighting may well have been involved. During the quarrel, Shelomith's son **blasphemed the Name with a curse.** And this event raises the issue, especially because the blasphemer has **an Israelite mother and an Egyptian father.** He thus may be considered as an alien and not a citizen. The verb used here is rare in relation to God; the act presumably entailed uttering some kind of curse against the opponent using God's name. Even uttering the name may have been a serious offense. "The Name" is a euphemism for Yahweh. Using God's name in a curse expresses contempt for God. That is the significance of the term "curse." In so doing, one slights or trifles with Yahweh, using God to guarantee an evil deed. The mixing of holy and evil was anathema, and such a practice as shown in this incident brought strife in the community. The offender is then taken to Moses and put in custody until the issue is resolved. Moses here still functions as mediator of the divine will. The question appears to be whether to treat the offender in the same way as a native-born Israelite because of his Egyptian father. So the wait is for God's will to **be made clear,** or distinct.

24:13–23 / The word of the Lord then comes through the mediator Moses that the offender is to be stoned **outside the camp.** Those who heard the blasphemy **are to lay their hands on his head.** The person is clearly guilty, and the execution would contaminate the camp. Hence, the location. The laying on of hands certainly has to do with guilt; it is conceivable that those who heard the blasphemy contracted some guilt and here transfer it to the offender. The **entire assembly** is to stone the man. This incident leads to an articulation of legislation dealing with the issue at hand. The person who blasphemes is guilty and is to be executed, as was done in this case. The last part of verse 16 extends the law to be applicable to both alien and native-born. The law has an equalitarian base (see Deut. 23:7–8). The section then moves to additional legal material indicating that murder is a capital offense, and that whoever kills an animal must replace it. Those instructions are well established in ancient Israelite jurisprudence, and they are repeated in verse 21. Then verse 22 repeats the principle of **the same law for the alien and the native-born;** that seems to be the focus of this latter part of chapter 24. The chapter ends with the people obeying the command from Moses. The process here is noteworthy. An incident seen as not covered by existing legislation is referred to Moses, who awaits a divine decree. The decision then becomes a precedent determining future practice.

Wenham suggests that these additional legal instructions in verses 17–22 are carefully arranged in a concentric pattern called a palistrophe (*Leviticus,* p. 312). The list turns at its center, verses 19–20, and this articulation of the famous law of retaliation, *lex talionis:* As one injures, so is that one to be injured. The issue is injury to another person, and in a sense the same principle of restitution articulated in verse 18 is applied. Private revenge is here replaced with criminal law and an expression of appropriate compensation. The law seeks to control violence and vengeance in a context where the issue is left to private devices. So the emphasis of the list suggests an equitable solution in public conflicts. The word translated **injures** *(mum)* could be rendered "maims." Modern readers often think of this injunction as harsh or even barbaric, but it must be set in the ancient Near Eastern context. Assyrian law was harsher than Hebrew law, as was Babylonian law—though less so. In those traditions, a life could have been required for injury. Here the principle is equal compensation, **eye for eye.** The Hebrew view is more "humanitarian," reflective of a respect for human life based on the theological perspective that God is the creator and determiner of human life. The law of retaliation here seeks order and justice in the community, harmony between act and consequence.

This chapter is interesting in that it shows Priestly legislation to be flexible. The purpose seems to be to bring order and appropriateness to the community. In so doing, the text promotes a perspective which respects life as a divine creation. Jesus continues that literary and theological pattern in the Sermon on the Mount in Matthew 5:38–39 when he goes beyond the *lex talionis* to turn the other cheek. Leviticus 24 also connects worship in the first section with order, or ethics, in the second. Hebrews 9:2 picks up the references from the worship section. The chapter concludes on a note of obedience, familiar now to the reader of the Holiness Code.

§25 The Sabbath and Jubilee (Lev. 25:1–55)

This chapter turns to the Sabbath principle as it applies to a variety of issues in ancient society like land, property, and slaves. The theological perspective operates out of a creation context, with ancient Israelites functioning as stewards of property and wealth, rather than as owners. God the creator holds that role. The chapter argues that viewing possessions as divine gifts to a community provides a better starting point than promoting the individual right to succeed. The text instructs the reader on the Sabbath and Jubilee years, supplements that instruction, and concludes with attention to the poor and those in service to the community. Sabbath and Jubilee practices are probably quite ancient and have grown here to a lengthy treatise with the purpose of ensuring proper care for the land. These practices are not commonly referred to elsewhere.

25:1–7 / The chapter begins by applying the Sabbath principle to the land. Each Sabbatical year the land is to lie fallow, without any harvest. The motivation is ecological, giving the land rest first and then in a humanitarian way providing whatever simply grows up during that time for the residents. The instruction again comes to Moses to be passed on to the people. The first verse also reminds the reader that the setting is still at Sinai. The land is personified here as elsewhere in the Holiness Code; the idea of a Sabbath for the land is also found in the Covenant Code.

The community is to live off the land as God's gift for six years. **In the seventh year,** no planting or harvesting is to occur in field or vineyard. There is not even to be any harvesting of what may simply grow in the natural course of things. Verses 6 and 7 explain how the community will live during the Sabbath for the land. The first five verses seem to be in some tension with verses 6–7. If we take seriously the prohibition of sowing and reaping as organized community activities, it may be they which are prohibited. These last two verses allow random gathering of food from what the land of itself grows as provision, but the usual work of agriculture is suspended. The Sabbath principle provides a basis for the instructions on worship and ethics that follow.

25:8–12 / The remaining verses of this chapter apply the Sabbath principle to the practice of the year of the Jubilee, which has the marks of an ancient institution. The Sabbath principle is clearly important in ancient Israel, and so the seventh Sabbath would carry extra significance. The next, or fiftieth, year is the year of the Jubilee, when the land returns to its original owner. The term "jubilee" *(yobel)* comes from a root word meaning "ram's horn" or "trumpet," which would have been sounded on special sacred occasions. These regulations occur only here, although they do encompass instructions on slavery that are part of the Israelite tradition (Exod. 21:1–11; Deut. 15:12–18). This text expands those regulations as part of community practice.

Some modern scholars suggest that this instruction for Jubilee was never practiced, and historical records have no explicit references to it. There are, however, some hints at Jubilee and the Sabbatical practice of land use in the OT (Jer. 34:8–22; 2 Chron. 36:21) and more widely in the ancient Near East (Budd, *Leviticus,* p. 342). While no doubt the instruction is an ideal, it is really more an articulation of a divine agenda that supports families and the community. The principle resists grand accumulation of wealth by individuals and is not a kind of casuistic legislation. Here theology and ethics come together. The instruction appeals to divine authority rather than to an earthly, governmental one.

The basic Jubilee description begins with the timing of the observance. After the seventh land Sabbath, forty-nine years, in the autumn on the Day of Atonement, the trumpet sounds everywhere, **throughout the land,** as it does at the beginning of the autumn festival complex. **Liberty** is then proclaimed throughout the land, liberation from slavery and debt, and the return of property to original owners. The year is consecrated, or made holy, and all the inhabitants of the land are to return to their **family property** and **clan** or extended family and unit of protection. The Jubilee year was also a Sabbath year, as indicated in verse 11. Food during the year is obtained in the same way as during a Sabbath year (vv. 6–7). The year **is to be holy for you,** and so no regular work is done. A holy year would also be a distinct year, set apart, as are God and ancient Israel. This practice would mean that every person would probably get a fresh start and release from any debt or servitude once in their lifetime, a practice that could reverse injustice. The instruction makes clear that it is the community, the common good, that is of utmost importance in the Priestly structuring of life.

25:13–17 / Verse 13 articulates the basic principle of return to one's own property. Then the procedure for working out this practice in terms of land and crops is taken up. The date of the year of Jubilee becomes a basis in determining economic values. The additional general principle articulated in verse 14 is one of just, honest, and fair practice. The integrity of those involved and of the process are necessary, no matter what the instructions might be; oppression and exploitation abrogate the integrity of the practice. When one buys land, one is buying for the period up to the Jubilee and thus for the number of years left with the potential for harvesting crops. What one is really buying or selling **is the number of crops.** So if the Jubilee is far off, the price is greater. If the Jubilee is closer, the price is less. Verse 17 describes the just following of this practice in terms of fearing, revering or obeying God. The God of justice who seeks the good of the whole community hopes that all in the community will likewise do justice.

25:18–24 / These verses provide supplementary instructions, addressing questions of security. Surely to the practical minds of the community this practice of giving the land a Sabbath and of returning land to its original owner, freeing slaves, and forgiving debts every fifty years was a highly risky venture and perhaps even likely to cause ruin. In response to such concerns, God speaks personally to allay those fears: **You will live safely in the land.** That is the reality one discovers in following the divine decrees and laws. These words for Yahweh's instruction are the same terms we have seen previously (e.g., 18:4–5; 19:37; 20:22) and could well apply to much legal material in the OT. Here the terms are used in relation to the practices of the Sabbath and Jubilee years. The land will on its own produce an abundance, enough food for the community. The doubts this section deals with are explicitly expressed in verse 20: **What will we eat in the seventh year if we do not plant or harvest our crops?** "Plant or harvest" could be rendered "sow or gather." The divine response is direct: **In the sixth year,** the **blessing** will be sufficient **for three years.** The three years would entail the regular harvest in the sixth year and enough food for the sabbatical (seventh) year and then enough food for the first year of the next cycle. Crops will be planted that year, but the harvest will provide food primarily for the following year. Provisions will be necessary during the time the crops grow. The blessing here is the material food for life. The term can also carry a broader sense of the power to grow and prosper in the world. **The harvest of the ninth year** will restore the usual production of food for the community.

Having attended to such security concerns for the community that practices Sabbath and Jubilee, verses 23 and 24 repeat the commands that in this country that Israel will possess, provision is made for land to return to Hebrews who may have sold it. **Redemption** (v. 24) is the buying back of land by the next of kin. That practice is more common than Jubilee, which of necessity would be a later resort. Then any land which has, for whatever reason, not returned to its original owner would do so. The key theological basis for the practice is in verse 23. God is the owner of the land, and so it is not to **be sold permanently,** that is, it is not to be sold completely or finally or so that it is beyond reclamation. God's ownership of the land is the theological affirmation that shapes this whole chapter. The people then are characterized as **aliens** and God's **tenants.** The sense of the first term is those who are not citizens of the community but still reside with the people. Israel had this experience in Egypt, the Priestly tradents have reminded their audience, and in a deeper sense always live in such a graced status. The term **my** [God's] **tenants** employs the image of extended family or household. The land is God's and a gift to the people. In a sense they are renting it or managing it on behalf of the divine owner, and the Sabbath and Jubilee customs give explicit practical shape to that view.

25:25–28 / These verses explain further the practice of redemption, already mentioned in verse 24. The setting envisioned is that an Israelite has fallen into difficulty or been brought low by circumstances, **becomes poor,** and sells some property. The **nearest relative** is to redeem what has been sold. The next-of-kin could be called the redeemer *(go'el),* who here has a duty to perform. If there is no next-of-kin and if the person's circumstances change, the person may "redeem" the property by determining its value during the time since it was sold and refunding **the balance to the man to whom he sold it.** The poor person who returns to prosperity or at least to have adequate resources then has some hope for the future reclaiming of property. The amount of the balance will vary with the time lost until the next Jubilee. This procedure then allows for the return of the land to its original owner but also attends to appropriate compensation for the buyer. If there is no next-of-kin and the seller is not able to redeem the land, it **will remain in the possession of the buyer until the Year of Jubilee.** At that time, the land will revert to the original owner. Despite the instructions, the text seems to assume that its readers are familiar with this practice and so does not deal with all the possibilities. The NIV rendering, **It will be returned,** could refer to the seller rather than the land and thus speak of the person's release or going out in the Jubilee, a freedom from poverty and the opportunity to begin again on the land. These instructions make it clear once again that the starting point of the Holiness Code is the health of the community rather than the health and wealth of the individual, which are so highly valued in our culture.

25:29–34 / These verses consider specific instances of the preceding instructions. Houses in an urban setting **(walled city)** are essentially excepted from the Jubilee practice. When the house is sold, the seller **retains the right of redemption** for one year. When that year passes and the seller has not reclaimed the house, it **permanently** moves to the buyer and family. It is not subject to return in the year of the Jubilee. In contrast, **houses in villages without walls** are considered as the fields or **open country** and thus are subject to the redemption and Jubilee customs. Such a village might be any kind of settlement, some of which would be attached to cities. The exception of city houses from the Jubilee practice seems to give an advantage to prosperous urbanites. The exception could reflect ancient practice or the influence of urbanization opposing older rural customs, especially concerning real estate.

Verses 32–34 deal with the matter of Levitical property. Levites live in **Levitical towns** and always have the right of redemption there; the Jubilee custom also applies. So the Levites could sell their houses in any city or village, and the rights of redemption and Jubilee will always apply. Their land, however, is never to be sold but **is their permanent possession.** The Levites were a special group with special cultic duties, and so ancient Israelite practice makes provision for them. This is the first reference in Leviticus to the Levites. It speaks of this provision for them but tells little else.

25:35–38 / The final topic of this lengthy chapter is poverty. The hope is to restrict the impact of such a circumstance. Care and provision for the poor are well established in OT legal texts. Leviticus, in the Manual of Sacrifice, the Manual of Purity, and the Holiness Code, has made provision for the needs of the poor, especially in terms of animals to be offered in sacrifice, but also in the practices of harvest and gleaning (e.g., 1:14–17; 5:7–13; 12:8; 19:9–10). The practices of redemption and Jubilee are also of benefit to the poor, and the Jubilee strengthens the hope of redemption by mandating the return of property to the original owner.

These verses first articulate the principle of help for the poor. The language is of strengthening someone who has become weak and is slipping. The poor deserve the same attention as aliens and temporary residents. The **alien** is the familiar resident alien; the **temporary resident** would be some sort of non-Israelite guest. The prohibition on interest is described in terms of fearing or obeying God. That is, taking advantage of another's circumstance is contrary to God's intention for the human community. The goal is that fellow Israelites will continue in the community and be productive members of it. Thus these acts of concern for others are both expressions of God's will and the better way for the community to live. The poor are not to be exploited, and the selling of food is given as the example. Verse 38 reminds the people of Israel's oppression in Egypt and the divine deliverance in the exodus by the God who, in giving to the people, serves as their model.

25:39–46 / In continuing to explore the various dimensions of poverty, verse 39 prohibits the enslavement of a fellow Israelite. The person who **becomes poor** and enters into service is rather to be treated as **a hired worker or a temporary resident . . . until the Year of the Jubilee,** when the worker is released and can return to the original land. Resident alien and hired worker appear to have the same status. The notion of one Israelite owning another and putting the slave to hard service is anathema. The text speaks of the humane working off of a debt rather than enslavement, which does evoke a different image. The work is a temporary manifestation of economic difficulties. Israelites belong to God only, and not another human, once again because God redeemed them from slavery in the exodus from Egypt. The fear or respect of God includes fair and humane treatment of those in need by those in positions of authority. Slavery is allowed of those from other nations, male or female; the Holiness Code does distinguish between nations. This principle means that **temporary**

residents and their offspring **born in your country** can also become slaves to Israelites in perpetuity, but not so with **fellow Israelites.** Slaves from other nations do not have benefit of the release at Jubilee.

25:47–55 / The final section of this chapter considers the possibility of an Israelite becoming a slave to a sojourner or resident alien and rights appropriate to the setting. Here the **alien or a temporary resident** becomes wealthy and able to buy slaves; the Hebrew **becomes poor and sells himself** to the alien or a member of the alien's family. In such a case, the usual **right of redemption** obtains; it would be the responsibility of a close relative. Self-redemption is also possible for the Hebrew slave should the funds become available. Then the text specifies the process for such redemption. The amount paid is tied to the Jubilee year, and the wage rate that would be paid to someone who would take the slave's place in labor. A longer period until the Jubilee would require a greater sum for the redemption. The clarifications in verses 51–52 suggest that a negotiated part of the original purchase price is also to be paid. The Hebrew is like a hired servant in the resident alien's house and should be treated as such and not with cruelty. If no redemption occurs, these slaves are still to be released at the Jubilee because of God's redemption of ancient Israel from slavery in Egypt.

Times of economic difficulties and the intent to mitigate such circumstances and break the spiral into poverty motivate these rules. The chapter upholds community, family, and the promise of a future while resisting the amassing of property and wealth. The rich are not given complete domination, and the poor are cared for and granted a mechanism to escape poverty. The themes covered in this chapter relate to the focal points of prophetic literature (e.g., Isa. 5:8–10; Amos 2:6–8; Mic. 2:1–11). Part of the goal of holiness as Yahweh's distinct people included human relationships. Treatment of others is important in the Priestly theological and ethical perspective. Isaiah 61:1–4 develops the Jubilee theme of hope, as does Luke 4:18–19. Passages in 1 John 3:17 and 4:11 also pursue themes of care for others.

Additional Notes §25

25:6 / Whatever grows on the land is available to the members of the household, which would include male and female slaves **and the hired worker** (who works for wages) as well as any guests.

25:30 / The **walled city** is in contrast to villages. If a house is not redeemed before the fulfillment or completion of the year, the sale is permanent. The NIV reading seems to be the best, though some textual problems persist.

25:33 / The specific interpretation here is problematic. The NIV suggests that Levitical property is redeemable, and if it has not been re-deemed, it comes back at the Jubilee. That rendering is plausible, but the translation of the first part of the verse is obscure. Perhaps the NRSV ren-dering is slightly better: "Such property as may be redeemed from the Le-vites . . . shall be released in the jubilee." A city is declared Levitical, and only Levites may purchase property there. Redemption is possible, but at the first Jubilee, everything reverts to the Levites. See Budd, *Leviticus,* pp. 353–54; Wenham, *Leviticus,* p. 321.

§26 Blessings and Curses (Lev. 26:1–46)

This chapter brings us to a covenant formality that articulates consequences for ancient Israel's response to the preceding divine instruction. It offers promise for the future, but it contains more warning than promise. The custom was to read such texts with the emphasis on warning in order to convince hearers to avoid the dire consequences. Hearers and readers would have seen the parallel to the Babylonian exile. Still, the conclusion of the chapter offers hope. This text fits covenant customs of the day and provides a fitting conclusion to the Holiness Code.

26:1–2 / The chapter begins with two basic instructions in the tradition of the Decalogue, already familiar to readers of the Holiness Code. The two particular stipulations on idols and Sabbaths are foundational to the commitments of the community and determine the future as laid out in the rest of the chapter. **Idols** gave a fixed point of contact with the deity and thus the impression that one could control and manipulate God. Idols also indicate disloyalty to **the LORD your God.** The Sabbath was a day of rest for humans and animals, and a day for worship at the **sanctuary.** These injunctions are basic to shaping life for a community holy to the Lord God.

26:3–13 / These verses articulate the blessings found in a loyal relationship with God—land, security, growth, and divine presence. The language is characteristic of covenant blessings of posterity and land. The divine commands are characterized as "decrees and commands," familiar terms. "Command" connotes the authority of a law giver. In walking after these commands and keeping them is found blessing. The first blessing listed is **rain,** essential for this agricultural community, especially at the proper time. God's provision will bring food and security for the people in the land. **Threshing** indicates the separating of the grain from the chaff. This harvesting of wheat and barley would have been in the spring (April–May). Then came the grape harvest in the summer (July or August), followed by the harvest of dates, figs, and olives (September). **Planting** was done in the late autumn with the sowing of beans and grains. The text envisions a harvest sufficiently plentiful to keep everyone busy for this whole period of time. The promise is of economic blessing and **peace,** security and safety, without **savage beasts** or violence. Victory is also promised; the few will defeat the many with Yahweh's support.

The population will grow as a part of the divine fulfillment of **covenant,** but there will still be abundant provision for the people. Yahweh will look upon the people graciously. The covenant language continues with the promise of divine presence in the tabernacle, the source of life for the community. The divine promise **I will not abhor you** is tied to Israel's response; Israelites are called not to abhor Yahweh and Yahweh's instructions. The divine presence will be gracious in this context of obedience and not threatening. God moves among the people as companion and communicator in a mutual relationship. The covenant formula in verse 12 is tied to that presence and to the identification of God as the liberator in the exodus from slavery in Egypt. God brought life to this people. These verses call for a response of faithfulness and articulate its blessings.

26:14–20 / The setting changes fundamentally with verse 14 and moves to a circumstance of judgment. Now the people are judged to be violating the covenant by not listening to and not following God's commands, decrees, and laws. Ancient Israel is said to **abhor** God's laws. The consequences are disease, harvest disaster, and defeat. The text is akin to prophetic oracles of judgment. The blessing is reversed, and God is now judge rather than benefactor. The chapter moves through judgments that grow in intensity. The consequences are described as **sudden terror,** diseases that **drain away your life.** This sudden terror is calamity visited upon the people by Yahweh and is life threatening. Harvests will not feed the community. Any food will be consumed by victorious enemies. Defeat continues to be the emphasis, as God is named as Israel's opponent. Israel will be defeated and dominated by enemies. The defeat will be such that fear will consume the people even when there is no battle.

The text moves to a second set of calamities, should those in verses 14–17 not bring renewed faithfulness. The disciplinary punishment will now be **seven times over,** the number for completeness. There will be no provision for life. The image in verse 19 is striking: **I will break down your stubborn pride and make the sky above you like iron and the ground beneath you like bronze,** a description of persistent drought. Pride is the presumption to be able to live without God.

26:21–22 / A third set of calamities then comes to the fore, again described as **seven times over.** Israel is pictured as remaining hostile to God, "walking" or living in opposition to God. Now the threat is **wild animals,** which will take children and devastate domestic animals, human population, and commerce. Israel thus encounters the consequences of willful disobedience against God.

26:23–26 / A fourth set of calamities is prescribed because Israel has not accepted what is called God's **correction.** Israel is characterized as **hostile** toward God, and so God is now hostile toward Israel. Defeat will come from enemies; **the sword,** and **plague** will follow the people retreating into their protective cities. Enemies will again dominate, and famine will pervade the land. Verse 26 indicates that bread will be so scarce that it will be baked in one oven and distributed by **ten women,** perhaps representing ten households, but to no avail. There will be so little that satisfaction will not be possible. Want rules the day. The curses follow on the introductory disobedience and then intensify the dire consequences.

26:27–33 / A fifth set of calamities follows, taking the matter to its final intensification. These calamities begin with a notice seeming to make it more a matter of direct divine intervention. Trouble is now universal and worsens to cannibalism. God's rage collides with Israel's stubborn pride. Opposition to syncretism surfaces in verse 30. **High places, . . . altars,** and **idols** are **lifeless** and will become the place of death, of corpses as a result of destruction wrought by direct divine intervention. A disaster of major proportions is at hand, when corpses lie unburied in unclean places, in contact with idols. The term in verse 30 for **incense** "altars" *(khamman)* is an odd and rare word, but some association with idolatry appears to be in view. The picture of this fifth calamity is particularly abhorrent. The consequence in verse 31 is especially striking in the context of Leviticus. So much of Leviticus is given to producing a **pleasing aroma of your offerings,** to the functioning of the sanctuary, and to the building up of the land and its **cities.** City and sanctuary will be in ruin, and sacrifice will be shunned. The plural **sanctuaries** may well be a clue to rampant syncretism. The land will be devastated, and with verse 33 come complete defeat and exile. Even the enemies who already live in the land (v. 32) will be appalled at the extent of the devastation. Israel will fall to the divine **sword.**

26:34–39 / These verses assume an exile. The defeat and scattering of ancient Israel will now bring about the Sabbaths the land has missed and desired. These Sabbaths for the land are the result of the devastation and defeat of Israel by way of covenant violation. The land has sustained a stubborn and rebellious people, but now has rest and **will enjoy its sabbaths.** The image in verse 36 is breathtaking. Fear will be so prevalent that even **a windblown leaf** will strike terror into the hearts of exiles. They will run and fall even though not pursued. They will suffer physical and mental disease and defeat, and they will be devoured in exile. The consequences are extensive and devastating. Even the land of exile **will devour you;** its resources will not be available to these people. The last phrase of verse 39 may well indicate that the people also participate in the same sins as their fathers and encounter the same results, wasting away.

26:40–45 / The chapter has made clear the consequences of breaking covenant. This final section considers the question of what is next and offers some hope for return from the exile, which has been countenanced in the previous sections. Yahweh will keep the divine covenant commitments and in the process calls upon the people to confess their sins. The community's life is not at an end. Renewal of the covenant relationship with Yahweh is still a possibility for providing a future. This hope turns on the act of confession: **But if they will confess their sins.** The sins are characterized as **treachery** later in verse 40, the people's trespass of divine instruction. The sins are akin to those of previous generations, as in verse 39. The disobedience is also called **their hostility toward** God, which in turn brought God's hostility **toward them.** The same language is used in verses 24 and 28, and the result was exile. The people are also said to have **uncircumcised hearts,** a striking image akin to that in 19:23 (see the comment there), here indicating that the people are not receptive to God's instruction and perhaps even unable to respond. Even so, the hope is that the people will accept their guilt and punishment, and see the death that their disobedient living brings. In that hoped-for scenario, God will **remember** them and especially the ancestral **covenant.** God made promises and commitments to **Abraham, Isaac,** and **Jacob.** There are times in the OT when God remembers the disobedience of the people, but here God remembers a covenant promise. Central to that promise was the promise of land, and so God **will remember the land** here also. While the people are scattered among the nations, the land **lies desolate,** unpopulated and enjoying **its sabbaths.**

This section has spoken of God's action in terms of reciprocation, but in verse 44 that tone is modified. The people have **rejected and abhorred** God's instruction, but God **will not reject them or abhor them** by completely destroying them. Such action would be breaking covenant on the part of Yahweh; the same language is used in verse 15 of Israel's breaking covenant. The judgment of defeat and exile is disciplinary for Israel, cleansing the effects of their covenant breaking, and hope lies beyond it. The last verse of the section also promises that God on their behalf **will remember the covenant with their ancestors.** The ancestors here are those God **brought out of Egypt.** That deliverance was accomplished as a witness to God's holiness, **in the sight of the nations to be their God.** This verse certainly fits the view of the Holiness Code. God delivers the people to demonstrate holiness; that God is set apart, different from any other. That deliverance effects a covenant relationship with the people who are to reflect God's holiness by living according to *torah.* In so doing, they bear witness to their holiness, that is, distinctiveness, because they are Yahweh's people. It is all a witness to the nations from Yahweh.

26:46 / This verse summarizes and concludes the Holiness Code, describing the preceding instruction as decrees and laws. The term **regulations** harkens back to the Manual of Sacrifice and Manual of Purity. Moses mediates this instruction from Yahweh to Israel **on Mount Sinai,** certainly a suitable place to consider the wide range of material in the Holiness Code, just as the Tent of Meeting is an appropriate place to receive instruction on sacrifice (1:1–2). Perhaps this verse ties both the Manual of Purity and the Holiness Code into broader Sinaitic legislation, as 7:37–38 does with the Manual of Sacrifice. Chapter 26 has put a choice before Israel: disobedience or obedience, death or life.

Chapter 26 concludes the Holiness Code. Holiness means distinctiveness. God is holy or set apart, different from any other. Ancient Israel is called to be holy, to reflect that divine holiness. In following divine instruction, Israel will demonstrate holiness, distinctiveness as people of Yahweh. That is their witness, and this code teaches toward that end as well, enumerating the consequences of rejecting the instruction. Holiness in the people also enables the holy divine presence to dwell with them. This holy God cannot abide in the midst of sin and impurity. These instructions encourage people to avoid corruption and thus to flourish under the blessing of the divine presence.

The Holiness Code is divine covenant instruction, or *torah,* and harkens back to the Genesis 1 creation. As God created the world, God also created a people and here molds the community further. Living a faithful, holy life readies the people to claim the blessing God endows in creation: provision for life, the power to grow and prosper in God's ordered world.

§27 Redemption and Vows (Lev. 27:1–34)

This final chapter of Leviticus is a kind of appendix, treating the matter of redemption which was covered in chapter 25, but here concentrating on the redemption of vows. The chapter is of a piece with the book of Leviticus but supplements the instruction. It may be that in chapter 26, with the articulation of consequences of obedience or disobedience, we see the kinds of settings in which people make vows and so this instruction follows. Or perhaps the divine promises in chapter 26 could be seen as divine vows leading to this treatment of human vows.

Vows and money were important, and both are treated in this chapter. The material is not trivial, but the rationale for its placement here is not clear. The chapter discusses the dedication of things to God, often in times of great need. It is quite pragmatic, articulating settings in which vows are redeemed and settings which provide income for priests. Nevertheless, the seriousness of vows is clear.

27:1–8 / This first section treats the circumstance in which someone has been dedicated to God in some way, such as through the Nazirite vow, and can be redeemed with a monetary substitution, a practice which would also raise money for the sanctuary. The instruction again comes to Moses, who is to pass it on to the people. The purpose here is to set the price of redemption and bring some standardization to the practice. It is anticipated that these vows will be uncommon, and the vow itself should include a valuation. When redemption is sought, the value of a male between twenty and sixty is to be set at **fifty shekels of silver.** The value of a woman of that age is **thirty shekels.** When the person is younger, between five and twenty, the value is twenty and ten shekels for male and female, respectively. These values may reflect the cost of slaves and the lower social status of women, perhaps assuming lower productivity by women. Those between **one month and five years** are valued at five and three shekels. When the person is older, more than sixty, the values are fifteen and ten shekels. Strength and energy seem to be important in the values. These values are high, and so it is not surprising that provision would need to be made for those who could not afford them, as Leviticus makes provision for the poor elsewhere. The priest will then set the value in line with the resources of the person making the vow. It may be that the sanctuary could use money for maintenance more than it needed servants.

27:9–13 / A more common vow would have been that of an animal for sacrifice. The basic principle in these verses is that an acceptable animal offered for sacrifice cannot be redeemed. We have previously seen references to votive offerings, those which fulfill a vow. When the animal is given and accepted for sacrifice, it **becomes holy.** That status dictates that it not be returned lest it mix with the unclean. No substitutions are allowed; in fact, if a substitute animal is given, both the original animal and substitute animal become holy and are given to the sanctuary. The substitution of **a bad one for a good one** is explicitly prohibited. The section makes the usual distinction between clean and unclean animals, but it does seem odd to vow an unclean animal. Perhaps it was vowed to the priests for a use other than in sacrifices, such as a camel for transportation. In this case, the animal is taken to the priest, who will set the value as in verse 8. Verse 13 follows the custom associated with the compensation offering of adding **a fifth to its value** for purposes of redemption.

27:14–15 / This next section indicates that buildings could be vowed and redeemed. A house is dedicated to God, and the priest again has the task of placing a **good or bad,** high or low valuation on it. That valuation will stand. If the house is to be redeemed, the requirement again is to **add a fifth to its value,** to compensate the priest for the loss of the use of the house. Then the original owner can reclaim the house.

27:16–25 / Next is the issue of land promised in a vow. Redemption is possible, but the circumstance here is more complicated. Family estates were important, but if part of one is dedicated to the Lord, its value is determined by how much seed is required to sow the plot of land. The Jubilee is also relevant. If the dedication comes during the year of the Jubilee, the full valuation obtains. If the dedication is later, the valuation will decrease depending on how close the Jubilee is. Redemption of the land is possible and entails again adding **a fifth to its value,** and the field will return to the one who dedicated it. If **the field** is not redeemed or is sold **to someone else,** the right of redemption is forfeited. If the field has not been redeemed by the Jubilee, it becomes the property of the priests; **it will become holy.** Does the original owner continue to hold legal right over the land even though it has been dedicated to the Lord? That would allow a sale of the property (v. 20), but exactly what is referenced is not clear. When the property becomes the priests', it is considered **devoted to the LORD.**

When a person **dedicates** land that has been bought rather than inherited land, a different circumstance obtains. The Jubilee is also relevant to its valuation, but at the next Jubilee, the land reverts to its original owner. Family inheritance was the prior principle. Redemption of the land is possible; the redemption price is paid as a donation **to the LORD** based on **its value up to the Year of Jubilee.** Verse 25 indicates the measure of weight to be used in standardizing valuations.

27:26–27 / These verses come back to the issue of animals. **The firstborn of an animal** was considered to belong to God already and so could not be vowed. The tradition of the firstborn belonging to Yahweh is well established in Hebrew legal material. An unclean animal, however, must be redeemed at its set value plus one-fifth or it will be **sold at its set value.**

27:28–29 / These verses take up an issue from verse 21, persons and things **devoted** to God. All such things are irrevocably Yahweh's and cannot be redeemed. Land vowed and not redeemed became devoted at the Jubilee (v. 21). Anything devoted—person, animal, or land—became **most holy.** The background of verse 29 is probably treatment of prisoners of war. They are part of the ban, or "devotion to destruction" and are to be executed.

27:30–34 / This final section considers the redemption of tithes. The **tithe belongs to the LORD.** It is a tenth part and can be redeemed with the addition of **a fifth of the value to it.** The redemption is expensive. Animals passed under **the shepherd's rod** to be counted; every tenth one from herd or flock is considered holy. There should be no substitutions, or fixing, of which animals are given. Honesty is commended. If a substitution is made, the instruction in verse 10 obtains and both animals are given and cannot be redeemed. This procedure for counting would reduce conflict between people and priests. The concluding verse is similar to the concluding verse in chapter 26. Vows were serious matters. They had an impact on family, possessions, and one's economic welfare. Honesty is important in dealing with them; such a principle forms the background of the teaching about oaths in Matthew 5:33–37.

The book of Leviticus presents an important manifesto of divine instruction as ancient Israel looks forward to entering Canaan. It also reflects customs from the time of the monarchy and the concerns of the sixth-century exiles. It centers on acts of worship and may be related to the Psalms, which set out the words of worship. We have noted that many of the issues in Leviticus carry over into the NT. The book takes themes from the Priestly creation account in Genesis 1 and introduces them into the narrative and instructive context of the Sinaitic covenant. Leviticus teaches how to keep the world order intact and how to continue enjoying the blessing of the creator. Theologically, it founds itself on the divine presence, on avoiding the effects of sin and uncleanness, and on the results of obedience and disobedience. The book describes purity and holiness and the means of restoring the divine-human relationship. The goal of this instruction is to offer wholeness of life as a true hope for the faith community of ancient Israel. In that sense, the instruction is a sign of divine grace for living. Thus ends the lesson.

Additional Notes §27

27:3 / The chapter uses several weights of measure. The **sanctuary shekel** was approximately 0.4 oz. or 11.5 grams of silver. It was first a weight of measure and then later a coin. Fifty shekels would be 1.25 lbs. or 0.6 kilogram; thirty shekels would be twelve ounces or 0.3 kilogram. Twenty shekels would be about eight ounces or 0.2 kilogram; ten would be four ounces or 110 grams. Five shekels would be two ounces or fifty-five grams; three would be 1.25 oz. or thirty-five grams. Fifteen shekels would be approximately six ounces or 170 grams.

27:16 / **A homer** is usually estimated to be about six or six and one-half bushels (220 liters), or between twenty-nine and fifty-three gallons.

27:30 / **A tithe** is a tenth part. The term is not very frequent in the OT. The principle occurs first in Gen. 14 and is important in Deuteronomy, where the tithe for the needy every third year is brought to the sanctuary (Deut. 12:17; 14:22–29; 26:12). Num. 18 understands the tithe as payment to the Levites, who must then give a tenth of the tithe to the Aaronic priests. Malachi and other late texts also commend the tithe.

Numbers

Introduction

The title of the fourth book of the Pentateuch comes from the Greek (LXX) and Latin (Vulgate) versions of the Hebrew Bible. *Arithmoi* is the Greek, which Jerome translated *Numeri* in the Latin, and so "Numbers" became the English title. This title, no doubt, arises from the "numbering" of people in the beginning of the book, although such lists occur throughout. The Hebrew title comes from the fourth word in the book's first verse, *bemidbar*, "in the wilderness" (NIV **in the Desert**). Since the book describes the journey from Sinai to the plains of Moab, the Hebrew title is fitting.

The book of Numbers continues the story of Israel—from the exodus generation that escaped slavery in Egypt and journeyed to Sinai—to a new generation perched on the edge of Canaan. It takes up the covenant instruction that began in Exodus 25. Numbers starts with preparation to depart from Sinai,[1] and so we can read the book as a discrete whole, although not in a manner that isolates it from its context.

The structure of the book of Numbers has occasioned much scholarly discussion. Since the book contains both narrative and legal material, some have suggested that it displays little logic or plot. That may be part of the reason the book is often ignored. At least three important approaches to the question of structure contribute to our understanding.[2] Some suggest that chronological indicators (e.g., 1:1; 10:11; 20:1) provide a clue. Others look to geography as the primary framework. Generally this geographical method counts the first ten chapters as a Sinai section, the middle ten chapters as a Kadesh section, and the remainder of the book as primarily located in the Transjordan.

Dennis Olson proposes a third option.[3] He understands the two census lists in Numbers 1 and Numbers 26 to be key to the book's structure. Chapters 1–25 tell the story of the exodus generation, and chapters 26–36 tell the story of the new generation. In his commentary, Olson lists echoes between the two parts.[4] Olson

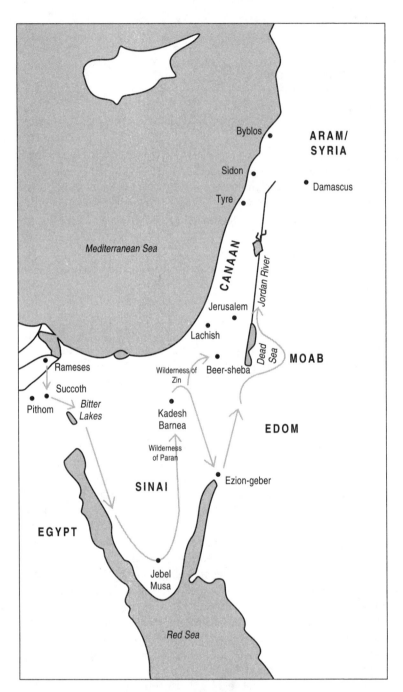

Journey toward Canaan

interprets the framework of Numbers as (1) the death of the old generation that came out of Egypt and wandered in the wilderness and (2) the birth of a new generation. Although Olson's reading of the book contains many helpful insights, the notion of the first half of a document consisting of twenty-five chapters and the last half only ten seems puzzling. The journeying motif, in which the people move from Sinai to the plains of Moab, seems more appropriate as a general framework for the book. We will follow this geographical structure, although without pressing the details.

Most agree that the first ten chapters at Sinai constitute the first major section of the book. The people are numbered and organized around the sanctuary. The most famous text in these chapters is the Aaronic benediction found in 6:22–27. Israel departs from Sinai in chapter 10 (v. 11); this chapter serves as a transition to the middle portion of the book. With chapter 11, the second major theme is revealed: rebellion. Various murmurings in the wilderness are recounted; perhaps the best known is the spy narrative in chapters 13–14. Chapter 20 again provides transition, with the deaths of Miriam and Aaron and the movement to the Transjordan.[5] The remaining chapters witness the demise of the old generation and the rise of the new. The book, in the end, looks forward to life in the promised land of Canaan. The following outline details this structure.

I. Preparation for the March (Num. 1–10)
   A. The First Census (1:1–54)
   B. The Organization of the Camp (2:1–34)
   C. Priests and Levites (3:1–51)
   D. The Service of the Levites (4:1–49)
   E. Priests, Purity, and the Camp (5:1–31)
   F. Vows and Blessings (6:1–27)
   G. Offerings from the Leaders (7:1–89)
   H. Lamps and Levites (8:1–26)
   I. Passover and Divine Guidance (9:1–23)
   J. The Departure (10:1–36)
II. Murmurings in the Wilderness (Num. 11–20)
   A. The Beginnings of Rebellion (11:1–35)
   B. Rebellion at the Center (12:1–16)
   C. Of Spies and Rebellions (13:1–14:45)
   D. Additional Offerings and Instructions (15:1–41)
   E. More Rebellions (16:1–50)
   F. Aaron's Rod (17:1–13)
   G. Duties and Rights of Priests and Levites (18:1–32)
   H. The Red Heifer (19:1–22)
   I. Water and Death (20:1–29)

Composition

The origin of Numbers, and of the Pentateuch, is a matter of continuing debate.[6] My purpose here, as it was with Leviticus, is to contribute to our interpretive journey through Numbers by sketching a tentative proposal of how the book came into being.

Near the end of the Babylonian exile in the sixth century B.C.E., the same narrative project by the Priestly tradents who produced Leviticus also produced Numbers. They are responsible for the first ten chapters, in which the community is numbered and organized around the sanctuary. Divine guidance also predominates as the people prepare to journey to Canaan. Attention to Priestly matters continues in the middle section of the book, and the tradents also include some narratives of rebellion. They carry these two themes through the last part of the book. Also of significance are legal materials and narratives preparing for entry into the land. The work of the Priestly editors included revising and supplementing earlier, perhaps ancient, traditions that carry the authority of the Mosaic covenant.

The tradents used earlier narratives of wilderness rebellions and those which especially look forward to entry into the land. These narratives derive from the time of the Israelite monarchy and reflect issues of faithfulness as well as the view that God has blessed Israel. Several of the narratives in Numbers may be composites of these earlier traditions and Priestly elements, which are often impossible to distinguish. The form of the book we now have comes from the Priestly tradents, and their perspective in it is evident.

The composition of Numbers is thus both simpler and more complex than that of Leviticus. It is simpler in that independent documents like the Manual of Sacrifice are not involved, but it is more complex in that earlier narrative traditions are intertwined with Priestly traditions. The heart of this commentary is to interpret the canonical book of Numbers—its shape and its proclamation to faith communities.[7]

Recurring Themes

Holiness. Since the camp is organized around the tabernacle, which is the place of the holy divine presence, the concern in Numbers to guard the holiness of the divine presence is quite similar to that in Leviticus (Num. 1:53; 3:38). In the murmuring stories, the people's disobedience offends that holiness, and the dangers of a holy presence prevail. Although disobedience often has a cultic dimension, it pervades all of life. The divine presence brings judgment and ultimately the death of the wayward wilderness generation (chs. 13–14, 25). Because of this holy presence in the midst of the people, maintaining purity is essential (chs. 5, 19).[8] Atoning sacrifices continue to be part of the description of worship, but most of the sacrifices in Numbers are gifts to God (chs. 7, 15, 18, 28). God also guides the people (chs. 9–10) and promises to continue to be with them in the land (35:34). The divine presence offers life for Israel at the same time it generates a holy danger.[9]

Order. This attention to holiness and purity already reflects a concern for order. The first major section of Numbers stresses the right ordering of life as God's people, an ordering that would mirror the creation.[10] The order is described not abstractly, but rather very concretely. The camp is structured around the sanctuary, with priests and Levites in the central position. The building of the tabernacle symbolizes creation, and the order of the camp provides a kind of "spiritual geography." This order breaks down in the middle chapters of the book with the stories of rebellion, but the final chapters of Numbers address the ordering of life for the new generation that will enter the land. The place of priests and Levites in the scheme of things was clearly important for the Priestly tradents. The Aaronic priests, from Aaron's family, supervised the Levites, but the Levites have a significant role in caring for the tabernacle. The basis for ordering life is the community's relationship with its creator and redeemer.

Disobedience. In the beginning of Numbers, the stories of murmurings in the wilderness are on the periphery. By the middle of Numbers the whole camp is obsessed with their complaints. Central to this theme of disobedience is the spy narrative in chapters 13–14. The people reject the gift of the land and function out of fear rather than faith. This fearfulness seals the fate of the old, wilderness, Exodus generation. Budd has pointed out that several of these stories explore the nature of authority in the community and the consequences of rejecting authority.[11] The stories climax in apostasy at Shittim (ch. 25). The disobedience Numbers describes contrasts with the order the book commends. The new generation deals with issues in terms of dialogue and compromise—creative uses of the tradition. For example, Moses and the leaders resolve the question about the inheritance of the daughters of Zelophehad (27:1–11) and the question about which land Reuben and Gad will occupy (ch. 32).

Land. The goal of Israel's difficult journey through the wilderness is the promised land. The stories of murmuring often relate to this goal (chs. 13–14), and it provides an important background to the Balaam narrative (chs. 22–24). The book clearly anticipates life in the land, for the description of worship and offerings assumes a life with regular harvests and produce. The instruction to take possession of the land and distribute it comes at the end of chapter 33. The last ten chapters concern many issues related to life in the land. The covenant promise of progeny is complete; the promise of land is at hand.

History. The book of Numbers recounts the history of ancient Israel during the journey from Sinai to the plains of Moab, on the verge of entering Canaan. We will see that this historical presentation leaves a number of questions unanswered. Scholars debate the population of the camp, the location of *yam-sup,* "The Sea of Reeds," and the route of the journey. The locations of many places listed have simply been lost. Since these texts came together over a period of time, they are not straightforward eyewitness accounts. Still, Israel did ultimately possess the land.

The Mosaic covenant tradition is so pervasive that it is unwise to doubt its antiquity, and the Balaam narrative carries the qualities of ancient material. The settlement of the land begins in Numbers with the tribes in the Transjordan. Those traditions carry the ring of historicity. As the story progresses in the OT, the complex character of the possession of Canaan becomes clearer. In Joshua and Judges, the gradual nature of the settlement of parts of the land is apparent, as is the tradition that some other groups joined with ancient Israel. That a "Moses group" came into the land from the wilderness is also an essential part of the story. Historical investigation has led many scholars to date that entry in the thirteenth century B.C.E. Yet the form of that story in Numbers is idealized;[12] perhaps various groups entered Canaan.[13]

This commentary does not center on questions of historicity, but rather examines how the book of Numbers bears witness to part of the history of ancient Israel. Historical investigation can then proceed with an open mind. Significantly, Numbers does not simply describe what happened on the way from Sinai to the plains of Moab. It is a defining narrative characterizing God and Israel as God's people. It speaks to questions of identity for the community: who they are and how they are to view life, the world, and others and how they are to live. That purpose is primary.

Reading Numbers

The fact that the book of Numbers is far removed from our culture makes it a challenge for modern readers. As in Leviticus, this commentary will concentrate on the book's cultural background, the literary shape of the book, and its theological perspectives in the hope of facilitating a dialogue between modern readers and the proclamation of Numbers.[14] I am convinced that the Priestly tradents have passed on a significant piece of divine revelation in this book. Numbers is neglected in many contemporary congregations and by many contemporary believers. It seems so foreign to our life, and its God appears hostile and strange. Many readers will find its meticulous detail boring.

The neglect is not new, however. Olson quotes Origen, from the third century C.E., to show that the same attitude was prevalent in that day.

> When the Gospels or the Apostle or the Psalms are read, another person joyfully receives them, gladly embraces them. . . . But if the book of Numbers is read to him . . . he will judge that there is nothing helpful, nothing as a remedy for his weakness or a

benefit for the salvation of his soul. He will constantly spit them out as heavy and burdensome food.[15]

Origin, however, saw Numbers as quite valuable, as filled with God's guidance for the wilderness journey of life. Today too, a close reading of the book will richly repay readers. The book intersects with modern life in a number of ways.

Numbers describes a journey in the wilderness. The wilderness can be a powerful metaphor for individuals and communities who face a kind of exile. We live in a time when many people feel rootless and lost, often with shifting foundations. Israel's wilderness experiences may well be a point of contact. The journey is also a key image for persons and communities of faith. Israel was on the way toward a goal. That image can inform contemporary life.

Another notion in the latter part of the book can also help contemporary readers. The new generation several times needed to interpret the tradition of their faith in creative ways (chs. 27; 31; 32). The daughters of Zelophehad, for example, were allowed to inherit property from their father—a departure from previous practice (ch. 27). Our world also calls on communities of faith to engage faith creatively in order to find the way forward in an increasingly pluralistic setting. Believers hear many voices today, and the voice of the book of Numbers needs to be heard as well. First Corinthians 10:11, in reference to the traditions in Numbers, says, "These things happened to them to serve as an example, and they were written down to instruct us" (NRSV)

Notes

1. See Jacob Milgrom, *Numbers* (The JPS Torah Commentary; Philadelphia: Jewish Publication Society, 1990), pp. xvii–xxxi.

2. For the issue, see Eryl W. Davies, *Numbers* (New Century Bible; Grand Rapids: Eerdmans, 1995), pp. li–lvii.

3. Dennis T. Olson, *The Death of the Old and the Birth of the New: The Framework of the Book of Numbers and the Pentateuch* (Brown Judaic Studies 71; Chico, Calif.: Scholars Press, 1985); and *Numbers* (Interpretation; Louisville: Westminster John Knox, 1996).

4. Olson, *Numbers*, pp. 5–6.

5. See Davies, *Numbers*; Philip J. Budd, *Numbers* (WBC; Waco: Word, 1984) on the conclusion of the book's middle section.

6. See the Introduction to Leviticus in this commentary.

7. For an account of the composition of Numbers, see Davies, *Numbers*, pp. xlv–li; Budd, *Numbers*, pp. xviii–xxv.

8. For an anthropologist's view and a case for the centrality of purity in Numbers, see Mary Douglas, *In the Wilderness: The Doctrine of Defilement in the Book of Numbers* (JSOTSup; Sheffield: JSOT Press, 1993).

9. See the section on Recurring Themes in the Introduction to the Leviticus commentary.

10. See the section on Theological Context and Tensions in the Introduction to the Leviticus commentary.

11. Budd, *Numbers*, pp. xxv–xxvi.

12. For a full account of the issue and various views on it, see J. Maxwell Miller and John H. Hayes, *A History of Ancient Israel and Judah* (Philadelphia: Westminster, 1986), pp. 54–119, and John Bright, *A History of Israel* (3rd ed.; Philadelphia: Westminster, 1980), pp. 105–82.

13. See Davies, *Numbers*, pp. lxvi–lxx.

14. See W. H. Bellinger Jr., *A Hermeneutic of Curiosity and Readings of Psalm 61*, for an approach which attends to origin, text, and reader.

15. Quoted in Olson, *Numbers*, p. 1.

Preparation for the March (Num. 1–10)

The first major section of the book of Numbers stresses the right ordering of life for the people of God. The people are preparing to leave the Sinai area and move through the wilderness toward Canaan. The community needs to be organized and to arrange its leadership before it can consider specific logistics for departure. While the Priestly tradents drew on various earlier sources, the consensus of scholars is that Numbers 1–10 comes from the Priestly tradition. The Priestly tradents have preserved and shaped this first section of Numbers.

§1 The First Census (Num. 1:1–54)

Numbers begins with a census, from which the title of the book derives. The last time the number of the people was noted was at the beginning of Exodus, when seventy went down to Egypt to join Joseph. Numbers recounts the story of the generation that escaped from Egypt. The number of the people has grown vastly, an increase which suggests a positive tone for the story.

1:1 / The opening verse of the book casts it as divine instruction given to Moses the mediator in the **Tent of Meeting in the Desert of Sinai.** Sinai was the place of the great appearance of God to ancient Israel, and here God presents additional covenant instruction. The tent was the central place of gathering for the people and the place for encountering the divine presence. The time is fourteen months after the exodus from Egypt.

1:2–4 / The first instruction is: **Take a census.** The phrase actually means to "lift the head" and apparently indicates a calculating of the whole. The census is to proceed clan by clan, family by family, and list each name. Several people would make up a family and several families a clan and several clans a tribe. Verse 3 makes it clear that the census is related to military preparedness when it specifies men above the age of twenty **who are able to serve in the army.** Moses, the leader of the community, and his brother Aaron, the high priest, are to carry out the census with the help of one man from each tribe, one who is a leader of his family.

1:5–16 / These verses list by tribe those who are to assist Moses and Aaron in the census. The list begins with **Reuben,** the oldest son of Jacob, followed by **Simeon, Judah, Issachar, Zebulun, Ephraim, Manasseh, Benjamin, Dan, Asher, Gad, Naphtali.** This listing of the twelve tribes is the first of several such listings in Numbers. Israel was a diverse community, and alluding to the people of the tribes in terms of the sons of Jacob connects and unites the people. The list also makes clear that the census should include all Israelites from each tribe.

1:17–19 / The specified men carry out the census as commanded **on the first day of the second month,** that is, on the day in which they received the divine instruction.

1:20–46 / These verses recount the results of the census of **all the men twenty years old or more who were able to serve in the army** in a formulaic way by tribe.

Reuben	46,500
Simeon	59,300
Gad	45,650
Judah	74,600
Issachar	54,400
Zebulun	57,400
Ephraim	40,500
Manasseh	32,200
Benjamin	35,400
Dan	62,700
Asher	41,500
Naphtali	53,400
Total	603,550

Verses 44–46 summarize the census procedures and reiterate the total of **603,550.**

1:47–54 / Having recounted the numbering of the lay tribes, the text turns to the Levites. They are not to be part of the census. The Levites are described as **the tribe of Levi,** but here the emphasis is on their tasks related to the tabernacle. The Levites are both tribe and professional guild. They are not part of the military presence of the people but have another responsibility—namely, care for the tabernacle. The **tabernacle of the Testimony** refers to the mobile sanctuary at the center of the community, the home of the ark, which contains the tablets of the law, or the testimony. The Levites are to handle completely the dismantling, movement, and assembly of the tabernacle. They are also to guard the tent. The community will be organized around the tent **by divisions.** The Levites, however, will be in position around the tabernacle to guard it and to serve as a buffer between this most holy place and the rest of the community (v. 53). The book of Leviticus has made clear that a basic tenet of the Priestly tradents is that any encounter between holiness and the unclean is explosive and brings danger for the people. Such a circumstance could occur if anyone who is neither priest nor Levite approaches the tent. This section assumes the reader will see its significance from Leviticus. The final verse (v. 54) emphasizes the obedience of the people.

Many contemporary readers will find this first chapter of Numbers repetitious and boring. Why care about such a list or census? People today, however, also care about lists—lists of those who receive certain honors, a list of casualties from a disaster, or a listing of interest rates, for example. Behind such lists are issues of identity. The further issue in Numbers is a theological one. Quite a number of people today are fascinated with numbers in the world of computers; the numbers measure their accomplishments. The first chapter of Numbers reminds readers of God's accomplishments with ancient Israel. From the ancestral pledge originating as early as Genesis 12, God promised to the descendants of Abram and Sarai land and progeny. By the time readers reach Numbers 1, ancient Israel has become an imposing military force ready to march from Sinai. The covenant promise of progeny (Gen. 12:1–3; 15) is fulfilled. This is a community becoming aware of itself and ready to organize to journey toward completion of the covenant promise.

The Priestly tradents did not articulate such purposes propositionally but demonstrated them materially by listing the tribes and their numbers. The first chapter of Numbers does not simply recount the past. It speaks of the richness of God's blessing and the identity of this community deriving from the tabernacle of God's holy presence.

Additional Notes §1

1:1 / The location of **Sinai** is uncertain, but the traditional site of Jebel Musa in the southern Sinai is plausible.

1:5–15 / Several of the names have meanings: **Elizur** (God is a rock), **Shedeur** (Shaddai is light), **Shelumiel** (God is peace), **Zurishaddai** (Shaddai is a rock), **Nahshon** (serpent), **Amminadab** (the kinsman is generous), **Nethanel** (God has given), **Zuar** (little one), **Eliab** (God is father), **Elishama** (God has heard), **Ammihud** (the kinsman is glorious), **Gamaliel** (God is my reward), **Pedahzur** (the rock has redeemed), **Abidan** (the father has judged), **Ahiezer** (the brother is a help), **Ammishaddai** (Shaddai is my kin), **Eliasaph** (God has added), **Deuel** (God is a friend). See Davies, *Numbers*, p. 9; Budd, *Numbers*, pp. 4–6.

Mary Douglas has argued that such tribal lists emphasize including all Israelites, in contrast to the postexilic tendencies toward exclusivism in writings such as Ezra-Nehemiah (*In the Wilderness*, pp. 35–41).

1:20–46 / The huge census number has been a matter of significant debate. Most interpreters think it unreasonable that the wilderness could support such a huge number of people or that they could move in any organized fashion. Budd (*Numbers*, pp. 6–9), Olson (*Numbers*, pp. 12–17), and Davies (*Numbers*, pp. 14–18) all give helpful summaries of the history of the question. Some solutions are too obscure to be plausible, and no view is completely satisfactory. One reasonable view is W. F. Albright's, that the numbers represent the census of the whole population at the time of David ("The Administrative Divisions of Israel and Judah," *JPOS* 5 [1925], pp. 17–54). Another reasonable theory is G. Mendenhall's suggestion that *'alep* refers to a military unit rather than to the number "thousand" ("The Census Lists of Numbers 1 and 26," *JBL* 77 [1958], pp. 52–66). Interpreters have raised various questions about these views. It is likely that the Priestly tradents are not attempting to give a detailed account of the past but are rather proclaiming the theological message of God's blessing and promise.

The people have been numbered; now the camp must be organized, especially since a long journey is about to commence. This chapter repeats material from the first chapter as a memory aid and introduces the order of march. The arrangement of the camp alluded to in 1:52–53 is now presented in detail.

2:1–2 / Divine instruction comes again **to Moses and Aaron.** The camp is to be organized around **the Tent of Meeting** with tribes on the four sides; chapter 3 makes clear that Levites and priests will surround the tabernacle. Such an arrangement fits contexts of worship, especially festival occasions, and it also fits a kind of battle array. The arrangement reflects a gradation in holiness from the tabernacle at the center to the priests and Levites and then the rest of the tribes. The divine presence at the center of the camp reflects the emphasis of the Priestly tradents.

2:3–16 / The rest of chapter 2 recalls earlier Pentateuchal texts referring to the various tribes. The special place of the Levites may relate to their support of Moses in the incident of the golden calf (Exod. 32:25–29). Yet the Levites do not come out well in Jacob's final testament in Genesis 49, presumably in reference to their violence in the story of Shechem and Dinah in Genesis 34; they are to receive no ancestral lands. Genesis 49 and the listings of Jacob's sons in Genesis 30 and Genesis 35 provide helpful background to the arrangement of the camp; see also Deuteronomy 33.

The text describes the arrangement of the camp in a formulaic way, giving the position of each group of tribes in relation to the central Tent of Meeting, the names of the tribal leaders, and the size of each tribe, as well as the size of each group of three tribes. For example, **Judah** comes first. The **east** side is the preeminent one, with the entrance to the Tent of Meeting and with Moses, Aaron, and the priests there, and so it is listed first. Judah's leader is **Nahshon** and their number is **74,600. Issachar** comes next with its leader **Nethanel** and **54,400** men. **Zebulun** is next with **Eliab** and **57,400**. The total of the Judah group is **186,400**. **On the south** the **Reuben** group is next with **Simeon**, and **Gad** and a total of **151,450**.

2:17–34 / The list moves clockwise and in order of prominence from east to south to **west** and **north**. At the center come **the Tent of Meeting and the Levites,** who are to care for the sanctuary. The placement of verse 17 at the core of the chapter reminds readers that the tabernacle as the place of the divine presence is the center of the ordering of this people and also reiterates the significance of the Levites. The camp is to journey in the order and configuration of this list. **Ephraim** on the west may also reflect historical background because of its association with the northern kingdom of Israel; it thus faces Judah. Verse 32 summarizes and recounts the total of the force, excepting **the Levites** (v. 33). Note the diagram of the arrangement of the camp. Verse 34, with the painstaking style of the chapter, emphasizes the people's obedience to the divine instruction given through Moses.

The Camp

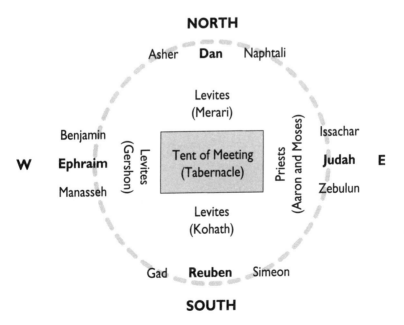

NORTH

Asher **Dan** Naphtali

Levites
(Merari)

Benjamin   Issachar

W   **Ephraim** Levites (Gershon)   Tent of Meeting (Tabernacle)   Priests (Aaron and Moses)   **Judah**   **E**

Manasseh   Zebulun

Levites
(Kohath)

Gad **Reuben** Simeon

SOUTH

Numbers 1–2 illustrate well the theme of this first segment. Part of the right ordering of life as God's people includes numbering and organizing the camp. These chapters, in line with the Priestly perspective, support order, structure, and accountability in contrast to chaos and anarchy. Order is necessary for life, and here the Priestly editors are intentional about that order rather than working from some implicit hierarchy, which could be open to manipulation and misuse. The lines of accountability are clear. Along with positions of authority come responsibilities; the Levites are a good example. They are responsible for the Tent of Meeting at the center of the camp. These emphases anticipate what is to come in Numbers 3–4. The tribal lists show that positions of prominence can change. The notion that God can modify the hierarchy pervades Numbers and provides a valuable perspective for a people reviewing its history. The central divine presence is an ambiguous presence; it can bless, and it can threaten. That ambiguity will surface throughout the book of Numbers.

Additional Notes §2

2:2 / The NIV rendering of the prepositions **around** and **some distance from it** are appropriate. Another way to think about it is that the camps are to be in sight of **the Tent of Meeting**. The Levites serve as a buffer between the tabernacle and the camps. The term for **banners** is *beo'tot,* "with signs." The term has a wide range of meanings in the OT and here probably does refer to some kind of ensign or emblem designating the family. The term **standard,** *digelo,* indicates a military flag of a company (Davies, *Numbers,* pp. 21–23).

Both Davies (*Numbers,* p. 19) and Budd (*Numbers,* pp. 24–25) find the pattern for the arrangement of the camp in Ezekiel's description of the new temple in Ezekiel 40–48.

2:3–31 / The list of Jacob's sons in Genesis 35 groups the names by mother—Leah, Rachel, Bilhah, and Zilpah. The listings of the tribes in chs. 1–2 are similar; see Olson's list (*Numbers,* p. 21). Here, however, Judah is prominent, replacing the first-born Reuben (ch. 1) probably because of Judah's historical primacy in ancient Israel and relationship with King David (see Gen. 49:8–12). The Judah group is also the largest.

2:3 / **On the east, toward the sunrise** comprises two synonymous phrases, a style not uncommon in the Priestly tradition (Budd, *Numbers,* p. 23).

2:5 / The phrase **next to them** indicates that Judah takes the central position with Issachar and Zebulun on the flanks, alongside. As our diagram indicates, a similar circumstance holds in the other camps.

2:10 / **On the south** is literally "on the right hand" from the perspective of one facing east. The NIV rendering is entirely in order.

2:14 / Most MT manuscripts here read Reuel rather than **Deuel.** There is, however, support for the NIV reading among manuscripts and versions and in 1:14. The Hb. letters *d* and *r* could easily be confused.

2:17 / **Each in his own place** is literally "upon his hand," probably meaning in the appropriate, recognized position. This verse is sometimes considered secondary, but its emphasis on **the Tent of Meeting** and **Levites** as well as the order of the march fits the chapter (Budd, *Numbers*, pp. 22–23).

§3 *Priests and Levites (Num. 3:1–51)*

The first chapter of Numbers counted the people and then turned to the Levites; the second chapter organized the tribes. This third chapter returns to those with clerical tasks, first the priests and then the organization of the Levites. Chapter 3 contains a variety of materials and perspectives but still concentrates on the organization of this community according to Priestly principles.

3:1–4 / Numbers has not yet attended to the question of the priesthood; it comes to that issue by way of the family of Aaron, who is here still closely tied to his brother Moses. Aaron's sons are listed: **Nadab the firstborn, and Abihu, Eleazar and Ithamar.** Aaron was ordained as high priest in Leviticus 8, and his sons were ordained as priests. Only Eleazar and Ithamar served as priests because Nadab and Abihu **fell dead before the LORD** when using **unauthorized fire** in the tabernacle, as recounted in Leviticus 10 (see the commentary there). The only new information here is that both were childless.

3:5–10 / These verses illustrate the relationship between priests and Levites. The Levites are to assist the priests in caring for the tabernacle. **Doing the work of the tabernacle** probably included helping the people with their offerings. This service is also **for the whole community.** Because the tabernacle was central to the life and health of the community, the Levites contribute greatly to the community's life with their work. This function for the Levites also provides a simple way to arrange for a very important task in the community.

Verse 10 makes clear that only Aaron and his sons are to perform the priestly duties in the sanctuary. **Anyone else** seeking to usurp those duties faces execution. While the Levites have an honorable and important task, they are subordinate to the priests of the line of Aaron.

3:11–13 / The Levites are a divine possession in place of the firstborn males among the Israelites. The background for this identification is the Passover in Egypt and the plague of the death of the firstborn. The **firstborn in Israel** were spared but in the process were **set apart** for God. Here God takes the Levites into divine service as a substitute for the firstborn among humans and animals.

3:14–16 / The Levites were not included in the census in Numbers 1, and so here Moses receives the divine command: **Count the Levites by their families and clans.** This census is to be wholly separate from the numbering of the other tribes and has a different basis: **every male a month old or more.** Moses carries out the command (v. 16).

3:17–20 / These verses list **the Levite clans.** Levi had three sons: **Gershon, Kohath, and Merari.** Gershon and Merari each had two descendants, while Kohath had four.

3:21–26 / The text now numbers the Levites according to the three sons of Levi and organizes them according to placement, task, and leader. (Note the diagram on p. 185.) **The Gershonite clans** were numbered at **7,500** (v. 22). They were stationed on the west of the tabernacle and were responsible for all the tent coverings, curtains, hangings, and ropes for the hangings. The leader is **Eliasaph.**

3:27–32 / The clans of **Kohath** numbered **8,600** and **were to camp on the south side of the tabernacle.** This position is next in prominence after the east, and the Kohathites' occupation of it probably reflects both their size and the fact that Moses and Aaron are descended from Amram of the Kohathites (Exod. 6). Their leader is **Elizaphan,** and they are responsible for the sacred furniture in the tabernacle: **the ark, the table, the lampstand, the altars,** . . . **the curtain,** and other related holy objects. Verse 32 highlights the fact that the Levites are under supervision of the priests. **Eleazar,** Aaron's older surviving son, supervises the leaders of the Levites. The notice comes here because of Eleazar's Kohathite descent and to emphasize the seriousness of the task.

3:33–37 / **The Merarite clans** numbered **6,200.** Their leader was **Zuriel,** and **they were to camp on the north side of the tabernacle.** Their task was to care for all the framing equipment for the tabernacle.

3:38–39 / The prominence of the priests is again clear as they, **Moses and Aaron and his sons,** are placed at the front of the tabernacle, **to the east.** They are gatekeepers guarding the threshold of holiness. They hold final responsibility for **the sanctuary,** and only they are to perform the priestly duties therein. Usurpers face execution. The total number of the Levites is **22,000.**

3:40–43 / The last section of the chapter returns to the matter of the Levites as substitutes for the firstborn of Israel. God instructs Moses to **count all the firstborn Israelite males** at least a month old and substitute the Levites for them. Levite **livestock** will also substitute for Israelite livestock. The number of the firstborn is given as **22,273.**

3:44–51 / The number of Levites is 273 less than the number of the firstborn. Those 273 are to be redeemed at the rate of **five shekels for each one,** and the money is to go the priests. The collection **from the firstborn** was **1,365 shekels, according to the sanctuary shekel.** The chapter ends on a note of obedience.

Chapter 3 carries further the themes of the first two chapters by describing the priests and their relationship with the Levites. The connection of the Levites to the tabernacle is also gradually unfolding. The chapter reveals new information about the Levitical clans and leaders.

Three emphases are noteworthy. First, the genealogical note in verse 1 refers readers to the genealogies in Genesis, which progressively narrow the focus of the narrative until it finally includes only the sons of Jacob. Here the focus is limited further to the family of Aaron and Moses. Priests and Levites are found at the center of the people. Note an additional broadening function of the Genesis genealogies to set Israel in the context of the wider world. In Numbers the priests and Levites function in the service of the bigger community. "The relationship between clergy and laity is one of mutual interdependence and responsibility" (Olson, *Numbers,* p. 26).

A second emphasis concerns the allusion to the deaths of Nadab and Abihu. That note, along with the cautions against usurping the place of the priests, provides a solemn reminder about the care that must be taken with the tabernacle and holy worship there. A third emphasis focuses on giving the firstborn to God. This act reminds Israel that God has gifted them with life in the deliverance from bondage in Egypt. Giving back to God solidifies that perspective.

Additional Notes §3

3:1 / The NIV rendering of the opening phrase is awkward. The Hb. is simply, "These are the generations of Aaron and Moses."

3:3 / The term **ordained** literally means "whose hand was filled." The reference of the idiom is uncertain, but it may well refer to the offerings put in the priest's hands during the rite of ordination (Davies, *Numbers*, pp. 26–27; Budd, *Numbers*, p. 33).

3:9 / The Hb. expressing the fact that the Levites are **given wholly** to Aaron consists of a repetition of *netunim*, "given, given," for emphasis. Some manuscripts and versions read "to me" as an assimilation to vv. 11–13.

3:23 / **On the west, behind the tabernacle** is a repetition characteristic of the Priestly tradition and assumes that the entrance to the tabernacle faces east. Readers already know that the west is behind the tabernacle.

3:28 / Most scholars suggest that **8,600** incorporates a scribal error of omitting one consonant. The number should be 8,300 as reflected in the Septuagint. Then a total from the figures in vv. 22, 28, 34 would match that given in v. 39—**22,000.**

3:31 / **The curtain** refers to that which separates the Most Holy Place from the sanctuary, as opposed to **the curtain at the entrance to the Tent of Meeting** in v. 25.

3:39 / Punctuation over the name **Aaron** in the Hb. text indicates that scribes saw some difficulty with the word. Several manuscripts and versions omit the word, especially in light of the fact that Aaron's name does not occur in vv. 14, 16.

3:47 / **The sanctuary shekel** was a measure of weight, approximately 11.5 grams of silver. **Five shekels** would have been about two ounces of silver and "1,365 shekels" in v. 50 approximately thirty-two pounds or nearly fourteen kilograms. These funds provided resources for the priests.

Chapter 4 builds on chapter 3 in detailing the duties of the three Levitical groups (Gershon, Kohath, and Merari), who care for the tabernacle under the priests' supervision.

4:1–3 / The chapter begins with a divine instruction **to Moses and Aaron: Take a census of the Kohathite** group. The census is of men between thirty and fifty years of age, the time of service in caring for the tabernacle. The purpose of all this numbering is again to organize the people, especially for the upcoming march, and an essential part of the organization of this community is the work of **the Tent of Meeting.**

4:4–6 / In a natural progression, the work of the Kohathites is then detailed. They are responsible for the most holy objects in the tabernacle. It is important that Levites not come into contact with such holiness, and so the priests must prepare the objects when the tabernacle is to be dismantled for moving. First the priests take **the shielding curtain,** the curtain separating the Most Holy Place from the sanctuary, and use it to cover the ark. They then cover the ark in hide and with **a cloth of solid blue** to identify it as the most sacred object. They also put the carrying poles in place.

4:7–12 / They cover **the table of the Presence** with a **blue cloth,** and place **plates, dishes, and bowls, and the jars for drink offerings** on it along with the bread (see Lev. 24). They cover all of these with **a scarlet cloth** and hide. **A blue cloth** and hide cover **the lampstand . . . , its lamps, its wick trimmers and trays, and all its jars. . . . The gold altar** is the incense altar in the sanctuary or holy place; it is to be covered with **a blue cloth** and hide. The Aaronide priests prepare everything used **in the sanctuary** for transport in this way.

4:13–16 / Next in the preparation for moving the tabernacle comes **the bronze altar,** the altar for burnt offerings. The priests remove the ashes and cover the altar in purple and hide along with **the firepans, meat forks, shovels and sprinkling bowls** used for the blood of the sacrifices. Firepans and shovels would be used to tend the fire and remove ashes, and forks or hooks would have been used to turn and arrange the sacrificial animal. **After Aaron and his sons** have prepared all these holy objects, the Kohathites carry them. Poles were used to facilitate the moving of the ark, table, and altars. Despite the NIV rendering of **carrying frame** (vv. 10, 12), the image is of the other objects wrapped and carried with poles. The poles also make it possible for the Kohathites to carry these objects without touching them. Verse 15 repeats a solemn warning to that effect. Contact with such holiness is a priestly prerogative, and there can be devastating consequences for those who are unprepared and come into contact with a holy object.

Eleazar, the older of Aaron's sons, is charged with supervision of this work. In addition, he is personally responsible for **the oil for the light, the fragrant incense, the regular grain offering and the anointing oil.** The grain offering is apparently the offering regularly offered by the priests (see Lev. 6).

4:17–20 / These verses expand the warning given in verse 15 that the Kohathites are not to touch the holy objects they are to carry. The concern is to preserve the Kohathites, but the broader concern is for the whole people and the danger that comes from holiness in the midst of the camp. The priests are charged to work carefully with the Kohathites **and assign to each man his work and what he is to carry.** The Kohathites are not even **to look at the holy things, even for a moment, or they will die.** Such care in the Kohathites' dealing with **the most holy things** will preserve them as part of this Levitical work force moving the tabernacle.

4:21–28 / The command to **take a census also of the Gershonites** comes next. Verses 24–28 then detail the work of this Levitical family. The task of the Gershonites is to carry all the curtains and hangings of the tabernacle. Their service is under the direction of the Aaronide priests also, in particular **Ithamar**, Aaron's younger son. The description in verses 25–26 includes the hangings making up the Most Holy Place and the sanctuary, along with its covering and the outer covering of hides. Also included are the **curtains** surrounding the courtyard, the curtain at its entrance and any related **ropes** and **equipment.** The work of the

Gershonites includes objects not so intensely holy, and so verse 26 gives a broader instruction for them to care for these items, under priestly supervision (vv. 27–28).

4:29–33 / The last of the Levitical families is **the Merarites,** who now are to be counted. Their duty is **to carry the frames of the tabernacle, its crossbars, posts and bases.** Also included is all the framing and related equipment for the **courtyard.** The Merarites again are to work under priestly supervision, with specific assignments given to each Levite. **Ithamar** is again the supervisor.

4:34–49 / The results of the census are **2,750 Kohathites, 2,630 Gershonites,** and **3,200 Merarites,** for a total of **8,580 Levites.** Each Levite was then given an assignment. The chapter closes in a way commensurate with its tenor, emphasizing obedience to God's command.

Notice the significant style with which the tasks for taking care of the tabernacle are described. Again there is a progression of holiness from the Kohathites, who deal with the most holy things central to the tabernacle, and to the Gershonites, and then the Merarites, who have the most external and less holy items. The sections on the tasks of each family also decrease in length accordingly. The degree of holiness for a group is not, however, correlated with divine favor. The correlation is more with responsibility and risk. The plot of Numbers often runs on this tension between the life-giving and life-threatening potential of God's holiness. These first chapters of Numbers carry a positive tone and end on a positive note of obedience. The tabernacle and its personnel are now in place and prepared in their tasks. These instructions seem archaic to modern readers, but the search for ways to order life as God's people has been an issue throughout the history of Judaism and Christianity. It was a reasonable emphasis when preparing to enter Palestine, whether from the Sinai or from exile in Babylon, to live as God's people despite many distractions at hand.

Additional Notes §4

4:3 / The term used for **serve** initially referred to military service and here applies to service at the tabernacle.

4:4 / **Most holy things** probably refers to the tabernacle objects as the NIV suggests, but it could refer to the Kohathites' service as holy. The phrase is the same as that for the Most Holy Place.

4:6 / The exact meaning of the term the NIV translates **sea cows** is uncertain. Most translators associate the term *takhash* with an Arabic word that does make likely some type of sea creature. Others associate the term with an Egyptian word; the NRSV translates it "fine leather" (Davies, *Numbers*, p. 39).

4:7 / **The bread that is continually there** is a phrase which occurs only here. Budd translates "the regular bread" (*Numbers*, p. 48).

4:18 / The use of *shebet*, **tribal,** in reference to a subdivision of a tribe is unusual. It usually refers to one of the main tribes.

4:19 / The history of priests and Levites is complicated in the OT. The priestly line of Zadok succeeded the line of Aaron (1 Sam. 2:27–36; 1 Kgs. 2:26–27, 35; Ezek. 43:19; 44:10–16). The book of Numbers sees the lines in continuity and so articulates authentication for the priestly role drawing from the pre-settlement period. The lines between priest and Levite are clear and clearly drawn in this part of Numbers. This perspective probably reflects the setting of the Priestly tradents. The Zadokite (Aaronide) priests are in ascendancy in Babylon, but there are Levites of the Kohathite, Gershonite, and Merarite lines. The text reflects the need to preserve an honorable place for these Levitical groups while affirming priestly prerogatives. When the community returns from exile in Babylon, there will be an important, holy task for the Levites, but one subordinated to the priests of the line of Aaron, Eleazar, and Ithamar. Such negotiations demonstrate that while the ordering of God's people here may be an ideal one, an element of realism is still part of the portrait.

§5 Priests, Purity, and the Camp (Num. 5:1–31)

Chapter 5 returns to the twelve tribes in the camp. The common thread throughout the chapter is a concern with purity.

5:1–4 / These verses report divine instruction to ensure that the camp is clear of those who have contracted contagious impurity. The impurity could spread and threaten the divine presence. These verses are a kind of extension of the Manual of Purity in Leviticus 11–16 (see the commentary there). The three groups to be excluded from the camp are **anyone who has an infectious skin disease or a discharge of any kind, or who is ceremonially unclean because of a dead body.** Again, the people followed the divine instructions.

5:5–7 / These verses move to the matter of restitution for wrongs done to another, and so to ethical purity in the camp. The verses allude to the instructions in Leviticus on the guilt offering, and especially to Leviticus 6:1–7. Doing wrong to another person constitutes being **unfaithful to the LORD** and first requires confession of the wrong. Should there be no witnesses and if evidence is lacking, some kind of confession would be required to proceed. The thief must, in line with the guilt offering in Leviticus, **make full restitution for his wrong.** All that has been taken is to be returned to the one robbed, plus twenty percent.

5:8–10 / These verses deal with the circumstance that the person who was wronged is no longer alive. **If that person has no close relative** to receive the restitution, it is to go **to the priest,** who serves here as God's representative. The priest will also receive **the ram** for a guilt offering, an atoning sacrifice (see Lev. 5:14–6:7). Verses 9–10 indicate that **all the sacred contributions** are to come to the priests as God's representatives and then become the priests' property. Provisions for the priests were important for the functioning of this faith community. Thus far the chapter has dealt with ritual and ethical impurity that threatens the health of the community and its relationship with a holy God.

5:11–14 / The text, operating from a social context that assumes that a wife is dominated by the husband, makes use of an ordeal procedure that seems most foreign to modern customs. The first four chapters of Numbers have concentrated almost exclusively on males. In 5:1–10, women have been treated equally in the cases considered. A wife now comes to the fore, but not in an equal status. The text considers the case of a wife suspected of adultery. Olson provides a clear outline of the procedure, and we will follow his description (*Numbers*, pp. 35–36).

The conditions of the case (vv. 11–14): The procedure applies when a husband suspects his wife of adultery, whether actually committed and **hidden,** or not committed, and **he is jealous and suspects her.** Witnesses and evidence are lacking.

5:15–18 / Preparations for the ritual ordeal: The husband is to take the wife and an offering to the priest. The priest then is to prepare the **bitter water** by mixing into **holy water,** that is, water kept in the holy precincts of the tabernacle, **some dust from the tabernacle floor,** and the ink with which the curses are written (v. 23). The woman is brought before the altar and her hair loosened, a sign of either mourning or uncleanness, with the offering in her hands.

5:19–26 / The administration of the ritual ordeal: The priest then speaks the **curse of the oath:** If the woman is guilty may she be ostracized in the community and may God cause **your thigh to waste away and your abdomen to swell.** The woman accepts the oath with **"Amen. So be it"** and drinks the water. The priest offers the grain offering.

5:27–28 / The two possible results of the ritual ordeal: If guilty, the woman will have bitter pain from the water, and **her abdomen will swell and her thigh waste away.** If not guilty, the woman will be cleared and able to have children.

5:29–31 / These verses contain a sort of postscript, the law for a husband's jealousy, which summarizes the section in characteristic Priestly style. The husband is declared **innocent of any wrongdoing, but the woman will bear the consequences of her sin.**

Verses 11–31 will seem odd to modern readers for a number of reasons. The ordeal procedure itself seems almost magical. Such customs were ancient. Here the procedure is brought under divine and priestly auspices to deal with what is perceived to be an issue in this community, the suspicion of adultery when there is no public evidence. The concern is to protect the community from hidden impurity and strife in relationships. In this section, the wife is clearly subject to the husband and priest. The husband faces no consequences even if his accusations are false, and the wife can be accused "if feelings of jealousy come over her husband." It is true that the procedure provides for both innocence and guilt, and the innocent woman benefits from being cleared. Budd has emphasized this dimension of the text and, with an interpretation akin to modern psychology, sees the focus as healthy relationships and the destructive effect of suspicion (*Numbers*, pp. 60–67). Milgrom has interpreted the text as protecting the woman, since her case is regulated under priestly authority (*Numbers*, pp. 346–54). Still, a more honest approach to this text is to admit the gender inequity here and recall that other biblical texts, including some in the Priestly tradition, commend equity in relationships as a more appropriate standard.

The purpose in Numbers is once again to protect the purity of the camp because of the dangers of encountering the holiness at the center of the people. Olson constructs a helpful excursus on the matter of purity (*Numbers*, pp. 30–34; see also the Introduction to the commentary on Leviticus). He points to an anthropological perspective, that in many cultures lines between clean and unclean are important in the religion that shapes the culture. Mary Douglas indicates that such a perspective is foreign to our pluralistic culture, but she also points to a remarkable feature: impurity in Numbers is never used to separate classes, races, or nationalities; that is, anyone can become unclean (*In the Wilderness*, pp. 24–26). The lines of clean and unclean protect the people from an explosive clash between the unclean and the holy. We will probably never know the full background of the purity legislation in Leviticus and Numbers, but ordering life in a camp vulnerable to sin and impurity, with a holy God present in its midst, is crucial.

Additional Notes §5

5:2 / **Anyone who has an infectious skin disease** *(tsarua')* refers to a variety of skin conditions deemed unclean according to the instruction in Lev. 13. **A discharge** *(zab)* is the cause of impurity treated in Lev. 15. Exclusion from the camp because of a discharge suggests that the condition is more serious than in Lev. 15.

5:6 / **Wrongs another in any way** is literally in Hb. "does any sins of men." The NIV rendering is reasonable, but the phrase is ambiguous. It could refer to any sins people commit or any sins committed against others.

5:8 / A **close relative,** *go'el,* is the next of kin, the redeemer, often the brother.

5:12 / The term **goes astray,** *satah,* occurs only in Num. 5 and in Proverbs, and appears to refer to marital infidelity.

5:15 / **A tenth of an ephah** would equal about two quarts or two liters; some suggest three to four liters; the amount is small (Budd, *Numbers,* p. 64; Davies, *Numbers,* p. 52). There is uncertainty in modern equivalents for ancient weights and measures. **Barley flour** is different from the fine flour used for this offering in Lev. 2. **Oil** and **incense** were symbols of joy and festivity, and so left out of the occasion here. The offering is occasioned by the husband's **jealousy.** It recalls or exposes wrongdoing (Milgrom, *Numbers,* p. 39).

5:25 / The priest is to **wave** the offering **before the LORD** and bring it to the altar as a special contribution.

5:27 / The result of a guilty verdict is that the woman's **abdomen will swell and her thigh waste away.** It is often suggested that the phrase means miscarriage and sterility, but the exact sense of the phrase is uncertain (Davies, *Numbers,* pp. 54–56). That the woman's fertility is at stake is clear in v. 28.

5:31 / My exposition of vv. 11–31 operates on the assumption that one can read the section as a coherent whole. Not everyone shares that view (Davies, *Numbers,* pp. 48–51). The text is rather awkward to read and may have developed over time. Still, a coherent reading is quite plausible in its context in Numbers.

§6 Vows and Blessings (Num. 6:1–27)

Purity and holiness and God's presence with the people continue to underscore the text. Chapter 6 begins with a description of the Nazirites, a group that exemplifies a special holiness by way of a vow and so is a symbol of Israel's holiness. The chapter concludes with God's blessing upon the people. All of these rites fall under the supervision of the priests.

6:1–8 / The first part of the Nazirite vow (vv. 1–4) is to **abstain from wine and other fermented drink.** The description of the prohibited substances is comprehensive, including **vinegar** and **juice** from the vine as well as **grapes or raisins, not even the seeds or skins,** that is, the least appetizing products of the vine. The prohibition could be a protest against the lifestyle of intoxication, decadence, or degeneracy, or an avoidance of what is fermented. Fermentation causes a change in the liquid that blurs the classification of the substances and so violates the Priestly categories of creation.

The second part of the Nazirite vow (vv. 5–8) is that **no razor may be used on his head.** The hair was apparently symbolic of life and so of the person's dedication to God as a Nazirite. The Nazirite is also to avoid corpses; death is an enemy of God. The regulation here recalls that for the high priest in Leviticus 21. All of these actions are to show that the Nazirite is especially dedicated to God by being separated, that is distinct, in relation to God.

6:9–12 / These verses deal with the circumstance in which the Nazirite vow is violated inadvertently—an unexpected death in the presence of a Nazirite. The Nazirite will be considered unclean for seven days and then is to **shave his head** and so indicate a new beginning. The person then is to bring an offering of **two doves or two young pigeons.** Birds are used in Leviticus in cleansing rites and so are appropriate here. They are also specified as offerings for those unable to afford larger animals. Part of the concern may be to include the poor as potential Nazirites. The offerings are to put back at one the person's relationship with God that was interrupted by contact with the corpse. One sacrifice is a sin offering and the other a burnt offering. The Nazirite is also to bring a lamb as a guilt offering, perhaps as recompense to God for the interruption of the vow. When these offerings are complete, the person can again take up the vow.

6:13–21 / These verses specify the ritual for the conclusion of a Nazirite vow. At **the Tent of Meeting,** the Nazirite is to bring an animal for the typical sacrifices described in Leviticus: the burnt offering, the sin offering, and the **fellowship offering** along with the accompanying **grain offerings and drink offerings, and a basket of bread.** The cakes are to include **oil** (v. 15), a symbol of the joy of this occasion of having completed the vow (see Lev. 7:12). The priest then makes the sacrifices. The Nazirite is to **shave off the hair that he dedicated** and add it to the fire **of the fellowship offering.** The hair is symbolic of the life dedicated to God and here is given to God on the altar. What was dedicated to God cannot now be misused in the human realm.

The priest receives a portion of the sacrifices—the breast and thigh, as was the usual custom (Lev. 7:34). The priest also places a **shoulder of the ram, and a cake and a wafer** in the hands of the Nazirite to give back to the priest for offering. At the completion of these rites, the Nazirite has fulfilled the vow, is released from it, and so **may drink wine.** These offerings were the required ones, but one could also bring additional ones (v. 21).

The most famous of the biblical figures associated with the Nazirite vow is Samson; Samuel and Joseph also merit mention. Although Samson's vow seems to be a permanent one, the Nazirite vow apparently developed into one men or women could take for a period of time. The Nazirites were a living parable of the camp's dedication to God and so a special symbol of the people's holiness. They provide a positive view of holiness in the camp after the instructions in chapter 5 for removing any impurity from the camp. The NT alludes to the Nazirite vow in Luke 1:15 and Acts 18:18; 21:17–26 and commends the kind of discipline of faith the vow represents. Numbers 6:21 suggests that the breaking of this vow was a serious matter.

This first major section of Numbers is moving through the organization of the camp in preparation for departure from Sinai and has included lay and priestly matters. Chapter 6 begins with a special vow for laity, which is here made part of the Priestly order of things and certainly should be considered in ordering life for this community of God's people.

6:22–27 / This last section of chapter 6 prescribes the blessing **Aaron and his sons** are to pronounce over the people. The instruction comes through **Moses**. This blessing is presumably the one Aaron pronounced in Leviticus 9:22. These verses are the most famous in the book of Numbers and continue to be used as a benediction in Jewish and Christian tradition. The importance and antiquity of the blessing have recently been confirmed by archeological findings near Jerusalem. Two silver cylinders inscribed with this blessing were discovered and dated from around 600 B.C.E.

The blessing itself consists of three poetic lines in parallel form, characteristic of Hebrew poetry (cf. Ps. 4:7; 67:1). The prayer asks for divine blessing with jussive verbs (third-person commands). Note the progression of the blessing from the priest to the community, along with the increase of the number of words in each line. Blessing has to do with the power to grow and prosper in the world in all aspects such as land, fertility, victory, health, or possessions. For God to **keep you** is to guard from calamity. The divine countenance is associated with divine benevolence and favor. Verse 25 also uses the positive image of light. **Peace** is more than the absence of conflict; it is often translated "well-being" and includes prosperity as well as personal wholeness or completeness in life. The threefold repetition of the divine name suggests that this blessing can come only from the Lord, as does the emphatic **and I will bless them** (v. 27). The opening phrase of verse 27 apparently indicates a priests' custom of raising their hands over the congregation. The priests are the mediators of the divine blessing (see Sir. 50:20–21).

This divine promise of peace provides strong hope. Some have associated it with the dedication of the Nazirite vow in the first part of the chapter. More probably it liturgically concludes the first section of Numbers, concerned with God's presence in the camp and thus the right ordering of the people as God's community. The blessing reminds readers of the divine commitment to the camp.

Additional Notes §6

6:2 / The word *nazir*, from a root meaning "to separate," suggests the notion of a **vow of separation**. The person is separated or dedicated to God with this **special vow**, a term indicating that the vow is extraordinary and serious.

6:4 / The words for "juice" (v. 3), **seeds or skins** do not occur elsewhere, and their precise meaning is uncertain. The NIV renderings are reasonable.

6:14 / The offerings are in line with the descriptions in Leviticus (see the commentary on Lev. 1–7). In the **burnt offering**, the whole animal is burned on the altar as an atoning sacrifice and symbol of the dedication of one's whole life to God. The **sin offering** is for the purpose of purification. In the **fellowship offering**, part of the meat becomes a communion meal for priests, worshipers, and God.

6:20 / The translation **wave offering** for *tenupah* is traditionally associated with the motion of waving, moving the offering back and forth to the altar, but the term may simply mean a special gift which comes to the priest. *Terumah* is traditionally translated "heave offering" with the notion of lifting up or heaving the offering, **presented** in NIV. It also probably indicates a special contribution, and the two are probably interchangeable (Davies, *Numbers*, p. 65; Budd, *Numbers*, pp. 72–73).

6:22 / For an account of the archeological discovery, see G. Barkay, "The Divine Name Found in Jerusalem," *BAR* 9 (1983), pp. 14–19; and *Ketef Hinnom. A Treasure Facing Jerusalem's Walls* (Jerusalem: Israel Museum, 1986). The Priestly tradents have inserted this traditional blessing in the context of Num. 6.

§7 Offerings from the Leaders (Num. 7:1–89)

In the narrative flow of Numbers 1–10, the benediction at the end of chapter 6 aptly concludes a block of material on ordering the camp in preparation for departure from Sinai. The blessing may recall the inauguration of tabernacle worship (Lev. 9). Numbers 7 then refers back to the completion of the tabernacle (Exod. 40). The notation **When Moses finished setting up the tabernacle** is a helpful clue here. It initiates a "flashback" that continues through Numbers 10:11 and the departure from Sinai (Olson, *Numbers*, p. 44). Exodus 40:17 places the completion of the tabernacle on the first day of the first month; Numbers 1:1 is set on the first day of the second month. We now move back a month in time. The effect of this lengthy flashback is to slow the reader down in order to consider carefully the meticulous preparations made in the tabernacle and in worship life. The divine presence at the center of the camp becomes the focus of attention.

7:1–3 / These verses recount the gifts given by tribal leaders at the dedication of the tabernacle. The leaders are those listed in the census in Numbers 1. Here they present **before the LORD six covered carts and twelve oxen.** Each leader gives an ox and every pair of leaders gives a cart.

7:4–9 / The divine instruction to Moses is that these carts go to the **Levites** to help in their work of caring for the tabernacle. This referring back to what comes before and repeating some of it while presenting additional material is another example of the literary style of Numbers. The style aids in memory and is well suited for oral recitation. Chapter 4 detailed the work of the Levitical clans. **The Gershonites** carry the curtains and hangings of the tabernacle and so here receive **two carts and four oxen. The Merarites** carry the heavier bases and frames and so receive **four carts and eight oxen.** The section also reminds readers that **Ithamar son of Aaron, the priest** directs the work of the Gershonites and Merarites. **The Kohathites** did not receive carts or oxen. They carry the holy furniture **on their shoulders** with poles in order not to touch them. Gifts are thus distributed according to need.

7:10–17 / **When the altar was anointed,** the tribal leaders bring gifts appropriate for worship there. The order of the tribes is the same as that of the ordering of the camp in chapter 2. The first to bring a gift (v. 12) is **Nahshon.** These gifts are in response to divine instruction mediated by **Moses** (v. 11). The offering from each leader consisted of **one silver plate weighing a hundred and thirty shekels, and one silver sprinkling bowl weighing seventy shekels.** The bowl was used to throw the sacrificial blood against the altar. The plate and bowl are to carry the **grain offering,** including **oil** since this occasion is a festive one. Next is a **gold dish** for carrying the **incense.** Because the Hebrew word here indicates the curved palm of the hand, "ladle" or "spoon" may be a better rendering. Sacrificial animals are then brought: a bull, ram, and lamb for **a burnt offering;** a goat for a sin offering; **and two oxen, five rams, five male goats and five male lambs a year old as a fellowship offering.** The final sentence is a summary, naming the giver.

7:18–83 / A tribal leader brings gifts from each of the twelve tribes, one on each of twelve days. These gifts in one series supply the needs of the sanctuary. What is remarkable about this passage is its meticulous repetition. The gifts from each tribe are exactly the same, and the text repeats each one. Each tribe offers the contribution and claims hope from the divine presence at the center of the camp. We have seen this theme of equal treatment for the twelve tribes in earlier chapters. Tribal jealousies and conflicts were part of the history of ancient Israel, but this repetitious chapter goes to extremes to include everyone. Such a theme may have carried particular importance in the time of the Priestly tradents since the experience of exile may have produced tribal tensions.

The detailed repetition conveys emphasis and impressiveness. The size and cost of these gifts boggles the mind. The tribes and their leaders, the laity, contribute much to the operation of the sanctuary.

7:84–88 / The text again emphasizes the significance of the gifts with these summarizing verses, which give a total of the gifts by number and weight and the total of the sacrificial animals. One cannot ignore the massive effect.

7:89 / The chapter concludes with a note about **the Tent of Meeting** as a place for **Moses** to communicate with the Lord. Moses hears the divine voice **from between the two cherubim above the atonement cover on the ark of the Testimony.** This note reflects the OT traditions that God is enthroned above the ark, and that the ark is the footstool of God. The cherubim are carved figures of hybrid animals; they are part of the golden cover of the ark and often associated with the divine presence.

Verse 89 assures that the tabernacle is a place for dialogue with God. Moses went into the tent **to speak with the LORD,** and the divine voice will continue to guide the people. The dialogue will continue. The voice shows that God is powerfully present with the community in the Most Holy Place, but the divine presence is not limited to this place. The voice is heard, but God is not seen. The chapter thus concludes in a positive way with the tabernacle serving the purpose intended upon its dedication (see Exod. 25:22). Perhaps this conclusion also indicates that God accepts the gifts brought in this chapter.

Numbers 7 continues the positive tone of the structuring of God's community. The people are meticulously obedient in supporting the sanctuary establishment. They are generous in their gifts. Each tribe is equally involved in the undertaking and a full participant in the community. The effect of this longest chapter in the Hebrew Bible, excepting Psalm 119, is to impress readers with the magnitude of the gifts to worship supervised by the priests. Gifts undergird each segment of the operation of the tabernacle. The Priestly tradents wished to encourage such generosity in their own day.

The lengthy flashback beginning in this chapter slows the narrative to suggest the centrality of the divine presence. The concluding verse emphasizes the importance of this presence in the community, which prepares to move forward in pilgrimage.

This reminder is noteworthy for modern churches and synagogues that are often pressured to succeed by the numerical standards of the culture. The liturgical practice of the presence is more difficult to quantify and evaluate, but without it at the center, the life of a faith community is hollow and expendable. Without vibrant worship, "church" is a misnomer. In classic Priestly style, these emphases are not abstract or propositional but pragmatic and material. The details of the Priestly version of the community's history become proclamation for a later audience. The repetitious style of this chapter demands much from readers today, but the task of interpretation calls for reading in sympathy with the text—and such a reading bears fruit.

Additional Notes §7

7:3 / **Covered** is a plausible rendering of *tsab,* but the precise meaning of the term is uncertain. NIV follows the clues of the ancient translations. The syntax with the plural *'eglot* **carts,** or "wagons," is unusual.

7:9 / The term translated **the holy things** is in the singular, "the holy one," *haqqodesh.* It is often used of the sanctuary, but in this context the NIV interpretation of the term in a collective sense seems the best one.

7:10 / The word for **dedication** *(khanukkat)* comes from a root associated with beginnings and initiations. Davies commends the translation "initiation offerings for the altar" *(Numbers,* p. 72).

7:13–14 / Since the **sanctuary shekel** was about 11.5 grams, the **silver plate** would weigh about 1.5 kilograms or three pounds. The **bowl** would weigh about 1.75 pounds or 0.8 kilograms. The **gold dish** was about 115 grams or nearly four ounces. The **grain offering** consisted of the daily diet. It was a gift to recognize God's provision of sustenance and to dedicate daily life to God.

7:15–17 / On the **burnt offering** . . . , **sin offering,** and **fellowship offering,** see the note on 6:14.

7:85–86 / The weights here are in line with those earlier in the chapter. The total weight of **the silver dishes** is approximately twenty-eight kilograms or sixty pounds. The total weight of **the gold dishes** was about 1.4 kilograms or three pounds.

Emphasis on the tabernacle continues in this narrative flashback section (7:1–10:10). The community prepares to depart in a kind of promise and fulfillment motif. The concluding note of chapter 7 on the Most Holy Place leads to a comment on the lamps in the sanctuary.

8:1–4 / Further revelation comes through **Moses** to **Aaron** concerning the lamps and lampstand. These verses refer to the instructions in Exodus 25:31–40 and 37:17–24. The **seven lamps** are to be set up so they will **light the area in front of the lampstand.** Apparently the concern, working from Exodus 40:22–25, is that the lamps illumine the table holding the bread of the presence. Verse 3 provides the new information, on Aaron's obedience, and so is the center of this passage. Aaron did **just as the LORD commanded Moses.** The final verse is a reminder that the lampstand was made **exactly like the pattern the LORD had shown Moses. . . . It was made of hammered gold.** Oil lamps were then placed on the stand. The lamps provided light and were symbolic of the divine presence, as well as reminiscent of the beginning of creation (see the commentary on Lev. 24:1–4). The lampstand with its floral design and branches resembling a tree came to symbolize the life-giving power of the divine presence.

8:5–14 / The remainder of the chapter considers the ritual of preparation of the Levites for their work with the tabernacle. The Levites have previously been counted and given a place in the camp. Their tasks have been described in some detail, and they have received carts and oxen to help in the work.

The first part of the ritual is **to purify** and make the Levites **ceremonially clean** so as to single them out among the tribes. The ritual includes sprinkling them with water, having **them shave their whole bodies and wash their clothes** (see Lev. 14:8–9). Because the Levites carry the holy tabernacle, and they camp around it as a kind of buffer for the other tribes, their purification is important.

Next the Levites are to bring sacrifices—two young bulls with accompanying grain offerings—for a burnt offering and a sin offering. The Levites are then presented before the tabernacle and before the people. **The Israelites are to lay their hands on them.** **Aaron** is then to present the Levites as a special contribution to God so that they may be prepared to do their work (v. 11). Most commentators suggest that representatives of the people pressed their hands on the Levites to indicate that the Levites are a gift from the people, a kind of living sacrifice. The Levites are now specifically dedicated to God. The Levites then press their hands upon the two bulls, one for a sin offering and one for a burnt offering, both atoning sacrifices. The Levites are thus consecrated, set apart from the other tribes and dedicated to God (v. 14). Some commentators see the Levites as put in a demeaning position. The priests were ordained in Leviticus 8; here the Levites are purified and set apart but not ordained. The Levites are sprinkled rather than washed, and their clothes are cleaned rather than replaced (Lev. 8:6, 7, 13). What seems a more reasonable interpretation is that the Levites here, as we have seen before in Numbers, are given an important and honorable position and task, though clearly under the supervision of the priests.

8:15–19 / This section recalls chapter 3, where we learned that the Levites are a substitute for the firstborn among the Israelites and so **given wholly** to God, a tradition going back to the Passover. The last part of verse 19 is puzzling. From the context, apparently **to make atonement for them** indicates providing protection for the tribes as a buffer around the holy **Tent of Meeting.** Holiness is dangerous, especially in the face of impurity and sin, and plagues will become part of the story later in the book of Numbers. Atonement is usually a priestly prerogative, but the protection the Levites provide also keeps the relationship with God at one, intact.

8:20–22 / These verses summarize and emphasize the theme of obedience. The people followed the divine instructions precisely. The conclusion of verse 22 makes the point again: **They did with the Levites just as the LORD commanded Moses.**

8:23–26 / The final section of the chapter specifies the age for Levitical service at the sanctuary as between twenty-five and fifty years of age. Following retirement at fifty, Levites are free to volunteer assistance, but they are not to do the **work at the Tent of Meeting.** The tradition of Levitical service beginning at age twenty-five is different from the tradition in the Levitical census in Numbers 4 of beginning at age thirty. Apparently the divergence reflects needs at different time periods.

In this first part of Numbers, also reflected in this chapter, the camp is portrayed with Moses, priests, Levites, and other tribes in various positions and roles, together making possible wholeness of life for the community. The Levites serve as a kind of bridge between priests and people. For Christians, the Levitical dedication as a living sacrifice may form part of the background to Romans 12:1–5. Numbers 8 may deliver a helpful image for Christian communities to accomplish their work by the varied gifts and ministries of all their members (Olson, *Numbers*, pp. 49–50).

Additional Notes §8

8:2 / The prepositional phrase *'el-mul pene* is awkward to translate, meaning something akin to "forward, in front of." The NIV rendering seems to catch the sense.

8:4 / The term translated **base** usually means "side," and so the reference may be to the part of the lampstand from the stem to the flower-shaped cups at the end of the branches, **blossoms,** rather than to the entire lampstand. See C. L. Meyers, *The Tabernacle Menorah: A Synthetic Study of a Symbol from the Biblical Cult* (AASOR 2; Missoula: Scholars Press, 1976), on the symbolism of the lampstand.

8:7 / **Water of cleansing** is literally "water of sin," presumably in the sense that water is a means of cleansing or washing away sin.

8:10, 12 / The verb *samak,* **to lay their hands on,** is often used in Leviticus in instructions for sacrifice and carries the sense of stronger pressing or leaning the hand upon the offering.

8:11 / On **wave offering,** see the note on 6:20. "Special contribution" might be a better translation.

8:19 / See Milgrom, who understands *lekapper* in terms of "ransom" (*Numbers,* pp. 369–71).

§9 Passover and Divine Guidance (Num. 9:1–23)

This chapter illustrates the difference between narrative time and real time. The opening chronological note reminds readers that the narrative flashbacks continue. The time is the dedication of the tabernacle in the first month of the second year (earlier than the events in the beginning of Numbers in the second month of the second year). Then on the fourteenth day of the first month the Israelites observe the Passover. A few days later they leave Sinai, and the last part of chapter 9 describes how the community follows the cloud of divine guidance. Past, present, and future all participate in this chapter. The narrative flashback, which began in chapter 7, dwells on the centrality of the divine presence for this community as it prepares to embark from Sinai.

9:1–5 / Both sections of the chapter (vv. 1–14 and vv. 15–23) relate to divine guidance. The occasion of the first section is the celebration of Passover. In verse 1 we are still **in the Desert of Sinai** during the month prior to the beginning of the book of Numbers. Chapter 7 demonstrated the obedience of the tribes with gifts to the tabernacle, and chapter 8 illustrated the obedience of the priests and Levites. This chapter returns to the people. The divine command is to **celebrate the Passover at the appointed time,** and the people are obedient. During the first Passover in Exodus 12, all the Egyptian firstborn died in the final plague, but the Israelite firstborn were spared. Pharaoh let the ancient Israelites go. The Passover commemoration in Numbers 9 is depicted as after the dedication of the tabernacle in Exodus 25–31, 36–40, and accordingly would be the first Passover after the covenant renewal necessitated by the golden calf episode (Exod. 32). The observance marks another beginning. The people obediently observe the Passover in all its detail **at twilight on the fourteenth day of the first month.**

9:6–14 / The Passover observance raises an issue. Some were unable to **celebrate the Passover . . . because they were**

ceremonially unclean. They had come into contact with **a dead body.** Participation in sacrificial meals was dangerous and thus prohibited for those who were unclean (see Lev. 7:20–21). The group thus appeals **to Moses and Aaron.** This circumstance was a new one and so there was no precedent available. Moses says to the appellants that they must wait for divine guidance. The conclusion of chapter 7 noted that such guidance comes from the Most Holy Place, over the ark.

The divine response comes in verses 10–13. The ruling is that those unable to celebrate Passover because of such uncleanness, or who might be away at the time, may observe the festival in a supplementary Passover a month later. The Passover observance includes eating **the lamb, together with unleavened bread and bitter herbs.** The unleavened bread was part of the tradition because the Israelites could not wait for the yeast to rise when they left Egypt in a rush. The bitter herbs are reminiscent of the bitter experience of slavery in Egypt. The appeal is successful, showing that the instruction to the Israelites could have some flexibility.

At the same time, however, this ruling is not to lead to any general laxity in observing the festival. The festival is to be kept fully, according to verse 12, in this supplementary observance: **They must follow all the regulations.** Furthermore, anyone **who is ceremonially clean and not on a journey** and does not celebrate Passover will suffer severe consequences. He will be banned from the community. The formulation here is reminiscent of the penalties for violations in the Holiness Code in Leviticus. An additional instruction is that **an alien,** one who is not an Israelite but living with them, may also properly **celebrate the LORD's Passover.**

9:15–23 / This concluding section of the chapter pursues the theme of divine guidance—here guidance for the upcoming journey. The text refers to the completion of the tabernacle in Exodus 40, and **the cloud** that **covered it.** The cloud as a symbol of divine presence descended on Sinai and came to be associated with the tabernacle as the divine dwelling place. In the evening, the cloud took on a fiery appearance. The cloud continued with the tent at the center of the camp and became the visible symbol of divine guidance. **Whenever the cloud lifted from above the Tent, the Israelites set out; wherever the cloud settled, the Israelites encamped.** The camp was meticulous in obeying the divine guidance by way of the cloud, day or night, for one day or many days.

They would camp or journey for short periods of time or for long periods of time, depending on whether the cloud moved or stayed. Their obedience was exemplary. This section indicates that the beginning of the journey is at hand, and the Priestly tradents echo the tradition of the cloud from Exodus. When the people came out of Egypt, after the first Passover, a pillar of cloud, and fire at night, went before them to guide them. The cloud is a symbol of the divine presence in Exodus 33:7–11 and is tied to the Tent of Meeting which was then outside the camp. That text comes just after the golden calf episode.

In Numbers 9, after the second Passover, the cloud of God's presence is tied to the Tent of Meeting, now at the center of the camp. The cloud does not precede the people any more but is in their midst instead. The lifting and settling of the cloud instruct the people either to break camp and depart or make camp and stay. The unpredictability of the cloud's movement prefigures the wanderings to come. The repetition here seems to emphasize the people's obedience to the divine guidance in the cloud. But is the description here too good to be true? Could the tradents be providing a contrast for the rebellions that are soon to follow in the next major section of the book? The tone of Numbers 1–10 is overwhelmingly positive. The people, ordered as God's community, are meticulously obedient, but 9:15–23 may idealize in preparation for what we know is to come.

Additional Notes §9

9:1 / Some commentators think this chronological note indicates that this section is a secondary insertion in Numbers because the note does not fit with the chronological note in Num. 1:1. A less hypothetical and more fruitful avenue of interpretation is to discern the function of the note in the narrative in Numbers, as in this commentary.

9:2–14 / The NT calls upon the rich Passover tradition to describe the new chapter of God's work in the world with the incarnation. Jesus is described as the Passover lamb (John 1:29, 35; 1 Pet. 1:18–19), and the Last Supper is instituted in the context of Passover (Mark 14:12). John 19:31–33, 36 calls on Num. 9 and the tradition of not breaking the bones of the lamb.

9:2 / In Lev. 23, Passover and Unleavened Bread are treated together as coming in the spring (March–April). Both relate to the exodus.

The festival is often thought to have other origins related to fertility for nomadic flocks. For the literature, see Budd, *Numbers,* pp. 97–98; Davies, *Numbers,* pp. 80–81.

9:3 / **Twilight** is lit. "between the two evenings," probably the time between sunset and complete darkness (Davies, *Numbers,* pp. 81–82).

9:8 / See the commentary on Lev. 24:10–23 for another occasion when Moses sought a ruling.

9:13 / **Cut off from his people** is taken to mean execution, divine execution, or excommunication. The last is preferable, though being cut off from the protection of the community might also bring death.

9:15 / The phrase **Tent of the Testimony** is unusual when referring to the Tent of Meeting or tabernacle. Presumably the reference is to the tablets of the law kept in the ark in the Most Holy Place.

9:22 / The word that the NIV renders as **year** is literally "days" and probably refers to an indefinite period of time (Davies, *Numbers,* pp. 85–86).

§10 The Departure (Num. 10:1–36)

Preparations for the journey from Sinai are almost complete. Chapter 10 concludes the first section of Numbers with final attention to the exact means of breaking camp and the departure.

10:1–7 / This first part of the chapter deals with the human side of leading the journey. The signals of the silver trumpets complement the divine leadership of the tabernacle cloud. According to verse 2, the trumpets function both as a way to gather the community and as a signal to break camp. **The whole community** is to gather **at the entrance to the Tent of Meeting** when both trumpets are sounded. When only one trumpet is sounded, **the heads of the clans of Israel** are to gather.

When the trumpets are used as a signal to break camp, the tribes on the east of the tabernacle are to move out at the first **blast**. . . . **At the sounding of a second blast,** the tribes on the south will begin their march. Different trumpet sounds signal an assembly and a departure. The call to assembly is a "blowing" of the trumpets, distinguished from the signal to move camp, called **a trumpet blast.**

10:8–10 / These verses expand the instruction on the use of the trumpets, which verse 8 also describes as a priestly prerogative. After the people are in the land toward which they journey, the trumpets are also to be used in the context of war (see 2 Chron. 13:12–22; Hos. 5:8; Joel 2:1). God will remember the people at **a blast on the trumpets** and will rescue them from oppressing enemies (v. 9). The trumpets are also to have a more festive function in the settled life of the people. They are to be sounded **over your burnt offerings and fellowship offerings** at feasts such as those described in Leviticus 23 and at festivals at the beginning of the month **(New Moon festivals).** The trumpet sounds **will be a memorial for you before your God,** a phrase that, based on verse 9, would mean that God will remember the people and honor the offerings. But it is also possible that the phrase suggests that the people will remember God's faithfulness. These verses speak of a time when the people of ancient Israel will be **in your own land** (v. 9) and so focus our attention on the future goal of settling in the promised land.

10:11–13 / Here we leave the narrative flashback begun in Numbers 7 as we come to the present and the long-anticipated departure from Sinai. The departure actually begins on the **twentieth day of the second month of the second year,** when **the cloud lifted** over the tabernacle. The book of Numbers began on the first day of this month. The people have been at Sinai for nearly a year (Exod. 19:1) and have now made meticulous preparation and precautions for the journey. The repetitious and detailed style of the Priestly tradents in this first part of Numbers has created for readers much anticipation of the departure. The departure now comes at the divine command and the Israelites travel to **the Desert of Paran.**

10:14–28 / The tribes set out according to the order given in chapter 2, led by Judah and the tribes on the east of the tabernacle. Next come those on the south, the west, and then the north. The text names the leader of each tribe again. The Levites do not move out as one group. **The Gershonites and Merarites** go out with Judah and the tribes on the east (v. 17). The tabernacle has been disassembled, and they perform their duties of carrying the curtains and frames as detailed in chapter 3. When the people stop to set up camp, they can set up the tabernacle, and it will be ready for its furniture carried by **the Kohathites,** who set out with the next group, **the camp of Reuben.** The preparations are complete and the march begins.

10:29–32 / The style of the rest of this chapter shifts to include dialogue (vv. 29–32) and poetry (vv. 35–36). It is widely agreed that the material in this section derives from an earlier time but is included here with the theme of leadership for the journey.

Moses asks **Hobab** to stay with the people as a guide, reminding Hobab of God's promise of the land and pledging wellbeing for **the Midianite.** Hobab initially declines the request and says that he will return home, but Moses pleads with Hobab to stay. The narrative does not actually give his response, but the text seems to assume that Hobab stayed. Presumably Hobab knew the area (v. 31).

10:33–36 / The concluding verses of the chapter speak of **the ark of the covenant** leading the first part of the journey and recount the poetry used when the ark **set out** and when **it came to rest**. Verse 35 reflects a military tradition of God's leading the people to victory (see 1 Sam. 4–6; 2 Sam. 6; Pss. 68; 132). **Return, O LORD, to the countless thousands of Israel** appropriately brings Numbers 1–10 to a close with a reminder of the thousands in the census in Numbers 1. God is present with the people in the cloud and the ark as the camp goes forth in a kind of liturgical march.

The primary issue in this chapter is the guidance of the people. The trumpets, the cloud, the ark of the covenant, and Hobab all give guidance. Some commentators have seen a conflict between the guidance of the cloud over the tabernacle in chapter 9 and the trumpets in the beginning of chapter 10. It is more likely that the trumpets are an additional, practical way to organize and lead the people, still under God's guidance. The ark does seem to function somewhat differently at the end of the chapter, but the emphasis there is on the march as an act of worship. There is nothing in the chapter to suggest disobedience. Indeed, verse 13 says: "They set out . . . at the LORD's command." The involvement of Hobab, who is not an Israelite, also is of significance. The people are open to wisdom from those outside their own group, an important piece of advice for contemporary communities of faith.

Numbers 1–10 portrays ancient Israel as obedient and prepared for the journey to come. At the end of chapter 9, we questioned how true to life that portrait is. Olson reminds us of the clues in Numbers 1–10 that danger is at hand (*Numbers*, pp. 58–59). The holy presence at the center of the camp is not safe, especially in the face of impurity or disobedience. Such an emphasis prefigures the narrative in the next major section of the book. The future is never certain, as we will see in Numbers 11.

Additional Notes §10

10:2 / The trumpets are made **of hammered silver**. The instrument is not in the shape of a ram's horn—as in Exod. 19 and Josh. 6—but is rather a long, straight, slender metal tube with a wide opening like a contemporary trumpet (Davies, *Numbers*, p. 87). Trumpets are significant in the broader biblical tradition. Matthew 24, 1 Cor. 15:51–52, and Revelation 8–9 speak of trumpets in apocalyptic settings.

10:7 / Davies refers to Jewish tradition which suggests that the signal to gather in assembly was a sustained trumpet sound, while the signal to break camp was a series of quick blasts (*Numbers*, pp. 87–88).

10:12 / The verb **set out** has to do with breaking camp, originally with pulling up and driving in tent pegs.

The exact location of **the Desert of Paran** is uncertain, but it is often thought to be in the northern Sinai peninsula, and south of the Negeb and Kadesh Barnea, with an eastern border probably running from the Dead Sea to the Gulf of Aqaba.

10:21 / *Miqdash* usually means "sanctuary," but here it must be a collective term and refer to **the holy things.**

10:29 / This verse is rather confusing. Does v. 29 mean that Hobab is Moses' father-in-law or that Reuel is the father-in-law? Exod. 2:18 lists Reuel in that role, but Judg. 4:11 lists Hobab. In Exod. 3:1; 18:1, Moses' father-in-law is Jethro. Did Moses have more than one father-in-law, or is Reuel (Hobab) an alternate name for Jethro? Some have attempted to solve the difficulty by translating *khoten,* **father-in-law,** more broadly as "a relative by marriage." These issues are difficult to decide; see Davies, *Numbers,* pp. 93–95; Budd, *Numbers,* pp. 113–14. The OT allows the various traditions to stand, and the issue has little impact on the sense of this section.

Murmurings in the Wilderness (Num. 11–20)

The journey has begun after the long and careful preparations. Now suddenly the reader is thrown into the rebellions that punctuate this journey. We have seen that the first ten chapters of the book prefigure this turn of events, but the overall positive tone and constant obedience of the people in those chapters are shattered by a sudden dominance of disobedience beginning immediately with chapter 11. From the theme of the right ordering of life as God's people, we move to that of rebellions in the wilderness. Olson suggests that such a sudden change also takes place between Genesis 2 and 3 and between Exodus 31 and 32 (*Numbers*, p. 60). After the covenant on Sinai and the instruction in structuring worship (Exod. 31), the golden calf rebellion suddenly breaks out (Exod. 32). Through Moses' intercession, the community is able to renew the covenant and move forward. That precedent provides background for this section in Numbers.

§11 The Beginnings of Rebellion (Num. 11:1–35)

Numbers 11 does not recount the first murmurings in the wilderness. Earlier, Exodus 15–17 describes a series of complaints for water and food that God hears and responds to with the provision of water, manna, and quail. Accordingly, the murmurings come to a positive conclusion. In contrast, here in Numbers the complaints are clearly understood as rebellions. Following the covenant instruction and renewal at Sinai, the expectation changes; Israelites are asked to live in faith as God's community.

11:1–3 / The first description of complaints prefigures what is to come. When the people complain about the **hardships** of the wilderness, God overhears them and becomes angry. **Then fire from the LORD** burns **some of the outskirts of the camp.** Moses intercedes for the people and the punishment recedes. The location was named **Taberah,** which means "burning." Most commentators agree that this brief narrative and the one to follow originate from the time of the monarchy and are part of the prior narrative strands that the Priestly tradents have included in Numbers. This section is an aetiological narrative which explains the name "Taberah," a place of uncertain location. Also the story lays out the pattern of future rebellion stories: complaint, divine anger, Moses' intercession, and the end of the punishment. In this first complaint story, the fire **consumed** only some of the outskirts of the camp, but in the rest of the chapter the difficulties spread.

11:4–9 / The second complaint story is also an etiology and demonstrates further the pattern of disobedience. The story also alludes to the complaints in Exodus, with the provision of manna and quail as well as assistance for Moses in leading the people (Exod. 18).

The complaint begins with **the rabble.** The Hebrew word (*'asapsup*) is associated with "gathering" and probably refers to a disorderly group of those non-Israelites who joined the camp in the departure from Egypt. The complaint comes out of craving varied food, and the Israelites join in the wailing chorus and the desire for meat. In Egypt they had quite a diet: **fish . . . , cucumbers, melons, leeks, onions and garlic.** Now the common staple of the people's diet is **manna,** and the claim is that the people have lost their **appetite.**

Verse 7 says the manna was **like coriander seed and looked like resin.** The manna came with the dew in the morning and was then ground and cooked in a pot or made into cakes. Manna has long been associated with a substance from the tamarisk trees in the Sinai. Small balls of it would fall to the ground in the night but would quickly melt in the sun. Only small amounts of this substance would be available, and so the provision of enough for the huge camp of ancient Israel is a matter of divine intervention. The small balls, apparently about the size of grayish-white peppercorns, were sweet. Like resin, they had a transparent quality. Israel had come to be dependent on this daily sustenance. The problem now is that the rabble has stirred up dissatisfaction with this gift from God.

11:10–17 / The **wailing** of the people comes to the attention of both Moses and God at the Tent of Meeting. God becomes **angry.** Moses then addresses God, but this time also with a complaint about the burden of leadership. In Exodus 32–34, Moses had convinced God to renew the covenant with the people and to continue to be present with them because of his close relationship with God (Exod. 33:17). Here, Moses complains that the burden of leading the people is so great that it must be a sign of God's displeasure with him. With striking maternal imagery in verse 12, Moses says he is not able to meet the needs of the people, especially their cry for **meat** (v. 13). Moses implies that God has conceived the people and needs to provide for them. Moses then pleads for his own death. The narrative in this dialogue takes an unexpected turn from the complaint about meat to Moses' concerns about the burden of leadership.

God's response to Moses is to designate seventy **elders who are known to you as leaders and officials among the people** (v. 16). They are to gather at the Tent of Meeting, and God says, **I will take of the Spirit that is on you and put the Spirit on them.** These elders will help Moses bear the burden of leadership.

11:18–23 / The divine instruction to Moses then continues. Moses is to tell the people to prepare to eat meat. They are to eat more meat than anyone ever desired or dreamed of—**until it**

comes out of your nostrils and you loathe it. So God "hears" the murmuring and provides meat—but with a twist, because the murmuring is perceived to be a rejection of **the LORD, who is among you** (v. 20). Moses then furthers his complaint to God: It would take flocks and herds and **all the fish in the sea** to feed six hundred thousand men (and their families) **meat to eat for a whole month!** Moses thus refers to the census in Numbers 1 (see also Exod. 12:37). God's response (v. 23) is rhetorical: We will see. **Is the LORD's arm too short?** is a literal translation of a phrase to express a limitation on God's power.

11:24–30 / The action resulting from the dialogue concludes the chapter. First, the seventy elders gather at the tabernacle before God's presence and voice. Some of the **Spirit** on Moses was put on the elders and **they prophesied, but they did not do so again.** This event leads to the story of **Eldad and Medad,** two elders still in the camp. **The Spirit also rested on them, and they prophesied.** The event was reported to Moses, and his lieutenant Joshua objected to this prophesying by Eldad and Medad. Joshua wishes to restrict prophecy to professionals authorized by Moses. Moses' response is that he wishes all the people were prophets with God's Spirit. Moses as leader is open to prophetic voices within the camp. The prophetic movement in ancient Israel included a variety of voices.

11:31–35 / In the final section of the story, God uses the wind to drive flocks of quail in from the sea and make them easy to gather, close to the ground (v. 31—"two cubits" or about one meter or **three feet**). The word for **wind** is the same as that for spirit elsewhere in the chapter (vv. 17, 25, etc.). The people gather a great many quail and lay them out to dry in the sun. **Ten homers** would be about sixty bushels or 2.2 kiloliters—much quail! But before the people could finish enjoying this meat, **a severe plague,** a result of God's anger, breaks out among the people and leads to the naming of the place **Kibroth Hattaavah,** "graves of craving" (v. 34).

This narrative is complicated and different in style from earlier parts of Numbers, since much of the plot develops with dialogue. The chapter shows God's anger at being rejected by the ungrateful people (v. 20) and the consequent danger of the divine presence. Still, at the end of the chapter the camp moves on as God's people.

Additional Notes §11

11:1 / The word for **complained** is unusual in the OT, but the translation is reasonable; "murmur" would be an alternative. See Budd, *Numbers*, pp. 119–20.

11:6 / **Appetite** is *nepesh*, and so the phrase might be better translated "our throat is dry." The basic meaning of *nepesh* has to do with breath or wind. Breath is, of course, essential to life and is associated with the throat. The strength of life fails.

11:17 / **Spirit** is *ruakh*, which means spirit or wind or breath.

11:20 / **Until it comes out of your nostrils** apparently refers to severe nausea.

11:25 / The prophesying was probably some sort of transient ecstatic state; see 1 Sam. 10:10–13; 19:20–24.

11:31 / An alternate translation would suggest that quail were lying about three feet deep on the ground (NRSV). That would be a sizable catch. The NIV rendering relates more to the method of capturing such birds.

11:35 / The locations of **Kibroth Hattaavah** and **Hazeroth** remain uncertain. See G. I. Davies, *The Way of the Wilderness* (Cambridge: Cambridge University Press, 1979).

Conflict continues in chapter 12. Chapter 11 started with problems on the outskirts of the camp, which spread to the whole people. Now problems surface at the heart of the leadership, with Miriam, Aaron, and Moses. Commentators have wondered which pieces of ancient Israel's history generated such stories to comprise Numbers traditions. Chapters 11 and 12 seem to have come from earlier materials that the Priestly tradents have used. Various attempts have been made to associate Numbers 12 with conflicts among priestly and/or prophetic groups (for the scholarly literature, see Davies, *Numbers*, pp. 115–17). Chapter 12 affirms the authority of Mosaic leadership, although chapter 11 shows the authority being shared. Both chapters probably reflect a monarchical setting, and chapter 11 deals with issues of political and economic security. Beyond those general comments, the various proposals are so hypothetical as to be of little actual help. It has also been suggested that Numbers 12 has a complicated literary history.

The canonical version of the story, however, reads quite cogently—without contradictions. Whatever the pre-history of the text, the modern reader can fruitfully observe how the chapters fit in the plot and perspective of Numbers.

12:1–5 / The chapter begins by noting that **Miriam and Aaron began to talk against Moses.** Aaron is the high priest and has been a leader since Moses began the negotiations which led to the exodus. Moses' sister Miriam is seen in a leadership role during the departure from Egypt (Exod. 15) and is also traditionally identified as the unnamed older sister who watches over the baby Moses floating on the river in Exodus 2 (see also Mic. 6:4). The nature of the complaint by Miriam and Aaron against Moses is not clear from the text. In verse 1 the conflict is related to Moses' **Cushite wife.** All we have heard about Moses' married life up to this point is his marriage to Zipporah, a Midianite (Exod. 2). Perhaps the issue is family jealousy; a new wife may have more influence on Moses than do his sister and brother.

The second verse of the chapter develops the conflict in another direction. **Has the LORD spoken only through Moses?** Do not Aaron and Miriam also have some claim to mediating the divine revelation? Perhaps the conflict of Mosaic and prophetic revelation provides the background to the chapter. In Numbers 11, the elders prophesied when given some of Moses' spirit. This chapter makes it clear that any such prophetic revelation operates under the authority of Mosaic tradition. The parenthetical comment in verse 3 indicating that Moses was **more humble than anyone else on the face of the earth** immediately displays a bias against the position of Miriam and Aaron. While modern readers may understand the adjective "humble" as "self-effacing," here it probably indicates Moses' discipline, integrity, trust, and dedication in relationship with God. This comment contrasts with the brutally honest dialogue between God and Moses in chapter 11. Perhaps this passage should lead us to redefine humility similarly. The complaints of Miriam and Aaron are contrasted to Moses' qualities.

The image of God in this chapter is noticeably anthropomorphic. God has overheard the complaint of Moses' siblings and calls a meeting of the three leaders at the Tent of Meeting. Then God descends **in a pillar of cloud** and stands **at the entrance to the Tent** and calls Miriam and Aaron forward. While the danger of the divine presence is still quite clear in Numbers 11–12, the image of God here is more immediate (especially in the dialogue) than in Numbers 1–10.

12:6–12 / The divine response, in poetic form, is in verses 6–8. The speech affirms the validity of prophecy, but the revelation comes **in visions, in dreams.** In contrast, Moses as God's faithful servant receives direct and clear revelation. The lines of accountability and authority are clear. Mosaic tradition is more authoritative than prophetic inspiration. The phrase **he sees the form of the LORD** alludes to Exodus 33:23 and the form of God passing by Moses. Even there, Moses sees only God's back, another reminder of the danger of the divine presence. While Moses experiences intimacy with God, even in this relationship there is distance. The poetic oracle concludes by questioning why Miriam and Aaron felt free to speak against Moses. Then **the anger of the LORD burned against them, and he left them.** The consequences of such divine anger are usually severe. In this case, Miriam is left with a serious skin disease, **like snow,** probably with scaliness and flaking. When Aaron sees her, he immediately pleads with Moses for help. He addresses Moses, **My lord, do not hold against us the sin we have so foolishly committed.** Aaron acknowledges blame and begs that Moses not allow his sister's skin to be **eaten away** by the disease and thus become **like a stillborn.**

12:13–16 / Moses assents and cries out to God for the healing of Miriam. God assents but causes a delay: Miriam is confined **outside the camp for seven days.** God's command is that those with skin diseases are put outside the camp (5:1–4), and the laws on impurity concerning skin diseases require seven days outside the camp (Lev. 13–14). Here, however, the issue appears to be less diagnosis or ritual than a sign of **disgrace.** The parent spitting in a child's face (v. 14) is a sign of shame (see Deut. 25:9; Job 30:10; Isa. 50:6). Yet out of respect for Miriam, the people do not move until her time of ostracism is complete. Then they **left Hazeroth and encamped in the Desert of Paran.**

Miriam feels the brunt of the punishment; that seems unjust. Perhaps describing the high priest as unclean by way of a skin disease was too extreme for the editors. The story may also suggest that Aaron was scheduled for the same punishment, but the quick Mosaic prayer stalled it. Still, the text comes from a culture dominated by men, although Numbers includes Miriam among the leaders of the camp.

This narrative follows the pattern begun in chapter 11. The people complain; God's anger burns; Moses intercedes; the punishment abates. The issue of disobedience among the people is still the focus. Here the leaders of the camp are involved.

Additional Notes §12

12:1 / Several commentators have attempted to identify this Cushite woman with Zipporah, but that seems unlikely. Cush is usually tied to Ethiopia in the OT, and others have suggested that Moses has married a woman of color—hence the conflict here involves racial prejudice. Later in the narrative when Miriam's diseased skin turns white, the punishment would fit the crime. That proposal seems more like a contemporary description. See Renita Weems for the view that family jealousy is the issue (*Just a Sister Away: A Womanist Vision of Women's Relationships in the Bible* [San Diego: LuraMedia, 1988], pp. 72–74).

12:3 / *'Anaw* can indicate the poor or afflicted, but it can also refer to humility or meekness. Moses understands that his position is a gift from God. See George W. Coats, "Humility and Honor: A Moses Legend in Numbers 12," in *Art and Meaning: Rhetoric in Biblical Literature* (ed. D. J. A. Clines, D. M. Gunn, A. J. Hauser; JSOTSup 19; Sheffield: JSOT Press, 1982), pp. 97–107.

12:6 / **When a prophet of the LORD is among you** is a difficult phrase. The Hb. says, "if your prophet is the Lord." It is probably best to follow the suggestions in *BHS* (*Biblia Hebraica Stuttgartensia*, a standard edition of the Masoretic Hb. text) which require a slight change from *nebi'akem* to *nabi' bakem* and omit the divine name. The NIV carries this meaning.

12:7 / An alternative translation for **he is faithful in all my house** is "he is entrusted with all my house."

12:8 / For **with him I speak face to face**, the Hb. lit. says "Mouth to mouth I speak with him." That rendering is preferable in a context of revelation and in light of the affirmation in Exod. 33 that no one sees the face of God. The revelation to Moses is direct.

§13 Of Spies and Rebellions (Num. 13:1–14:45)

Numbers 13–14 constitutes one of the central narratives in the book, a kind of watershed that determines the course of a generation in Israel. The narrative is complicated and carefully constructed, taking a variety of turns along the way.

Since the census in Numbers 1, readers have been prepared for some military encounter. As chapter 13 begins, the people in the Desert of Paran appear on the verge of the land they have been promised and are preparing to take possession of it.

13:1–16 / These verses are reminiscent of Numbers 1–10. Moses receives divine instruction to explore the promised land: **Send some men to explore the land of Canaan.** The land is described as a divine gift. Leaders from each tribe are to make up the group of twelve explorers, whose names are then listed. This is not the same group of leaders named in Numbers 1 and 7; the order of the tribes is also different. Perhaps these men are better qualified to undertake this more physically demanding mission. The purpose of the exploration is to begin preparation to enter the land. The Levites are not included because they do not participate in military activities. The section concludes with the note that Moses changed Hoshea's name to Joshua. **Joshua** is a name built on the divine name Yahweh, which was not revealed until after Joshua was born. Joshua will eventually succeed Moses in leading the people. He appeared in Numbers 11 and also in Exodus 17 and 32–33 as a military leader and assistant to Moses.

13:17–25 / Moses then instructs the spies as to their task. They are to check the military readiness of the people in the land, **whether the people who live there are strong or weak.** Also of import is the population, **few or many.** The other issue is the fertility of the land, **what the land is like,** and the economic resources there, **Are there trees on it or not?** The spies are to return with a report and, if possible, **some of the fruit of the land.** The last phrase in verse 20 places the excursion in the summer months.

The spies then carry out their reconnaissance for **forty days.** The expedition is **from the Desert of Zin as far as Rehob,** that is, from the southern region of Canaan, to a place in the far north—the full extent of the land the people will eventually live in as a kingdom. The expedition journeyed up from the south to **Hebron,** home of the **descendants of Anak.** They proceeded to **the Valley of Eshcol,** where they cut a **cluster of grapes. Eshcol** means "cluster," and so this part of the chapter also has an aetiological character. Two of the spies carry the cluster **on a pole between them.** The size of the fruit is a sign of the fertility of the land. The location of Eshcol is uncertain.

13:26–33 / The spies complete their exploration and return to the camp **at Kadesh in the Desert of Paran.** They give their report and display **the fruit of the land.** The report contains both good news and bad. The land is fertile; **it does flow with milk and honey!** The difficulty (v. 28) is that the people who inhabit the land are strong and live in large, fortified cities. The spies then list the groups that live in the land (v. 29). The **descendants of Anak** are understood to be giant warriors, like Goliath in Israelite tradition (Josh. 11:22; 1 Sam. 17; 2 Sam. 21:18–22).

The spies' revelation of the provision of the land and the difficulty of conquest apparently caused some murmuring among the people, for verse 30 says **Caleb silenced the people.** Caleb was the Judahite among the spies. He says that the people should proceed with confidence of conquest. Caleb stands alone, but his view—**we can certainly do it**—is based on the large force which is Israel, 600,000 soldiers, and the preparation of the camp in Numbers 1–10. The other spies quickly take exception to Caleb's view: **We can't attack those people; they are stronger than we are.** All are agreed that the land is desirable. Caleb says Israel can conquer it; the other spies disagree.

Verses 32 and 33 describe the lobbying of the rest of the spies among the people. They spread **a bad report about the land they had explored.** They do not deny the fertility of the land but appear to exaggerate the evils there and the strength of the people. The land now **devours those living in it;** it is geared for battle. And **all** the inhabitants **are of great size.** They even speak of the **Nephilim,** the offspring of divine beings who had children with women (Gen. 6:1–4), being there. The term means "fallen ones," and they are the primordial ancestors of the giants of Anak. With such partly divine giants in a devouring land, the spies report that they felt like mere **grasshoppers,** and they are sure the inhabitants of the land would also see them as of no consequence. This "bad report" receives no credibility elsewhere in the biblical text.

Chapter 13 is clear that God has made significant provision for the people, with a land flowing with milk and honey. The question now is whether Israel can faithfully trust that provision and move into the promised land. The matter of Israel's faith and trust in the divine promise is more fundamental than military or agricultural questions. The Priestly community was interested in questions about settling and preserving the land.

14:1–12 / The story continues in chapter 14 with the people's response to the majority report from the spies. Fear spreads through the camp, and the people complain and weep. **All the Israelites** grumble **against Moses and Aaron** and begin again to remember Egyptian slavery with fondness. Despite the reminder in 13:2 that God is giving Canaan to the people, here, out of fear of violent death, they forget the promises of divine provision and conclude that they would have been better off dying in Egypt or the desert. Now their **wives and children will be taken as plunder.** They even speak of choosing a new leader and returning to Egypt (vv. 3–4). This response leads Moses and Aaron to fall on their faces, and causes Joshua and Caleb, the spies who commended trusting the divine promise, to tear their clothes in grief. They then address the people and seek to counter the other spies' bad report by reminding the people that the land is **exceedingly good;** God will provide the strength to possess it. Rather than the land's devouring its inhabitants (13:32), the leaders say, **We will swallow them up** (v. 9). The leaders fear that the people's rebellion will cause God to withdraw support for the invasion of the land: **If the LORD is pleased with us** (v. 8). The question is not so much military might as trust in the divine promise.

The response of the people was unanimous; they **talked about stoning them. The glory of the LORD** appears at the tabernacle, and God addresses Moses and complains about the people: **How long will these people** refuse to trust, in spite of all the **miraculous signs** from God? God has been rejected and threatens to destroy the people **with a plague** and create a great nation from Moses (v. 12). The threat is to reverse the exodus and destroy the people of Israel like the Egyptians.

14:13–25 / The rebellion of the people is reminiscent of the golden calf episode in Exodus 32. Here, too, Moses intercedes with God to preserve the people. Moses first appeals to God's international reputation. The Egyptians have experienced the brunt of God's power, and word has spread about the exodus and God's presence with the Hebrew people. If God carries out the threat of destroying the people, Egypt and in turn **the inhabitants of this land** will hear about it (v. 14). God's act of punishment will be interpreted as a sign of weakness: God was not able to fulfill the promise of the land and so destroyed the people (v. 16). Moses here appeals to the divine will to be recognized by other nations.

Moses' second appeal (vv. 17–19) is to God's promises and acts; it refers to a divine speech to Moses in Exodus 34:6–7 after the golden calf apostasy. God's greatness is revealed in love and forgiveness first. Yet, there is punishment for the guilty **to the third and fourth generation,** all those conceivably alive at a given time. Both blessing and judgment flow through the generations. Moses' emphasis is on the forgiving nature of God, and he seeks to hold God accountable. He asks God to forgive the people, **just as you have pardoned them from the time they left Egypt until now.** In verses 20–25 God responds by first agreeing to forgive the people, but there is still a clear consequence for the apostasy. God takes an oath that no one who experienced the events of the exodus from Egypt will enter the promised land. Those who **saw** the deliverance from Egypt will not **see the land.** Yet Caleb, because of his faithfulness, will be allowed to settle in the land. But the people must now **turn back** and wander again.

14:26–35 / The divine response begins anew in verse 26: **How long will this wicked community grumble against me?** God then takes another oath, the significance of which, with the previous oath in verse 21, is that the divine pledges are not negotiable, even with Moses' great persuasive powers. God maintains that the punishment will fit the crime. The people sought to die in the wilderness (v. 2); they will (v. 29). All those counted in the census in Numbers 1 will fall. The people sought not to enter the land (v. 3), and so they will not (v. 30), except for Caleb and Joshua, the spies who expressed trust in the divine promise. The people feared for their children (v. 3), but the children will enter the land (v. 31). The children will remain in the wilderness as shepherds, **suffering for your unfaithfulness, until the last of your bodies lies in the desert,** and then enter the land. The people will suffer the consequences of their disobedience for forty years, **one year for each of the forty days you explored the land** (v. 34; see 13:25).

This generation gets deserving punishment, but at the same time receives a second chance as a community. God continues to be present with them, and the divine promise of the land remains for the next generation.

14:36–45 / The ten spies who had given the **bad report** about the land (13:32) then suffer the consequences of their faithlessness and die by way **of a plague before the LORD.** Only Joshua and Caleb survive. These deaths prefigure what is yet to come. The community mourns, and the people then abruptly change their view. The people now repent and decide to enter the land (v. 40), confirming that they have not understood what has happened. God has already decreed that the current generation will not enter the land. Moses quickly says, **Why are you disobeying the LORD's command?** He warns the people that God will not go with them, and **the Amalekites and Canaanites** will defeat them. Still, **in their presumption they went up.** Both Moses and the ark, the sign of God's presence, stayed in the camp and, predictably, the people were defeated. God's pledge has begun to come to pass.

Chapters 13 and 14 vividly remind the reading community that the real issue for ancient Israel is not military readiness or even fruitfulness of the land, but the presence of God with them and how the people respond. Moses' relationship with God is an example of the faithfulness God requires. This narrative is about possessing or not possessing the land of Canaan. That theme was current for the exilic/postexilic community of the Priestly tradents, and so this episode offered relevant proclamation for its initial audience. The hope that the chapter proclaims is one born of divine judgment, surely a perspective understood by people in exile.

Similarly, in the NT resurrection comes out of crucifixion (Rom. 6:4). The parable of the great banquet in Luke 14:15–24 also provides an interesting parallel to Numbers 13–14. One generation rejects the divine provision; the next will enjoy it.

Additional Notes §13

13:1–14:45 / This is the first narrative that weaves earlier traditions with traditions preserved by the Priestly tradents. Scholars have made various attempts to distinguish the earlier and later versions of the stories. Apparently an early version of the tradition recounted an excursion of spies concentrating on the southern portion of Canaan. The Priestly tradition expands the story to a reconnoitering of the whole land and includes the report of the spies to Moses and the people, with the resulting turmoil. Some parts of a source analysis of this narrative are clear, and such investigations can help describe the development of the text. The attempt to identify two different stories, however, tends to atomize the text and give the modern reader little help in understanding the whole narrative. We will carefully plot the moves of the story at hand.

13:1 / Deut. 1 also recounts this expedition. Josh. 2; 7 and Judg. 18 also contain spy stories. Num. 13–14 is typical of these accounts; see Davies, *Numbers,* p. 131.

13:17 / **Negev** comes from a root meaning "dry, parched" and refers to the area in southern Palestine bordering the desert.

13:21 / An alternate translation of **toward Lebo Hamath** is "toward the entrance to Hamath." Lebo Hamath is identified as a city close to the source of the Orontes River in the far north. The "entrance to Hamath" is a stock phrase for the northern border of Israel.

13:22 / **Ahiman, Sheshai and Talmai** are apparently clans in the area. **Anak** apparently relates to a word for "neck," and implies they were long-necked or tall people.

The point of the parenthetical comment is to honor **Hebron** as built before the Egyptian capital **Zoan,** which was Tanis or Avaris.

13:26 / The reference to **Kadesh** is the first in Numbers. The location is about fifty miles south of Beersheba, and it became an important camp for the Hebrews. It is here associated with the Wilderness of Paran. Yet because Kadesh is near the northern end of Paran, it is also associated with the Wilderness of Zin to the north.

13:27 / "Flowing with milk and honey" is a common description of the fertility of the land. The land was not terribly fertile but would have seemed so in comparison to the wilderness. Davies cites evidence that the phrase is a stock one in the ancient Near East (*Numbers,* p. 138).

13:29 / **The Amalekites** are a traditional enemy of Israel, a strong nomadic group south of the Negev; see Exod. 17:8–16. **The Hittites** are the remnants of the powerful empire in Asia Minor. The **Jebusites** are the original inhabitants of Jerusalem. The **Amorites and the Canaanites** are here distinguished by geography, with the Amorites in the hill country and the Canaanites **near the sea and along the Jordan.** The Amorites came from Mesopotamia; their name often refers to those who were in Palestine, "westerners," before Israel.

14:5 / Moses and Aaron **fell facedown** to intercede for the people and, no doubt, in anticipation of divine judgment.

14:9 / **We will swallow them up** is in Hb. "they are our bread," indicating an easy victory.

14:14 / **Face to face** is in Hb. "eye to eye."

14:18 / The word for **love** is *hesed*, which also connotes constancy and loyalty and hence a kind of consistent action from God. Budd indicates that **forgiving sin** means taking away the punishment sin deserves (*Numbers*, p. 158). The verb *nasa'* means "to lift up." See Katherine Doob Sakenfeld, "The Problem of Divine Forgiveness in Numbers 14," *CBQ* 37 (1975), pp. 317–30.

14:22 / Most commentators take the number ten to indicate frequent disobedience.

14:25 / **Red Sea** is the traditional translation of *yam-sup*, "sea of reeds" or vegetation. Its location is uncertain.

14:33 / The term translated **unfaithfulness** is literally "whoredoms," a striking image of disloyalty.

14:45 / The location of **Hormah** is uncertain but may be in the vicinity of Beersheba. The name is associated with the root word for "complete destruction."

Budd has suggested that the earlier version (J) of this story was central to the tradents' composition "of the stories of disaffection from Sinai to the Jordan" (*Numbers*, pp. 162–63). His reconstruction is hypothetical, but it again indicates how pivotal this narrative is for this part of the Pentateuch.

§14 Additional Offerings and Instructions (Num. 15:1–41)

Most commentators find it odd for a chapter of Priestly legislation to follow four chapters of narrative about murmurings in the wilderness. Olson argues persuasively that there is purpose for the placement of the chapter. He maintains that it relates in important ways to chapters 11–14 on the one hand and to chapter 16 on the other. Also, in contrast to a number of other commentators, he understands chapter 15 to exhibit an internal coherence (*Numbers*, pp. 90–101). What follows will in general support Olson's view. The chapter is clearly from the hands of the Priestly tradents. It provides a temporary halt to the intensifying sequence of narratives of rebellion and brings attention back to God's instruction of the people. The chapter contains several sections connected by refrains and a sequence of themes.

15:1–16 / These opening verses present a series of instructions about sacrifices. The second verse is an important part of the context. After the spy episode in chapters 13–14, this verse affirms that the promise of the land is still intact: **After you enter the land I am giving you as a home.** This is a significant clue for the placement of this chapter. The disobedience in chapters 13–14 has dire consequences for the current generation, but the hope of possessing the land is still alive. Verses 3 and following present supplementary instructions about whole burnt offerings (see Lev. 1; 6). **Sacrifices** likely refers to fellowship offerings (v. 8). These may be **for special vows or freewill offerings or festival offerings.** That is, one may fulfill a vow with a fellowship offering or bring one as a free expression of dedication and thanksgiving to God, or bring one during one of the special feasts. These offerings are to be accompanied with a grain offering (see Lev. 2; 6; 23; Num. 6). **A drink offering** is also to accompany the sacrifice. Earlier texts have not specified the quantities of the grain offerings or drink offerings. The offerings to accompany a **lamb, ram,** and

young bull are specified. Also, we know from Leviticus 1 that the whole burnt offering is an atoning sacrifice—another clue to the placement of this material here, following four chapters of rebellion against God.

These offerings apply to **everyone who is native-born** and to any **alien.** The text emphasizes that the alien, the non-Israelite living with the people, is to **have the same rules** as the Israelite. **You and the alien shall be the same before the LORD** (v. 15) is a strong statement of inclusion.

15:17–21 / These verses also begin with the phrase **when you enter the land to which I am taking you.** There the people are to give an offering of their food that recognizes God as the giver of food. The text emphasizes that the offering is to be given **throughout the generations to come.** The people were instructed to bring an offering of firstfruits in Leviticus 23 (see Deut. 26), and here in Numbers that instruction is expanded to a first meal offering. The text certainly anticipates settled life, with agriculture, ovens, baking, and the hope for a variety of foods. As verses 1–16 relate to grains, these verses relate to foods from grains and the offerings of them.

15:22–31 / The chapter next moves to consider the circumstance in which the people **unintentionally fail to keep any of these commands** given to Moses. While the commands in verses 1–16 introduce the issue of keeping instructions, verses 22–31 deal more widely with the violation of any Mosaic laws. Verse 24 defines an inadvertent violation as one of which the community is not aware. In that case, a whole burnt offering of **a young bull** with the accompanying **grain offering and drink offering** are prescribed, as well as **a male goat** for a sin offering. These offerings are for atonement, and the sacrifice works as prescribed in the Manual of Sacrifice in Leviticus 1–7, in particular Leviticus 4. The description of the whole burnt offering and its accompanying grain and drink offerings is the same as that in verses 1–16, as is the note on including aliens. We then move from the community to the individual who **sins unintentionally** (vv. 27–29). The sacrifice here is a **year-old female goat** as a sin offering. The law applies to both **native-born Israelite** and **alien.**

This look at unintentional sins leads to a brief consideration (vv. 30–31) of intentional sins: **anyone who sins defiantly,** "with a high hand." The penalty for this sort of sin is excommunication from the people. Such excommunication would be tantamount to death, through losing the protection of the community. This person must bear the consequences of the sin, which is described as blasphemy and despising God. There was no prescription for atonement in the case of a deliberate sin in full knowledge of the law. That kind of sin is precisely what was committed in chapters 13–14, rejection of the provision of the land and the disobedience leading to the defeat at the end of chapter 14. Such sin also continues in chapter 16.

15:32–36 / These verses consider a particular case of Sabbath observance. A person **was found gathering wood on the Sabbath day** and kept in custody until a penalty could be revealed. The text does not tell us why the person was kept in custody. Exodus 31 and 35 have made it clear that no work is to be done on the Sabbath, and that violation of the commandment is a capital offense. Is the question whether gathering wood constitutes work on the Sabbath, or is the issue what kind of capital punishment is to be used? Or is the offense of gathering wood considered under the law against starting a fire on the Sabbath (Exod. 35:3)? The defendant comes before **Moses and Aaron and the whole assembly,** but it is Moses who consults with God on such matters in the tabernacle, as readers know from Leviticus 24:10–23 and the conclusion of Numbers 7. The decision here is that the person is to be stoned. This incident serves as a life example of a high-handed sin as described in verses 30–31 and is dealt with severely. The execution takes place **outside the camp** in order not to contaminate the camp.

15:37–41 / These final verses exhort the people to keep divine instruction like that given in this chapter. The command is **to make tassels on the corners of your garments, with a blue cord on each tassel.** The tassels with blue cord would stand out on the fringes of garments, as the law is to stand out for people of faith. The tassels, a visual reminder of the law, constitute encouragement in living as God's people, in contrast to **going after the lusts of your own hearts and eyes.** The chapter then concludes (v. 41) with the important affirmation that God brought Israel out of Egypt to be their God. The covenant relationship remains intact; note the echoed language of verse 2.

This chapter takes readers back to preparations for entering Canaan similar to those in chapters 1–10, and thus breaks up the relentless series of narratives of disobedience. But the instruction here also conveys an urgency about disobedience and its consequences, especially in verses 30–41. That urgency fits the context in Numbers, and it explains the final verses as encouraging the people toward attention and faithfulness to God's instruction. Chapter 16 suggests that this encouragement is indeed necessary.

Additional Notes §14

15:3 / **Offerings made by fire:** See the note on Lev. 1:9 for the alternate translation "gift." **An aroma pleasing to the LORD** suggests that the sacrifice is acceptable.

15:4, 6, 9 / The exact amount of the measures to be brought as offerings is difficult to determine, but most commentators suggest that **a tenth of an ephah** would be approximately two quarts or two liters. **A quarter of a hin** would be about 1.5 pints or 0.75 liter. **Two-tenths of an ephah** would be about four quarts or four liters; **a third of a hin** would be about one quart or one liter. **Three-tenths of an ephah** would be about six quarts or six liters. **Half a hin** would be about three pints or 1.5 liters.

15:20 / The exact nature of **ground meal** is uncertain. It becomes some kind of baked cake. Coarse meal or barley paste or dough have been suggested.

15:30 / See the note on 9:13 for **cut off from his people.** Alternate renderings of **blasphemes** would be "reviles," "insults," or "affronts."

15:36 / For the literature on why the Sabbath breaker needed to be held in custody, see Davies, *Numbers,* pp. 158–61.

15:38 / The term *tsitsit* probably means **tassels,** but some suggest "fringes." The term used in Deut. 22:12 means "tassels," and such a custom fits ongoing Jewish tradition.

15:39 / The term for **prostitute yourselves** is the same root word used in 14:33 indicating "whoredoms." The Hb. term for **going after,** *tur,* is used in 13:21 to indicate exploring, spying, or seeking out the land. The sense here is "following after" or "turning to."

While chapter 15 provides a brief respite from the narratives of rebellion in the wilderness, chapter 16 takes up that theme again with vigor. It also brings the Levites back into the picture. Like the story of the spies in chapters 13 and 14 (see note on 13:1–14:45), chapter 16 is a narrative with a complicated literary history. Within the book of Numbers, the narrative serves the broader purpose of recounting the people's ongoing rebellion. The story takes several turns and requires careful reading. In what follows, we will attempt to piece together the whole.

16:1–15 / The opening of the chapter sets the scene with all the principal opponents in attendance. **Korah,** identified as a Levite of the Kohathite group, the **Reubenites Dathan, Abiram, . . . and On,** as well as 250 leaders in the camp, rise up against Moses. In this conflict over priests' authority, Korah apparently represents the Levitical desire to expand the priesthood. Remember that the Kohathites are the Levitical clan responsible for the holy furniture of the tabernacle. The tribe of Reuben, from Jacob's first son, is listed first in the census in Numbers 1. Another son, Judah, takes over this primary position in the arrangement of the camp in Numbers 2. The description of the 250 (v. 2) emphasizes their prominence. The claim is that Moses and Aaron are reaching beyond their authority, that they have gone too far in setting themselves above the people: **The whole community is holy.** Verse 3 seems to indicate that the laity also sought priestly privileges. Chapter 15, however, pictures Moses as the mediator of the divine revelation and Aaron as the high priest who effects atonement.

Moses responds first, as he often does in these stories of rebellion, with a sign of intercession or deference to God. Then he speaks **to Korah and all his followers** and proposes to let God make any choices on questions of holiness and authority. The challenge is for the next morning at the tabernacle. All parties to the controversy are to bring their **censers** with **fire and incense in them before the** LORD. God will then choose **the one who is holy.** Moses concludes his response with a reply to the claim that he and Aaron have gone too far (v. 3) by saying, **You Levites have gone too far!**

Moses' reply continues in verse 8 with an address to Korah, although the message is clearly to all the Levites. Moses reminds the Levites that they have already been given a special status and task: **The God of Israel has separated you from the rest of the Is-raelite community.** In the camp, the Levites are the ones placed near the tabernacle. That is an honorable position, but now they seek to usurp the place of Aaron and his sons, the priests (v. 10). Their actions constitute rebellion against God because God is the one who assigned their task. This section certainly seems to reflect a conflict between priests and Levites.

With verse 12, Dathan and Abiram come to the fore. Moses calls for them, and they refuse Moses' summons and portray him as deceptive. The accusation, again, is that Moses seeks **to lord it over us.** Their first rhetorical question in verse 13 employs a strange reversal. It accuses Moses of bringing the people from Egypt to the desert to kill them and describes Egypt as **a land flowing with milk and honey.** Israelites have not entered such a land nor received **an inheritance of fields and vineyards.** The Reubenites turn Moses' words from verse 9 against him: **Isn't it enough** that you have brought us to the desert to die? Moses re-sponds angrily that he has not **wronged any of them** and asks God not to **accept their offering,** that is, to withhold divine favor from them. Moses asserts his honesty and integrity by saying he has **not taken so much as a donkey from them.** The complaints of Korah, Dathan, and Abiram clearly portray conflicts between Le-vites and priests as well as conflicts with Moses.

16:16–35 / This next section centers on the challenge with the censers. In verses 16–17, Moses repeats the instructions. Korah, the 250 followers, and Aaron are to appear with their cen-sers and present them **before the** LORD at the tabernacle. On the next day, Korah and the 250 each take **his censer, put fire and in-cense in it,** and stand with Moses and Aaron **at the entrance to the Tent of Meeting.** God appears to the assembly and initially indi-cates that Moses and Aaron should move away from the others so that God can bring divine judgment upon Korah and his group. **But Moses and Aaron fell facedown** and again interceded for the

people. They addressed God as **God of the spirits of all mankind.**
The God of all can easily cause destruction. The entire camp is not
in rebellion against God and God's chosen leaders here, as it was
in Numbers 13–14. Korah and his group bear the guilt. It appears
from the content of the prayer in verse 22 that Korah is the main
culprit and is considered to be the instigator of the problem at
hand. Moses and Aaron boldly pray that God will not judge the
whole people because of Korah's irresponsibility.

God responds to the intercession with further instruction
that **the assembly** is to **move away from the tents of Korah,
Dathan, and Abiram** in preparation for divine judgment upon
them. Moses, followed by the elders, proceeds to carry out the in-
structions. Dathan and Abiram would not come to him (vv. 12–15),
so he goes to them. Moses calls on the people to move away from
the families and possessions of the rebels. The judgment will
probably affect the whole household and could be contagious.
The people obey Moses' instructions and separate themselves
from the leaders of the revolt. Moses then suggests a clear way to
discern the divinely chosen leader of the people. Should Korah,
Dathan, and Abiram die a natural death, that would be a sign that
Moses' leadership does not come from God. If, in contrast, the re-
bels are swallowed up by the earth in death, that would be a sign
of divine support of Moses as leader of the people. Immediately
the earth opens and swallows Korah, Dathan, and Abiram **with
their households and all Korah's men and all their possessions.**
The earth closes over them, and they exist no more. Then **fire
came out from the** LORD **and consumed** the 250 with their cen-
sers. This scene of divine judgment brings great fear among the
people (v. 34).

The term that the NIV renders **grave** in verses 30 and 33 is ac-
tually Sheol, the destination of the dead. The OT describes Sheol as
the underworld, a place of separation from God, a shadowy place
of no return. Only toward the end of the OT era did the hope of
resurrection from death develop. Seeing these people swallowed
by the earth, disappearing into Sheol, must have been especially
alarming to the community. Earlier (vv. 12–15), Dathan and Abi-
ram refused to "go up"; now they "go down."

16:36–40 / Eleazar the priest is then to deal with the af-
termath of the burning of the 250. He is to **scatter the coals some
distance away** and preserve the censers. He is then to hammer
the censers **into sheets to overlay the altar.** These censers were

brought to the tabernacle and are thus considered **holy.** Hence they are put to further use in the work of the tabernacle. The cover will remind the people of this incident and stress that **to burn incense before the LORD** is the priests' prerogative only! Eleazar, Aaron's son, does as he is instructed. A concern that the high priest not have any contact with death (Lev. 21:10–12) probably accounts for the choice of Eleazar rather than Aaron.

16:41–50 / The final section of the chapter describes the popular response to the events. The people **grumbled against Moses and Aaron** because of the deaths on the previous day. The people gather in assembly, and again God appears at the **Tent of Meeting** to tell Moses and Aaron to separate themselves from the people. **And they fell facedown.** But a plague has already begun among the people, and so Moses tells Aaron to take his censer with incense **along with fire from the altar.** Aaron hurries among the people and offers the incense. This atoning act stays the plague, but **14,700 people died.** This last episode demonstrates the priority of the Aaronic priesthood and Aaron's powers as high priest and effecter of atonement—important issues in light of the conflicts of the previous day. Offering incense for atonement is odd, but it shows the good results of a proper person's offering incense, in contrast to the rebellions recounted earlier in this chapter. In this case, atonement indicates reconciliation and the averting of danger. Aaron the priest **stood between the living and the dead.** Numbers 3–4 laid out the places and duties of priests and Levites. Chapter 16 affirms that order for the organization of the community and rejects violations of the order, a theme which continues in the next chapters.

Additional Notes §15

16:1–50 / The Priestly tradents have incorporated earlier narrative material into their recounting of the history of this period. Apparently an early narrative of a Reubenite rebellion against Moses' leadership (vv. 12–15) has been expanded into the current narrative, which includes the dissension of the Levite Korah and 250 lay leaders. Many commentators have suggested that the story reflects a conflict between Levites and priests of the Aaronide line. For literature on the literary history of the chapter, see Davies, *Numbers*, pp. 162–68.

16:1 / This verse contains the only occurrence of the name **On** in the OT. For the rendering **became insolent,** see Budd, *Numbers,* pp. 180–81.

16:5 / The term used for Korah's **followers** is "all his congregation." Korah has created a congregation rival to Israel.

16:6 / **Censers** are pans for carrying burning coals and incense.

16:12 / When **Dathan and Abiram** refuse Moses' summons, the root word used is *'alah,* "We will (not) go up." Here and in v. 14 the term apparently connotes going up to a superior. In v. 13, the term is used of the exodus from Egypt. A number of interpreters hypothesize that the original refusal to "go up" was a refusal to enter the land, as in ch. 14.

16:14 / **Will you gouge out the eyes of these men?** Apparently the phrase is used metaphorically here to speak of Moses' deception, attempting to mislead the people with false promises, to hoodwink them. An analogous expression "to throw dust in the eyes" has been suggested. Budd notes that bribery blinds the eyes (*Numbers,* p. 187).

16:22 / **God of the spirits of all mankind** is, in the OT, used only here and in 27:16, but the phrase is commonly used in postbiblical literature (Davies, *Numbers,* p. 174). God is creator and judge of all.

16:24 / The NIV rendering **tents** no doubt catches the sense, but it is an unusual sense for *mishkan,* "tabernacle," and it is in the singular. Is the implication that the rebels have in essence set up a rival "tabernacle"?

16:30 / **But if the LORD brings about something totally new** is literally "creates a creation."

§16 Aaron's Rod (Num. 17:1–13)

Despite the outcome of the rebellions in chapter 16 and the role of Aaron in staying the plague, chapter 17 addresses lingering opposition to Aaron and his sons in the established priesthood. Chapter 18, also, will attend to priesthood issues.

17:1–7 / With the challenge of the censers in chapter 16, Moses proposed a test to see who would serve at the tabernacle. That test demonstrated the danger of holiness in the camp with the dramatic outbreak of fire, earthquake, plague, and death. Here there is a much calmer and more positive test. God instructs Moses to **get twelve staffs**, one from each tribal leader, and to **write the name of each man on his staff. Aaron's name** is to go on the staff of the tribe of Levi. Moses is to place the staffs in **the Tent of Meeting** before the ark of the covenant, **where I meet with you.** The staff of the person chosen by God **will sprout** as a sign of the divine choice. In this way, God says, **I will rid myself of this constant grumbling.** Moses carries out the divine instructions. The conclusion of verse 6, **and Aaron's staff was among them,** probably indicates that there were thirteen staffs, one for each of the twelve tribes plus Aaron's staff from the tribe of Levi. The phrase may also indicate that Aaron's staff was given no special place but was simply with the other staffs.

17:8–11 / **The next day Moses entered the Tent of the Testimony.** He sees that Aaron's rod has not only sprouted but even **budded, blossomed and produced almonds.** A rod of almond could sprout overnight, but the sudden production of ripe almonds is clearly miraculous. Moses brings the staffs out of the Tent and returns each staff to its owner. The piece of wood has come to life as a sign of the choice of the tribe of Levi to care for the sanctuary and of Aaron as priest and presider over worship there. After the leaders of the tribes see this miracle, God instructs Moses to keep Aaron's staff in the tabernacle **as a sign to the rebellious.** The motivation is to warn the people of the Levitical and priestly authority so they will not murmur and challenge it. Chapter 16 has demonstrated that such rebellions are dangerous and can bring death. To avoid such rebellions is to avoid death. Moses follows the divine instruction to preserve Aaron's rod in the tabernacle.

17:12–13 / These last two verses suggest an extreme reaction from the people. Presumably they are responding as much to the events described in chapter 16 as to the budding of Aaron's rod. With the dramatic deaths in chapter 16 and the demonstration of divine power in this chapter, the people panic and fear death. The danger of the holiness at the center of the camp and the importance of the Levitical task of guarding the sanctuary have once more been demonstrated. And so the people again plead with Moses, **Are we all going to die?** Unrestricted access to the tabernacle is indeed dangerous. The attitude of the people seems to have shifted considerably.

The first part of the book of Numbers centers on rightly ordering life as God's people, and the middle section of the book recounts rebellions in the wilderness. The two themes seem to coalesce here, for this revolt is against order. The people are now in a position to hear again the instructions for the Priestly organization of the community given in Numbers 3–4. The two visual symbols from chapters 16–17 will continue to remind the people of the life-giving and dangerous reality of the divine presence. The bronze cover for the altar (16:38–40) recalls the death of the 250, while the budding rod of Aaron reminds the people of the choice of Aaron's line to mediate the priests' blessing of life.

Christians have associated Aaron's budding rod with the budding messianic stump of Isaiah 11:1 and have also seen in the budding rod a symbol of resurrection that followed crucifixion on a wooden cross.

Additional Notes §16

17:2 / The **staffs** are not newly cut branches but the official staffs carried by the leader of each tribe to symbolize authority. Important to this narrative is a word play on *matteh*, "staff," "rod." The term also means "tribe." The "rod" which blossoms symbolizes the "tribe" that is the divine choice; *matteh* would be used in both cases.

17:4 / The staffs are to be placed **in front of the Testimony.** The tabernacle is called **the Tent of the Testimony** in vv. 7, 8. The reference is to the ark of the covenant and the tablets of the law contained there. The tablets provide the "testimony." The staffs are placed in front of the ark.

17:8 / The Hb. for almond is *shaqed,* which means "to be awake." The tree was given the name because it is the first to blossom in the spring, the first to awake from the winter, the "wake-up tree." See Jer. 1:11–12.

The tradition of Aaron's staff also goes back to Exod. 7, where it was important in the plague traditions and came to life as an important part of that narrative.

§17 Duties and Rights of Priests and Levites (Num. 18:1–32)

Chapter 18 responds to the panic of the people over the danger of holiness in the tabernacle at the center of the camp (17:12–13) and solidifies for the community the duties and rights of the sanctuary establishment. The events of the two preceding chapters have made clear to the people the necessity of the priests' organization. Apparently the situation of the Priestly tradents also included the need to clarify the roles of priests and Levites. Because this chapter reminds the people of priests' duties and privileges that will be fulfilled only in the land, it also reminds the people of the possible future in the promised land.

18:1–7 / The first striking thing about this chapter is that, up to verse 25, the text addresses Aaron alone: **The LORD said to Aaron.** Typically God includes Moses in addresses to Aaron. The other place God speaks only to Aaron is in Leviticus 10, after the deaths of the priests Nadab and Abihu and in relation to specific duties of priests. Similarly, Numbers 18 also addresses specific priests' duties and follows shortly after a rebellion that included Levitical death (ch. 16). The divine address to Aaron affirms Aaron's relationship with God and his place as high priest, appropriately, after the series of rebellions beginning with Numbers 11.

The first issue is protection of the community from dangerous contact with the sanctuary. That is the responsibility of priests and Levites: **You, your sons, and your father's family,** that is, the family of Levi. The priests hold sole responsibility for protection of the priesthood, that is, any violation of their holy position. The Levites are to assist the priests in the conduct of work at **the Tent of the Testimony.** The warning that the Levites are not to **go near the furnishings of the sanctuary or the altar** is repeated. Both Levites and priests are held responsible for keeping that instruction, on pain of death (v. 3). Only priests and Levites may approach the tent. All of these warnings are for the purpose of protecting the community. The reference in verse 5 to **wrath** falling **again** is apparently back to chapter 16 and the deaths there.

Chapter 17 has reiterated the choice of Aaron and his sons as priests and the Levites as those assigned to the tabernacle. Chapter 18 (v. 6) again affirms the choice of the Levites, describing them as a gift to Aaron, **dedicated to the LORD** for work at the tabernacle. But it is only the priests who do the work inside the sanctuary. Anyone else approaching the sanctuary faces death. Verse 7 describes the work of the priesthood **as a gift** from God; the priests have not earned this position. The priests' position is a gift also to the community to sustain the life-giving, but threatening, holiness at the center of the camp. The community should therefore provide for the priests.

18:8–20 / The rest of the chapter considers the offerings that support the priests and Levites, bringing together a variety of instructions from other places. The address is still to Aaron alone. The basic principle of the section is stated in verse 8: God has given the offerings to the priests. The part that goes to the priests is, of course, that which **is kept from the fire.** The text lists the grain, sin, and guilt offerings. The fat is burned in the animal offerings and a portion of the grain offering is burned. It appears that only the priests are to eat their portion from these offerings in the tabernacle precincts: **every male shall eat it.** The priests' portions from the fellowship offerings, usually the breast and right thigh, may be eaten by any **ceremonially clean** members of the priests' families. Also in this category are **the finest olive oil . . . new wine and grain** brought as firstfruits. The "finest" is literally the "fat" of the oil, wine, and grain. All those things that are permanently dedicated to God come also to the priests, as do the firstborn in humans and animals. Sons and unclean animals are to be redeemed as suggested in 3:46–51. The redemption takes place at the age of one month. The priests are to treat **the firstborn of an ox, a sheep or a goat** somewhat differently and sacrifice them in a manner similar to a fellowship offering. The meat then comes to the priests.

These portions are guaranteed to the priests as **an everlasting covenant of salt.** Salt was a preservative, and so this pledge is eternal. The rationale for this provision for the priests is in verse 20: They have no other means of living. God provides their share and inheritance.

18:21–24 / These verses attend to provision for the Levites. Even given the Levitical involvement in the rebellion in chapter 16, God provides for them by way of the tithe. The Levites **do the work at the Tent of Meeting** and are responsible also for guarding it against dangerous contact. The Levites have no other way of supporting themselves and so receive the tithe, one-tenth of the livestock and harvest from the people (see Deut. 14:22–29). The Levites perform a significant work for the people and put themselves at risk in so doing. It is appropriate that they receive support.

18:25–32 / The last section of the chapter addresses Moses, since it concerns Levitical contributions to the priests. For Aaron to be the addressee would reflect a conflict of interest. God instructs the Levites to give a tithe of the tithes they receive. One-tenth of what the Levites receive in tithes, **the best and holiest part of everything given to you,** goes to the priests. It is clear that the Levites are in an honorable position, but one subordinate to the priests. What is not given to the priests is for the use of the Levites. The chapter concludes on a note of warning: When the Levites fulfill this instruction, they avoid defiling **the holy offerings of the Israelites, and you will not die.**

The OT knows of a mixed history for the priesthood. Indeed, Leviticus provides for atonement for the priests. Still, the priests and Levites are important in the community's structure and so deserve support (see Neh. 10; 13; Ezek. 44). The NT attends to support for leaders in Matthew 10:5–15; Luke 10:1–12; 1 Corinthians 9:13–14; and 1 Timothy 5:17–18. Religious leaders are to depend on divine support (Num. 18:20).

Additional Notes §17

18:1 / To **bear the responsibility for offenses** is to assume the consequences or punishment for any violation of the sanctuary. Priests and Levites are fully answerable in this area and must pay the penalty for any violations.

18:2 / The verb **join** comes from the root *lawah,* which suggests a word play with *lewi,* Levi. The verb is passive. The Levites are joined to the priests.

18:5 / The "you" addressed is most likely the priests, who enter the sanctuary, as opposed to priests and Levites. If both are included, the sanctuary would include the courtyard.

18:7 / **Inside the curtain** usually refers to the Most Holy Place. If that is the case here, the instruction is to the high priest, the only one who enters there. Otherwise, the phrase here would refer to the sanctuary.

18:9 / The specific priestly terms used in this chapter are somewhat confusing. **Most holy offerings** are usually only for priests and eaten in the sanctuary. "Holy offerings" are for the entire priestly household. This verse tends to blur the distinctions.

18:11 / On the **wave offerings,** *tenupah,* and **whatever is set aside,** *terumah,* see the note on 6:20. Here the reference is apparently to food for the priests; these portions are special among the wave offerings.

18:14 / *Kherem* comes from the ban on human use of what is taken in battle. It is **devoted** to destruction as a gift to God. Here the term refers to offerings permanently dedicated to God that cannot be redeemed.

18:19 / An alternate interpretation of **an everlasting covenant of salt** would understand the phrase as a reference to the custom of confirming covenants with a sacrificial meal, including salt.

§18 The Red Heifer (Num. 19:1–22)

Death has been prominent in the last three chapters, with the deaths in the rebellions in chapter 16, the fear of death at the end of chapter 17, and the assurance of protection against death in chapter 18. Indeed, death has been an ominous presence in this middle section of Numbers beginning with chapter 11. Since a concern with purity permeates the book, and since death, as an enemy of God, is unclean (Num. 5:2), it is appropriate that the Priestly tradents deal in chapter 19 with the question of how the community is to cope with impurity caused by contact with death. Some anthropologists interpret death as the most basic form of impurity. The circumstances described here are characteristic of settled communities, but stress on a Mosaic origin legitimates the ritual described in the chapter.

19:1–10 / In this first part of the chapter the basic ritual is ancient. The address is to both **Moses and Aaron**. The people are instructed **to bring . . . a red heifer.** The animal is to be pure, unblemished, and unused. The color red probably symbolizes blood as a purifying agent. **Eleazar the priest** is to supervise the killing and burning of the animal **outside the camp.** The animal is not considered a sacrifice. (Aaron himself does not perform this duty so as to avoid the high priest's having any contact with death. He would also probably stay closer to the sanctuary.) Eleazar is beginning to take over some of the priestly duties. The priest then is to sprinkle some of the blood with his finger **toward the front of the Tent of Meeting** to indicate that the blood and cow are for the purpose of maintaining purity for the tabernacle. The entirety of the animal is then burned. It is unusual for the hide and blood to be burned; this rite is somewhat different from others we have noted. The priest then adds to the fire **cedar wood, hyssop and scarlet wool.** These are additional cleansing agents (see Lev. 14). They also add red color and the aroma of cedar to the fire, emphasizing blood as a cleansing agent. In Leviticus blood is significant.

When one loses blood, one can die. So life is in the blood. It thus stands to reason that blood would be central to a ritual in which people return from impurity to purity and the full life of the community.

The priest and the one who did the burning must then go through cleansing; they bathe and wash their clothes and remain **ceremonially unclean till evening.** Someone **who is clean** then collects the ashes and puts them in a **clean place outside the camp.** Just as the slaughter and burning are outside the camp, the ashes are stored there. The location probably indicates concern with death and the power of the rite. Verse 9 indicates that the ashes will be used for **the water of cleansing,** a purifying water. The one who gathers the ashes is also to go through a cleansing. This ritual is applicable for both Israelites and aliens (v. 10).

19:11–13 / These verses deal with the circumstance in which someone **touches the dead body of anyone.** The resulting uncleanness lasts **seven days.** The person is to be purified **with the water on the third day and on the seventh day.** This cleansing water has been mixed with the ashes of the heifer. The text emphasizes that without this cleansing the contamination stays with the person, who **must be cut off from Israel.** Contagious impurity threatens to come into contact with the holy tabernacle and bring to the people an explosive danger.

19:14–22 / These final verses attend to specific circumstances of death and the specifics of the ritual. **When a person dies in a tent,** people in the tent are **unclean for seven days.** Open containers in the tent also contract the impurity. People who come into contact with human corpses **out in the open** will also be unclean for seven days. The occasions are enumerated in verse 16: a violent or natural death, or contact with **a human bone or a grave.** In these contexts of impurity, ashes from the heifer are put in a jar, and **fresh water** from a spring or stream is added. The person who enacts the ritual is **ceremonially clean,** not necessarily a priest. The person dips **some hyssop** in the cleansing water and sprinkles **the tent and all the furnishings and the people who were there.** Those who have come into contact with corpses as specified in verses 14–16 must also be sprinkled. The hyssop makes a good sprinkling instrument because it retains water well. The sprinkling takes place **on the third and seventh days.** Then after the unclean person washes body and clothes, on the evening of the seventh day, the person becomes clean. The importance of the rite is emphasized again in verse 20 as in verse 13. Failure to cleanse from the impurity associated with death is a threat to the holiness at the center of the camp. The certifying phrase, **This is a lasting ordinance for them,** indicates how important the Priestly tradents consider the cleansing. The end of the chapter stipulates that the person who enacts the rite of cleansing and anyone else in contact with **the water of cleansing** is also unclean until evening. It is ironic that contact with a cleansing agent causes uncleanness, but possibly the cleansing agents draw impurity to them and pass it to anyone in contact with them. Verse 20 has emphasized the contagion of impurity.

This chapter is of a piece with much of Leviticus, but it comes at a point in Numbers when the status of the community might well be in question. The Levites are still included in the promise (ch. 17); now the community must be legitimated again, as part of the camp with the divine presence at its center in the tabernacle. With the deaths that have occurred, it is important to attend to means for removing the associated impurity. The ritual is open to laity, Israelite and alien (v. 10), but it is still carefully articulated and maintained in the Priestly scheme of things. The place of the laity in maintaining the purity of the camp is clearly noted. The rite described in this chapter will seem strange to modern readers, as from an entirely different social history and culture. Relevant themes are the concern with life and death, and the identity of the community. Death is all around and will continue to be present as we move through Numbers. Death and water are crucial elements in chapter 20. The rite in chapter 19 makes it possible for the community to continue in life, by way of a rite thoroughly enmeshed in that cultural context. The rite moves people from impurity to purity, and so the community can continue to welcome the holy divine presence in its midst. Hebrews 9:13–14 alludes to Numbers 19 and the ashes of the heifer, in the context of the purification brought by the Christ event.

Additional Notes §18

19:2 / The term *parah* normally means "cow," and most contemporary interpreters take it so. The translation **heifer** likely comes from the Septuagint rendering. Since the cow had not been used, the Gk.

translators thought it must be young, and sacrificial animals were often young. A heifer is a female which has not yet had a calf.

19:5 / **Offal** refers to the contents of an animal's intestines.

19:6 / Some translate the species of plant as "marjoram" rather than **hyssop**. The identification is not certain. Jewish tradition favors "marjoram"; hyssop was apparently not native to Israel. In either case, the plant was understood as a cleansing substance. **Scarlet wool** is also an uncertain rendering. The form of the material as thread or wool is not clear.

19:9 / **Water of cleansing** is literally "water of impurity" or water for the removal of impurity. The rendering of NIV is appropriate to the context. *Niddah* refers to the unclean, abhorrent. I have taken *khatta't hiw'* as something which removes sin. That fits the purification context. See further J. Milgrom, "The Paradox of the Red Cow (Num 19)," *VT* 31 (1981), pp. 62–72.

§19 Water and Death (Num. 20:1–29)

This concluding chapter of the middle section of the book suggests that the camp is ready to move again, but the events in chapter 20 delay any progress, and the loss of the exodus generation becomes more pressing with the deaths of two of its leaders. This chapter accounts for the exclusion of Moses and Aaron from the land. The movement of the wilderness generation is slow and painful, and frequently interrupted by trouble.

20:1 / The chapter begins with a chronological and geographical note. **The first month** is specified, but no year. Still, it is clear that we are nearing the conclusion of the wilderness era. The year is probably the fortieth (see Num. 33:36–39). We will return to the issue of the route through the wilderness, but up to this point, Numbers suggests that the people left Egypt and went to Sinai. They approached the southern part of Palestine only to turn back into the wilderness. Now they move again toward the land, arriving **at the Desert of Zin, and they stayed at Kadesh.** The text then notes the death and burial of Miriam there. The last mention of Miriam was in chapter 12, when she and Aaron challenged Moses. As a result of that conflict, Miriam was ostracized from the camp for a week, but the community waited for her. This notice of her death and burial is further indication of her leadership and respect in the community, although the text makes no evaluative comment in relation to her death.

20:2–13 / The text then addresses a pressing issue: **Now there was no water for the community.** This reality brought more murmuring against Moses and Aaron. The account in verses 2–5 sounds very much like the earlier accounts of conflict. The people suggest that those who died earlier were better off, and they again accuse Moses and Aaron of bringing the people and their livestock into the desert to die. The people once more remember Egypt fondly for its food: **grain or figs, grapevines or pomegranates**—and water! Moses and Aaron respond in their customary way with an act of intercession, **and the glory of the LORD** appears. This story resembles a retelling of Exodus 17:1–7. Both stories concern the need for water and speak of the rod Moses uses and the meaning of "Meribah." We have noted that the complaint stories in Exodus often come to a positive conclusion with the meeting of a need. In Numbers, however, a series of rebellions against God and the leaders, each with mortal consequences, has followed since the beginning of chapter 11: the challenge of Moses' leadership, the spy narrative, the rebellion of Korah, Dathan, and Abiram. We now expect trouble, but is the need for water not a legitimate complaint?

When God appears, Moses and Aaron receive not wrath but simple instruction. Moses is to **take the staff** and with Aaron gather the community. Then he is to **speak to that rock before their eyes,** and it will **pour out** water for the community and its livestock. As usual, Moses meticulously follows the divine instructions, as verse 9 indicates: **So Moses took the staff from the LORD's presence, just as he commanded him.** And he and Aaron gathered the people before the rock. Then Moses seems to depart from his instructions. The sense of the last part of verse 10 is greatly debated: **Listen, you rebels, must we bring you water out of this rock?** Is the question rhetorical, expecting a positive answer, or a real question? When the miracle of the quail produced food, the outcome was not altogether happy. Possibly the question indicates that Moses and Aaron must produce the water, or that Moses, Aaron, and God either do not want to or are not able to do so. The most likely reading is that Moses is weary of the task and says, "Do Aaron and I have to do one more thing for you?" That view would fit God's complaint in verse 12 that Moses and Aaron did not trust God. In any case, Moses has already deviated from the divine instructions with this question. He then struck the rock twice with the staff, and water **gushed out** for the people and **their livestock.**

For the first time, Moses and Aaron have not followed the divine instructions. God describes their actions as violating the divine holiness **in the sight of the Israelites** because of a lack of trust. The consequence is that Moses and Aaron also will die with the wilderness generation outside the promised land. The story also is an aetiological narrative; it takes place at **Meribah,** which means "quarreling." The punishment of Aaron and Moses has puzzled interpreters. Aaron seems hardly to act in the story but is equally punished. What is the sin? Is it treating the people like rebels when they are not, or is it striking the rock—twice? In 11:11–15 and 16:15, Moses showed considerable frustration with the people. If Moses was not to use the staff, what was its purpose? Somehow a failure to follow the divine instructions, labeled distrust of God in verse 12, seems most likely to be the sin punished here. The leadership of Aaron and Moses is humanly imperfect; they also are part of the wilderness generation.

20:14–21 / From Kadesh, Moses sends a diplomatic note to the ruler of Edom requesting passage toward Palestine. The form of the message was the common one of the day. The address speaks of **your brother Israel.** That is typical diplomatic language, but it also alludes to the Jacob/Esau story in Genesis. Israel and Edom are brothers. Moses then requests passage through the territory of Edom. His message recounts Israel's troubles in Egypt and the oppression there. Upon their cry, God brought them out of Egypt by way of the Passover, and they have moved to the border of Edom. Moses requests passage through the land, only on **the king's highway,** the major trade route through the Transjordan. Moses pledges that they will not cause any economic loss for Edom. The Edomite response is a terse and stern refusal. If Israel tries to enter Edom, the Edomites will attack. Israel seeks to negotiate, promising only to pass through and to pay for any water used. Edom again refuses and marshals an army. Israel then turns away. Edom fears Israel and may have experienced difficulties with such groups before, but Israel turned aside with a minimum of conflict.

Unlike the reunion of Jacob and Esau in Genesis, this encounter between Israel and Edom results in rejection. After the disobedience of Moses and Aaron and with no divine instructions, have the Priestly tradents included this account as an example of a failed mission and further delay that is part of the death of the wilderness generation?

20:22–29 / The concluding section of the chapter recounts the death of Aaron at **Mount Hor.** Aaron's exclusion from the promised land is tied to his and Moses' "rebellion" recounted in verses 2–13 (see 27:12–14). Aaron's death is near, and God will work through Aaron's older son **Eleazar** to provide a successor for the high priesthood. Moses is to take Aaron and Eleazar on Mount Hor and transfer the high priestly garments from father to son. They follow the divine instruction **in the sight of the whole community.** At Aaron's death, the community **mourned for him thirty**

days, rather than the customary seven. This middle section of the book ends with the death of the wilderness generation even reaching to the leaders Miriam and Aaron, and the rebellion of the people reaching even to Aaron and Moses. But the move to a new generation with Eleazar suggests that the holiness at the center of the camp could continue.

Additional Notes §19

20:1–29 / Most commentators agree that vv. 1–13 and 22–29 come from the Priestly tradents, and that they have included an earlier account in vv. 14–21. The origin of that earlier text is debated.

20:1 / The journey is from the Desert of Paran to **the Desert of Zin** and **Kadesh.** See the notes on 10:12; 13:26. The Desert of Zin is usually located south of the Negeb.

20:3 / The root word for **quarreled** is *rib.* The term is often associated with legal action and is tied to the name **Meribah.** See J. Limburg, "The Root *'rib'* and the Prophetic Lawsuit Speeches," *JBL* 88 (1969), pp. 291–304.

20:9 / It is not clear whether the staff is Moses' as in Exod. 17 ("his staff" in v. 11) or Aaron's from Num. 17 (**the staff from the LORD's presence** in v. 9). The latter seems more likely.

20:12 / See Milgrom, *Numbers,* pp. 448–56, for various views on the sin of Moses: e.g., that Moses struck the rock instead of speaking to it or struck it twice rather than once, or Moses' temper or doubt. Moses and Aaron fail to demonstrate God's full power and might to the people, and so God does not receive due reverence and honor. Perhaps Moses and Aaron are arrogant and think they can produce the water (see Ps. 106:32–33).

20:13 / **He showed himself holy** comes from the root word *qadash,* and is a play on the name Kadesh.

20:14 / Any **king of Edom** in this time would have been a ruler controlling various local settlements in Edom.

20:22 / **Mount Hor** is traditionally located near Petra. An alternative is Jebel Madurah, near Kadesh and on the Edomite border. This scene prepares readers for the scene of the death of Moses, also on a mountain.

Journeying in the Transjordan (Num. 21–36)

Chapter 21 begins a new movement in the book of Numbers. The deaths of Miriam and Aaron and the sin of Moses in chapter 20 mark milestones, and the camp is again on the move. In the final chapters of the book, the action moves to the Transjordan plateau and the journey to the land of Canaan.

Chapters 11–20 have been dominated by rebellion, death, and defeat. In chapter 21 are the first signs of military success. Although another rebellion story follows the first victory (vv. 1–3), the chapter ends with further victories and therefore marks a kind of transition into the hopeful concluding section of the book.

21:1–3 / The chapter begins with a note of defeat for Israel. **The Canaanite king of Arad** attacks and captures some Israelites. In response, Israel enters into dialogue with God and vows to follow the holy war procedures. They will enact the *kherem*, or ban. Everything taken will be devoted to destruction, removed from the human realm and given to God. God accepts the vow and gives the people victory. The Israelites destroy the Canaanites and their towns, and hence the derivation of the name **Hormah**, which means "destruction." Earlier, Israel faced defeat at Hormah (14:39–45), but this victory fully reverses that episode. The picture in this brief account is of obedient Israel victorious in battle, a real contrast to chapters 11–20.

21:4–9 / That portrait of obedience does not continue, however, for the next section recounts another rebellion. It is the last account of such a rebellion, and it is a severe one. In the delay caused by the necessity of going around Edom (20:14–21), the people become **impatient on the way.** They murmur against both God and Moses, and mouth the traditional complaint: Why have you brought us here to the desert to die? There is neither bread nor water. And they describe the manna as **miserable.** In response God sends **venomous snakes among them. . . . and many Israelites died** from the bites. The people then confess their sin and ask Moses to pray for them. In response God does not remove the snakes but instructs Moses to **make a snake and put it up on a pole.** Anyone bitten can look at the bronze snake and live. The continuing plague and bronze snake remind the people of the need for confession and of God's power to heal. In earlier rebellion stories, the camp's repentance has been short-lived. Here God does not remove the problem, but provides a means of healing.

In the time of King Hezekiah in Jerusalem, he removed from the temple what was called "Nehushtan," Moses' bronze serpent (2 Kgs. 18:1–8). The people had come to treat it as an idol, and so it needed to be removed. This story provides a kind of aetiology for Nehushtan and shows that the snake was not to be worshipped, but was a means of healing in this circumstance. The NT alludes to this story in John 3:14–15 and Jesus' being lifted up on the cross.

21:10–20 / The pace of the narrative increases now as the people are on the move. Verse 10 begins a brief summary of the itinerary into the Transjordan to Moab. The mention of the Arnon and Moab leads to the insertion of a quotation from **the Book of the Wars of the LORD,** probably a collection of war poetry. The sense of this piece of poetry may not be possible to determine. Presumably **Waheb** is a town in the area of **Suphah,** and then there is reference to the ravines and slopes of the ravines that lead to **Ar,** a significant city in Moab. Is the point simply to support the statement that **the Arnon is the border of Moab,** or does the poetry imply Israelite victory or divine presence at these places? The fragment is too brief to know (see Davies, *Numbers,* pp. 220–21, and the literature cited there).

The Israelites then continued **to Beer** (v. 16), which means "well," and another poetic fragment celebrates the well as a source of water. The reference to princes, nobles, and **scepters and staffs** could recall the supervision of the digging or the official opening of the well. The movement of the camp continues until the Israelites reach **Pisgah.** The people are now well into Moabite territory; Pisgah is a high point providing a view of Canaan and the desert area around the Dead Sea.

21:21–35 / The people next encounter **the Amorites.** They send a diplomatic message to the king **Sihon,** asking for permission to pass through the country. The message is similar to that sent to Edom in chapter 20. Israel pledges to stay on the king's highway, to use no resources, and to do no damage. Sihon refuses and attacks Israel. But Israel defeats the Amorite king and takes his territory, including land Sihon has previously taken from Moab. Another poem here makes the point that Sihon has defeated the Moabites and their god **Chemosh,** and Israel has now defeated Sihon. The reputation of Yahweh and Israel is mounting. The path then leads to Bashan (v. 33) and its king Og, whom Israel defeats at Edrei. Israel follows the divine commands and carries out the conditions of holy war. God is faithful, and obedient Israel realizes victories, with the people at the edge of the land of Canaan for the beginning of chapter 22.

Additional Notes §20

21:1–35 / It is likely that the chapter is composed of early narratives incorporated into the Priestly project, including several poetic fragments. It is impossible to determine the origin of the various parts.

21:1 / **Arad** is south of Hebron and perhaps here should be thought of as a region with Hormah as its capital. **The road to Atharim** may be a route from south of the Dead Sea to Hormah; see Budd (*Numbers*, p. 230) and the literature cited there.

21:4 / **But the people grew impatient** is literally "the *nepesh* (life) of the people was short."

21:5 / The word **miserable** means "worthless," coming from a root word meaning "to be light or unsatisfying."

21:6 / **Venomous snakes** is lit. "fiery snakes," with a reference to the burning sensation from the bites. The snakes were deadly. Interestingly, the snake has today become a symbol of the medical profession.

21:9 / **Bronze** is an alloy of copper and tin, and is attested in antiquity. The word *nekhoshet* is probably a wordplay with the word for snake, *nakhash*.

21:11–12 / **Oboth** and **Iye Abarim** are of uncertain location. The Zered is a southern tributary of the Dead Sea.

21:19–20 / The locations of the place names here are not certain. **Nahaliel** means "God's wadi," and **Bamoth** means "high places."

21:23 / **Jahaz** is about five miles north of Diban. It is referred to in the Mesha Inscription and is a place of some military importance.

21:25 / **Heshbon** is about twenty miles east of the north end of the Dead Sea and is singled out as the most famous of the Amorite cities.

21:30 / **Dibon,** near the Arnon, is to the south of **Heshbon.** Medeba is probably located between Dibon and Heshbon. The verse probably indicates the extent of the destruction, but the text is problematic. It would be unwise to draw additional conclusions.

21:32 / **Jazer** is about twelve miles south of the Jabbock.

21:33 / **Edrei** is about thirty miles east of the Sea of Galilee. The details of a number of the references in this chapter are uncertain, but the general route—from south of the Negeb around Edom and then northward in the Transjordan—is clear. The people push as far north as Bashan and Edrei and then arrive on the plains of Moab on the Jordan across from Jericho (22:1). Deuteronomy 2:26–37; 3:1–7 provide comparable accounts of the victories over Sihon and Og, and Jer. 48:45–46 is quite similar to Num. 21:27–30. These matters have raised many issues for scholars about the historicity of the military record and itinerary in Num. 21. Certainly the accounts are from a later time; they reflect the perspective of people already in the promised land. There are also a number of obscurities in the text. Still, there is no reason to deny a historical base for the account. In Numbers, the issue is less historicity than the faithfulness of God and the obedience of the people. Numbers 21, with the victorious march toward Canaan, demonstrates both.

§21 Balak and Balaam (Num. 22:1–41)

The next three chapters comprise the extended narrative with the prophet Balaam, a delightful and complicated story with recurring themes centered around seeing and not seeing. Balaam is not an Israelite but joins in God's blessing of the people before Israel enters the land. The story derives from earlier narratives that have been included in the Priestly accounts. Because the story is composite, it reveals some tensions. Olson has described the four main characters in the story (*Numbers*, pp. 140–41); attention to these may provide a way for readers to follow the development. Balaam is a prophet who functions in the Transjordan; Balak is the Moabite king who hires Balaam to curse Israel. God is the one who determines the future by the blessing of Israel. Israel is the final character.

22:1–14 / Chapter 22, which begins by summarizing the setting, describes the initial interaction among the characters. Israel is now **camped along the Jordan across from Jericho** on the plains of Moab. They are on the verge of Canaan. The Moabites and their king Balak are terrified. Chapter 21 revealed that Sihon had defeated Moab and taken territory from them. Since Israel has now defeated Sihon, Balak has reason to fear. The quotation in verse 4 shows the dread: **This horde is going to lick up everything around us, as an ox licks up the grass of the field.** Apparently the Moabites and Midianites are allies against Israel. Because of his fear, Balak seeks an advantage in the form of a curse on Israel. For this he goes to Balaam, a nearby prophet who pronounced blessings and curses. In the ancient world, such words seemed weapons as effective as arrows or stones; curses and blessings came to pass. Balak sends **messengers to summon Balaam.** In his communication, the king notes the size of Israel and ironically prefigures the outcome of the narrative: **Those you bless are blessed, and those you curse are cursed.** The messengers, described in verse 7 as **elders of Moab and Midian,** take a fee for Balaam and relay Balak's message to him. Balaam asks that they stay the night and promises a response. Balaam then consults God and informs God of Balak's request. God responds with instructions not to go to Balak: **You must not put a curse on those people, because they are blessed.** Balaam reports this decision to the messengers and sends them back to Balak. **The Moabite princes** report Balaam's refusal to Balak.

22:15–20 / Balak is not satisfied with this response and so sends to Balaam a **more distinguished** delegation and promises much reward. Balak assumes that financial reward is the issue, but Balaam responds that even a palace full of **silver and gold** will not deter him from obedience to God. He once again tells the emissaries to stay the night and seeks God, who instructs Balaam to go with the messengers, **but do only what I tell you.**

22:21–35 / Balaam rises in the morning, saddles **his donkey,** and goes with the emissaries. **Two servants** accompany Balaam. Readers are then surprised to find in verse 22 that **God was very angry when he went;** Balaam appeared to be obedient. God's opposition comes in the form of **the angel of the LORD** standing in the road **with a drawn sword.** Such divine opposition also confronted Jacob, Moses, and Joshua; these narratives affirm the divine mystery and the warning not to presume on God's favor. Those whom God calls remain under divine supervision. The angel here warns Balaam to stay true to the divine instructions. This unexpected divine opposition also signals that the Balaam story is a complex one. We will be wise to reserve any judgment until the end.

With irony, the narrator tells us that it is the donkey, rather than the professional seer (or presumably the servants), who sees this dangerous angel and so moves **off the road into a field** to avoid the danger. Balaam then beats the poor animal (v. 23) **to get her back on the road.** The angel of the Lord appears again, this time **in a narrow path between two vineyards, with walls on both sides.** Now the donkey has few options to avoid the sword and so moves close to one of the walls, in the process **crushing Balaam's foot.** Balaam again beats the animal (v. 25). The third encounter with the angel comes at **a narrow place** where there are no options for avoiding the danger. So the animal simply lies **down under Balaam.** The seer is by now incensed and proceeds to beat the animal again (v. 27). The text says, literally, that Balaam's anger burned; the phrase is the same as in verse 22, when God's anger burned. Perhaps the experience of the donkey is akin to the experience of the prophet. As the donkey does not control events, neither does Balaam. Only God determines blessing and cursing. Patterns of three are frequent in this narrative, and with this third encounter with the angel, this amusing tale with the donkey comes to a climax.

Balaam and the donkey have a conversation. The donkey says, **What have I done** to deserve these three beatings? Balaam answers, **You have made a fool of me! If I had a sword in my hand, I would kill you right now.** The irony here is powerful, since the animal has saved Balaam from the sword. The donkey pleads, "Am I not the donkey you have always had? Have I ever done such a thing to you before?" And Balaam agrees that she has not. **Then the LORD opened Balaam's eyes,** just as the Lord had opened the donkey's mouth, and Balaam sees the angel and falls facedown. The angel then recounts what has happened and reproves Balaam for beating the donkey who has saved him. Balaam then confesses sin and says he is willing to return home. The angel says that Balaam should continue with Balak's emissaries, but repeats in verse 35 the warning, **Go with the men, but speak only what I tell you.**

22:36–41 / Balak goes out to meet Balaam at his border and remonstrates with the seer that Balaam should have come earlier. He will surely make the trip worth the prophet's while. Balaam responds, **I must speak only what God puts in my mouth.** God's control of events is apparent in this last section of the chapter, a further instance of God's control of Israel's future in attempting to enter the promised land. In the story Balaam and Balak continue to operate at cross purposes. Balaam will follow divine instruction; Balak is paying for a curse on the Israelite horde. Balak then makes standard preparation for the anticipated cursing with sacrifice of **cattle and sheep** and a sacrificial meal with the prophet **and the princes who were with him.** The chapter concludes with Balaam's seeing part of Israel (v. 41), as it began with Balak's seeing what Israel had done (v. 2). Seeing and not seeing are important in the chapter, as we have noticed. The donkey sees the danger of the angel with a drawn sword, and eventually this reality is revealed to Balaam. Now Balaam begins to see the vigilance of God, but Balak does not.

Additional Notes §21

22:2 / **Balak** means "destroyer" or "devastator."

22:5 / **Pethor** is on the west bank of the Euphrates, about twelve miles south of Carchemish. **The River** refers to the Euphrates. See Davies for an account of the difficulties in this verse (*Numbers*, pp. 244–46). The NIV rendering is reasonable.

22:7 / It was customary to pay a "fee for divination," a fee for prophesying. Divination is usually telling the future by some means. The term here is simply "divination," but the NIV fairly represents the context.

22:8–9 / The Balaam narrative uses various divine names, here Yahweh, **the LORD**, and Elohim, **God.** "Most High" and "Almighty" occur later. These titles may reflect the composite nature of the story, but they are not a reliable clue in separating the traditions included.

22:21 / The donkey is in Hb. *'aton,* a she-ass.

22:22 / **The angel of the LORD** is apparently interchangeable with "the LORD" and so a manifestation of the deity. **To oppose him** is "for an adversary to him" and the word used is *satan.* **His two servants** probably are an indication of Balaam's status.

22:32 / **Your path is a reckless one before me** includes a rare verb with an uncertain meaning. It may mean that Balaam's actions are precipitate, perverse, or foolhardy.

22:39 / The location of **Kiriath Huzoth** is uncertain. The name occurs only here and means "the town of streets."

22:41 / **Bamoth Baal** means the high places of Baal. Its location is unknown. See Num. 21:19. The word for **part** is literally "end," and the NIV rendering takes it to mean the nearest end or part of the people because of the vast numbers. See Num. 23:13, 27–28. The term could suggest the farthest end or edge and indicate the sight of the whole people.

§22 Balaam's Oracles (Num. 23:1–24:25)

Balaam's oracles comprise much of the rest of the Balaam cycle. Olson's treatment of the first three oracles has shown clearly how the material is organized as a narrative. Olson has further noted that the account of the three oracles mirrors the account of the three encounters with Balaam's donkey in chapter 22 (*Numbers*, pp. 145–47). Balaam is caught between God's intention to bless and Balak's desire for a curse, as the donkey was caught between Balaam and the angel. As Balaam's response in chapter 22 escalated with each episode, so Balak becomes angrier as each oracle comes. Each oracle account has six elements:

1. Balak brings Balaam to a high point to see Israel.
2. Balak builds seven altars and sacrifices a bull and ram on each.
3. Balaam consults with God elsewhere.
4. Balaam pronounces a poetic oracle of blessing.
5. Balak reacts in frustration.
6. Balaam responds that he must speak as God instructs.

23:1–6 / The first scene is at Bamoth Baal (see 22:41). Balak follows Balaam's instructions and builds **seven altars,** and they sacrifice a bull and ram on each altar. Two purposes for the sacrifices are plausible. They could be an attempt to induce God to give the curse Balak desires, or the sacrificial animals could provide livers or other organs for the purpose of divining the future. Balaam next goes to **a barren height** to consult with God and receive a divine word; then he returns to the altars and to Balak and **the princes of Moab.**

23:7–12 / Balaam pronounces his first oracle, which takes on formal characteristics of Hebrew poetry. Each pair of lines is in parallel, such that the second line rephrases, contrasts, or completes the first. He begins with a reference to Balak's summoning of him **from Aram** or Syria, which fits with the location given in 22:5, to **curse Jacob for me.** Balaam then protests that he cannot curse **those whom God has not cursed.**

The reference in **I see a people who live apart and do not consider themselves one of the nations** is either to the security of Israel or, more probably, to the distinctiveness of Israel in its relationship with God or its independence. The size of the camp indicates that God's special blessing is upon Israel; it is so large that it cannot be counted. Balaam concludes this first oracle with the hope that the latter years of his life might be like Israel's, blessed by God. Understandably, Balak responds quite negatively to Balaam's oracle: **What have you done to me?** I ask for cursing, and you give them blessing. The prophet has not actually spoken a blessing, although he has refused to curse Israel. Furthermore, the latter part of the oracle does allude to the divine favor Israel enjoys. Balaam responds that he must speak God's word.

23:13–17 / The anxious King Balak then moves the scene to another location, still hoping to exact from the seer a curse on his enemy. The prophet will again see only part of the people from this second location, **the field of Zophim on the top of Pisgah.** Again Balak builds seven altars and sacrifices seven bulls and rams. Once more Balaam meets privately with God to receive a word and then returns to Balak at the altars **with the princes of Moab.** This time (v. 17) the king asks, **What did the LORD say?** Balaam then pronounces his second oracle.

23:18–26 / The oracle is addressed to Balak and, in classic Hebrew poetry, it indicates that God will not change the blessing intended for Israel. God is not human and subject to deception or frequent changes of mind. **God is not a man, . . . nor a son of man,** that is, not born of a human and so not a mortal. The divine word always comes to pass; God's intent (here to bless Israel) is consistent. From the beginning, Balaam has said that he must speak the divine message—which is blessing, in contrast to Balak's desire for cursing: **I have received a command to bless; he has blessed, and I cannot change it.**

Jacob/Israel is not to experience misfortune or misery, for **God is with them.** The parallelism in verse 21 suggests that the **King** in the last line is the divine king. **The shout** is the shout welcoming the king at victory. God has shown strength with the exodus from Egypt. **The strength of a wild ox** refers to a kind of large bison that was particularly dangerous. The image is of an advancing army with the divine king leading it.

Verse 23 suggests that any **sorcery** or **divination** Balak might bring forth will not be effective against Israel. Israel will continue to benefit from God's powerful action. The more typical translation of the preposition used in the first line of verse 23, however, infers that there is no sorcery or divination in Israel. That is, because God is present with Israel, those are not necessary to divine the future; Israel's future is God's doing. Verse 24 then pictures Israel as rising like a lion about to pounce upon its prey, an appropriately frightening picture of an advancing army, to conclude the oracle. Balak's increased frustration begins to show when he responds testily to the oracle, "If you cannot curse my enemy, at least do not bless them; say nothing." Balaam responds again (v. 26) that he is only speaking the divine word.

23:27–30 / While the accounts of the first two oracles follow a set pattern, the elements seem to increase in intensity in this third account, and some of the repetitiveness breaks down. Balak has almost become a comical figure now. Here he searches for yet another location, hoping to coax from the prophet a curse on the enemy. Now the location is the **top of Peor, overlooking the wasteland**—the desert on the eastern side of the Jordan. Here, overlooking the plains of Moab, Balak again at Balaam's command builds seven altars and sacrifices **a bull and a ram on each altar.**

24:1–9 / The prophet has now surmised that God intends to bless Israel. So he does **not resort to sorcery as at other times,** perhaps reflecting on the method for determining the first two oracles (see 23:23). The word for "sorcery" indicates the seeking of omens. Now he looks upon Israel, **the Spirit of God came upon him,** and he speaks a third oracle. He is empowered to speak a divine utterance, generally a temporary endowment in the OT. "Seeing" remains important in this section of the Balaam narrative. The prophet again introduces himself formally by name to begin the oracle and characterizes himself as **one whose eye sees clearly, the oracle of one who hears the words of God, who sees a vision from the Almighty, who falls prostrate, and whose eyes are opened.**

These opening lines establish the credibility of the divine utterance to follow. This oracle is more explicit in its blessing for Israel. It begins with words of praise indicating the divine blessing upon Jacob/Israel: Their **dwelling places** are lovely, and this people will blossom and flourish. Images from the natural world dominate in verses 6–7. The people will spread **like gardens beside a river,** like the tree planted by the water in Psalm 1. Israel is firmly rooted and will grow with the abundance of water—a significant blessing in a place surrounded by wilderness. The oracle then speaks to the military and political success of the people: They will be superior to **Agag,** the Amalekite king defeated by Saul (1 Sam. 15). This reference probably indicates that the oracle dates from a time in the monarchy. The comparison is a bit odd, for the Amalekites seem one of the less formidable enemies Israel had. Still, before Agag's defeat, they did cause problems. Accordingly, here the point of the blessing in Balaam's mouth is that Israel **will be exalted.** The progress of the people up to this point supports the prophet's words. Since leaving Egypt, the people have gained strength and victories. They are like a lion that can pounce upon prey. The conclusion of the oracle is reminiscent of Genesis 12:3, expressing the hope that those who bless Israel will be blessed, and those who curse Israel will be cursed.

24:10–13 / Balak's angry response to this oracle is stronger than before. Striking hands together is a recognized gesture of derision and contempt. He angrily sends the prophet away without payment for the oracles. Balaam has done precisely the opposite of what Balak sought. Balaam's response, that he has only done what God decreed, is also longer in this scene. He refers back to his previous statement in 22:18, that no matter what the reward, he could only speak as God instructs. This account of the third oracle again shows God's accomplishing the avowed purpose.

24:14–19 / Balaam agrees that he will return home, but before leaving he speaks another oracle, again indicating the divine intent to bless Israel and give Israel military success. Because this oracle departs from the narrative structure of the first three, it is clearly the climax of the story. No sacrifice, sorcery, or even mention of the divine spirit is here; Balaam simply speaks as a prophet of God. The opening of the fourth oracle is almost identical to that of the third. One line is added: **who has knowledge from the Most High,** further indication of the divine origin of

Balaam's words. Balaam then prophesies that one will come out of Israel. That interpretation seems better than interpreting the **him** in the first part of verse 17 as Israel.

The next lines say, **A star will come out of Jacob; a scepter will rise out of Israel.** The first part of the verse makes it clear that the prophet is speaking about an unseen future. Star and scepter imply that the figure is a king, suggesting that Israel will become a kingdom. Most commentators interpret David as the intended historical person. Messianic interpretation of the text was possible in the first century C.E. The prophecy goes on to speak of the Davidic subjugation of **Moab** and **the sons of Sheth.** The reference here in verse 17 is quite difficult. The general sense of Davidic Israel as conqueror, however, seems clear enough. In the next verse, **Edom** will fall; **Seir** is the ancient capital of Edom and thus the reference to **the city** in verse 19.

24:20–25 / Balaam has now made explicit the prophecy that Israel will defeat Balak's Moab. The prophet's final words also speak of the fall of Moab's neighbors, as he has already spoken of Edom. The Amalekites, a group of nomadic tribes, were early opponents of Israel (Exod. 17:8–16), **first among the nations,** but they will fall. The Amalekite king Agag was mentioned in verse 7. The Kenites will also fall from their seemingly secure place. The word for **nest** *(qen)* is a play on *qeni,* Kenite. It is God's power that brings about such victories for Israel and defeat for these peoples. The sense of verse 24 is quite difficult, but its point appears to be that even those who are initially victorious will fall. God's power determines victory and defeat. The chapter ends with the simple note that Balaam and Balak conclude their interaction and go their separate ways.

The character of Balaam grows through the chapters. He moves from being a reader of omens to a prophet of God, who speaks as one who sees God's future. The characterization of God seems to grow in a corresponding way. In chapter 22 and with the first two oracles, God is someone Balaam meets privately. At the end of chapter 24, God is the Lord of all human history. Balaam, who in the beginning is unable to see what his donkey sees, comes to see God's blessing for Israel, defeat for Moab, and God's future, all as he views the people Israel. The imagery Balaam uses for Israel also grows with the blessing of fruitfulness and the victories of a lion. Israel will enter the promised land and become a victorious power over the region.

This narrative shows how the nations have begun to fear Israel, as well as how important blessing and cursing were as weapons in the ancient world. Israel grows from being a large people, to a distinct and strong people, and finally to a victorious people established in the land as conquerors with a powerful leader. The blessing of Genesis 12:1–3 is beginning to come to pass. Balaam's words speak much hope for this people on the verge of entering Canaan. The Priestly tradents have incorporated this set of old texts to remind their audience that God's blessing will not be defeated but is still at hand. God is moving the events of history. God will bring Israel into the land and bless this people.

Additional Notes §22

23:1 / The context indicates no special significance for the number **seven,** though the number does have sacred significance in a variety of settings. Rams and bulls are the most valued of the sacrificial animals. Balak and Balaam offer their best in search of a divine word.

23:3 / The term for **barren height** is rare and its translation somewhat problematic, but no plausible alternative translation is better. The hope is to receive a divine communication; the text does not say how. Perhaps divination was involved.

23:7 / **Then Balaam uttered his oracle** is probably the best rendering, though the word for "oracle" is *mashal,* which is often associated with wisdom, comparative proverbs, and various kinds of poetic language.

23:10 / The text of this verse is difficult. The NIV assumes two slight changes: *mi sapar* instead of *mispar* to correct a puzzling construction for Hb.: "Who can number?" The plural pronoun at the end of the verse follows the translations of the ancient versions.

23:14 / The location of **the field of Zophim** is unknown. The term means "field of watchers."

23:21 / The translations of *'awen* and *'amal* as **misfortune** and **misery** have been debated. Some have suggested that the verse is about Israel's moral superiority and thus prefer something like "iniquity" and "mischief," but the NIV rendering is certainly plausible and fits the context better.

23:22 / It is not clear whether the horns, taken to indicate **strength** in the NIV, belong to Israel or God, although any such divine symbol of power would have been manifest in the success of the people. The Hb. has "he" rather than **they.** Budd suggests that majesty or height might be intended rather than strength (*Numbers*, p. 268).

23:28 / The location of **Peor** is unknown. Note the use of the term in 25:3, 5. Beth Peor occurs in Deut. 3:29; 4:46; 34:6; Josh. 13:20.

24:3 / The word for **oracle** is *ne'um*, which is often used in prophetic speeches to indicate a word of God. The term here may imply that Balaam's oracle is genuinely from God. The translation **sees clearly** is plausible, taking the word from a root word meaning "to open," but the sense of the Hb. is uncertain.

24:4 / **Almighty** is *shadday*, the meaning of which is disputed. The translation "Almighty" comes from the witness of the Gk. and Latin versions and is sometimes associated with the strength of mountains. **Falls prostrate** is taken by a number of commentators to indicate a prophetic trance (with the eyes open) to receive the divine utterance.

24:6 / **Aloes** are not native to Palestine, and **cedars** do not grow beside waters; but the images show that the text is using poetic language to speak imaginatively of Israel's spreading out.

24:8–9 / The beginnings of these verses seem dependent on 23:22, 24.

24:16 / **Most High** is the divine name *'elyon*, often associated with pre-Israelite traditions in Jerusalem. It is noteworthy that Balaam uses three divine names in this verse: **God** *(El)*, **Most High** *(Elyon)*, and **Almighty** *(Shaddai)*.

24:17 / The term translated **foreheads** is literally "sides" or "corners." Perhaps the reference is to the temples in the head, which would be vulnerable to a blow, and the metaphor is to the leaders of Moab. The translation **skulls** follows a slight change in the text from *qarqar* to *qodqod*, following the reading in the Samaritan Pentateuch and taking a clue from the parallelism. The word in the Masoretic text means "to devastate, break down, exterminate."

Is the reference here to the sons of Noah's son Seth, that is, the subjugation of all? Or is there a reference to a pre-Moabite tribe, the sons of Sutu (Budd, *Numbers*, p. 256)? Or should we see *shet* as an alternate form of *she't* and follow the NIV marginal reading "all the noisy boasters"? Because the parallel line speaks of Moab, I would expect a proper name. Sutu seems far afield and Seth very broad.

24:19 / Some commentators revocalize the word for **city** to read a proper name, Ar, mentioned in 21:15, 28.

24:22 / The Hb. for **Kenites** is *qayin*, the ancestor of the Kenites. The sense of the last line of the verse is uncertain. The NIV renders *'ad-mah* as **when,** but it usually means "how long?" **Asshur** usually refers to the Assyrian Empire, but most commentators date Balaam's oracles before that empire came on the scene. An alternative is the tribe mentioned in Gen. 25:3 (Milgrom, *Numbers*, p. 210).

24:24 / The Hb. would read "Ships from the shores of Kittim will subdue Asshur and Eber." The NIV has supplied **will come. Kittim,** or Kition, is a town in Cyprus and came to be used of Cyprus itself. **Eber** may be the ancestor of the Hebrews (Gen. 10:21–25; 11:14–17). The references to these place names constitute an enigma. The text of vv. 22–24 is particularly problematic. Budd suggests that the oracle originally referred to the coming of the Sea Peoples and was revised at later times. That accounts for the state of the text (*Numbers*, p. 271). His hypothesis is plausible, but interpretation of the details of vv. 20–24 remains uncertain.

24:25 / In 1967 archaeologists discovered a text about Balaam at Deir 'Allah in the Jordan Valley. The prophet Balaam describes a vision of a coming disaster from the gods, "shaddayin." Note the similarity to *Shaddai* in 24:4, 16. The document probably comes from the eighth century B.C.E. The text is a significant discovery, showing that Balaam was a well-known prophet in the region. The characterization of the prophet in Numbers as becoming more fully in tune with God's intention as the narrative unfolds also takes on added significance because, according to the Deir 'Allah text, Balaam is not a believer in the God of Israel. For an account of the text, see J. Hoftijzer and G. van der Kooij, eds., *Aramaic Texts from Deir 'Alla* (Leiden: Brill, 1976); see also J. A. Hackett, *The Balaam Text from Deir 'Alla* (Harvard Semitic Monographs 31; Chico, 1980); J. Hoftijzer and G. van der Kooij, eds., *The Balaam Text from Deir 'Alla Re-Evaluated* (Leiden: Brill, 1991).

§23 Apostasy at Shittim (Num. 25:1–18)

The next episode in Numbers is part of something of a pattern in these early biblical books. The Balaam episode has witnessed God's firm resolve to bless Israel as the people are poised to enter Canaan. The camp is large and experiencing military success; God is with them. In some ways Israel's position here is analogous to that in the first part of the spy narrative in Numbers 13–14. Israelites are ready to take the land, but again they are faithless. They appear to be ready to squander the divine blessing so firmly defended in the Balaam story. We have noted the theme of "seeing" in chapters 22–24. In chapter 25 the people see their own apostasy (vv. 6–7). Phinehas, Aaron's grandson, remedies the situation. The apostasy is the worshipping of Peor's god and engaging in sexual immorality with Moabite women, which bring deadly consequences. Phinehas executes two blatant offenders to effect atonement. Interpreters have noted parallels between Numbers 25 and the golden calf episode in Exodus 32–34. While God and Moses establish a covenant, the people go astray; while God contends for Israel's blessing through Balaam, the people go astray. In both narratives, the faithlessness is idolatry. Olson has listed several further similarities (*Numbers*, pp. 153–54). In both cases, Israel is seduced by foreign customs and, in a sense, Exodus 34:15–16 is fulfilled in Numbers 25. A plague and death enter both narratives, although eventually there is atonement. Phinehas's role in Numbers 25 is akin to that of the Levites in Exodus 32–34. The wilderness generation still shows faithlessness, as it did in the golden calf rebellion. What of the future?

Most commentators agree that verses 1–5 come from earlier narrative material that the Priestly tradents have incorporated and expanded to proclaim a message. A second story is in verses 6–18; the tradents have tied the two together and related them to one incident. Part of the historical import of the story may again be clarifying priests' authority. Those in the line of Phinehas hold a position with divine sanction. Psalm 106:28–31 reflects a similar perspective. The narrative has additional import in the context of the plot of the book of Numbers.

25:1–5 / Verse 1 immediately reveals the apostasy: **the men began to indulge in sexual immorality with Moabite women.** These women **invited them to the sacrifices to their gods.** The people went to the sacrificial meals **and bowed down before these gods.** This idolatry at Peor ignites the divine anger and brings death. First comes the command to Moses to execute **all the leaders of these people** as representatives of the sinful ones and as an open example. Then Moses says to the tribal chiefs, who also function as judges (v. 5), that they are to execute those **who have joined in worshiping the Baal of Peor.** The NIV rendering apparently takes Moses' action in verse 5 to be the enactment of the divine command in verse 4. A number of commentators take the execution order in verse 4 to refer to the leaders of Israel, and the order in verse 5 to refer to the idolaters. The NIV interpretation makes for a smoother narrative, but it may not be as true to the Hebrew text. The narrative never indicates that executions were enacted, although a plague brings death, and Phinehas's action obviates the need for further punishment.

25:6–18 / The community is in cultic mourning over the divine anger: **they were weeping at the entrance to the Tent of Meeting.** In the midst of such turmoil, a man brazenly brings a Midianite woman to his tent. The Balaam story links Midian and Moab. **Phinehas son of Eleazar, son of Aaron** saw them, **took a spear** and followed them. Phinehas kills the two of them with one thrust of the spear. Phinehas's great zeal for God and for God's **honor** stops a plague among the people, a plague which had already taken the lives of 24,000. Because of Phinehas's atoning action and extraordinary faithfulness to God, he is granted God's **covenant of peace . . . , a lasting priesthood.** The effect of Phinehas's action is akin to that of his grandfather Aaron at the end of chapter 16. Verses 14–15 then name the two offenders: **Zimri son of Salu, the leader of a Simeonite family** and **Cozbi daughter of Zur, a tribal chief of a Midianite family.** The final verses of the chapter draw the story together and warn that the Midianites are enemies (see ch. 31).

This story is an unusual one, but it fits the context of Numbers. It is similar to the stories of rebellion in the central section of the book and shows again that the people have an ongoing problem with loyalty to God, particularly in contrast to the divine loyalty so striking in the Balaam narrative. Olson understands this narrative to be the final dissolution of the wilderness generation (*Numbers*, pp. 152–56). The order instituted in Numbers 1–10 has disintegrated; consequently, a new generation is set up in chapter 26 with the second census. Numbers 25 brings the death of the last of the old generation.

The book of Numbers has illustrated time and again the sin of the people while still affirming the loyalty of God. God's commitment to Phinehas demonstrates the determination to continue to work through the priesthood with the people. With Aaron's death and Eleazar's shift to the position of high priest, Phinehas can join in the priests' tasks along with his uncle Ithamar. Once again, human failure does not defeat the purpose of God. Hope for the future God intends remains intact, and a new generation now comes to the fore.

Additional Notes §23

25:1 / **Shittim** means "the acacia trees" and is located just east of the Jordan and Jericho.

25:3 / **The Baal of Peor** describes the local deity. **Baal** means "husband," "lord," "master." The verb translated **joined in worshiping,** *tsamed,* is often taken to mean "yoke oneself" and could carry connotations of sexual rites. The verb is rare in the OT, and its precise meaning uncertain.

25:4 / **Kill them and expose them:** the meaning of the verb *yaka'* is uncertain. Suggestions are "expose," "impale," "hang," "dismember," "throw off a cliff." **In broad daylight** is literally "in the sun," indicating some sort of punishment.

25:8 / **Into the woman's body** is literally "through her belly." Budd follows the view that **the tent** is a shrine, some sort of cultic room (*Numbers*, p. 280). This interpretation would suggest intermarriage or sexual relationship with a Midianite woman leading to apostasy, but the more common rendering, **tent,** seems preferable here, indicating ordinary private quarters.

25:11 / The covenant relationship between God and Israel is based on loyalty, and so God is zealous to maintain that loyalty. This zeal is sometimes pictured as God's jealousy.

25:14 / Mary Douglas ties the reference to Simeon, along with references to Reuben and Levi in ch. 16, to the last words of Jacob in Gen. 49:1–7, which suggest that Reuben, Simeon, and Levi will face trouble (*In the Wilderness*, pp. 193–95). Those words are fulfilled in Num. 16 and 25.

Chapter 26 begins the journey of a new generation, which provides a trajectory of hope for the last chapters of the book. This new generation would provide an important analogy for the generation returning from exile in the day of the Priestly tradents. These chapters look forward to settled life and peace, not death. Chapter 26 recounts a census of this new generation.

26:1–4 / Following the plague in chapter 25, God instructs **Moses and Eleazar** to **take a census of the whole Israelite community by families.** Eleazar has now assumed the position of Aaron, his father, as high priest. In a clear parallel to Numbers 1, the new generation of those **twenty years old or more** are to be counted for military service in preparation for entering the land. So the second census takes place **on the plains of Moab by the Jordan across from Jericho.**

26:5–51 / The text gives the census results in a standard format. The list includes each tribe, then the clans of the tribe by son, and then the census number. First is **Reuben** and the four clans: **the Hanochite clan . . . , the Palluite clan . . . , the Hezronite clan . . . , the Carmite clan.** Their total number is 43,730. The figures for each tribe are as follows.

Reuben	43,730
Simeon	22,200
Gad	40,500
Judah	76,500
Issachar	64,300
Zebulun	60,500
Manasseh	52,700
Ephraim	32,500
Benjamin	45,600
Dan	64,400

Asher	53,400
Naphtali	45,400
Total	601,730

It is instructive to compare this census to the first one. Here a list of named clans is added to each tribe, probably to emphasize that a new generation is being counted. The names of these clans apparently come from the list of Jacob's sons in Genesis 46:8–27. The order of the tribes is the same as in Numbers 1, with the exception of the reversal of Ephraim and Manasseh. Manasseh grows in size and the text gives more detail (vv. 29–34) about this tribe. Simeon suffers a dramatic drop in numbers, probably as a result of judgment from the incident in Numbers 25. Even so, the total of the new generation has decreased by less than 2,000 from the exodus generation. Given the difficulty of the journey described in Numbers, that total in itself is a remarkable witness to God's faithfulness and providence.

Numbers 26 also adds information beyond the standard form. Verses 8–11 recount the rebellion of Korah, Dathan, and Abiram (ch. 16), which accounts for some deaths in the tribe of Reuben; **the line of Korah, however, did not die out,** and Korahites functioned in the postexilic cult (2 Chron. 20:19). That episode still serves **as a warning sign.** The census of Judah presents an additional generation (v. 21). Manasseh also includes an additional generation in order to get to **Hepher,** whose son **Zelophehad** is mentioned in verse 33. Verse 33 also lists Zelophehad's daughters because they are central to the account in chapter 27.

26:52–56 / An additional purpose of the census is to prepare for the distribution of the land of Canaan. The concern is that the distribution be fair and that the land be sufficient for the needs of each tribe. Those groups with more people are to receive more land. The location of the tribal lands is to be determined **by lot.** God thus instructs **Moses** about the distribution of the promised land, which will take place in the time of Joshua. The casting of lots in the ancient world was an impartial means of determining the will of God.

26:57–62 / A census of the Levites follows the second census, as with the first. The Levites do not have a share of the land and so are treated separately. Verse 57 lists the **Gershonite . . . , Kohathite,** and **Merarite** clans. Verse 58 lists additional, perhaps local, groupings. The Kohathites receive special attention as the clan of Aaron, Moses, and Miriam. Verses 60–61 mention Aaron's sons, the priests, along with the deaths of **Nadab and Abihu** (Lev. 10). **All the male Levites a month old or more numbered 23,000.** Chapter 3 numbered the Levites at 22,000. God remains committed to the Levites and their importance for the people.

The final verses make it clear that this census is of a new generation: **Not one of them was among those counted by Moses and Aaron the priest when they counted the Israelites in the Desert of Sinai,** referring back to Numbers 1. Verse 65 alludes to the consequence of the rebellion of the people in Numbers 13–14, the spy narrative. In 14:20–35, God had decreed that none of the exodus generation would enter the promised land. Nearly all of that generation have died. Only Moses, as the mediator of the covenant, is the transitional leader into the new generation. **Caleb** and **Joshua** will enter the land because of their faithfulness in the spy narrative. Faithfulness is possible.

This chapter confirms the completion of the judgment on the wilderness generation and counts the new generation that will possess the land, also with God's promise in Numbers 14. The census in Numbers 1 began the right ordering of life as God's people. Now the camp is able to begin again and rightly order itself as the generation that will enter Canaan. The new generation has, through a difficult wilderness journey, realized the divine blessing of population; now it is on the verge of realizing the blessing of land. The question at hand is whether they will be faithful or go the way of faithlessness and death, as did the wilderness generation. The future is open. It is noteworthy that no new Israelite death is recorded in Numbers 26–36.

Additional Notes §24

26:1–65 / Dennis Olson, in *The Death of the Old and the Birth of the New,* takes ch. 26 to be the beginning of the second half of the book of Numbers. Chapters 1–25 deal with the question of how a holy God was to dwell in the midst of a sinful people. Chapters 26–36 deal with whether a new generation will do any better than the old one. In his commentary, Olson suggests many parallels between the two halves of the book (*Numbers*, pp. 157–60). Both sections begin with a census and then

deal with the Levites. The legal discourse on women in ch. 5 is parallel to
the case of Zelophehad's daughters in ch. 27. There are instructions on
vows, provisions for Levites, and instructions on sacrifices and festivals.
Itineraries are in both halves, and the second half harkens back to inci-
dents in the first.

26:4 / The text of this verse is slightly confusing. The NIV trans-
lators have added **take a census of the men.** Some such phrase probably
dropped out of the original text. **These were the Israelites who came out
of Egypt** is odd since that generation has died, but the reference may be
to the tribes and families and thus the ongoing people as a whole rather
than to the specific people counted in this census.

26:19 / Genesis 38:7, 10 describes the deaths of **Er and Onan.**

26:28, 37 / Verses 28 and 37 frame **Manasseh and Ephraim** as
the **Joseph** tribes.

26:33 / The names of the daughters of **Zelophehad** are pre-
served in place names.

26:42 / **Dan** lists only one clan, **Shuham,** but the census figure
is large. Some commentators suggest that the clan list and census figures
were originally independent.

26:46 / The reason for listing Asher's **daughter Serah** is
unknown.

26:51 / See the commentary on Num. 1 and the first census,
and especially the note on 1:20–46, for the large numbers in the census
figures. Budd ties the shape of the second census to the author's evalua-
tion of the size of each tribe's territory and ancient tradition about the
total population of the camp (*Numbers*, pp. 290–91).

§25 The New Generation: Inheritance and Leadership (Num. 27:1–23)

27:1–7 / The census in chapter 26 prepares for the distribution of the land. The custom in ancient Israel was that land stayed with the tribe and was passed from father to son. The question now arises as to what happens when there are no sons but only daughters. **The daughters of Zelophehad ... belonged to the clans of Manasseh.** The five of them—**Mahlah, Noah, Hoglah, Milcah and Tirzah**—approach the community's judicial body in an effort to inherit their father's part of the land. They begin by reminding Moses, Eleazar, and the other leaders that their father did not participate in Korah's rebellion, which sin would have forfeited the right of land. He rather **died for his own sin**—that is, he died in the wilderness as did the rest of that generation. The daughters claim that they should inherit their father's land and thus preserve his name there. They see no obvious reason why they should not inherit. Moses then takes the case to God, as he did the question about Passover (9:1–14), the wood gatherer on the Sabbath (15:32–36), and the blasphemer (Lev. 24:10–23). The divine word from the Most Holy Place is that the daughters have a legitimate claim and should inherit (see Josh. 17:3–6). Two customs are in conflict here, that of keeping land in the family and that of only males inheriting property (Deut. 21:15–17). The judgment is that the former gets priority. Various practices supported the effort to keep land in the same family, clan, and tribe. The practice of Levirate marriage (Deut. 25:5–10) is, in part, a way of keeping property in a family. When a man dies without a son, a brother is to marry the widow in the effort to produce a male heir for the property. Presumably Zelophehad had no such brother, or his wife was dead, and so Levirate marriage was not an option. The customs of Jubilee and redemption (Lev. 25) also are intended to bring property back to its original tribe and family. Behind all these practices is the view that the land finally belongs to God.

A further question about the case of the daughters arises in the last chapter of Numbers: If the daughters marry outside the tribe, does the property go to the new tribe? There, as here, the decision affirms the purpose of maintaining equity in the resources (property) for each tribe. The fact that this issue arises twice in these last chapters of Numbers attests to its importance. Indeed, these last chapters suggest that the people are well on the way toward the fulfillment of the divine promise of land, since much of the content is about issues having to do with settling the land and living in it. The ruling in the case of the daughters of Zelophehad also affirms a perspective that has been present from the first chapter of Numbers: All twelve tribes are to be fully included, here in the matter of inheritance. This case had no precedents in the tradition of the people, and so the leaders had to apply their tradition in a new way. The people will need to continue to innovate as they move toward the new experience of living in the land. This ruling demonstrates the flexibility of the tradition, as we saw with the question about Passover in chapter 9. As the next verses illustrate, legal policy is important for the Priestly tradents—but dialogue between the people and God can infuse freshness into the tradition.

This case brings a new departure in the rights and privileges of women in ancient Israel. It is a small step in a patriarchal culture, but still a step toward justice. The daughters are bold and hopeful. They call upon the tradition of their people and make their case before the leaders of the camp. They take a constructive approach for the community and receive the right to inherit.

27:8–11 / This case leads to a general ruling on inheritance. **If a man dies and leaves no son,** the inheritance goes first to daughters, then brothers, then uncles, and then the other nearest kin.

27:12–14 / The ruling on inheritance in the land raises the matter of leadership for the people there. Moses continues as the leader of the people, but he knows that he will not go into the promised land with Israel because of his sin at Meribah (20:1–13). Here he sees the land from a mountain in preparation for his death (see Deut. 32:48–52; 34). These verses allude to the death of Aaron (20:22–29) and the sin of Moses and Aaron at **Meribah Kadesh.** Verse 14 further characterizes their sin as disobeying the divine **command to honor me as holy before their eyes** (see

20:12). Deuteronomy 1:34–40 suggests that Moses partakes of the sin of the wilderness generation and so does not enter the land.

27:15–23 / When Aaron died, Eleazar succeeded him as high priest. Moses now raises the question of succession to his position of leadership. Moses takes the initiative of requesting that a leader be named. Verse 17 describes the task of leadership as going out and coming in before Israelites, **one who will lead them out and bring them in, . . . a shepherd.** The description probably emphasizes the military aspect of the task, especially looking forward to entering the land. God chooses Joshua as the successor. Joshua was one of the faithful spies, along with Caleb, and an aide to Moses (Exod. 17:8–16; 32:15–20; Num. 11:26–30). Joshua is a man with spirit (Deut. 34:9). God instructs Moses to **lay your hand on him,** a symbol of the transfer of office and leadership. He is to be commissioned before Eleazar and the people, so all will understand that he is to be the leader. The further instruction to Moses is to **give him some of your authority so the whole Israelite community will obey him.** Royal honor, glory, and majesty are usually implied by authority. Joshua is to receive enough of this authority to obtain the respect and obedience of the people, but no one is to receive all of Moses' authority. A figure like Moses will not again come forth. Moses communicates directly with God; Joshua will receive instruction through **Eleazar the priest,** who is to receive a divine oracle by the sacred lot, **the Urim.** The Urim and Thummim were apparently stones that the priest kept and used to determine a divine decision, a "yes" or "no." Then Joshua will be able to guide and command the movements of the people, including their military movements. Moses carries out these instructions to ordain and commission Joshua before the high priest and the people. For a time, both Moses and Joshua will be in leadership positions. With the death of Moses at the end of Deuteronomy, Joshua becomes the leader. He is to act in accord with the instruction of Moses, the written Torah (Josh. 1:1–9). The Mosaic tradition will continue to provide guidance for Israel. The choice of Joshua as leader suggests continuity with the past and planning for the future. He has experience and is prepared to lead the people into the new land.

Additional Notes §25

27:11 / An alternate rendering for **legal requirement** is "legal precedent."

27:12 / **The Abarim range** is a chain of mountains around the north end of the Dead Sea.

27:16 / **God of the spirits of all mankind** is also used in 16:22.

27:18 / The laying on of the hand is part of the sacrificial procedure. In 8:5–26, representatives of the people press their hands on the Levites, who become a special gift to God. In Gen. 48, Jacob lays his hands on his grandsons to bless them. With this gesture, Moses passes on the leadership to Joshua.

27:21 / **The Urim** is part of the sacred lot kept by the high priest (Urim and Thummim). It is often suggested that these were stones with some kind of inscription on them. They were cast to answer a question in the positive or the negative. If both fell one way, the response was positive; if they fell the other way, the response was negative. One positive and one negative response meant no decision. The text does not give a description of the Urim and Thummim or their use. The outcome of the casting of lots is understood to be guaranteed by God.

§26 Offerings and Festivals (Num. 28:1–29:40)

The structure of daily and special worship becomes the subject for chapters 28–29. The book of Numbers began with the organization of life as God's people, emphasizing the spatial dimension as they journeyed (the divine presence at the center, then priests and Levites, and then the people). Soon, when the people enter the land, this spatial organization will be less relevant. So in these chapters, the Priestly tradents are instructing the people to order life liturgically around the divine presence, according to the cycles and boundaries of time. Leviticus and Numbers both show that boundaries are important and dangerous, but that they can be negotiated with proper care.

28:1–8 / The instructions on offerings and festivals are in the context of a divine speech **to Moses**. The emphasis in verse 2 is on **the appointed time** and **offerings,** the connection of the sacrifices to God. The commentary on Leviticus brought out the close connection between the Priestly scheme of things and the Priestly creation account in Genesis 1. Frank Gorman has demonstrated the connection for Numbers 28–29 (*The Ideology of Ritual,* pp. 215–27). Genesis 1 begins with division into day and night, and the current chapter begins with the daily offerings. **Two lambs a year old without defect** are to be offered daily as whole burnt offerings (Lev. 1). One lamb is to be offered in the morning and the other in the evening, marking the boundaries between day and night. The accompanying **grain offering** is also to be offered, as is the **accompanying drink offering.** The two lamb offerings are to be prepared alike. The instruction alludes to the institution of such sacrifices in Leviticus, **at Mount Sinai** (v. 6). The section ends with a summary (v. 8b).

28:9–10 / God honored the completion of creation on the Sabbath, according to Genesis 2:3, and Numbers 28 appropriately marks off the offerings to be made on that day. In addition to the regular daily offerings, two lambs are to be brought **together**

with its drink offering and a grain offering. Thus the daily offerings are to be doubled on the Sabbath.

28:11–15 / These verses specify the offerings to be made on the first of each month. The custom of observing the **new moon** was apparently widespread, and here the Priestly tradents incorporate the custom as part of the liturgical calendar. These monthly offerings are in addition to the daily offerings, and the amount of each successive offering listed in these chapters increases considerably. **Two young bulls, one ram and seven male lambs** are to be offered monthly. Appropriate grain offerings and drink offerings are to accompany the offering of each animal. In addition, **one male goat** is to be offered as a purification offering (see Lev. 4:1–5:13).

As the day is divided between day and night, and the week is divided between the Sabbath and the other days, so other time is reckoned by the seasons—as indicated with the passage of time in Genesis 1:14–19. The rest of the year is also divided in two. The occasions of the first half of the year balance those of the second half.

28:16–25 / The first month marks the beginning of the year with significant festivals. We have noted the offerings for the "new moon." **On the fourteenth day of the first month** is **Passover.** Since Passover observance is primarily in the family, and the present text is focusing on sacrifices for public festivals, Passover is noted here only briefly in order to give a full picture of the calendar. What follows on the next day is the Feast of Unleavened Bread, to last for seven days. **No regular work,** "work of labor," is to be done on the first and last days, but **a sacred assembly,** a meeting for public worship, is to be at the center of things. Forms of business or occupation that did not require labor could, presumably, be practiced. Passover and Unleavened Bread are traditionally tied to the exodus experience. The offerings are to be the same as those on the first of each month: **two young bulls, one ram and seven male lambs** with appropriate accompanying grain offerings. A goat as a sin offering **to make atonement for you** is also prescribed. The calendar reflects the need for regular sacrifices of atonement. These offerings on each day of the feast are in addition to the regular daily offerings.

28:26–31 / **The Feast of Weeks** is the focus in these verses which begin with the unusual phrase, **the day of firstfruits.** The date is not fixed here but tied to the harvest: **when you present to the LORD an offering of new grain.** This feast also begins with **a sacred assembly** and prohibition of any work that requires labor. The offerings are the same as for the first of the month and Unleavened Bread. **Drink offerings** are also specified; all these offerings are in addition to the daily sacrifices. The chapter concludes with a reminder that all sacrificial animals are to be **without defect.** The Feast of Weeks is tied to the harvest, but later Jewish tradition connected it to the covenant and law. This celebration is the final one in the first half of the year.

These times in the regular calendar of the community organize its social world around liturgical constructs in line with the created order. For the community to live in harmony with that order fosters wholeness and guards against the disruption of chaos, sin, and impurity. Such a concern is important for this new generation as it prepares to enter the land. Modern readers of Numbers do well to remember the community function of these festivals rather than inconclusive debates about their origin.

29:1–6 / Chapter 29 begins with the seventh month and so the second half of the year. Again, **a sacred assembly** is the central focus, and **no regular work** is to be done. This occasion is sometimes called the "Feast of Trumpets," after the instruction in verse 1 **to sound the trumpets.** In preexilic times, most scholars suggest, the new year began in the autumn, according to an old Hebrew calendar. Eventually the Babylonian calendar dominated, replacing the Hebrew one, and so the month which began the new year for the Hebrews was reckoned as the seventh month. The beginning of the seventh month indicates the beginning of the second half of the year—as the calendar is described in Numbers 28–29—and the complex of fall festivals, including the Day of Atonement. So this occasion was significant for a number of reasons: It marks what was the New Year Festival, begins the second half of the year in the calendar followed here, and begins the seventh month—both a sacred number and the most sacred month of the year, with the Day of Atonement and Feast of Tabernacles. Some scholarly reconstructions of the New Year Festival have been quite elaborate. The sacrifices for this feast are considerable: **one young bull, one ram and seven male lambs** with accompanying grain offerings, in addition to the regular daily offerings and offerings for the first of every month. The total would be three bulls, two rams, sixteen lambs, and two goats, with accompanying grain and drink offerings. The sacrifices are the primary focus of this account.

29:7–11 / These verses describe what has become known as the Day of Atonement, or *yom kippur,* though that particular term does not appear here. The observance is **on the tenth day of this seventh month.** It also begins with **a sacred assembly.** The requirement here is more stringent: **do no work.** The further requirement is to **deny yourselves.** The precise meaning of the term is uncertain, but the instruction is often interpreted in terms of fasting and penitence. The Hebrew term has to do with lowering or humbling oneself, and so some form of mourning, such as sackcloth and ashes, may also be involved. The primary concern of these verses, again, is the offerings to be brought. The quantities are the same for the beginning of the seventh month: **One young bull, one ram and seven male lambs** for whole burnt offerings and their accompanying grain offerings. **One male goat** for a sin offering is also included. These offerings are in addition to the regular daily offerings of two lambs with grain and drink offerings. They are also in addition to the sin offering brought as part of the Day of Atonement ritual, or the scapegoat ritual, described in much more detail in Leviticus 16. Leviticus prescribes a bull for a sin offering and a ram for a whole burnt offering, in addition to the scapegoat ritual. The offerings prescribed in Numbers appear to be greater than those specified for the atoning ritual in Leviticus. The focus in Numbers 28–29 is to regularize the whole burnt offerings brought at these set times during the year.

29:12–38 / This final section of the chapter describes the Feast of Tabernacles. The feast begins **on the fifteenth day of the seventh month** with **a sacred assembly and . . . no regular work.** The celebration of the festival is to last **for seven days.** The offerings for each day are then specified. On the first day, **thirteen young bulls, two rams and fourteen male lambs** are to be offered, along with **a grain offering of three-tenths of an ephah of fine flour** with each bull, and the specified grain offerings to accompany each ram and lamb. One goat for a sin offering is also included. All these offerings are in addition to the regular daily whole burnt offering of two lambs, **with its grain offering and drink offering.** The text prescribes the offerings for each succeeding day in a set pattern—first the number of bulls, rams, and lambs, **all without defect,** to be brought, then the accompanying **grain offerings and drink offerings.** The goat for a sin offering is also listed, along with a note that these offerings for each day of the Feast of Tabernacles are in addition to the regular daily whole burnt offerings, with accompanying grain and drink offerings. The number of bulls offered decreases in each succeeding day until, **on the seventh day . . . seven bulls** are offered. The numbers for the other animals stay the same.

The eighth day (vv. 35–38) appears to be an addition to the Feast of Tabernacles. The offerings here are the same as those for the first and tenth days of this seventh month: **one bull, one ram and seven male lambs,** with appropriate accompanying grain and drink offerings. The goat for a sin offering and the regular daily burnt, grain, and drink offerings are also included. **No regular work** is allowed on the eighth day, and **an assembly** is held. The remarkable total number of animals to be sacrificed during the seven days of the Feast of Tabernacles and the eighth day is seventy-one bulls, fifteen rams, 105 lambs, and eight goats with accompanying grain and drink offerings in addition to the regular daily offerings.

The Feast of Tabernacles, or Booths, was probably originally a harvest festival celebrating the fruit harvest of grapes and olives. Perhaps originally people stayed in booths during the harvest. Yet in Leviticus 23 the festival is a reminder that the people dwelled in such temporary structures during the sojourn through the wilderness, and so the festival became an important reminder of the exodus experience. The festival was a celebrative time (v. 12) and popular as a harvest feast, as indicated by the great number of sacrifices.

29:39–40 / The offerings specified in this chapter are only the publically prescribed ones. Additional votive and **free-will offerings** could also be made. The summarizing verse lists whole burnt, grain, drink, and fellowship offerings. Fellowship offerings are described elsewhere, but they have not previously been mentioned in this chapter. Sin offerings have been specified here. The concluding notice is that **Moses** followed the instruction in 28:2 to pass on this command to the people, which is important in indicating the conclusion of the section and in emphasizing Moses' obedience, akin to that in Numbers 1–10.

Chapters 28–29 have summarized the sacrifices for eight different times. The resources required for these offerings remind the community of the cost involved in living as God's people. The marking of boundaries and time with these festivals and sacrifices emphasizes the distinctiveness of the people as God's. After the destruction of the temple, the synagogue provided a means of structuring life with worship. The Christian practices of morning and evening prayer, Sunday worship, and the seasons of the liturgical year, such as Pentecost, Lent, and Advent also have deep roots in this ordering of life, which helps to sustain and renew faith in the midst of the chaos of life.

One of the effects of chapters 28–29 is to imply that the preceding instructions on ordering life as a worshipping community are still part of God's direction for the future. These chapters refer to regular worship, festivals, and offerings established in Exodus, Leviticus, and Numbers as still part of the established Mosaic covenant tradition, which is to order life for this new generation, as it did for the old generation. Instructions on worship, sacrifice, holiness, and purity remain. What is about to change is the setting. In the new land the people will be reminded of their identity by the sacrifices.

These chapters also express hope that the fertility of the land is at hand, a gift from God. The call is to continue to order life in light of the divine presence.

Additional Notes §26

28:1–29:40 / This material certainly bears all the marks of being brought together by the Priestly tradents. Most commentators suggest that these chapters provide some of the most mature instructions on worship in the promised land. Lev. 23; Num. 15 and texts in Exod. 23; 29; 34; Deut. 16; and Ezek. 45–46 appear to be in the background. The times and quantities of offerings also seem more fixed.

28:2 / The terms used for the sacrifices are now familiar to readers. **My offerings** *(qorbani)*, "what is brought near," is a comprehensive term indicating gifts given to God, here with the pronominal suffix. The offerings' tie to God is strong in the language of this verse. **Food** *(lekhem)* is an ancient term for sacrifice, probably a vestige of the view that sacrifice was food for the gods. That view does not seem to be present in the OT, but the language remains. As we have seen, **offerings made by fire** may refer to a more general "gift." The sacrifice **as an aroma pleasing to me** is also ancient language describing the offering as a pleasant smell for God in hope of divine acceptance of the offering.

These chapters discuss only the burnt and sin offerings, and their accompaniments. The text here does not mention the shared offering, and the guilt offering is more occasional. The concern is to be sure the people know their responsibilities for these offerings, which are entirely for God. The total dedication and purification of the community are the priority.

28:4 / **Twilight** is the time between dusk and dark.

28:5 / **A tenth of an ephah** is about two quarts or two liters. **A quarter of a hin of oil** is about 1.5 pints or 0.75 liter.

28:7 / The term **fermented drink** is unusual for the wine of the **drink offering.** Budd points to a related Akkadian term used in Babylonian sacrificial terminology (*Numbers,* p. 316). The drink offering is usually poured at the base of the altar. The reference to **sanctuary** may be to the inner court near the altar.

28:9 / **Two-tenths of an ephah** is approximately four quarts or four liters.

28:12 / **Three-tenths of an ephah** is approximately six quarts or six liters.

28:14 / **Half a hin of wine** is about three pints or 1.5 liters. **A third of a hin** is approximately 1.25 quarts or 1.2 liters.

28:26 / **The Feast of Weeks** is lit. "in your Weeks" and so an abbreviated form of the title.

29:1 / **It is a day for you to sound the trumpets.** The Hb. text says, "It is for you a day of *teru'ah.*" The term is sometimes rendered "acclamation, shouting." Num. 10:10 suggests that trumpets were sounded at the beginning of each month, and that passage (10:1–10) uses the same term and the corresponding verb in terms of trumpet blowing. The NIV rendering seems justified. The festal calendar in Lev. 23 also speaks of the New Year (vv. 23–25) as a day of trumpet blasts, with the same general description as in Num. 29. The most famous reconstruction of the New Year festival in ancient Israel is that of Sigmund Mowinckel, who sees the occasion as a celebration of the kingship of God. See *The Psalms in Israel's Worship* (vol. 1; Nashville: Abingdon, 1967), pp. 106–92.

29:3 / On the various measures and the terminology on sacrifice, see above on ch. 28.

29:17 / No one has brought forward a satisfactory explanation as to why the number of bulls decreases by one on each succeeding day of the festival. That this practice symbolizes declining joy or the waning moon has been suggested, but the text gives little clue. The gradual decline leads to the important number seven. See Davies, *Numbers,* p. 314.

29:35 / **Assembly** is a different term from **sacred assembly** used earlier in the section. Budd translates "closing assembly" (*Numbers,* p. 318). The root word of the term suggests restraining or abstaining. Refraining from work is prescribed; fasting and other restraints may also have been involved. The final assembly could be a time of rejoicing.

29:39 / On the fellowship offering, see Lev. 3:1–17; 7:11–21.

§27 On Vows (Num. 30:1–16)

After Numbers 29:39 mentions vows as one of the occasions for additional offerings, chapter 30 presents a broader consideration of vows, especially vows made by women. The place of women in the new generation that now constituted Israel was clearly an important issue, because questions on women arise in chapters 27, 30, and 36. Chapter 30 deals with fulfilling vows and release from vows. The concluding chapter of Leviticus also treats the matter of vows.

30:1–2 / The chapter is in the form of an address from **Moses** reflecting the divine command. The general principle of the chapter comes at the beginning, in verse 2: **he must not break his word but must do everything he said.** Keeping one's word is here applied to vows and pledges. Vows *(neder)* are positive promises to give something to God, such as a sacrifice, while pledges *('issar)* are promises to abstain from particular things, such as food. While this chapter apparently makes a distinction between vows and pledges, in other texts a vow seems to cover both types of commitments. Numbers 6 uses the term "vow" in reference to the Nazirite promises to abstain, and 21:2 uses "vow" to describe Israel's promise to give the spoils of war to God in the event of a victory. The basic principle is for a person to keep these commitments.

30:3–9 / The remainder of this chapter relates to women's vows. The first context considered is that of **a young woman still living in her father's house.** If she makes a vow or pledge and her father does not object to it, the vow remains in force and is to be fulfilled. If the father objects **when he hears about it,** the vow is null and void. **The LORD will release her** from the vow. The father's objection must come upon his hearing of the promise. The second scene (vv. 6–8) concerns a vow a woman made before marriage but that goes with her into her husband's house. The principle is the same here. When **her husband hears about it,** he must register any objection then or the vow/pledge will stand and is to be fulfilled. Presumably the father had not objected to the vow; now the husband must make a decision. If the husband objects, the promise is nullified and God **will release her.** Notice that it is God who releases the woman from the obligation to fulfill the vow. The silence of either husband or father indicates approval. A vow or pledge by **a widow or divorced woman** (v. 9) is binding. No male approves or disapproves. The vow is the woman's responsibility.

30:10–16 / These verses deal with a vow or pledge by a married **woman living with her husband.** The procedure is the same. When the husband hears about the promise, if he is silent, the vow stands and is to be fulfilled. If the husband objects, the vow will be nullified without penalty. When a woman in her husband's or father's house makes a vow, the husband or father is responsible for the vow. If the husband objects and nullifies the vow sometime later, then the vow becomes his responsibility (v. 15). **He is responsible for her guilt;** that is, the husband must now fulfill the vow and pay any penalty. Promptness in dealing with vows would have been important for persons to whom vows were made. They could then act with the assurance that the vow would be fulfilled. Indecision on the part of the husband is to be avoided. The chapter does not deal with the issue of vows from older unmarried women, probably because there would have been few of them in Israel.

The concluding verse summarizes the instruction. It also casts the issue in terms of **relationships between a man and his wife** and between father and daughter. The promptness required for nullifying vows does promote honesty in the relationships. As the people consider settled life in the promised land, such matters become important. This chapter offers protection for both men and women. Men have the opportunity to nullify vows that would excessively drain the resources they must provide to fulfill the promises. Women garner a prompt response from the father or husband and so need not fear judgment because of unfulfilled vows. The procedure promotes clarity. At the same time, the setting of the chapter is clearly a patriarchal society in which women are economically dependent on men. Shared responsibility and authority provide a more contemporary model for marriage, although Numbers 30 does provide something for both man and woman. The primary concern in the chapter, however, is keeping commitments to God. Unfulfilled vows threaten the community's relationship with the holy God in their midst. This chapter identifies who is responsible for the vows. God is faithful and asks the people to be faithful to their commitments. There is a mutuality in the divine/human relationship. Other biblical texts (e.g., Gen. 1:27; Gal. 3:28) reflect a model of mutuality in human relationships as well.

Additional Notes §27

30:1 / The address **to the heads of the tribes of Israel** is unusual. It probably indicates the heads of families as tribal leaders.

30:2 / The Hb. for **vow** is *neder* and is used in the broader sense elsewhere. For a full treatment of vows, see T. W. Cartledge, *Vows in the Hebrew Bible and the Ancient Near East* (JSOTSup 147; Sheffield: JSOT Press, 1992).

30:3 / **Young woman still living in her father's house** is the NIV rendering for "a woman in her father's house in her youth." The term for "youth" indicates anything from infancy to early adulthood, here apparently for a woman of marriageable age who is not yet married.

30:5 / The term **forbids** seems to carry a legal sense here of disallowing the vow. The verb **release** carries some sense of absolution, but here again the issue appears to be a legal release from a commitment and its consequences.

30:6–8 / The setting envisioned here has been a matter of debate. Budd understands the woman to be engaged but not yet married (*Numbers,* p. 323). Others see these verses as part of the context in vv. 10–12, the repetition being necessary because of the interruption in v. 9 of a context in which a woman remains responsible for her vow. The more likely interpretation seems to be the one followed above.

30:6 / Lev. 5:4 treats **a rash promise** as a reason for confession and a purification offering.

§28 War with the Midianites (Num. 31:1–54)

31:1–2 / Chapter 31 alludes to the end of chapter 25 and some unfinished business for the people of Israel. There the Midianites were declared enemies for their part in leading Israel into idolatry and immorality at Peor. The current chapter begins with the divine command to Moses, **Take vengeance on the Midianites for the Israelites.** This act is the last military exercise for Moses, who will soon die. So the new generation's first military action is Moses' last. The new generation obeys the instruction from chapter 25. Chapter 31 displays a midrashic character as it comments on other texts and uses the Midianite war to articulate instructions relevant to the upcoming battles that will be part of entering the land. The preparation for military action described elsewhere in Numbers is applied in the chapter (the military organization in ch. 1, the trumpets in ch. 10), as are other instructions (purification in ch. 19, support for clergy in ch. 18, offerings in chs. 7; 28–30). The battle also has a Priestly cast in the shadow of chapters 28–30. The Priestly tradents deem the application of such instructions to be important before the possessing of the land begins in chapter 32.

31:3–12 / Moses begins to carry out the divine instructions by arranging for a military force **to carry out the LORD's vengeance.** One thousand soldiers are chosen from each tribe, 12,000 in all. Because all the tribes participate equally, the victory will belong to the whole people. Moses sends these soldiers and Phinehas into battle. The presence of Phinehas, **articles from the sanctuary and the trumpets** make it clear that this battle is a "holy war." Eleazar presumably did not go into battle because of the fear of contaminating the high priest by contact with corpses (Lev. 21:10–15). Phinehas was also involved in resisting the Midianites in chapter 25. Verses 7 and 8 succinctly summarize the battle. The army of Israel kills all the Midianite men, including **Evi, Rekem, Zur, Hur and Reba—the five kings of Midian.** They burn the Midianite settlements and take the women, children,

and possessions back to their camp. The focus of this chapter is
not on the battle itself but on the question of the spoils of war and
purification after battle.

31:13–24 / **Moses, Eleazar the priest and all the leaders
of the community** go out to meet the victorious army, perhaps
to avoid contaminating the camp by uncleanness from corpses.
Rather than being elated at the victory, Moses is angry at the mili-
tary commanders. Has the new generation been disobedient? The
background appears to be the "holy war" instructions in Deuter-
onomy 20 that call for the destruction of all adult males (see
below). The army may take other spoils of war. In other cases, the
ban or devotion to destruction of "holy war" is to be total. Moses,
however, understands this battle to be such a one and is upset that
the women of Midian have been spared. They are the ones who
seduced Israel into idolatry at Peor. Moses blames Balaam here,
who has been killed in the battle, for the apostasy at Peor. Num-
bers 22–24 portrays Balaam in a positive light. That is not true of
later traditions, such as this one in Numbers 31. Balaam is thus
both true prophet and apostate. Note also that the text casts
Midianites in a negative light here, but Hobab the Midianite was
described as a trusted guide in Numbers 10:29–32. Defining those
who are inside the camp and outside the camp is continuously ne-
gotiated for Israel. The decision made in this case is that all males
will die, as potential enemy soldiers. Only women who are virgins
will live because they did not participate in the incident at Peor
and can be seen as pure and so become servants for Israelites.

With verse 19, the text begins to address one of its main con-
cerns: purification after battle. Killing a solder or contact with a
corpse brings impurity and requires a seven-day stay outside the
camp. **On the third and seventh days** these soldiers, their cap-
tives, and their garments must be purified. Eleazar then instructs
the soldiers (vv. 21–23) that **gold, silver, bronze, iron, tin, lead** or
other metal items of loot are to be purified by fire and by **the water
of cleansing** produced from ashes (Num. 19). Flammable booty
they must also purify with the water. After the seven days with
washing of clothes and bathing, purity will be achieved. **Then you
may come into the camp.**

31:25–47 / Now the text comes to the question of divid-
ing the spoils of war broadly in the community. Moses, Eleazar,
and the family heads are to inventory what has been taken. Half
is to go to the soldiers and half to the community. Of the soldiers'

half, one of every five hundred persons or animals is to go to the priests. One fiftieth of the community's share is to go to the Levites. So the clergy is supported, but so is the broader community. Moses and Eleazar carry out these instructions and verses 32–35 list the inventory: **675,000 sheep, 72,000 cattle, 61,000 donkeys and 32,000 women.** The carefully described distribution of these resources prefigures the distribution of land to come. The instructions for purification and for distribution of the booty reveal the limits on the war conducted here. The soldiers have been rendered unclean and must be cleansed (vv. 19–20). Female virgins are allowed to survive, and the distribution of spoils is carefully regulated and includes support for the clergy (vv. 27–31, 50).

31:48–54 / Not one Israelite soldier was killed in the war. In contrast to the wilderness generation, which has died, the members of the new generation experience life and hope for the future in chapters 26–36. The soldiers follow the instructions and bring **the gold articles each of us acquired** as an atoning offering to God. Death and war require atonement. The offerings suggest thanksgiving for victory and safety; they are **a memorial** to remind the people of the event and to remind God of the people. The Priestly tradents hope that the generation returning from Babylonian exile in their day will also be generous to the temple. In contrast to the old, exodus generation, this obedient generation moves forward in victory and hope. Numbers 31 also presents a contrast to the apostasy in chapter 25.

The act of "holy war" in this chapter will be troublesome to modern Christians. That response is understandable, for Jesus says "love your enemies," and other OT texts speak for peace (e.g., Mic. 4:1–5). As we have seen, however, Numbers 31 fits in the unique context of the book of Numbers. In these texts, Israel is fighting for its life and faith. Midian is characterized as an enemy of God and Israel. As time went on, ancient Israel's battle became less physical and more intellectual and cultural. Modern believers also need to battle against evil in the world, in a somewhat different sense. The wars of the Lord in the OT are in the context of entering the land promised by God and defining a monotheistic faith. The destruction of the inhabitants of Canaan is to keep them from seducing Israel into idolatry, as Midian had done. The instructions for these battles, then, are for ancient Israel in this setting. No other nation is ancient Israel, and so these instructions are not applicable to nations today. The instructions are for that moment in history. The texts make clear that God worked in the context of that sociohistorical setting. God did not say, "I will change the culture to rid it of war, and then I will work with the people." God rather worked with these imperfect humans in a setting that included these kinds of wars. The Moabite Stone describes a "holy war" for the god Chemosh by Moab against Israel. God was actually involved in life and history with Israel in that time and place.

On the broader issue of "holy war," a number of suggestions are relevant. It might be more accurate to title these battles as "wars of the Lord" or "Yahweh wars." The word "holy" may carry different connotations today. The procedure involves inquiring of God as to a battle plan and proper preparation. God will be present in the battle, and so this preparation is essential. Because it is God who gets the victory, the spoils belong to God. That is the background to *kherem,* the ban or devotion to destruction. What is taken in battle is removed from the human realm to the divine realm by destruction and in this way is given to God. It is not for human use.

These brief comments have not resolved the difficult issues of "holy war"; but we can still learn much from these texts. Simplistic views that use these texts to call upon people to kill, or that dismiss the texts, are to be resisted. Much more fruitful is a genuine struggle with God's word and the difficult questions it raises.

Additional Notes §28

31:2 / The root word for the name of the Midianite woman put to death in Num. 25, Cozbi, means to lie or deceive and has associations with idolatry.

31:3 / The verb *khalats,* **arm,** has the connotation of drawing people out to go into battle. "To draft for active service" is a good equivalent.

31:6 / What are the **articles from the sanctuary**? Does the phrase refer to the priests' vestments, to the ark, to other items which stay in the tabernacle? If we take the following conjunction in terms of explanation ("that is"), the reference could be to **the trumpets for signaling.**

31:8 / The five are probably leaders of important Midianite families. Calling them **the five kings of Midian** underscores the significance of the victory. Josh. 13:21–22 and Judg. 6–8 also recount wars with Midian and are related to Num. 31.

31:18 / For further comment, see Susan Niditch, "War, Women and Defilement in Numbers 31," *Semeia* 61 (1993), pp. 39–57.

31:32 / The sense of **the plunder remaining** is unclear. Is it what is left after the army's journey back to the camp? Some persons and animals may have been lost, and the army would have had to eat. More probably the phrase refers to what remains after carrying out Moses' execution orders in v. 17.

31:52 / The gift is approximately 420 pounds or 190 kilograms. It appears that all soldiers gave by way of **the commanders.**

§29 Reuben and Gad (Num. 32:1–42)

In the final chapters of Numbers, Israel is on the verge of entering Canaan. This chapter actually begins some of the distribution of the land. Questions of settled life become more pressing.

32:1–5 / The chapter opens with a request that generates something of a crisis on the edge of the land. The tribes of Reuben and Gad seek to settle in the Transjordan and not to continue on across the Jordan River into Canaan. Verse 1 describes **the Reubenites and Gadites** as having **very large herds and flocks.** They have realized that the land east of the Jordan that was captured from Sihon and Og (21:21–35) is excellent pasture land for their livestock. These two tribes thus come to the community leaders, described in the usual way as **Moses and Eleazar the priest and . . . the leaders of the community,** with their request.

32:6–15 / The final words of this request in verse 5, "Do not make us cross the Jordan," brings a strong negative response from Moses. His anger is important in this chapter, as it was in the last. Moses interprets the request as a betrayal of the whole community and a refusal to participate in the military expeditions necessary to take the promised land for the other tribes: **Shall your countrymen go to war while you sit here?** Such an act would discourage the others from entering the land. Moses then summarizes (vv. 8–13) the events of the spy narrative in Numbers 13–14, the refusal of the people to enter the land, and the devastating consequences for the exodus generation in God's judgment. Will the new generation make the same mistake? Moses characterizes the petitioners as **a brood of sinners** kindling God's anger. The consequences could be the destruction of the whole people in the wilderness. Moses is the bearer and interpreter of the communal memory to the new generation. The exodus generation had a promising beginning in Numbers 1–10, but it came to naught. What about this new generation?

32:16–33 / The memory of this past event becomes a warning for the present and future. The new generation takes a different route. Its people consider Moses' warning and make a counterproposal. Reuben and Gad will **build pens here for our livestock and cities for our women and children.** Then they will participate with their fellow Israelites in the expedition into the land. Indeed, they will **go ahead of the Israelites** in battle with the assurance that their dependents and livestock are protected in the Transjordan. After the land is fully possessed, they will return to their fortified cities east of the Jordan. Moses accepts this compromise proposal while repeating its tenets as a warning to Reuben and Gad to fulfill their pledge. If the tribes fail to complete their commitment, **your sin will find you out.** Their sin will redound on their own heads. The tribes accept the agreement (vv. 25–27). All parties take great care to repeat the elements of the agreement as the procedure moves forward. The two tribes are careful to articulate their obligation: **But your servants, every man armed for battle, will cross over to fight before the LORD, just as our lord says.** The speakers defer to Moses in royal language.

Moses will not be alive to execute this agreement, so he hands it over to Eleazar, Joshua, and **the family heads** of the tribes. The failure of Reuben and Gad to keep the agreement would result in their living in Canaan with the other tribes. The tribes again agree, and Moses formally gives the Transjordan land taken from Sihon and Og **to the Gadites, the Reubenites and the half-tribe of Manasseh.** This narrative accounts for the presence of these groups in the Transjordan. According to Joshua 4:12; 22, the tribes keep their word.

32:34–42 / Each tribal group then takes possession of its territory and rebuilds the cities therein as a kind of dress rehearsal for the taking of Canaan. They prepare to go to battle by providing for their dependents and their livestock. According to Joshua 13:15–33, Reuben settles in the southern portion and then Gad is to the north to the Jabbok. Manasseh is further north in Bashan.

Memory performs a crucial function in this narrative. Moses' reference back to the spy narrative places before the tribes a decision about life or death. The old generation chose death. The word about the new generation here is one of hope and encouragement, but the final word is yet to be spoken. As in chapter 31, Moses and the new generation come to a reasonable agreement over a contested issue. The people are faithful, but they are also adjusting to the new context of imminent settlement in the promised land. The whole of Israel needs to be committed to the land. The Mosaic tradition is authoritative and relevant. God's people are united in purpose.

Additional Notes §29

32:1–42 / The history of this account has stirred much scholarly debate. It appears that the Priestly tradents have crafted a final narrative that incorporates much from earlier sources, including ancient tradition about Gad and Reuben in the Transjordan. It is now impossible to separate with any confidence these various stages in the development of the story. We can, however, follow the movement of the story in the context of Numbers.

32:1 / **Jazer** is usually a town, but here it is evidently a part of the area between the Jabbok and the Arnon in the Transjordan. **Gilead** is apparently the southern part of the area here, though elsewhere the term refers to a broader area.

32:3 / **Ataroth** is near **Dibon,** east of the Dead Sea. Mesha, the Moabite king, made Dibon his capital. Here in 1868 the Mesha Inscription, now at the Louvre, was discovered. The inscription mentions Ataroth as a Gadite settlement that Mesha had captured. **Nimrah** is to the north. **Heshbon** was Sihon's capital and is east of the northern end of the Dead Sea. It seems to have changed hands frequently. **Elealeh** is to the northeast near Heshbon. The Mesha Inscription also mentions **Nebo,** but its location and that of **Sebam** are unknown. **Beon** is equivalent to "Baal Meon" (v. 38) and is ten miles south of Heshbon and ten miles east of the Dead Sea. It is also mentioned in the Mesha Inscription.

32:7 / **Discourage** is literally "discourage the heart," or will, of the ancient Israelites.

32:16 / The **pens** were folds or enclosures with walls made of stone.

32:34–37 / This chapter suggests that Gad possessed a broader territory and Reuben a small section within that. A number of the cities already existed and were taken and **rebuilt** or **built up.** The cities changed hands from time to time. Among the Gadite cities are: **Aroer,** on the Arnon near **Dibon,** which Mesha claims to have rebuilt; **Atroth Shophan,** of unknown location; **Jazer,** twelve miles south of the Jabbock; **Jogbehah,** five miles northwest of modern Amman; and **Beth Haran,** on the Jordan. **Beth Nimrah** is the Nimrah of v. 3. Among the Reubenite cities are: **Kiriathaim,** just northwest of Dibon, which Mesha claims to have rebuilt; and **Sibmah,** which may be the Sebam in v. 3.

32:38 / The parenthetical note here indicates that **Nebo** and **Baal Meon** should not be pronounced in this form because they include names of the idols Nebo of the Babylonians and Baal of the Canaanites (note Beon in v. 3).

32:39–42 / **Makir** . . . , **Jair** . . . , and **Nobah** are clans of Manasseh who take their possessions in the Transjordan. **Havvoth Jair** means the "settlements of Jair." Judg. 10:3 lists Jair as a minor judge. **Kenath** is renamed **Nobah**. The town is often identified with modern Kanawat in the Hauran mountains, but this would be too far east, since Judg. 8:11 situates the place near Jogbehah. Perhaps Nobah was near modern Amman. The last two verses display an aetiological character. This half of Manasseh is pictured as successful.

§30 The Wilderness Itinerary (Num. 33:1–56)

Before moving further in final preparations for entering the land, the narrative stops to review where Israel has been on the journey. The preceding chapters have looked to the past for guidance. Chapters 28–29 considered again the offerings instituted at Sinai. Chapter 31 responded to the incident in Numbers 25, and chapter 32 recalled the account found in Numbers 13–14. Here, then, chapter 33 expands the memory of events at Kadesh-Barnea in reviewing the journey from Egypt to the plains of Moab. The locations of many of the places in the list have been lost in the sands of history, and many of the names do not occur elsewhere in the Bible. Still, the Priestly tradents have preserved this memory of the journey as further preparation for living as God's people in the land. Such itineraries were preserved in the ancient world as part of a kingdom's military history and were used by travelers. The presence of the itinerary in the text suggests scholarly activity, an effort to know and recount the history of Israel and to come to terms with that history's significance.

33:1–4 / These verses record the departure of the exodus generation from Egypt. **Moses** kept an account of the journey; verse 2 contains one of the few mentions of any writing by Moses. After the Passover, Israel departs from **Rameses,** one of the cities they built as slaves for Pharaoh (Exod. 1:11). They depart **in full view of all the Egyptians, who were burying all their firstborn** who died in the final plague. God's victory over the great Egyptian empire and **their gods** should encourage the new generation as they face the Canaanites and their gods.

33:5–15 / These verses trace Israel's movement from **Rameses** to **the Desert of Sinai.** Exodus 12–19 also recounts this part of the journey. **Succoth,** the first place of encampment, means "booths," perhaps a reminder of the mode of habitation on the journey (note the Feast of Tabernacles or "Booths"). The location is uncertain. **Etham** was probably an Egyptian fortress on the way as the people moved toward the wilderness, **through the sea.** They arrive at **Marah,** "bitterness," **in the Desert of Etham** and move on to the oasis of **Elim.** They then proceed to the **Red Sea,** *yam-sup,* which means "sea of reeds or vegetation." Vegetation grows around the body of water, here probably the northern end of the Gulf of Suez. The Israelites then journey through **the Desert of Sin** and on toward Sinai. If we tentatively accept the traditional location of Sinai at Jebel Musa, the route so far appears to have moved south in Egypt from Rameses toward the Bitter Lakes and then across into the wilderness. There were twists and turns, but eventually the people moved along the Gulf of Suez to Jebel Musa.

33:16–35 / Exodus, Leviticus, and Numbers all recount activities at Sinai. These verses describe the movement from Sinai to Ezion Geber at the north end of the Gulf of Aqaba. The first stop after leaving Sinai is **Kibroth Hattaavah** (see Num. 11 for the account of the people's craving for meat and their murmuring, which brought a plague; thus the place name means "graves of craving"). Numbers 11:34–35 specifies the place name and the next stop on the journey, **Hazeroth.** The places listed in verses 18–29 do not occur elsewhere in the OT. Their location is uncertain; perhaps they were along the western shore of the Gulf of Aqaba. Some of the places in verses 30–34 also appear in Deuteronomy 10:6–7, although their locations are still not known.

33:36 / **Ezion Geber** is a port at the northern end of the Gulf of Aqaba near Elath. The itinerary does not recount the stopping points between Ezion Geber and **Kadesh, in the Desert of Zin.** Perhaps that information was lacking. They would have moved through the Wilderness of Paran to the oasis at Kadesh Barnea. Kadesh was a significant encampment during this time in the wilderness. The route appears, then, to move from Jebel Musa to the northern end of the Gulf of Aqaba and then farther north to Kadesh. From there, the ill-conceived attempt to enter the land from the south was repulsed.

33:37–49 / From Kadesh, the people then journey to **Mount Hor, on the border of Edom.** Here the narrator pauses to remind the people of the death of **Aaron the priest,** giving the date of the death, **the first day of the fifth month of the fortieth year** after the exodus from Egypt, and Aaron's age, **a hundred and twenty-three.** This note on Aaron's death may serve as a warning to the new generation. Aaron, along with the old wilderness generation, died because of disobedience. The mention of **the Canaanite king of Arad** serves as encouragement for the new generation. Even a monarch **in the Negev of Canaan** has heard they are coming. Fear of this host of God is spreading through the land (see 21:1–3). The remainder of the itinerary lists places in the Transjordan. The people have thus moved from Kadesh and around Edom (20:14–21) into the Transjordan. The route then shifts northward. They are now camped **on the plains of Moab,** on the Jordan across from Jericho. The camp is large, stretching from **Beth Jeshimoth to Abel Shittim.** This itinerary reminds the people that God has brought them from slavery in Egypt to the edge of the promised land.

33:50–54 / As the people are now on the edge of the land, the concluding verses express concern about the entry into the land, and put the whole chapter in the context of divine guidance. God addresses Moses and instructs him to **speak to the Israelites** about the coming settlement: **Drive out all the inhabitants of the land before you.** The Israelites are to destroy anything that might lead them into idolatry. **Carved images,** probably stones carved with an image of a Canaanite deity, are here connected with **cast idols** or molded images. They would have been used at the Canaanite **high places,** the hill shrines where the idolatrous worship took place. God has promised the land to the people, and so they are now to **take possession of the land and settle in it.** The concern is that they remain faithful to God. The goal of the destruction of Canaanite religion is to remove it as a temptation to faithlessness. The Priestly tradents understand all too well that such idolatry brings death. Life is found in the loyal worship of Israel's God, who has brought them to this place. The land will be distributed proportionately by tribe (v. 54), with larger tribes receiving more land, but the particular location is determined by lot, as indicated in 26:52–56. This note prepares readers for the allotting of the land in the next chapter.

33:55–56 / These final verses contain additional warnings. Failure to **drive out the inhabitants of the land** will bring trouble. Any who **remain will become barbs in your eyes and thorns in your sides.** They will lead the people to idolatry with the same dire consequences as the Canaanites are about to experience. The blunt warning of verse 56 is intended to make the new generation take notice of the snares before them.

The ideal is an absence of idolatry and idolaters in Canaan, but it never comes to pass. The Israelites allow inhabitants of the land to remain, as the account in Joshua notes, and Israel has difficulty possessing all the land. Judges 3:5–6 illustrates precisely the danger of which Numbers 33 warns. The people mingle with the inhabitants and fall into idolatry. The exile to Babylon was a monumental consequence of such faithlessness. Because this issue of idolatry was constantly a problem in Israel's story, the history recounted in Numbers maintained a continuing relevance.

Additional Notes §30

33:3 / **Boldly** is literally "with a high hand." **Rameses**, in the eastern Nile delta, is usually identified as Qantir or Avaris-Tanis (Zoan), which is close to the north.

33:5–15 / Others have proposed that the route was a northern one, by the *Via Maris* (near the Mediterranean Sea), or a central one, but the more traditional proposal adopted here seems to most closely follow this itinerary in Num. 33.

33:6 / **Etham** is Egyptian for "wall, fortification." The route of the exodus and wilderness journey as well as the identification of the various places in the itinerary are difficult and complicated issues. For a full treatment, see G. I. Davies, *The Way of the Wilderness*.

33:7 / Apparently the people found it necessary to turn back toward **Pi Hahiroth**. The locations of the places mentioned in this verse are uncertain, though the direction appears to be north. **Baal Zephon** is often located near Lake Sirbonis.

33:8 / **Passed through the sea** is apparently a reference to the miraculous deliverance recounted in Exod. 14–15, although the term *yam-sup* occurs in vv. 10–11 of this chapter. The location of the sea is uncertain. Three possibilities are Lake Sirbonis; a body of water in the region of the Bitter Lakes; and the northern end of the Gulf of Suez.

33:9 / **Elim** means "terebinth-trees," which were often associated with the sacred, and so this oasis may have had religious significance.

33:12–15 / The locations of **Dophkah . . . , Alush,** and **Rephidim** are uncertain. They are apparently in the southern part of the Sinai Peninsula. Water was a problem at Rephidim.

33:17 / **Hazeroth** may be about forty miles northeast of Jebel Musa.

33:36 / **Kadesh** is a long journey from Ezion Geber (see 13:26).

33:42–47 / The location of **Zalmonah** is unknown. **Punon** may be thirty miles south of the southern end of the Dead Sea. **Oboth** is to the north. **Iye Abarim** apparently means "the ruins of Abarim" and would be near the Zered. **Dibon Gad** is Dibon of 32:3, 34, the Moabite capital; the name here recognizes the presence of the Gadites. **Almon Diblathaim** is mentioned in the Mesha Inscription. **The mountains of Abarim** (27:12) and **Nebo** overlook the Dead Sea on the east.

33:49 / **Beth Jeshimoth** is near the northern end of the Dead Sea on the east side of the Jordan near Jericho. **Abel Shittim** is about five miles east of the Jordan.

33:52 / The *pi'el* of *'abad* is rare in the Pentateuch, but it occurs twice in this verse with reference to destroying **idols** and **high places**.

§31 The Land of Promise (Num. 34:1–29)

The tone of the last three chapters of Numbers is very hopeful as the people anticipate entering Canaan. After the last section of chapter 33 witnessed the divine instruction to take the land (v. 53), it is reasonable now to articulate what constitutes the land and how it will be distributed among the tribes. These questions are the subject of chapter 34. The final two chapters in the book turn to other issues related to settling the land.

34:1–12 / The chapter begins with a description of the boundaries of the promised land. This chapter also is in the form of a divine address directed to Moses. The land **will be allotted to you as an inheritance** with the specified borders. First, the **southern boundary** is summarized as **the Desert of Zin** on the border of Edom. The text then details the boundary as starting at the southern end of **the Salt Sea,** or Dead Sea, and moving west, south of **Scorpion Pass,** or Akrabbim, **to Zin** and **Kadesh Barnea.** Kadesh is the southernmost spot in the land. The border continues **to Hazar Addar** and **Azmon** and follows the **Wadi of Egypt,** a brook, up to the Mediterranean Sea **(the Sea).** The **western boundary** is simply **the Great Sea,** the Mediterranean, although Israel seldom actually occupied the coastal plains.

The **northern boundary** runs from the Mediterranean coast to **Mount Hor** (not to be confused with the place of Aaron's death before entry into the land [20:22–26]). The line moves from there to **Lebo Hamath,** or the entrance to Hamath, and then to **Zedad** and on **to Ziphron** and **Hazar Enan.**

The eastern border (vv. 10–12) then runs from **Hazar Enan to Shepham . . . to Riblah,** east of **Ain,** to the eastern slopes **of the Sea of Kinnereth.** This body of water is the Sea of Galilee or Lake Gennesaret of the NT. The border then continues down the Jordan River to the Dead Sea, or **Salt Sea.**

The Priestly tradents have preserved an ancient tradition of the extent of the promised land. This description is similar to that in Joshua 15:1–12 and Ezekiel 47:15–20; 48:1, as well as that in Numbers 13–14. Because it is a rather idealized picture of the land, it is similar to descriptions in Genesis 15:18; 1 Kings 8:65; and 2 Chronicles 7:8. A more realistic appraisal of the actual extent of the kingdom is found in the common phrase "from Dan to Beersheba" (see, e.g., Judg. 20:1; 1 Kgs. 4:25). The full promise of the land has been extended to the new generation, and the promise is real, anchored in this land or place.

34:13–15 / The narrative then moves to the assignment of land to the various tribes, proportionately (33:54), with the location determined **by lot**. The land inside Canaan is to be divided between the nine tribes plus half of the tribe of Manasseh. **Reuben, the tribe of Gad and the half-tribe of Manasseh** have already received their allotment in response to their request for pasture land in the Transjordan (ch. 32). This area is outside the boundaries the current chapter articulates for the land, but true to the spirit of negotiation in chapter 32, these two tribes and one half-tribe are part of the people and their tribal conglomeration. In a sense the Transjordan will remain a place in between the wilderness and the land.

34:16–29 / The chapter concludes by assigning the distribution of the land to **Eleazar the priest and Joshua,** along with ten tribal leaders, since Moses will not enter the land. **Caleb from the tribe of Judah** is the only other member of the exodus generation in the list. Caleb and Joshua are elders who are to enter the land because of their faithfulness in Numbers 13–14. The text lists the tribes in the order of their settlement of the land (Josh. 14–19). Judah, Simeon, Benjamin, and Dan are listed first and are in the south. Manasseh and Ephraim are in the center of Canaan. The final four tribes are Zebulun, Issachar, Asher, and Naphtali. Dan later migrated north. The lists of census supervisors, spies, and leaders to help distribute the land indicate key turning points in the beginning, middle, and end of the book. Three such lists of tribal leaders appear in Numbers at crucial points in the narrative: the organization and inauguration of the march (Num. 1), the decisive rebellion in the spy narrative (Num. 13–14), and the allocation of the promised land for the new generation here.

In the day of the Priestly tradents, the notion of a place for Israel carried much significance because of the Babylonian exile. Numbers affirms that the promised land is a real and extensive gift from God. There is nothing ephemeral here. God has brought the people to this point and gives them the land. The people are now called to obedience in possessing it.

Additional Notes §31

34:4 / **Scorpion Pass** is the "ascent of Akrabbim." The word means "scorpions" and is probably modern Naqb es-Safa. **Zin** is presumably in the Wilderness of Zin, but an exact location is unknown. **Kadesh Barnea,** or Kadesh, is probably modern 'Ain Qadeis. Some suggest 'Ain Qudeirat as an alternative. The locations of **Hazar Addar** and **Azmon** are uncertain.

34:5 / **The Wadi of Egypt** is modern Wadi el-'Arish.

34:7–9 / The locations of **Mount Hor, Zedad, Ziphron, and Hazar Enan** are uncertain. The location of this border has occasioned much scholarly debate. Some understand the line to be just north of Tyre and to include Mount Hermon. Others locate the line further north, taking in a large part of Lebanon. Budd locates **Lebo Hamath** at the head of the Orontes River, yet he sets the northern border along the foot of the Lebanon range beginning between Tyre and Sidon (*Numbers,* p. 366). An alternate location for the entrance to Hamath is a pass between Hermon and the Lebanon. This more southern location of the border seems reasonable, although there has been no consensus on the matter.

34:10 / The NIV reasonably opts for a slight change of the first verb in the verse to the *hip'il* of *ta'ah,* "measure out," a verb used in vv. 7–8, rather than the *hitpa'el* of *'awah,* "desire for yourself."

34:11 / The locations of **Shepham** and **Riblah,** and **Ain** are unknown. The name Ain means "spring." **The slopes** or shoulders are literally a "ridge" on the eastern side of the Sea of Galilee. **Kinnereth** means "harp-shaped."

34:15 / **Jordan of Jericho** is perhaps an ancient title for the Jordan. Milgrom interprets the place as the Transjordan, and thus the land of Reuben, Gad, and half of Manasseh, to be outside the promised land (*Numbers,* pp. 501–2). The land is allotted to these tribes as a result of their request.

34:23–24 / **Manasseh** and **Ephraim** are identified as sons of Joseph. The other tribes are simply listed by name.

§32 Special Cities for the Levites and for Refuge (Num. 35:1–34)

35:1–8 / The issue of the distribution of the land to the tribes continues in the first part of chapter 35 with provision for the Levites. This pattern of attending to the tribes first and then the Levites is familiar from the census counts in Numbers. The instruction, which comes in a divine command **on the plains of Moab,** is to give the Levites **towns to live in** and **pasturelands around the towns.** They will need pasture because the Levites receive offerings of livestock. From 18:24 and 26:62, readers know that the Levites did not receive a land allotment. They are to receive forty-eight towns, which the tribes will give proportionately. Larger tribes will provide more towns. Six of these towns **will be cities of refuge.** The description of the pastureland is somewhat puzzling. According to verse 4, the land is to **extend out fifteen hundred feet,** while verse 5 designates that the area is to be a square **three thousand feet** on each side. These numbers seem to assume that the size of the town is but a single point, perhaps not an uncommon notion in Jewish tradition.

Joshua 21 also recounts the assigning of the towns for the Levites. These settlements are distributed widely in the land, so that those who care for the sanctuary and guard the holiness of the divine presence will also be distributed throughout the land. It has been further suggested that the Levites performed important administrative functions during the time of the monarchy. Scholarly debate has probed the specifics of the history of the Levites. Did the towns and pastures become the possessions of the Levites, or were they only a place to live and keep their livestock? Were the towns inhabited only by Levites, or did they occupy just part of the settlement? Answers to these questions are not at hand. In the book of Numbers, the Levites are a kind of in-between group, like the Transjordan tribes. The Levites are clergy but not priests, a tribe but not one of the twelve tribes, given provision in the land but not a tribal allotment of land. In the arrangement of the camp in the first part of Numbers the Levites were also in between the sanctuary and the other tribes. Perhaps they are still serving the same function, representing the divine presence now distributed throughout the land. The cult was, of course, centralized later, during the monarchy. The Priestly tradents thought it important to preserve this Levitical tradition of the Mosaic establishment of provision for the Levites in the land. As we have seen, the theme of provision for clergy arises several times in Numbers.

35:9–15 / The remainder of the chapter deals with the provision, set out again in a divine speech to Moses, of six of the Levitical towns as cities of refuge. Asylum is an ancient custom in a variety of cultures. This chapter specifies one form of it. A city of refuge is a place **to which a person who has killed someone accidentally may flee.** The procedure outlined here assumes a context of blood vengeance. One of the ways to deter murder in that culture was through the custom of **the avenger.** When a person was killed, the next of kin had the responsibility of avenging that death. This practice of blood vengeance was to be a deterrent. On the occasions when the cause of death was not murder, the city of refuge made it possible for the accused to be heard. Three of the cities are to be in Canaan and three in the Transjordan, and they are open to **Israelites, aliens, and any other people living among them.** This custom of asylum in a city is an extension of the OT custom of seeking refuge at the altar (Exod. 21:12–14). Again, this provision is indicative of movement toward settled life. It also recognizes the distinction between premeditated murder and unintentional killing, just as chapter 15 distinguished between intentional and unintentional sins.

35:16–29 / These verses give guidance on distinguishing between accidental death and murder. The weapon used in the killing is indicative of intent. Use of **an iron object . . . , a stone, . . . or a wooden object that could kill** suggests the intent of a murderer. Those who kill a person in this way are guilty of murder and are to be executed by the custom of blood vengeance. The same execution will await those who kill by shoving another or throwing **something at him intentionally or if in hostility he hits him with his fist so that he dies.** If, on the other hand, the shoving or throwing is unintentional or if the killer **drops a stone** on someone **without seeing him,** then a hearing is required. **The assembly** is apparently a judicial body that determines whether the killing is murder or unintentional. In the case of an unintentional killing, the accused is sent to a city of refuge. Immediately following the death, the accused flees to the city of refuge for protection but then returns home for a hearing. If the hearing judges the killing unintentional, the killer returns to the city of refuge to stay **until the death of the high priest.** Should the person leave the city of refuge at any time, **the avenger of blood may kill the accused.** If the accused stays **in his city of refuge until the death of the high priest,** then the person is free to return home.

Central to the significance of this procedure is the concern to avoid the guilt of shedding blood—for both people and land. If the assembly judged that the accused had not committed murder, the person was nevertheless not completely free of guilt. The shedding of blood was serious and required atonement, in this case the confinement of the person to the city of refuge. Because the high priest was a person of sacral significance and a representative of the people, his death would carry atoning significance, and so the accused could **return to his own property.** It seems reasonable to associate protection with the Levites, who are also to protect the people in general, and so the cities of refuge are also Levitical towns.

35:30–34 / The final verses in the chapter present additional clarifying legislation. The first assertion is that at least two witnesses are necessary to uphold a conviction of murder (see Deut. 17:6; 19:15–21). This requirement is a safeguard against someone's perverting justice. Still, the judicial system was dependent on witnesses telling the truth. **A ransom** is not allowed to commute a death sentence for murder or to commute exile to a city of refuge. The exile to the place of asylum serves as both protection and punishment. Verses 33–34 indicate why murder is such a serious crime and also reveal the primary motivation of the Priestly tradents. **Bloodshed pollutes the land.** Atonement can be made only with **the blood of the one who shed it.** Notice that it is here **the land** that is polluted and for which atonement is made. When God dwells in the midst of the camp, contamination must not infect the camp; the consequences would be dangerous. God will now **dwell among the Israelites** in the land, and so it is essential that the land not be defiled. Not dealing with murder leaves pollution in the land. The encounter of holiness and contamination could prove deadly. The people are to safeguard the land where they—and God—will dwell. Issues such as the legal ones in this chapter will be part of settled life in the land. Note that the chapter concludes with the affirmation that God dwells among the people, a theme characteristic of Numbers.

Additional Notes §32

35:2 / **Pasturelands** translates *migrash* as places for driving cattle. The root word means "to drive out." The rendering of the NIV seems preferable. An alternative translation is "common land," which would be reserved for the Levites.

35:4–5 / **Fifteen hundred feet** is in Hb. "a thousand cubits," or approximately 500 yards or 450 meters. **Three thousand feet** would be "two thousand cubits" or 1,000 yards or 900 meters. See Gordon J. Wenham, *Numbers* (TOTC; Downers Grove, Ill.: InterVarsity Press, 1981), pp. 234–35, and Davies, *Numbers*, p. 359, and the literature cited there for a reconciling of the numbers in v. 4 and those in v. 5.

35:8 / On the history of the Levites, see Davies (*Numbers*, pp. 354–57), and Olson (*Numbers*, pp. 189–90), on the Levites as a liminal group. The Priestly tradents were certainly interested in defining the role of the Levites for the postexilic community.

35:12 / **The avenger** is the *go'el*, or redeemer—usually the next of kin. The redeemer had a number of duties—redeeming land, redeeming from slavery, levirate marriage. Here the duty of the redeemer is in the realm of justice. Blood vengeance is not conceived in this chapter as a personal vendetta but as a proper way to deal with guilt brought on by the shedding of blood.

35:13 / **The cities of refuge** are distributed throughout the land in order to make them more available. Josh. 20:7–8 gives the list. When the cult was centralized, the cities took on greater significance.

35:29 / An alternative rendering for **legal requirements** is "legal precedents."

35:31 / Other ancient Near Eastern law codes did permit such **a ransom.** See Davies, *Numbers*, p. 367.

§33 The Daughters of Zelophehad Revisited (Num. 36:1–13)

In chapter 33, the people sought to remember where they had been on their journey from Egypt to the plains of Moab. In the last three chapters of the book of Numbers they look forward to where they will go, the promised land of Canaan, by considering its distribution. This last chapter of the book deals with such distribution in a specific circumstance. Other recurring themes are the place of women in this new generation and justice for the various tribes.

36:1–4 / In 26:33, we read that the Manassite Zelophehad had no sons, and his daughters were given the right of inheritance in order to keep the land in its original family group— an unusual decision since male inheritance had been the norm . (27:1–11). This final chapter of the book revisits that incident by raising what appears to be a problem in the previous decision. If any of the daughters of Zelophehad marry into another tribe, does the land go with her to the other tribe, the tribe of her husband? If that were to happen, the tribe of Manasseh would lose some of its inheritance. This chapter obviously alludes back to 27:1–11 and the basic principle informing that narrative: land assigned to a given tribe should stay in that tribe. The present decision could have noticeable economic impact; a tribe's sustenance is tied to its land. The place of the tribes in the life of Israel is a vital matter here in the last chapter, as it was in the first chapter of the book.

In chapter 27, the five daughters of Zelophehad had raised the question. Here the question is raised by **the family heads of the clan of Gilead son of Makir, the son of Manasseh, who were from the clans of the descendants of Joseph.** These were representatives of the families of the clan most closely concerned with the issue at hand. Important leaders are bringing a significant issue before **Moses and the leaders,** who are **the heads of the Isra-**

elite families. Moses presides over this representative decision-making body. The Gileadites make their case by referring to the distribution of the land **by lot,** that is by divine directive, and to the decision taken in 27:1–11. They then raise the current question. If the daughters of Zelophehad marry into another tribe, part of the **ancestral inheritance** of Manasseh would be lost to the tribe of the new husband. The Manassites go on to suggest that even the custom of Jubilee will not deal with their claim. In the Jubilee year (Lev. 25), land that has been sold reverts to its original owner, but that custom does not apply to land that has been inherited. The tribal leaders appear to be anticipating a possible suggestion from the court to which they are appealing.

36:5–12 / **Moses** declares a decision in this case **at the LORD's command,** presumably after consulting with God in the sanctuary. The decision accepts the concern of the Manassites, here described as **the tribe of the descendants of Joseph.** The daughters of Zelophehad are to marry **anyone they please** among members of **the tribal clan of their father.** That practice would ensure that the property inherited by the daughters would stay in the tribe that originally received it and not **pass from tribe to tribe.** The land is to stay in the proper line of inheritance (v. 7). As was the case in chapter 27, the ruling in the current chapter is then generalized (v. 8). When daughters inherit land, they are to marry within their **father's tribal clan.** Then the land given to each of the tribes will stay with the tribe which first received the property. The narrator affirms the decision in chapter 27 that daughters with no brothers can inherit, but their inheritance should not lead to the redrawing of tribal boundaries. This question is a natural one arising from the instructions to take possession of the land and distribute it to the tribes (33:53–54). This incident also shows the continuing reinterpretation of tradition that is important in the last chapters of Numbers. **Zelophehad's daughters** agree to this decision, and they marry **cousins on their father's side.** That action ensures that the lands they inherit stay in the tribe of Manasseh.

The account of the new generation, after its numbering, begins and ends with Zelophehad's daughters. The traditions of God's people remain, but they are necessarily reinterpreted in new settings, as is done creatively in these concluding chapters of the book. Deuteronomy, the next book of the Pentateuch, is a further interpretation of the tradition, in which Moses addresses the people on the plains of Moab before they enter the land and develops implications of their covenant relationship with God.

36:13 / The final verse of the book is quite similar to the notice at the end of Leviticus, which describes the book as **commands and regulations** given by God **through Moses to the Israelites on the plains of Moab.** The location ties the book to a particular historical setting, prior to entry into the land. This final observation emphasizes the divine origin of Numbers as well as the role of Moses as mediator of divine revelation.

In the first part of the book of Numbers, the people rightly ordered life as God's people, preparing for the march toward the promised land. Their obedience was noteworthy, although danger certainly lurked just beneath the surface. In the middle section of the book, that danger became the focus of attention as murmurings in the wilderness began and then deepened. The old, wilderness generation, it seems, could be both meticulously obedient and absolutely disobedient. In the Transjordan, the organization of life for the exodus generation ended, and their disobedience culminated with apostasy at Shittim (Num. 25). The last chapters of the book witness the transition to a new generation, which holds fast to the tradition of the faith but looks to the future creatively, adapting to unanticipated needs. The new generation views the past through the lens of the present and future, with God as guide. The danger of the immediate encounter with holiness seems distanced by the Levites and priests and also by the dire experiences of the past generation. Israelites look forward to the promise of land and a future as God's people learning to live in new circumstances. The last chapter of the book, appendixed by the Priestly tradents, illustrates this hope of negotiating the way forward as God's people. They are firmly rooted in the past while living in the present in a land that is God's gift. The story recounted in Numbers encourages modern readers of the Bible to hear and engage creatively with stories of God and God's people, for that historical narrative shapes life and hope for the current community of faith. Although Numbers contains some troubling and puzzling texts, its major trend is of hope and promise.

Additional Notes §33

36:4 / The term **Jubilee** comes from *yobel,* the ram's horn sounded at the beginning of the fiftieth year. The reference in the current chapter to the custom detailed in Lev. 25 has puzzled a number of commentators, because Num. 36 is about land that is inherited rather than sold. Some have suggested that a Jubilee regulation on inheritance must have been known, or that the reference to Jubilee in the current chapter is irrelevant. The reference to the fiftieth year could be a more integral part of the Manassite case.

36:9 / The text does not specify, but it is reasonable to suggest that if a daughter marries into a different tribe, any inherited land would revert to her father's tribe. In 1 Chron. 23:22, the daughters of Eleazar also follow the decision taken in Num. 36.

36:11 / This list of the daughters is in an order different from ch. 27. **Tirzah and Noah** have changed places.

For Further Reading

This selected bibliography is brief and designed for the audience of this commentary series. More extensive bibliographies are available in the commentaries by Budd, Hartley, Milgrom, and Wenham on Leviticus and Davies on Numbers. The commentary refers to additional works.

Commentaries on Leviticus

Budd, P. J. *Leviticus.* New Century Bible Commentary. Grand Rapids: Eerdmans, 1996.

Clements, R. E. "Leviticus." Pages 1–73 in vol. 2 of *The Broadman Bible Commentary.* Edited by C. Allen. Nashville: Broadman, 1970.

Gerstenberger, E. S. *Leviticus: A Commentary.* OTL. Louisville: Westminster John Knox, 1996.

Hartley, J. E. *Leviticus.* WBC. Dallas: Word, 1992.

Kaiser Jr., W. C. "Leviticus." Pages 983–1191 in vol. 1 of *The New Interpreter's Bible.* Nashville: Abingdon, 1994.

Levine, B. A. *Leviticus.* JPS Torah Commentary. Philadelphia: Jewish Publication Society, 1989.

Milgrom, J. *Leviticus 1–16.* AB. New York: Doubleday, 1991.

Noth, M. *Leviticus: A Commentary.* OTL. Rev. ed. Philadelphia: Westminster, 1977.

Snaith, N. H. *Leviticus and Numbers.* Century Bible. London: Nelson, 1967.

Wenham, G. J. *The Book of Leviticus.* NICOT. Grand Rapids: Eerdmans, 1979.

Commentaries on Numbers

Budd, P. J. *Numbers.* WBC. Waco: Word, 1984.

Davies, E. W. *Numbers.* New Century Bible Commentary. Grand Rapids: Eerdmans, 1995.

Levine, B. A. *Numbers 1–20.* AB. New York: Doubleday, 1993.

Milgrom, J. *Numbers.* The JPS Torah Commentary. Philadelphia: Jewish Publication Society, 1990.

Noth, M. *Numbers: A Commentary.* OTL. Philadelphia: Westminster, 1968.

Olson, D. T. *Numbers.* Interpretation. Louisville: Westminster John Knox, 1996.

Sakenfeld, K. D. *Journeying with God: A Commentary on the Book of Numbers.* International Theological Commentary. Grand Rapids: Eerdmans, 1995.

Wenham, G. J. *Numbers.* Tyndale Old Testament Commentaries. Downers Grove: InterVarsity Press, 1981.

Other Works

Blenkinsopp, J. *The Pentateuch: An Introduction to the First Five Books of the Bible.* Anchor Bible Reference Library. New York: Doubleday, 1992.

Childs, B. S. *Introduction to the Old Testament as Scripture.* Philadelphia: Fortress, 1979.

Davies, G. I. *The Way of the Wilderness.* Cambridge: Cambridge University Press, 1979.

Douglas, M. "The Abominations of Leviticus." Pages 100–116 in *Anthropological Approaches to the Old Testament.* Edited by B. Lang. Issues in Religion and Theology. Philadelphia: Fortress, 1985).

———. *In the Wilderness: The Doctrine of Defilement in the Book of Numbers.* JSOTSup. Sheffield: JSOT Press, 1993.

———. *Purity and Danger: An Analysis of Concepts of Pollution and Taboo.* London: Routledge & Kegan Paul, 1966.

Gammie, J. G. *Holiness in Israel.* Overtures to Biblical Theology. Minneapolis: Fortress, 1989.

Gorman, F. H. Jr. *The Ideology of Ritual: Space, Time and Status in the Priestly Theology.* JSOTSup. Sheffield: JSOT Press, 1990.

Jenson, P. P. *Graded Holiness: A Key to the Priestly Conception of the World.* JSOTSup. Sheffield: JSOT Press, 1992.

Kiuchi, N. *The Purification Offering in the Priestly Literature: Its Meaning and Function.* JSOTSup. Sheffield: JSOT Press, 1987.

Knierim, R. P. *Text and Concept in Leviticus 1:1–9: A Case in Exegetical Method.* Forschungen zum Alten Testament. Tübingen: J.C.B. Mohr, 1992.

Lang, B., ed. *Anthropological Approaches to the Old Testament.* Issues in Religion and Theology. Philadelphia: Fortress, 1985.

Olson, D. T. *The Death of the Old and the Birth of the New: The Framework of the Book of Numbers and the Pentateuch.* Brown Judaic Studies. Chico: Scholars Press, 1985.

Sawyer, J. F. A. *Reading Leviticus: A Conversation with Mary Douglas.* JSOTSup. Sheffield: Sheffield Academic Press, 1996.

Wright, D. P. *The Disposal of Impurity: Elimination Rites in the Bible and in Hittite and Mesopotamian Literature.* SBLDS. Atlanta: Scholars Press, 1987.

Subject Index

Scripture Index